好想學

Excel

\好想學/

Excel

職場聖經 第二版
Hands-on Bible

感謝您購買旗標書，
記得到旗標網站
www.flag.com.tw
更多的加值內容等著您…

<請下載 QR Code App 來掃描>

● FB 官方粉絲專頁：旗標知識講堂

● 旗標「線上購買」專區：您不用出門就可選購旗標書！

● 如您對本書內容有不明瞭或建議改進之處，請連上
旗標網站，點選首頁的 聯絡我們 專區。

若需線上即時詢問問題，可點選旗標官方粉絲專頁
留言詢問，小編客服隨時待命，盡速回覆。

若是寄信聯絡旗標客服 email，我們收到您的訊息
後，將由專業客服人員為您解答。

我們所提供的售後服務範圍僅限於書籍本身或內
容表達不清楚的地方，至於軟硬體的問題，請直接
連絡廠商。

學生團體　　訂購專線：(02)2396-3257 轉 362
　　　　　　傳真專線：(02)2321-2545

經銷商　　　服務專線：(02)2396-3257 轉 331
　　　　　　將派專人拜訪
　　　　　　傳真專線：(02)2321-2545

國家圖書館出版品預行編目資料

Excel 職場聖經：731 技學好學滿 第二版 / 施威銘研究室著.
-- 初版. -- 臺北市：旗標科技股份有限公司, 2022.11
　面；　公分

ISBN 978-986-312-735-2(平裝)

1.EXCEL (電腦程式)

312.49E9　　　　　　　　　　　　111016908

作　　者／施威銘研究室

發 行 所／旗標科技股份有限公司

　　　　　台北市杭州南路一段15-1號19樓

電　　話／(02)2396-3257(代表號)

傳　　真／(02)2321-2545

劃撥帳號／1332727-9

帳　　戶／旗標科技股份有限公司

監　　督／陳彥發

執行企劃／林佳怡

執行編輯／林佳怡

美術編輯／林美麗

封面設計／古鴻杰

校　　對／林佳怡、陳彥發

新台幣售價：630 元

西元 2024 年 3 月二版 6 刷

行政院新聞局核准登記-局版台業字第 4512 號

ISBN 978-986-312-735-2

序

「同事傳來的活頁簿檔案，裡面有些欄位不見了、
要編輯資料還得輸入密碼，怎麼辦？不好意思問同事，
又不知道怎麼解決！」

「各部門送來的單據好多，光是打字就花了很多時間！
有什麼方法可以加快資料的輸入？」

「慘了！把欄、列互換後資料全都亂了，
光是重調資料就得花不少時間。」

「報表要印出來，但是不管怎麼調，永遠有一欄印到下一頁！」

「產品編號第一個數字要以「0」開頭，
不管怎麼輸入就是不會出現？」

「咦！資料有重複，但是筆數太多要怎麼挑出來啊？」

以上情境相信是很多職場新鮮人的日常，在還沒熟悉工作流程，就有一堆各式表單要處理，加上只會簡單的 Excel 操作，執行效率就更慢了。本書以系統化的方式帶你打穩 Excel 基礎，逐步教你製作出專業的報表以及時下最熱門的大數據處理及分析，從今天起別再把時間浪費在瑣碎的作業上，一起實現零加班的目標吧！

此外，本書穿插「技巧補充」、「常見問題」及「快速鍵」，讓你隨手一翻就能學到新招數。還有特別收錄的「職場活用術」，讓你不用看前輩臉色就能快速解決問題並累積經驗！

施威銘研究室
2022/11/01

範例檔案

本書的範例檔案，請透過網頁瀏覽器 (如：Firefox、Chrome、…等) 連到以下網址，將檔案下載到你的電腦中，以便跟著書上的説明進行操作。

範例檔案下載連結：

https://www.flag.com.tw/bk/st/F2005
(輸入下載連結時，請注意大小寫必需相同)

將檔案下載至你的電腦後，只要解開壓縮檔案，就會看到如圖的檔案內容。

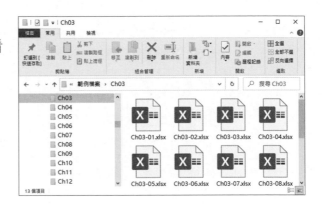

完成檔案資料夾中的檔案，為執行後的結果

範例檔案資料夾中的檔案，則是尚未經過處理的資料

為了方便你跟著書中的內容操作，並節省輸入資料的時間，我們將各章的練習檔案放在**範例檔案**資料夾中的各章資料夾，檔案名稱以「章+編號」來命名。**完成檔案**資料夾，則是收錄各章經過執行的結果檔案，方便你做對照。

開啟範例檔案時，若畫面最上方出現如圖的安全性警告，這是 Excel 為了防堵巨集病毒，而設計的安全機制，按下**啟用編輯**鈕，即可編輯活頁簿檔案。詳細説明，請參考 4-14～4-15 頁。

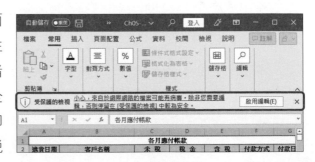

商務應用影音教學

不論是行銷、企劃、業務、助理、人資…等工作,都會運用 Excel 來建立資料,並進行統計或分析。如果只會簡單的 Excel 操作,遇到問題可能還是不知道怎麼解決。

本書特別收錄 8 個職場上一定會用到的實例教學,帶你透過影音範例學會 Excel 各項功能。

線上影音連結:

https://www.flag.com.tw/Redirect/F2005/Video

Bonus 1:人事薪資表

薪資是員工最關心、也最敏感的資訊,萬一算錯了,可是會引起很大的反彈。偏偏薪水的計算又特別繁雜,不只要算薪資、獎金、出缺勤,還要查詢每個人應扣的所得稅、健保、勞保費用等。本影片將帶你建立一個可自動計算薪資的系統, 以減化人工查詢扣繳費用及核算實際應付薪資的工作。

Bonus 2:薪資轉帳明細和薪資條

目前銀行轉帳及提款相當方便,很多公司行號都直接將員工的薪水匯入銀行,不過多數公司還是會提供薪資明細給員工,然而員工資料、薪資內容常會變動,必須跟著修改轉帳明細表,本影片將教你利用參照的方式來建立轉帳明細和薪資條,不怕資料內容變來變去。

Bonus 3:計算員工出缺勤

一家制度化的公司,對於員工的出勤狀況應該要有詳實的記錄,並擬定明確的請假流程與辦法讓員工遵循。每個月定期製作的出缺勤報表,只要妥善運用 Excel,搭配樞紐分析表,就能快速算出員工的出缺勤時數,不怕延誤薪資計算。

Bonus 4：計算業績獎金

企業為了有效激勵業務員衝刺業績，常會採取不同方式計算獎金，不過這樣一來也苦了人事行政單位，業績獎金的計算工作也變得繁瑣多變。只要掌握本影片的技巧，相信日後遇到各種獎金計算的問題，都能迎刃而解！

Bonus 5：市場調查分析

企業要掌握消費者的消費行為，通常會進行市場調查。在設計好問卷、完成調查後，只要仔細觀看本影片，就能有條理地輸入、分析問卷。

Bonus 6：產品銷售分析

企業要達到業績目標，除了要有精明幹練的業務人員，正確的決策分析也是不可或缺的。本章將利用 Excel 建立產品銷售資料，教你製作業務人員的業績排行榜，讓業務主管能夠評估業務人員的表現，據此做出適當的獎賞或輔導。

Bonus 7：列印產品目錄

報表處理好之後，多數還是需要列印，雖然只要一個鈕就可以印出來，但常常有很多問題。本影片將完整說明列印的各種設定技巧，讓你將報表「漂漂亮亮」地印出來。

Bonus 8：自動計算工時的 Excel 巨集

巨集就是一群指令的集合，我們可以事先將操作步驟錄製成巨集，日後要使用這些指令時，只要執行該巨集，即可完成所有的指令。製作一份報表，免不了要設定樣式、套用公式，本影片就要利用巨集簡化製作員工工時表的步驟，只要輸入完資料，後續就交由巨集完成所有工作。

CONTENTS
目 錄

CHAPTER 3　用聰明的方法加速輸入資料

CHAPTER
4

別小看 Excel 的存檔與開檔

CHAPTER
5

學會資料的格式設定，讓報表變專業

CHAPTER 6　靈活運用工作表

CHAPTER 7　活頁簿與工作表的進階操作與保護

CHAPTER 8　用條件快速篩選、分析、標示資料

CHAPTER 9 公式與函數的必要技能

常用的函數與應用

CHAPTER 11

用圖表呈現數據變化

CHAPTER 12　讓圖表更專業的編輯技巧

CHAPTER 13　資料的排序、篩選與小計

CHAPTER 14　用表格管理大量資料

CHAPTER 15　樞紐分析：資料分析的好幫手

CHAPTER 16　從大量數據中取出指定的資料

CHAPTER 17 跨工作表的處理

CHAPTER 18 活頁簿與網頁的應用

CHAPTER 19 善用巨集自動完成重複性高的作業

CHAPTER 20 快速列印工作表與圖表

CHAPTER 21

避免浪費紙張、碳粉的列印技巧

APPENDIX A

自訂功能區與按鈕

Excel 實用快速鍵

本書技巧補充

1

熟悉 Excel 的操作環境

上班第一天,資訊部給我一台電腦,老闆說:『我已經 mail 本週的待辦工作給你,看一下 Excel 檔…』,天啊!我對 Excel 不太熟耶!(心情志忑中 ☹)

以前指導教授也是劈哩啪啦丟給我一堆 Excel 檔要我處理 ☹。剛開始會有點不習慣,我先大致帶妳瀏覽一下整個環境,過幾天妳就能上手了!

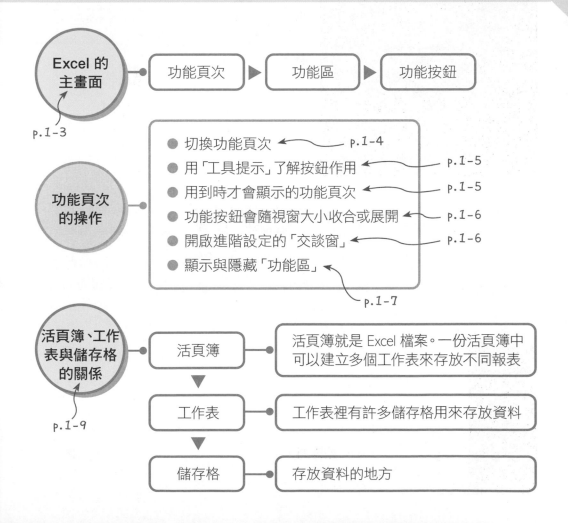

Excel 的主畫面 → 功能頁次 ▶ 功能區 ▶ 功能按鈕
p.1-3

功能頁次的操作
p.1-9
- 切換功能頁次 ← p.1-4
- 用「工具提示」了解按鈕作用 ← p.1-5
- 用到時才會顯示的功能頁次 ← p.1-5
- 功能按鈕會隨視窗大小收合或展開 ← p.1-6
- 開啟進階設定的「交談窗」 ← p.1-6
- 顯示與隱藏「功能區」 ← p.1-7

活頁簿、工作表與儲存格的關係
p.1-9

活頁簿 → 活頁簿就是 Excel 檔案。一份活頁簿中可以建立多個工作表來存放不同報表
▼
工作表 → 工作表裡有許多儲存格用來存放資料
▼
儲存格 → 存放資料的地方

啟動 Excel 並建立空白活頁簿

啟動 Excel 的方法相信你應該不陌生,但若是在公司新派發給你的電腦上,可能會一時找不到開啟 Excel 的方式,這時你可以用萬無一失的方法來啟動。

啟動 Excel

❶ 按下畫面左下角的**開始**鈕 ⊞

❷ 拖曳捲軸到字母 E 開頭的程式

❸ 點選 **Excel**

> Excel 也可能藏在 **Microsoft Office** 資料夾底下喔!

TIP 若是電腦中已經有 Excel 檔案,用滑鼠在檔案上雙按,也能啟動 Excel,並開啟檔案內容。

第一季銷售.xlsx

如果是同事或老闆 E-mail 給你的 Excel 檔,雙按郵件上的附檔也能開啟。但是記得要**另存新檔**,免得日後找不到檔案。如果找不到儲存的檔案,請看 4-16 頁的說明。

建立空白活頁簿

啟動 Excel 後會看到如下圖的畫面,請點選**空白活頁簿**,建立一份空白的活頁簿,隨即就會進入 Excel 的操作環境。

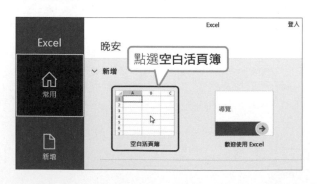

點選**空白活頁簿**

TIP 本書將滑鼠連續按兩下的操作,稱為**雙按**。

TIP Excel **活頁簿**的檔案架構,1-9 頁會再做說明。

SECTION 1-2 認識 Excel 的主畫面

啟動 Excel 後，可別被這些密密麻麻的格子及各項工具鈕給嚇到，在此先介紹一些操作介面的用語，以方便你後續可以跟著操作。

Excel 的主畫面由以下區塊構成，請先一一比對瀏覽一遍：

這是**功能頁次**

這是**快速存取工具列**   標題列 (顯示檔名及軟體名稱)   這是**功能區**

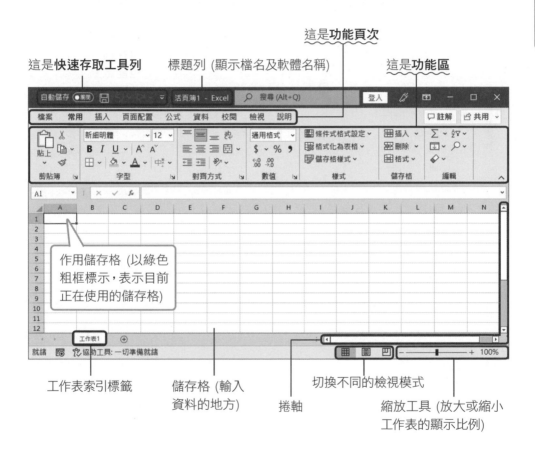

作用儲存格 (以綠色粗框標示，表示目前正在使用的儲存格)

工作表索引標籤   儲存格 (輸入資料的地方)   捲軸   切換不同的檢視模式   縮放工具 (放大或縮小工作表的顯示比例)

目前你只需要對整體畫面區塊有個概念就好，我們會在用到該功能時再做說明。

1-3 認識功能頁次與功能區

Excel 將所有功能分門別類到**檔案**、**常用**、**插入**、**頁面配置**、…等頁次。各頁次再分成多個功能區，功能區裡收錄各種功能按鈕，直接點選就能進行設定。

功能頁次
功能按鈕
功能區

切換功能頁次

點選功能頁次名稱即可切換到該頁次：

❶ 目前在**常用**功能頁次下

❷ 按一下**頁面配置**頁次

❸ 切換到**頁面配置**頁次了

認識「功能區」

每個功能頁次下又分成數個功能區，功能區裡放置了常用的功能按鈕。

再切回來**常用**功能頁次

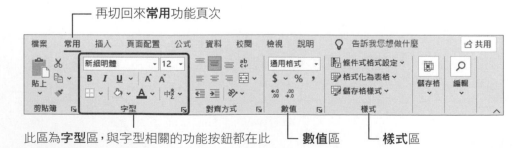

此區為**字型**區，與字型相關的功能按鈕都在此　**數值**區　**樣式**區

本書在講解**功能區**的操作時，統一以「**切換至 AA 頁次，按下 BB 區的 CC 鈕**」來表示，其中 AA 表示頁次名稱、BB 是按鈕所在的功能區、CC 則是按鈕名稱。例如，要變更儲存格中的文字顏色，我們會說「請切換至**常用**頁次，按下**字型**區的**字型色彩**鈕」。

善用「工具提示」了解按鈕的作用

Excel 的功能按鈕非常多，通常會在按鈕下方標示名稱，你可從字義了解其作用，如果按鈕下方沒有名稱，只要將滑鼠移到按鈕上方 (**不要按下**)，這時就會出現**工具提示**，顯示該按鈕的名稱及說明。

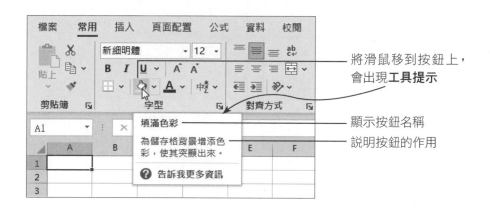

將滑鼠移到按鈕上，會出現**工具提示**

顯示按鈕名稱

說明按鈕的作用

用到時才會顯示的功能頁次

為了避免畫面太凌亂，有些頁次標籤會在用到時才顯示。例如與圖表有關的工具必須點選圖表後才會顯示出來。

功能按鈕會隨視窗大小收合或展開

如果螢幕尺寸較小或是縮小 Excel 視窗，功能區可能會縮小成一個按鈕：

▲ 當螢幕尺寸 (或 Excel 視窗) 夠大，會顯示較多按鈕

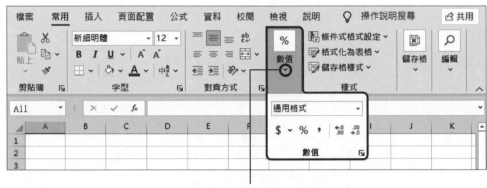

當螢幕尺寸較小 (或縮小 Excel 視窗)，功能區
會收合成一個圖示，請按下 ⌄ 鈕來展開

開啟進階設定的「交談窗」

在**功能區**中按下 ⤡ 鈕，還可看到更多的細部設定。例如，想要美化儲存
格中的文字，就可以如下操作：

❶ 切換到**常用**頁次   ❷ 按下此鈕

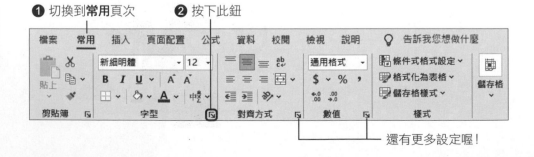

還有更多設定喔！

❸ 開啟**設定儲存格格式**交談窗 (Dialog box 也有人叫對話框) 做更細部的設定 (參考第 5 章)

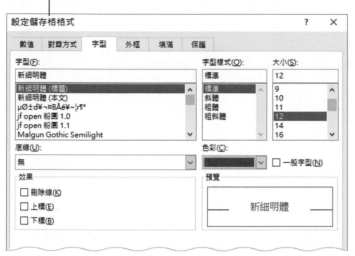

顯示與隱藏「功能區」

處理較大的報表時，會希望資料的顯示範圍大一點，才不用一直捲動捲軸，如果覺得**功能區**佔用太大的版面位置，可以將功能區隱藏起來，待需要時再顯示。隱藏功能區的方法如下：

❶ 目前**功能區**是完整顯示，請按下此鈕

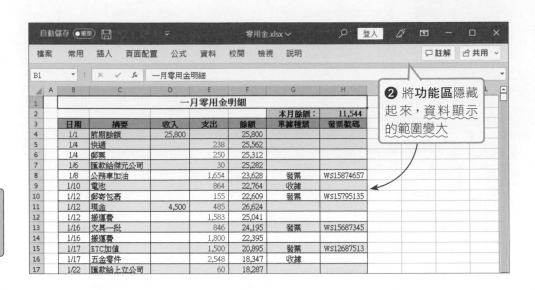

❷ 將**功能區**隱藏起來，資料顯示的範圍變大

將功能區隱藏起來後，要再度使用功能區時，只要用滑鼠點按任何一個功能頁次 (如**常用**頁次) 即可開啟；然而當滑鼠移開功能區並在工作表中按下左鍵時，功能區又會自動隱藏了。

若要回復固定顯示功能區，請按下視窗右上角的**功能區顯示選項鈕** 田，選擇**顯示索引標籤和命令**項目，就會同時顯示最上面的頁次標籤及功能按鈕；若是選擇**顯示索引標籤** (2019 版為**顯示表格**命令) 項目，只會顯示**檔案**、**常用**、**插入**…等頁次標籤。

❶ 按下**功能區顯示選項**鈕

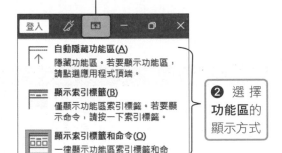

❷ 選擇**功能區**的顯示方式

若是選擇**自動隱藏功能區**項目，會將視窗最大化，並隱藏整個功能區變成如下圖的畫面：

按下此鈕，會暫時顯示功能區的頁次標籤及按鈕，當你繼續編輯資料時，功能區就又會自動隱藏起來

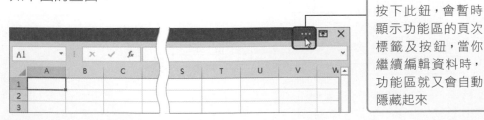

活頁簿、工作表與儲存格的結構關係

活頁簿、工作表與儲存格是 Excel 的核心，不過很多人常常分不清楚活頁簿與工作表的關係，本節將說明這三者的關係，日後在處理資料時才不會手忙腳亂！

活頁簿與工作表

活頁簿其實就是一個 Excel **檔案**，你可以在啟動 Excel 後按下**空白活頁簿**鈕建立新活頁簿檔案 (見 1-2 頁下圖)。一份活頁簿可以建立多個工作表來存放不同報表，而**工作表**則包含許多儲存格，儲存格是存放資料的地方。

活頁簿 / 工作表 / 儲存格的結構圖

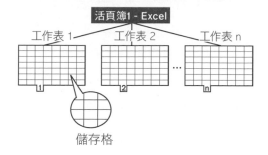

儲存格

這就是一份**活頁簿檔案**，檔名預設為「活頁簿 1」

一格一格的方格就是**儲存格**，用來儲存資料的地方

這是一份**工作表**，名稱預設為「工作表 1」

工作表索引標籤

每一份活頁簿中預設只有 1 張空白的工作表,其名稱為「工作表 1」,你可以按下視窗左下角的**新工作表**鈕 ⊕ 來建立新的工作表,後續新增的工作表會自動命名為「工作表 2」、「工作表 3」、⋯依此類推。

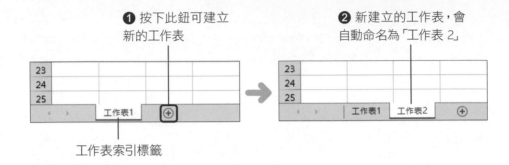

❶ 按下此鈕可建立新的工作表

❷ 新建立的工作表,會自動命名為「工作表 2」

工作表索引標籤

目前顯示在螢幕上的那張工作表稱為**作用工作表** (索引標籤為白色),也就是你正在編輯的對象。若想要編輯其它工作表,只要按下該工作表的索引標籤即可將它切換成作用工作表。有關工作表的操作,第 6 章還會再做說明。

儲存格與儲存格位址

工作表內的方格稱為**儲存格**,我們所輸入的資料便是存放在一個個的儲存格中。在工作表的上面有**欄標題** A、B、C、⋯,左邊則有**列標題** 1、2、3、⋯,將欄標題和列標題組合起來,就是儲存格的「位址」。

欄標題

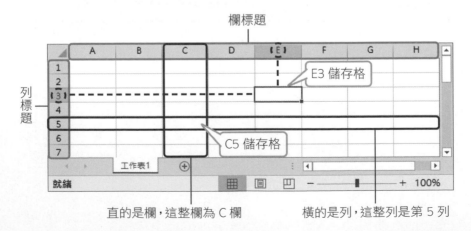

E3 儲存格

列標題

C5 儲存格

直的是欄,這整欄為 C 欄

橫的是列,這整列是第 5 列

例如工作表最左上角的儲存格位於第 A 欄第 1 列，其位址便是 A1；同理，E 欄的第 3 列儲存格，其位址就是 E3。用滑鼠在 E3 儲存格點一下，儲存格的四周會以綠色粗線框起來，以標示此為作用中的儲存格 (activated cell，之後簡稱為**作用儲存格**)，我們輸入的資料便會存入該儲存格。

捲軸

一張工作表共有 16,384 欄 (A～XFD) ×1,048,576 列 (1～1,048,576)，相當於 17,179,869,184 個儲存格。這麼大的一張工作表，不論是 21、24、27 吋的螢幕都容納不下。不過沒關係，我們可以用活頁簿視窗的捲軸，將工作表的各個部份分批捲到畫面上。捲軸的前、後端各有一個**捲動鈕**，中間則有一個**滑動桿**，底下我們以垂直捲軸來說明其用法 (水平捲軸的用法也是一樣，不過它捲動的對象是「欄」)：

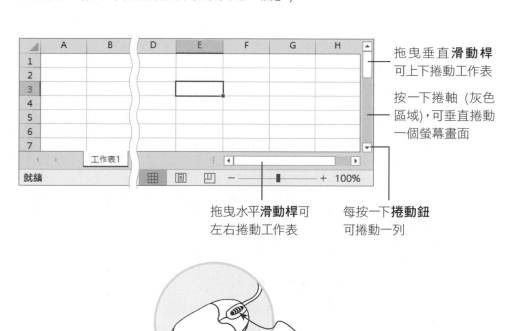

拖曳垂直**滑動桿**可上下捲動工作表

按一下捲軸 (灰色區域)，可垂直捲動一個螢幕畫面

拖曳水平**滑動桿**可左右捲動工作表

每按一下**捲動鈕**可捲動一列

也可以用滑鼠的滾輪來捲動工作表喔！

關閉活頁簿檔案或 Excel

要關閉活頁簿檔案,最直覺的方法就是按右上角的 ☒ 鈕,把所有活頁簿都關掉,就會關閉 Excel 程式了!若是執行『**檔案/關閉**』命令,則只會關閉活頁簿,不會關閉 Excel 程式。

每建立或開啟一份活頁簿就會產生一個視窗,要關閉活頁簿檔案只要按下視窗右上角的關閉鈕 ☒ 即可。若目前只有一個活頁簿,按下 ☒ 鈕就會同時結束 Excel 程式。若是開啟多份活頁簿,則要關閉所有活頁簿視窗才會結束 Excel 程式。

按此鈕關閉活頁簿檔案

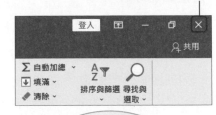

工作表可以關閉嗎?

工作表是活頁簿的一部份,它不能單獨關閉只能被刪除或跟著活頁簿關閉,但工作表被刪除,裡頭的資料也將永遠被刪掉了!

尚未儲存就關閉活頁簿檔案或 Excel

如果按下活頁簿視窗的**關閉**鈕,出現下圖的詢問訊息,表示你已經輸入新資料或進行編輯的動作,所以 Excel 特別提醒你是否要存檔。你可以視個人的需求決定要不要儲存檔案,詳細的儲存設定請參考第 4 章的説明。

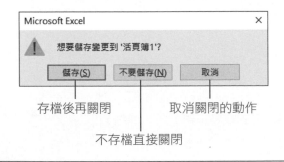

存檔後再關閉　　　　　　取消關閉的動作

不存檔直接關閉

CHAPTER

2 輸入與選取資料

前輩，請幫我看一下這個表格，為什麼我輸入的數值不能加總計算？

那是因為妳連單位一起輸入了啦！要計算的資料，不能輸入「50 元」這樣的數值 + 單位，要分開到不同欄位，或是透過儲存格格式設定才行！

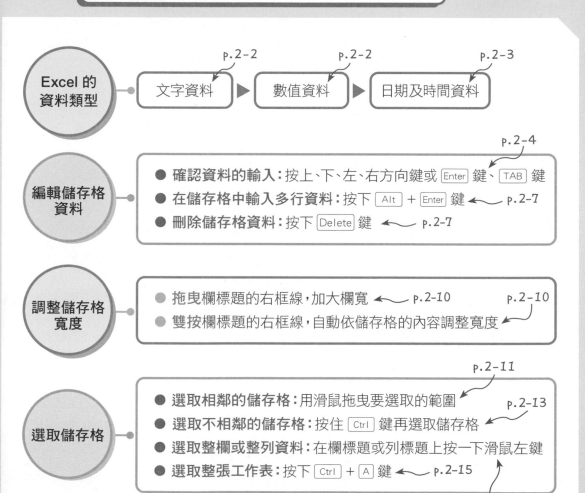

Excel 的資料類型

p.2-2　　　　p.2-2　　　　p.2-3

文字資料 ▶ 數值資料 ▶ 日期及時間資料

編輯儲存格資料

- 確認資料的輸入：按上、下、左、右方向鍵或 Enter 鍵、TAB 鍵　p.2-4
- 在儲存格中輸入多行資料：按下 Alt + Enter 鍵　p.2-7
- 刪除儲存格資料：按下 Delete 鍵　p.2-7

調整儲存格寬度

- 拖曳欄標題的右框線，加大欄寬　p.2-10
- 雙按欄標題的右框線，自動依儲存格的內容調整寬度　p.2-10

選取儲存格

- 選取相鄰的儲存格：用滑鼠拖曳要選取的範圍　p.2-11
- 選取不相鄰的儲存格：按住 Ctrl 鍵再選取儲存格　p.2-13
- 選取整欄或整列資料：在欄標題或列標題上按一下滑鼠左鍵
- 選取整張工作表：按下 Ctrl + A 鍵　p.2-15

p.2-14

有效輸入資料的技巧

Excel 的資料類型分成文字、數值及日期／時間資料,其中數值及日期／時間資料是可以計算的,文字資料則不能計算。

文字資料與數值資料

文字資料包括:中文字元、英文字元、文字與數字的組合 (例如身份證字號)。此外,數字有時也會被當成文字輸入,例如:電話號碼 (0933-111-222)、郵遞區號 (100-013) 等。

數值資料是由數字 0～9 及一些符號 (例如小數點、正號、負號、$、%) 所組成,像 15.36、-99、$350、75% 等都是數值資料。

分數 5/7 怎麼輸入?

此外,分數也是數值資料,不過很多人不知道如何在儲存格中輸入分數。輸入分數時需以「**整數＋空格＋分子＋/＋分母**」這樣的格式輸入,例如「1 5/7」。若整數部份為零則輸入「0 5/7」,不可以省略整數部份,若是直接輸入 5/7,Excel 會判斷成日期格式,這點請特別注意。

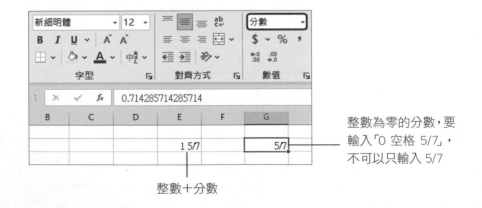

整數為零的分數,要輸入「0 空格 5/7」,不可以只輸入 5/7

整數＋分數

日期／時間資料

日期與時間資料 (2025/6/10、8:30 PM)，在儲存格中可用多種格式來顯示，例如：6/10、2025 年 6 月 10 日、10-Jun-25。日期與時間資料也是屬於可運算的數值資料。

你可能會覺得奇怪，為什麼日期與時間是可運算的資料呢？其實 Excel 是透過**序列值**來管理日期、時間，當你輸入資料後，Excel 會自動將日期與時間轉成對應的數值，因此可以用來計算，有關序列值的說明，請參考本章最後的「職場活用術」專欄。

常見問題

很多人都遇到過明明在儲存格中輸入的是數值資料，但是卻不能加總或做其他計算？會有這樣的狀況通常是輸入的數值間含有空白 (例如「3 478」)，或是連同資料的「單位」一起輸入在同一個儲存格中 (例如「5 元」)，這些資料 Excel 都會判斷成是「文字資料」，所以當然無法計算，在輸入資料時請分清楚文字資料和數值資料喔！

輸入資料的正確程序

要在 Excel 中輸入資料，相信大家第一個反應就是隨便點個儲存格就開始打字了，但是初學者若是不了解正確的輸入程序，常常在輸入後才發現資料沒有存起來，所以在此要教大家輸入資料的正確程序。

選取儲存格 → 輸入資料 → 確認資料

STEP 01 **選取儲存格**。將滑鼠指標移到欲輸入資料的儲存格內部，按一下滑鼠左鍵，即可選取該儲存格，被選取的儲存格，稱為作用儲存格。

目前選取的儲存格其欄、列標題會變成灰底綠字 (也可能是其他顏色，視你的設定和 Excel 版本而定)

名稱方塊：會顯示目前選取的儲存格位址

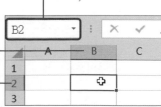

輸入資料。請在 B2 儲存格中輸入 "型號" 兩個字,在輸入資料時環境會有些變化,請看下圖的說明:

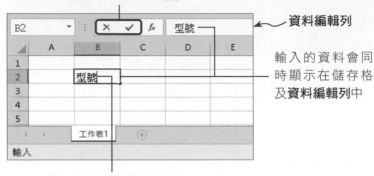

TIP

輸入資料時若是打錯字,可按 Backspace 鍵刪去插入點之前的字元;按 Delete 鍵則會刪去插入點之後的字元。

常見問題

在輸入資料的過程中若是不小心按下 Esc 鍵,會變成放棄輸入的動作,如此一來資料就不會存入儲存格中,在輸入時請小心!

STEP 03

確認資料。輸入資料後,請按下 Enter 鍵,此時作用儲存格會往下移一格。或是按下**資料編輯列**的**輸入**鈕 ☑ 確認,此方法不會使作用儲存格往下移一格。

TIP

此外,按下 Tab 鍵也可以確認資料的輸入,但作用儲存格會往右移一格,以便繼續輸入其他資料。

第 **2** 章 ▼ 輸入與選取資料

輸入資料時的注意事項

若是資料尚未輸入完畢,就按下 ↑、↓、←、→ 方向鍵,會視為已輸入完成並移動作用儲存格。若要編輯剛才的儲存格,請按方向鍵回到原本輸入資料的儲存格即可。若是按下 ↑、↓、←、→ 方向鍵無法移動作用儲存格,而是變成捲動工作表,請按一下鍵盤上的 Scroll Lock 鍵,將 Scroll Lock 燈關掉,就可以正常使用方向鍵來移動了。

輸入數值、日期與時間資料的方法也是一樣,請試著輸入如下圖的資料。輸入完成,你會發現 Excel 預設是將文字資料「靠左對齊」,數值資料則是「靠右對齊」。

	A	B	C	D	E	F
1						
2		型號	顏色	單價	庫存	
3		TRA-908	時尚金	620	380	
4		PPE-538	典雅藍	750	450	
5		AWS-610	湖水綠	530	615	
6						

連續輸入資料的技巧

當你要**連續**輸入多欄、多列資料時 (如上圖),建議採用如下的輸入方式,也就是輸入一個儲存格資料後,按下 Tab 鍵右移一格繼續輸入,當你在此資料範圍的最後一個儲存格按下 Enter 鍵,Excel 會自動跳到此資料範圍下一列的第一欄,方便你繼續輸入資料。

❶ 按下 Tab 鍵

❷ 按下 Enter 鍵

❸ 自動移到資料範圍的第一欄

修改儲存格資料

如果輸入資料後發現打錯了，例如剛才的範例，D3 儲存格的正確內容應為 850，但誤打為 620，要如何修改成正確的數值？

STEP 01 **取代儲存格資料**：請選取 D3 儲存格，直接輸入正確的值，再按下 Enter 鍵即可。

▲	A	B	C	D	E
1					
2		型號	顏色	單價	庫存
3		TRA-908	時尚金	620	380
4		PPE-538	典雅藍	750	450
5		AWS-610	湖水綠	530	615
6					

❶ 選取 D3 儲存格

▲	A	B	C	D	E
1					
2		型號	顏色	單價	庫存
3		TRA-908	時尚金	850	380
4		PPE-538	典雅藍	750	450
5		AWS-610	湖水綠	530	615
6					

❷ 輸入正確的值

STEP 02 **修改部份內容**：如果儲存格中的文字較多，不想全部重打，可以只修改部份資料，只要在儲存格上**連按兩下滑鼠左鍵**，出現插入點後，選取要修改的文字，輸入正確的文字後，再按下 Enter 鍵。

▲	A	B	C	D	E
1					
2		型號	顏色	單價	庫存
3		TRA-908	時尚金	850	380
4		PPE-538	典雅藍	750	450
5		AWS-610	湖水綠	530	615
6					

❶ 雙按儲存格，出現插入點即可編輯

▲	A	B	C	D	E
1					
2		型號	顏色	單價	庫存
3		TRA-908	時尚金	850	380
4		PPE-538	典雅藍	750	450
5		AWS-610	湖水綠	530	615
6					

❷ 選取要修改的文字

▲	A	B	C	D	E
1					
2		型號	顏色	單價	庫存
3		TRA-908	時尚金	850	380
4		PPE-538	典雅紫	750	450
5		AWS-610	湖水綠	530	615
6					

❸ 輸入正確的文字，再按下 Enter 鍵

Hotkey

選取欲修改的儲存格後，按下 F2 鍵，也可以編輯存格內容。

在儲存格中輸入多行資料

若是想在儲存格內輸入多行資料該怎麼辦呢？其實只要在換行時，按下 Alt + Enter 鍵，將插入點移到下一行，便能在同一個儲存格中輸入多行資料。

STEP 01 接續上例，請選取 A2 儲存格，輸入 "產品" 兩個字，然後按下 Alt + Enter 鍵，便可將插入點移到下一行：

插入點移到
第 2 行了

STEP 02 繼續輸入 "資訊" 兩個字，按下 Enter 鍵，儲存格就有兩行文字了：

儲存格的列高
會自動調整

清除資料

如果想要清除儲存格內的資料，請在選取儲存格後，按下 Delete 鍵即可。

2-1

▼

有效輸入資料的技巧

復原與取消復原

以剛才的範例而言，如果想把 D3 儲存格資料改回先前輸入的 620，而 C4 儲存格的資料想改回「典雅藍」，有什麼方法可以不重新打字，而直接恢復到之前的資料呢？

其實只要按下**快速存取工具列**中的**復原**鈕 ，即可回復上一個動作；若是要連續復原多個動作，請按下**復原**鈕 旁的下拉箭頭，在列示窗中選取要回復到哪一個操作，即可恢復原先的樣子。

> **TIP**
> **復原**功能只能讓我們從最近一次所做的操作開始往前做復原，也就是無法單獨挑選前面進行的某個操作來做復原。

❶ 按下此箭頭，展開列示窗 (list box) 或稱下拉式清單

❷ 點選此項，可往前回復 3 項操作

恢復成原本的 620 及「典雅藍」

被**復原**鈕取消的動作也可以取消復原再做一次喔！只要按下**快速存取工具列**的**取消復原**鈕 ，即可將剛才的復原動作取消；同樣地，按下**取消復原**鈕 旁的下拉箭頭，也可以取消多項復原的動作。

❶ 按下此箭頭，展開列示窗

❷ 點選此項，可取消復原 3 項操作

> **Hotkey**
> 按一下 Ctrl + Z 鍵，可快速復原上一個操作；按一下 Ctrl + Y 鍵，可取消復原上一個操作。若是連按多下快速鍵，可回復多項操作。

SECTION 2-2 資料的顯示方式與調整儲存格寬度

當輸入的資料比較多且超過儲存格寬度時，Excel 就會自動改變資料的顯示方式喔！底下分別針對數字及文字資料做說明。

數值資料超出儲存格寬度

當數值資料超過儲存格寬度，Excel 會用**科學記號法**來表示。請任意選取一個空白儲存格，輸入 12 個數字 (如：123456789012)，然後按下 Enter 鍵：

D1	▼ : × ✓	f_x	123456789012	
◢	A	B	C	D	E
1				1.23457E+11	
2					
3					

改用**科學記號法**表示

科學記號表示法

高中都有教過**科學記號表示法**，我們來複習一下。使用科學記號來表示數字時，有以下二個原則：

- 在小數點前，只能有一位 1～9 的數字。
- 所有數字都用 10 的整數乘冪表示，但 10^0(=1) 可以不必寫出來。

如 111111111111 經科學記號法定義，最後表示為 1.11111E+11，234567891023 經科學記號法定義，最後表示為 2.34568E+11 (E+11 意思是 10 的 11 次方)。

文字資料超出儲存格寬度

當文字資料超過儲存格的寬度時，其顯示方式將由右邊相鄰的儲存格來決定：

▶ 若右邊相鄰的是空白儲存格，則超出儲存格寬度的字元將跨越到右邊儲存格顯示。

▶ 若右邊相鄰的不是空白儲存格，則超出寬度的字元將不會顯示出來。

D1 儲存格無資料，C1 儲存格的內容跨越到 D1 了

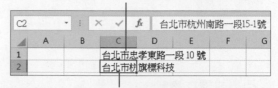

D2 儲存格有資料，所以 C2 儲存格有部份資料被蓋住了

調整儲存格的寬度

儲存格中的資料常會因為欄寬不夠而無法完整顯示，這時候只要拖曳欄標題的右框線就可以解決。

請將指標移到 C 欄的右框線上，指標呈 ✛ 形狀，向左拖曳會縮小欄寬，向右拖曳會加大欄寬

拖曳時，指標旁會顯示欄位寬度，調整欄寬後，放開滑鼠即可

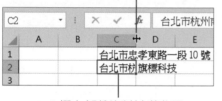

C 欄有部份資料被蓋住了

調整列高的方法和調整欄寬一樣，你可以自行試試。

在此拖曳即可調整列高

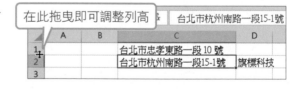

依儲存格內容「自動調整欄寬」或「自動調整列高」

直接在欄標題的右框線上雙按滑鼠左鍵，Excel 會根據儲存格的內容，自動調整成適合的欄寬。若要自動調整列高，則在列標題的下框線雙按滑鼠左鍵。

在此雙按滑鼠左鍵

自動依據資料長度調整欄寬

第 2 章 ▼ 輸入與選取資料

選取儲存格的技巧

不論是設定儲存格格式、製作統計表或是建立圖表、…等,都得先選取儲存格或儲存格範圍。為了讓操作更順暢,在此將教你多種選取儲存格的方法。

選取相鄰的多個儲存格

選取單一個儲存格相信大家都會,但是如果一次要選取一個範圍 (也就是多個相鄰的儲存格),該怎麼做呢?請將滑鼠指標移到欲選取的第一個儲存格內部,按住滑鼠左鍵不放,拖曳到欲選取的最後一個儲存格,再放開滑鼠左鍵即可。

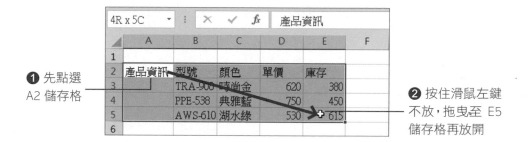

❶ 先點選 A2 儲存格

❷ 按住滑鼠左鍵不放,拖曳至 E5 儲存格再放開

選取儲存格範圍後,就可以進行各種格式設定。例如要將儲存格中的資料設為**置中對齊**,請切換到**常用**頁次,按下**對齊方式**區的**置中**鈕 :

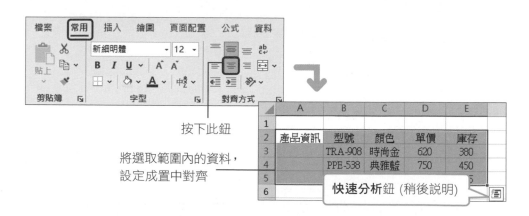

按下此鈕

將選取範圍內的資料,設定成置中對齊

快速分析鈕 (稍後說明)

儲存格範圍的位址表示

選取的儲存格範圍會以左上角及右下角的儲存格位址來表示，例如上例選取的範圍即表示為「A2:E5」。

取消選取

若是要取消剛剛選取的範圍，只要在工作表內按下任一個儲存格即可。

常見問題

若是要選取的儲存格範圍很大 (幾百列)，在拖曳滑鼠選取時，很容易選到一半就手滑掉了。這時候請先記下起始及結束的儲存格位址，直接在**名稱方塊**中輸入要選取的範圍，再按下 Enter 鍵，就可以很快選取了。

起始儲存格位址

結束位址

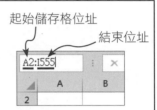

技巧
補充

「快速分析」鈕

當你選取了儲存格範圍，在選取範圍的右下角會出現**快速分析鈕** ，按下此鈕，會列出一些常用的格式設定、圖表類型、走勢圖、…等，只要點選最上面的類別，就會顯示可用的工具鈕，方便我們快速套用到選取的資料範圍裡。有關此功能的應用，我們會在其後的各章做說明。

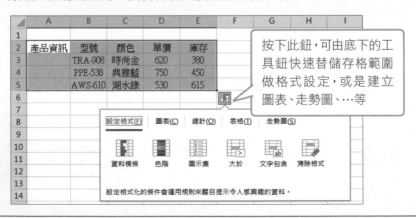

按下此鈕，可由底下的工具鈕快速替儲存格範圍做格式設定，或是建立圖表、走勢圖、…等

選取不相鄰的多個儲存格

如果要選取多個不相鄰的儲存格範圍，先選取第 1 個範圍，然後按住 Ctrl 鍵不放，再選取第 2 個範圍，選好後放開 Ctrl 鍵，就可以同時選取多個不相鄰的儲存格了。

❶ 先選取 A3:A5 儲存格範圍

❷ 按住 Ctrl 鍵不放，再選取 B2:E2 儲存格

❸ 切換到**常用**頁次

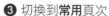

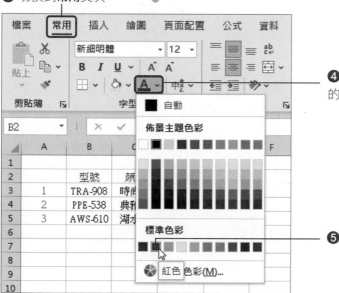

❹ 按下**字型**區的**字型色彩**鈕

❺ 選擇**紅色**

將選取範圍中的文字變更為紅色

選取整欄或整列資料

要一次選取整欄或整列資料，只要在欄標題或列標題上按一下即可。例如要將標題文字都設為粗體，就可以如下操作：

❶ 在此按一下，選取整個第 2 列

▲	A	B	C	D	E	F
1						
2		型號	顏色	單價	庫存	
3	1	TRA-908	時尚金	620	380	
4	2	PPE-538	典雅藍	750	450	
5	3	AWS-610	湖水綠	530	615	

❷ 按住 Ctrl 鍵不放，在 A 欄標題上按一下，選取整個 A 欄

▲	A	B	C	D	E	F
1						
2		型號	顏色	單價	庫存	
3	1	TRA-908	時尚金	620	380	
4	2	PPE-538	典雅藍	750	450	
5	3	AWS-610	湖水綠	530	615	

❸ 選取完成後，切換到**常用**頁次

❹ 按下**粗體**鈕

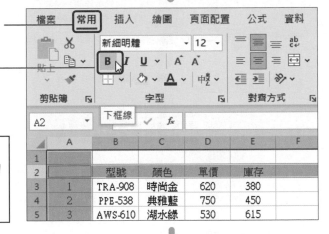

Hotkey

要將文字變粗體，最快的方法就是選取儲存格後，按下 Ctrl + B 鍵。

▲	A	B	C	D	E	F
1						
2		型號	顏色	單價	庫存	
3	1	TRA-908	時尚金	620	380	
4	2	PPE-538	典雅藍	750	450	
5	3	AWS-610	湖水綠	530	615	

▲	A	B	C	D	E	F
1						
2		**型號**	**顏色**	**單價**	**庫存**	
3	1	TRA-908	時尚金	620	380	
4	2	PPE-538	典雅藍	750	450	
5	3	AWS-610	湖水綠	530	615	

▲ 資料的欄、列標題已變成粗體字

TIP

若是需要一次選取多列資料，只要將滑鼠指標移到列編號上，再往下拖曳即可，選取多欄的方法也一樣。

選取整張工作表

若是要選取整張工作表，只要按下**全選**按鈕即可。假設我們想將整張工作表的字型都設定為「標楷體」，就可以如下操作：

1 按下**全選**按鈕，即可選取整張工作表

▲	A	B	C	D	E	F
1						
2		型號	顏色	單價	庫存	
3	1	TRA-908	時尚金	620	380	
4	2	PPE-538	典雅藍	750	450	
5	3	AWS-610	湖水綠	530	615	

2 切換到**常用**頁次，從下拉列示窗中選擇**標楷體**

▲	A	B	C	D	E	F
1						
2		型號	顏色	單價	庫存	
3	1	TRA-908	時尚金	620	380	
4	2	PPE-538	典雅藍	750	450	
5	3	AWS-610	湖水綠	530	615	

▲ 整份工作表的字體已設為「標楷體」，之後輸入的資料都會自動套用**標楷體**

Hotkey

如果工作表中已經建立資料，在資料範圍內按下 `Ctrl` + `A` 鍵可選取此資料範圍；若連按 2 次 `Ctrl` + `A` 鍵則可選取整個工作表。

職場活用術　認識「序列值」

在 Excel 中日期及時間都是可計算的數值資料，或許你會感到困惑，日期跟時間看起來不是一般我們所認知的數值型態啊！要怎麼計算呢？其實 Excel 是透過**序列值**來管理日期與時間，當我們輸入日期或時間，Excel 會自動將日期或時間轉換成對應的數值，因此可用來計算。

日期的序列值

日期的**序列值**是將 1900 年 1 月 1 日當成「1」，每經過一天序列值的編號就會加 1。以「2019/08/13」為例，從「1900/1/1」開始起算，已經過了 43690 天，所以「2019/08/13」的序列值為 43690。

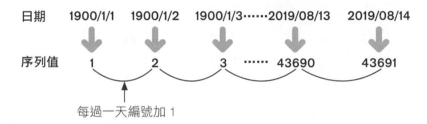

當我們要計算「2019/08/13」的七天後是哪一天，Excel 就會將「43690」的序列值加 7，變成「43697」，「43697」轉換成日期格式就是「2019/08/20」。

時間的序列值

時間的**序列值**是將一天 24 小時設為「1」，所以 12 小時就是「0.5」，6 小時為「0.25」。時間的序列值可以與日期的序列值一起顯示，例如：「2019/8/13 12:00」，其序列值為「43690.5」。

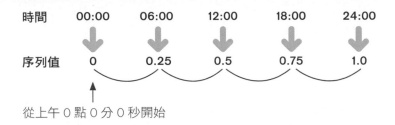

| 時間 | 00:00 | 06:00 | 12:00 | 18:00 | 24:00 |
| 序列值 | 0 | 0.25 | 0.5 | 0.75 | 1.0 |

從上午 0 點 0 分 0 秒開始

日期／時間的序列值轉換

要切換顯示日期格式或序列值，最簡單的方法就是將**儲存格格式**改成**通用格式**或**日期**格式就可以了。

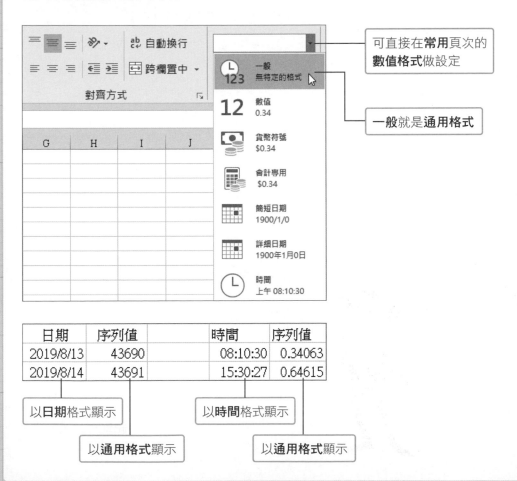

可直接在**常用**頁次的**數值格式**做設定

一般就是**通用格式**

日期	序列值		時間	序列值
2019/8/13	43690		08:10:30	0.34063
2019/8/14	43691		15:30:27	0.64615

以**日期**格式顯示

以**通用格式**顯示

以**時間**格式顯示

以**通用格式**顯示

MEMO

3 用聰明的方法加速輸入資料

各部門送來的單據好多，光是打字就花了很多時間！前輩，有什麼方法可以加快資料的輸入？

不用一個字一個字慢慢打啊！Excel 有很多貼心的設計，只要是有規則性或是重複的資料，都可以用「自動填滿」快速完成。

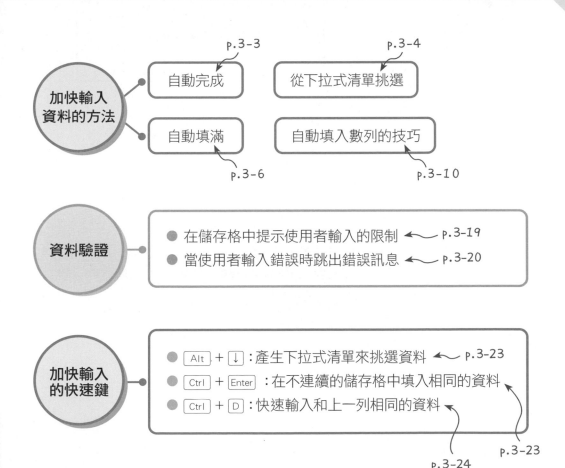

3-1 哪些資料可以快速輸入？

對於只會使用注音輸入法的人而言，要輸入大量的資料很痛苦，不僅輸入速度慢，還得不斷地選字。其實 Excel 提供多種輔助輸入的功能，只要熟悉其用法就能節省很多打字時間喔！

具有規則性的資料

首先，我們要了解哪些資料可以「加速輸入」，以右表為例，這樣的資料有 3 種：

員工編號	員工姓名	考績	部門
1	李宥晴	甲等	管理部
2	周育昇	乙等	管理部
3	謝常斌	乙等	管理部
4	宋茹芸	甲等	管理部
5	郝隆佳	甲等	管理部

連續編號　　　　　　　特定的資料　　相同的資料

▶ 具有規律的資料，如：1、2、3、4、5 這類連續編號。

▶ 同一欄中只有特定的幾種資料，如：甲等、乙等。

▶ 相同的資料，如：部門名稱。

加快資料輸入的方法

遇到上述 3 種規則的資料時，可以使用下列方法來加快輸入資料的速度。

▶ **自動完成。**

▶ **從下拉式清單挑選。**

▶ **自動填滿。**

▶ **自動填入數列。**

接下來的各節將分別介紹如何使用這些方法來提升輸入的效率。

自動完成：快速輸入同欄中出現過的資料

如果同一欄中只有幾種資料（如甲等、乙等）或是連續的幾個儲存格資料都相同，那麼使用「**自動完成**」功能，就能幫助我們少打很多字。

STEP 01 首先，建立一份新活頁簿，在 A1:A3 儲存格中輸入 "考績"、"甲等"、"乙等"。

STEP 02 請在 A4 儲存格中輸入 "甲"，結果發現在 "甲" 之後會自動填入 "等" 這個字，並以反白的方式顯示。

當你輸入資料時，Excel 會比對輸入的資料和同欄中其他儲存格資料，若發現有相同的內容 (例如 A4 儲存格中的 "甲" 和 A2 儲存格中 "甲等" 的 "甲" 相同)，就會為該儲存格填入剩餘的內容。這就是**自動完成**功能。

自動填入資料

STEP 03 若自動填入的資料正好是你接著想輸入的文字，只要按下 Enter 鍵，即可將資料存入儲存格中；反之，若不是你想要的文字，則可以不理會自動填入的文字，繼續輸入你要的文字。

「自動完成」的特殊狀況

當同一欄中出現兩個以上儲存格資料雷同的情況，例如：「業一部」、「業二部」，若在緊鄰的儲存格中輸入 "業" 這個字時，因為 Excel 無從判定是「業一部」或是「業二部」，所以暫時無法幫你填字。待你繼續輸入 "一" 這個字以後，Excel 才會運用**自動完成**功能自動填入 "部" 這個字。

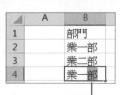

輸入 "業一" 以後，才會出現剩餘的 "部" 字

3-3 從下拉式清單挑選 輸入過的資料

如果同一欄中只有特定幾種資料，例如：台北市、新北市、台中市等，可以利用**從下拉式清單挑選**功能來挑選資料，完全不用打字就可以完成資料的輸入。

STEP 01 請如下圖在 B 欄中輸入資料。

	A	B	C	D
1		地區		
2		台北市		
3		新北市		
4		桃園市		
5		台中市		
6				
7				

STEP 02 接著，要在 B6 儲存格中輸入 "桃園市"，請將滑鼠指標移到 B6 儲存格，再如下操作：

❷ 按滑鼠右鍵，從彈出的選單中
點選『**從下拉式清單挑選(K)**』

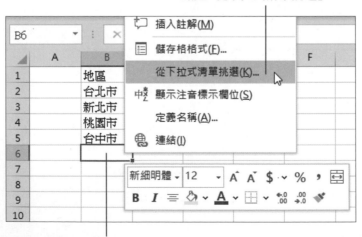

❶ 選取B6 儲存格

STEP 03 B6 儲存格下方會列出該欄 (即 B 欄) 中已輸入過的資料讓你挑選，你只要用滑鼠點選就可以填入資料了！

用滑鼠點選要填入的資料   填入資料了

從下拉式清單挑選功能，只適用於文字資料，數值資料不適用。

下拉式清單中的資料是怎麼來的?

Excel 會從選取的儲存格往上、往下尋找，只要找到的儲存格內有資料，就把它放到下拉式清單中，直到遇到空白儲存格為止。

以下圖而言，選取的儲存格其下拉式清單中會列出「財務部」、「人資部」、「行銷部」與「業務部」這 4 個項目，而不會出現「生產部」與「資訊部」。

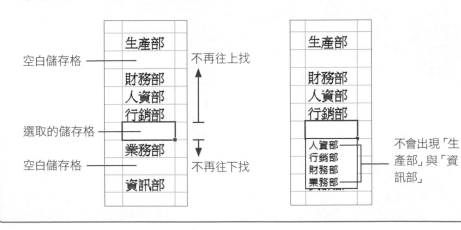

3-4 自動填滿相同的內容

Excel 的**自動填滿**功能,可以將相同的資料連續填滿多個儲存格,這樣我們就不用一直重複打字了。也可以根據儲存格的資料,自動產生一串遞增的數列,我們先來學習第一種情況。

第 **3** 章

▼

用聰明的方法加速輸入資料

將相同的資料填滿指定範圍

我們常需要在多個儲存格中填入相同的資料,如果一格一格慢慢打實在很費時,**自動填滿**功能可以一次在多個儲存格中填入相同的資料。

STEP 01 例如我們要在 A2:A6 的範圍內填滿「業務部」,請在 A2 儲存格輸入 "業務部",並使其呈選取狀態 (儲存格會以粗框線顯示),將滑鼠指標移到粗框線右下角的**填滿控點**上 (此時指標會變成 **+**):

	A	B	C	D
1	部門	員工編號	姓名	到職日
2	業務部			
3				

這就是**填滿控點**

	A	B	C	D
1	部門	員工編號	姓名	到職日
2	業務部			
3				

指標移到**填滿控點**上會變成 **+**

STEP 02 將滑鼠指標指在**填滿控點**上,按住滑鼠左鍵不放,往下拖曳至儲存格 A6,「業務部」就會填滿 A2:A6 範圍了:

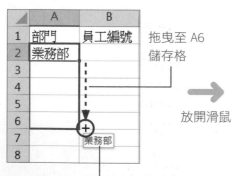

拖曳至 A6 儲存格

放開滑鼠

指標旁會出現**工具提示**,顯示即將填入儲存格的資料

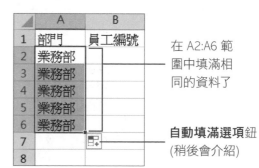

在 A2:A6 範圍中填滿相同的資料了

自動填滿選項鈕 (稍後會介紹)

填滿控點不只可以往下拖曳，也可以往儲存格的上方、左方、右方拖曳，讓資料填滿指定的範圍。

技巧補充

「填滿控點」沒有作用？

如果將指標移到**填滿控點**上沒有出現 **+** 符號，往下拖曳也沒有複製資料，請切換到**檔案**頁次，按下左下角的**選項**，開啟 **Excel 選項**交談窗如圖設定：

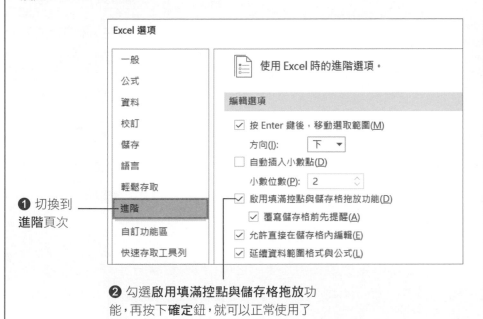

❶ 切換到 **進階**頁次

❷ 勾選**啟用填滿控點與儲存格拖放**功能，再按下**確定**鈕，就可以正常使用了

如果在**檔案**頁次中，沒有看到**選項**功能，有可能是因為畫面較小，**選項**功能被收合在**其他**功能裡了，展開**其他**就可以看到**選項**了！

3-4 ▼ 自動填滿相同的內容

自動填滿選項鈕 🔽

剛才雖然快速在 A2:A6 儲存格填滿了「業務部」，可是 A6 儲存格旁邊怎麼出現了一個按鈕 🔽，這個按鈕稱為**自動填滿選項**鈕，它提供 4 種自動填滿的方式，按下此鈕會列出下拉選單，可以從中改變自動填滿的方式：

	A	B	C	D
1	部門	員工編號	姓名	到職日
2	業務部			
3	業務部			
4	業務部			
5	業務部			
6	業務部			
7				
8	◉ 複製儲存格(C)			
9	○ 僅以格式填滿(F)			
10	○ 填滿但不填入格式(O)			
11	○ 快速填入(F)			
12				

按下此鈕，可改變自動填滿的方式

▶ **複製儲存格**：此項目為預設的填滿方式，會填入儲存格的內容與**格式** (所謂**格式**就是資料的外觀設定，例如：字型、顏色、框線、⋯等)。

▶ **僅以格式填滿**：選此項，只會填入儲存格格式，不會填入內容。

▶ **填滿但不填入格式**：選此項，只會填入儲存格內容，不會填入格式。

▶ **快速填入**：會根據周圍儲存格的文字自動判斷要填入的值 (參見下一頁的說明)。

下圖使用**自動填滿**功能，將 A2、B2、C2 的資料分別填入到 A3:A6、B3:B6、C3:C6 範圍，並說明前 3 種自動填滿方式的差異：

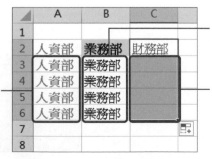

採用**複製儲存格**方式，資料及格式會完全一樣

採用**填滿但不填入格式**方式，雖然填入相同的資料，但不會套用 B2 的字型與顏色格式

採用**僅以格式填滿**方式，因此看不到內容，但若在 C3:C6 輸入資料，就會套用 C2 的字型與顏色

第 **3** 章

▼

用聰明的方法加速輸入資料

快速填入

快速填入功能可以根據周圍儲存格的文字自動判斷要填入的內容。舉例來說，在輸入顧客資料時，如果想將原本的名字分拆成「姓跟名」兩個欄位，以往需要手動輸入或使用公式來拆開，但現在可以使用**快速填入**功能來完成。

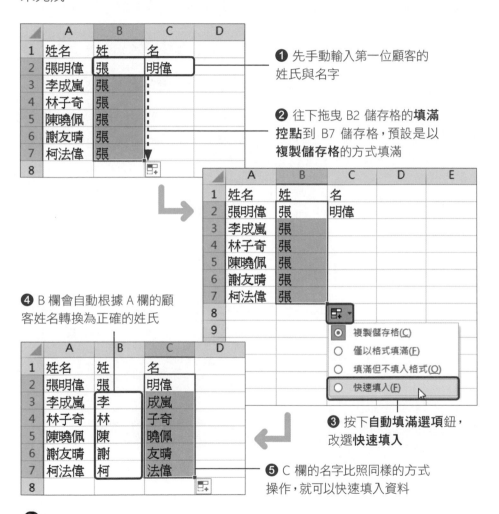

❶ 先手動輸入第一位顧客的姓氏與名字

❷ 往下拖曳 B2 儲存格的**填滿控點**到 B7 儲存格，預設是以**複製儲存格**的方式填滿

❹ B 欄會自動根據 A 欄的顧客姓名轉換為正確的姓氏

❸ 按下**自動填滿選項**鈕，改選**快速填入**

❺ C 欄的名字比照同樣的方式操作，就可以快速填入資料

常見問題

自動填滿選項鈕雖然方便，但有時候一直顯示在儲存格中反而有點討厭，其實只要選取其他儲存格，並進行輸入或編輯的動作後，這個按鈕就會消失了。

3-4

▼

自動填滿相同的內容

3-5 自動填滿連續的數列資料

如果資料具有一定的規則，例如：1 到 1000 的流水號、需要建立整個月的日期，或是需要輸入「1、3、5」、「2、4、6」這樣的等差數列，你不需逐筆打字，只要用**自動填滿**功能就能立即填好填滿。

數列的類型

Excel 的**自動填滿**功能除了可填入相同的文字外，也可以幫忙填入規律性的數列資料，像是連續的日期或是連續的產品編號等，就連 1、3、5、7 這種等差數列，或是 10、100、1000 這種等比數列，都能自動完成。以下是 Excel 可以建立的數列類型：

▶ **等差數列**：例如：1、3、5、7、⋯。

▶ **等比數列**：例如：2、4、8、16、⋯。

▶ **日期數列**：例如：2022/12/31、2023/1/1、2023/1/2、⋯。

▶ **自動填滿**：與上述 3 種數列的差別在於，**自動填滿數列**是屬於不可計算的文字資料，例如：一月、二月、三月、⋯，星期一、星期二、星期三、⋯等。Excel 將這類型文字資料建立成資料庫，讓我們使用自動填入數列時，就像使用一般數列一樣。

自動填滿連續編號

以右頁的例子而言，我們想在 A4:A9 儲存格建立間隔為 1 的連續編號 (如：N.01、N.02、N.03、⋯)，但是逐格輸入太費時，這時不妨試試**以數列填滿**功能。

請在 A4 儲存格輸入 "N.01"，接著將 A4 儲存格的**填滿控點**往下拖曳，即可自動建立間距值為 1 的連續編號。請開啟範例檔案 Ch03-06 來練習。

❶ 輸入 "N.01"

	A	B	C	D
1	出差費			
2				
3	編號	申請日期	申請人	金額
4	N.01	5月6日	張明偉	3,265
5		5月8日	李成嵐	6,321
6		5月11日	林子奇	4,567
7		5月18日	陳曉佩	2,678
8		5月19日	謝友晴	5,214
9		5月19日	柯法偉	3,598
10	N.06			
11				

	A	B	C	D
1	出差費			
2				
3	編號	申請日期	申請人	金額
4	N.01	5月6日	張明偉	3,265
5	N.02	5月8日	李成嵐	6,321
6	N.03	5月11日	林子奇	4,567
7	N.04	5月18日	陳曉佩	2,678
8	N.05	5月19日	謝友晴	5,214
9	N.06	5月19日	柯法偉	3,598
10				
11				

❷ 往下拖曳　　指標旁的數字表示目前到　　　自動填入連續編號
填滿控點　　達的儲存格將填入的值

你應該會發現**自動填滿選項**鈕再度出現了！而且，下拉選單中的項目略有不同，我們來看看有什麼不同之處：

	A	B	C	D
1	出差費			
2				
3	編號	申請日期	申請人	金額
4	N.01	5月6日	張明偉	3,265
5	N.02	5月8日	李成嵐	6,321
6	N.03	5月11日	林子奇	4,567
7	N.04	5月18日	陳曉佩	2,678
8	N.05	5月19日	謝友晴	5,214
9	N.06	5月19日	柯法偉	3,598
10				
11	Ⓐ ○ 複製儲存格(C)			
12	Ⓑ ◉ 以數列填滿(S)			
13	Ⓒ ○ 僅以格式填滿(F)			
14	Ⓓ ○ 填滿但不填入格式(O)			
15	Ⓔ ○ 快速填入(F)			
16				

Ⓐ 以複製資料的方式來填滿。以此例而言，A4:A9 範圍全都會變成「N.01」

Ⓑ 會以數列方式填滿

Ⓒ 僅填入儲存格格式，不會填入資料

Ⓓ 填入數列，但不套用來源儲存格的格式

Ⓔ 會根據周圍儲存格的資料，自動判斷要填入的值

若是經常需要建立連續編號，例如：1、2、…、100，在此提供一個小技巧，只要在輸入第 1 個編號後，按住 Ctrl 鍵往下拖曳第 1 個編號的**填滿控點**，便可快速建立。

自動填滿等差數列

利用**填滿控點**也可以建立「專案 1、專案 3、專案 5、專案 7…」 這種間隔不是 1 的文數字組合數列，只要先輸入 "專案 1"、"專案 3"，並選取這兩個儲存格當作來源儲存格 (也就是要有兩個初始值)，這樣 Excel 才能判斷等差數列的間距值是多少：

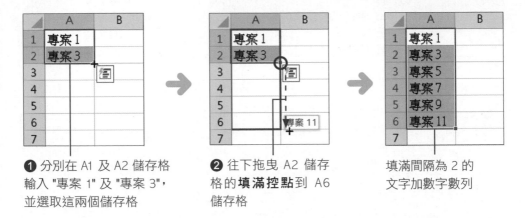

❶ 分別在 A1 及 A2 儲存格輸入 "專案 1" 及 "專案 3"，並選取這兩個儲存格

❷ 往下拖曳 A2 儲存格的**填滿控點**到 A6 儲存格

填滿間隔為 2 的文字加數字數列

利用拖曳「填滿控點」建立日期數列

辦公室表單 (如出勤統計表、零用金、訂購單、…等)，經常需要輸入連續日期，手動輸入不但耗時且容易出錯，最快的方法就是利用「填滿控點」來建立日期數列。

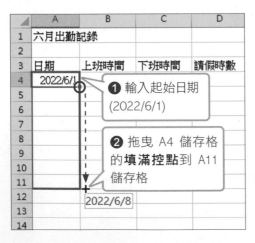

❶ 輸入起始日期 (2022/6/1)

❷ 拖曳 A4 儲存格的**填滿控點**到 A11 儲存格

會填入「2022/6/1～2022/6/8」

由於在此建立的是日期數列，當你按下**自動填滿選項**鈕，會發現選單中多出幾個跟日期有關的選項：

TIP

若要建立間距值 2 天以上的日期數列，同樣要輸入 2 個初始值再拖曳**填滿控點**。

Ⓐ **以數列填滿**：此為預設選項，會以間隔為 1 的日期數列填滿

Ⓑ **以工作日填滿**：建立的日期數列會跳過假日，只填入工作日

Ⓒ **以月填滿**：A4:A11 儲存格會變成填入 2022/6/1、2022/7/1、…2023/1/1

Ⓓ **以年填滿**：A4:A11 儲存格會變成填入 2022/6/1、2023/6/1、…2029/6/1

建立等比數列

由於等比數列無法以拖曳**填滿控點**的方式來建立，因此接下來要說明等比數列的建立方法。假設要在 A1: A5 建立 5、25、125、…的等比數列：

STEP 01　在 A1 儲存格輸入 5，接著選取 A1:A5 儲存格範圍：

填滿控點的功能好多喔！學到昏頭了嗎？沒關係，先學你常用的，像**等比數列**這種比較少用的，可以先跳過，需要時再翻回來看怎麼做！

	A	B
1	5	
2		
3		
4		
5		
6		

STEP 02 按下**常用**頁次**編輯**區的**填滿**鈕 ，會展開下拉式選單，請選擇**數列**，開啟**數列**交談窗：

❶ 選擇此項 (因為根據 Step 1
選取的範圍，數列是產生在欄)

❷ 選擇要
建立的數
列類型

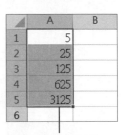

❸ 輸入間距值　❹ 按下**確定**鈕

建立好等比數列了，
完全不用自己計算

技巧
補充

已知等比數列的起始值、間距值與終止值

剛才建立等比數列的方法，
是由於我們不知道等比數列
的終止值為多少，所以事
先選取了 5 個儲存格，讓
Excel 自動建立延伸到選取
範圍為止的等比數列。

若是已知等比數列的起始
值、間距值與終止值，只要
先輸入起始值，接著在**數列**
交談窗中做設定就可以了，
不用事先選取儲存格範圍。

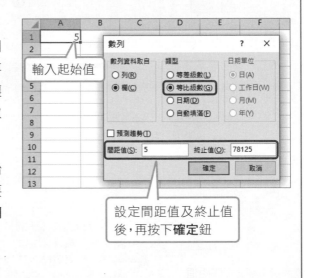

輸入起始值

設定間距值及終止值
後，再按下**確定**鈕

技巧補充

自動填入每月月底的日期

有些例行性的費用其結帳日都在月底,想快速輸入每個月月底的日期,可善用**數列**交談窗來完成。

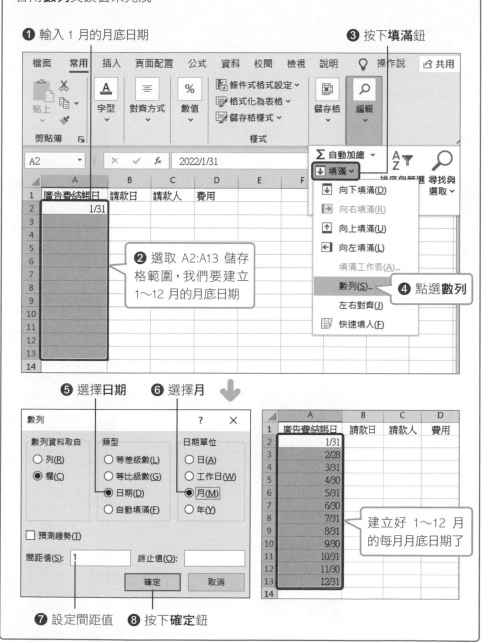

❶ 輸入 1 月的月底日期

❸ 按下**填滿**鈕

❷ 選取 A2:A13 儲存格範圍,我們要建立 1~12 月的月底日期

❹ 點選**數列**

❺ 選擇**日期**　❻ 選擇**月**

建立好 1~12 月的每月月底日期了

❼ 設定間距值　❽ 按下**確定**鈕

SECTION

3-6 建立個人專屬的數列

Excel 雖然內建多組常用的數列讓我們快速填入,不過有些個人專用的數列就沒有收錄在 Excel 裡,你可以自行建立個人常用的數列,如:小組 1、小組 2…等,方便隨時重複使用。

第 **3** 章 ▼ 用聰明的方法加速輸入資料

自訂清單

假設你經常需要在工作表中輸入「專案一、專案二、專案三、…」的數列,就可以將它們自訂為自動填入數列:

STEP 01 請開啟範例檔案 Ch03-11,並選取 A1:A5 儲存格範圍:

	A	B
1	專案一	
2	專案二	
3	專案三	
4	專案四	
5	專案五	
6		

STEP 02 切換到**檔案**頁次,按下左下角的**選項**,開啟 **Excel 選項**交談窗後,如下做設定:

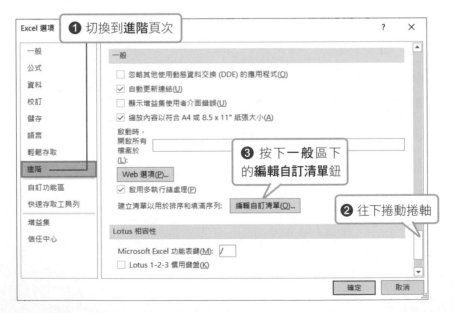

03 開啟**自訂清單**交談窗後，在下方欄位中即可看到我們剛剛選取的範圍 ($A$1:$A$5)，若要修改儲存格範圍，可在欄位中直接修改，或是按下欄位旁的折疊鈕 ，重新選取儲存格的範圍：

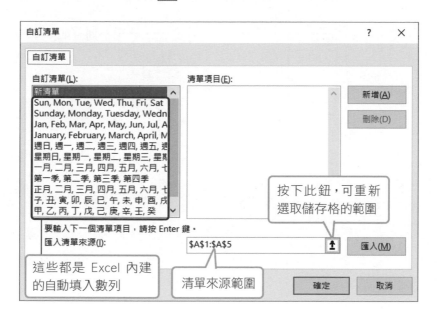

這些都是 Excel 內建的自動填入數列

按下此鈕，可重新選取儲存格的範圍

清單來源範圍

04 按下交談窗右側的**匯入**鈕，將選取的數列匯入到**自訂清單**與**清單項目**列示窗中：

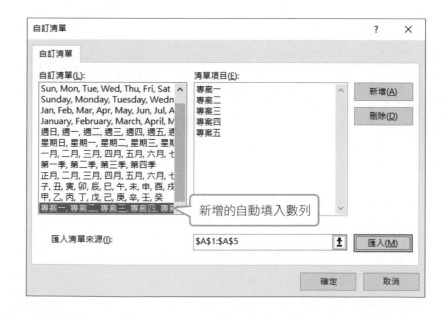

新增的自動填入數列

STEP 05 按下**確定**鈕，即可完成自訂的自動填入數列。日後只要輸入「專案一」，再拖曳**填滿控點**即可自動填入「專案二」到「專案五」，這樣是不是方便多了呢？

▲ 拖曳**填滿控點**填入自訂的數列

刪除自訂數列

若要刪除自訂的數列，只要在開啟**自訂清單**交談窗後，在**自訂清單**列示窗中選取要刪除的數列，再按下**刪除**鈕即可。不過，Excel 原始內建的數列是無法刪除的喔！

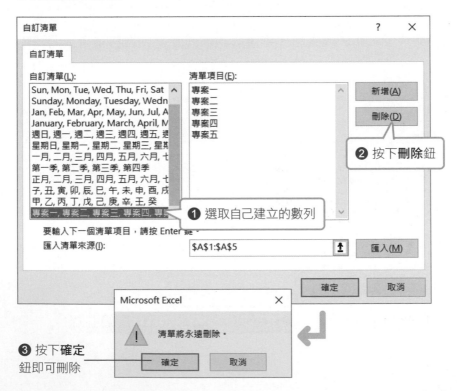

SECTION

3-7 資料驗證：防呆設計

有些公司表單的欄位是有限制的，例如只能輸入日期或是費用有金額上限的規定等。為避免在輸入大量資料時打錯，最好在輸入資料時，先以提示訊息來提醒輸入的人，就可節省後續驗證資料的時間。

設定輸入提示訊息

提示訊息的作用在告訴我們該輸入什麼樣的資料？例如設定當選取 B2:B7 的任一個儲存格時，就會出現如右圖的提示訊息：

提醒輸入時的注意事項

請開啟範例檔案 Ch03-12，選取 B2:B7 儲存格，如下設定提示訊息。

❶ 切換到**資料**頁次　　　　　　❷ 按下**資料驗證**鈕

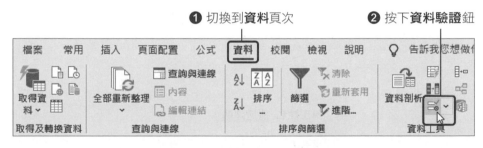

❸ 切換到此頁次

❹ 勾選此項，表示儲存格被選取時，就會顯示提示訊息

❻ 在此輸入要提示的內容（進行到此，先不要按下**確定**鈕，繼續如下操作）

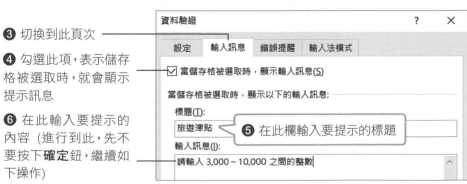

❺ 在此欄輸入要提示的標題

設定資料驗證準則

接著，你可以為儲存格設定資料驗證的準則，來驗證輸入的資料是否為正確的形式或範圍。請切換到**設定**頁次：

❶ 切換到此頁次

❷ 選取**儲存格內允許**的資料類型 (在此選擇**整數**)

❸ 指定驗證時的比較方式，例如：介於、大於或等於

❹ 輸入驗證的數值

❺ 按下**確定**鈕

設定完成後，只要任選 B2:B7 的儲存格，就會出現提示訊息，若是在 B2:B7 中輸入非 3,000～10,000 之間的整數，就出現錯誤警告，提示我們輸入的資料不符合資料驗證準則：

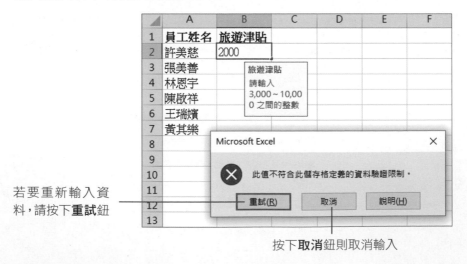

若要重新輸入資料，請按下**重試**鈕

按下**取消**鈕則取消輸入

設定錯誤提醒訊息

錯誤提醒的標誌與內容都是可以修改的。請選取 B2:B7 儲存格,接著按下**資料**頁次**資料工具**區的**資料驗證**鈕,並切換到**錯誤提醒**頁次:

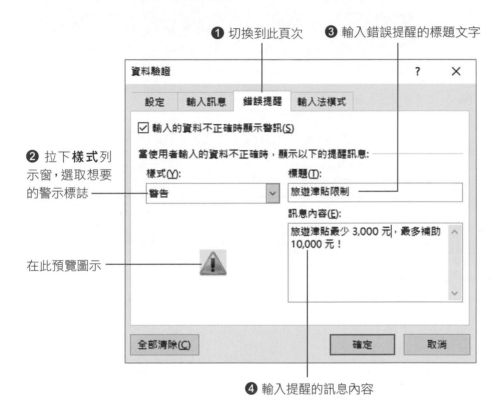

❶ 切換到此頁次　❸ 輸入錯誤提醒的標題文字

❷ 拉下**樣式**列示窗,選取想要的警示標誌

在此預覽圖示

❹ 輸入提醒的訊息內容

按下**確定**鈕即可變更錯誤提醒的內容,下次出現錯誤提醒就會變成下圖:

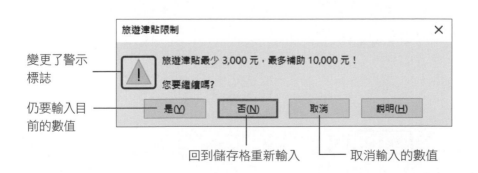

變更了警示標誌

仍要輸入目前的數值

回到儲存格重新輸入　取消輸入的數值

技巧補充

錯誤提醒的 3 種警示標誌

在上述的設定中，我們可以選擇以下 3 種類型的錯誤提醒標示：

圖示	警示	說明
✕	停止	防止使用者在儲存格中輸入無效資料。提醒訊息有**重試**或**取消**兩個選項
⚠	警告	告知使用者所輸入的資料無效，但不會阻止使用者輸入資料。出現**警告**提醒訊息時，使用者可以按下**是**鈕接受無效輸入、**否**鈕重新編輯無效輸入，或**取消**鈕以移除無效輸入
ⓘ	資訊	告知使用者所輸入的資料無效，但不會阻止使用者輸入資料。此種錯誤提醒最具彈性，出現此類提醒訊息時，使用者可以按下**確定**鈕，以接受無效值，或**取消**鈕以拒絕無效值

清除資料驗證

清除資料驗證設定的方法很簡單，你只需選取設有資料驗證的儲存格，然後按下**資料**頁次**資料工具**區的**資料驗證**鈕，在**資料驗證**交談窗中按下**全部清除**鈕，再按下**確定**鈕即可清除該儲存格的資料驗證設定。

❶ 按下此鈕　　　❷ 按下**確定**鈕

 輸入資料的省時妙招

職場活用術

技巧 1

3-4 頁我們提過可以用下拉式清單的方式，列出同一欄中出現過的資料，其實你可以善用快速鍵 `Alt` + `↓`，快速產生下拉式清單來填入資料。

	A	B	C
1	業務部		
2	財務部		
3	人事部		
4	研發部		
5			
6	人事部		
7	研發部		
8	財務部		
	業務部		
9			

❶ 按下 `Alt` + `↓` 鍵，即可列出此欄輸入過的資料

❷ 利用 `↑`、`↓` 鍵移動，即可選取資料，再按下 `Enter` 鍵，即可輸入到儲存格中

技巧 2

想要在不連續的儲存格裡輸入相同的資料，你不需慢慢打字或是一個一個複製、貼上，可善用 `Ctrl` + `Enter` 鍵來完成。

	A	B	C
1	部門	員工姓名	獎金
2	設計部	韓美麗	
3	生產部	楊家明	1500
4	生產部	許志輝	
5	設計部	陳茂傑	
6	會計部	張美惠	3500
7	人事部	李文文	
8	業務部	廖雪莉	4500
9	會計部	林家彰	4500
10	業務部	蕭寶瑋	
11			

	A	B	C
1	部門	員工姓名	獎金
2	設計部	韓美麗	
3	生產部	楊家明	1500
4	生產部	許志輝	
5	設計部	陳茂傑	
6	會計部	張美惠	3500
7	人事部	李文文	
8	業務部	廖雪莉	4500
9	會計部	林家彰	4500
10	業務部	蕭寶瑋	6000
11			

	A	B	C
1	部門	員工姓名	獎金
2	設計部	韓美麗	6000
3	生產部	楊家明	1500
4	生產部	許志輝	6000
5	設計部	陳茂傑	6000
6	會計部	張美惠	3500
7	人事部	李文文	6000
8	業務部	廖雪莉	4500
9	會計部	林家彰	4500
10	業務部	蕭寶瑋	6000
11			

❶ 按住 `Ctrl` 鍵，點選不連續的儲存格

❷ 在最後選取的儲存格中輸入要填入的資料，再按下 `Ctrl` + `Enter` 鍵

❸ 在不連續的儲存格內填入相同的資料

技巧 3 有時侯我們需要輸入和上一個 (或上一列) 儲存格相同的資料，這時你可以善用 Ctrl + D 快速鍵快速輸入。

	A	B	C	D
1	部門	員工姓名	獎金	
2	設計部	韓美麗	6000	
3	生產部	楊家明	1500	
4	生產部	許志輝	6000	
5	設計部	陳茂傑	6000	
6	會計部	張美惠	3500	
7	人事部	李文文	6000	
8	業務部	廖雪莉	4500	
9	會計部	林家彰	4500	
10	業務部	蕭寶瑋	6000	
11		蕭寶瑋		

在 B11 儲存格按下 Ctrl + D 鍵，即可產生與 B10 儲存格相同的資料

	A	B	C	D
1	部門	員工姓名	獎金	
2	設計部	韓美麗	6000	
3	生產部	楊家明	1500	
4	生產部	許志輝	6000	
5	設計部	陳茂傑	6000	
6	會計部	張美惠	3500	
7	人事部	李文文	6000	
8	業務部	廖雪莉	4500	
9	會計部	林家彰	4500	
10	業務部	蕭寶瑋	6000	
11				

選取 A11:C11 儲存格範圍，再按下 Ctrl + D 鍵

→

	A	B	C	D
1	部門	員工姓名	獎金	
2	設計部	韓美麗	6000	
3	生產部	楊家明	1500	
4	生產部	許志輝	6000	
5	設計部	陳茂傑	6000	
6	會計部	張美惠	3500	
7	人事部	李文文	6000	
8	業務部	廖雪莉	4500	
9	會計部	林家彰	4500	
10	業務部	蕭寶瑋	6000	
11	業務部	蕭寶瑋	6000	

輸入與上一列相同的資料

CHAPTER

4 別小看 Excel 的 存檔與開檔

經理 mail 一個 Excel 檔叫我分析，我直接從 mail 打開夾檔來編輯，帥氣地按下 Ctrl + S 存檔、關閉 Excel 後，就找不到檔案存到哪裡去了？怎麼辦，下班前要交給經理，我慘了！😞

最好不要直接從 e-mail 開啟附檔來編輯，你編輯過的檔案應該還在暫存資料夾裡，我來幫妳找找吧！下次最好先把 e-mail 附檔存到文件夾或特定位置再編輯吧！

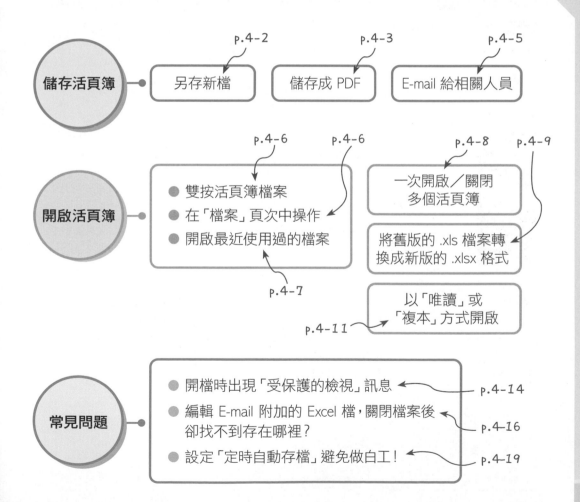

儲存活頁簿

- p.4-2 另存新檔
- p.4-3 儲存成 PDF
- p.4-5 E-mail 給相關人員

開啟活頁簿

- p.4-6 雙按活頁簿檔案
- p.4-6 在「檔案」頁次中操作
- p.4-7 開啟最近使用過的檔案
- p.4-8 一次開啟／關閉 多個活頁簿
- p.4-9 將舊版的 .xls 檔案轉換成新版的 .xlsx 格式
- p.4-11 以「唯讀」或「複本」方式開啟

常見問題

- 開檔時出現「受保護的檢視」訊息 → p.4-14
- 編輯 E-mail 附加的 Excel 檔，關閉檔案後卻找不到存在哪裡？ → p.4-16
- 設定「定時自動存檔」避免做白工！ → p.4-19

SECTION 4-1 檔案管理的好習慣

辛苦建立的活頁簿資料請隨時儲存，以免發生意外做白工了！還有，很多人在存檔時經常不改檔名也不選儲存位置，帥氣地按 Ctrl + S 就存檔，下次要開檔時，就不知道檔案在哪裡了。提醒你務必做好檔案的管理喔！

儲存檔案

要儲存活頁簿資料，最快的方法就是按下 Ctrl + S 或是視窗左上角的**儲存檔案**鈕 🖫。若是活頁簿尚未儲存過，第一次儲存檔案，會開啟**另存新檔**視窗，Excel 會替你預設儲存的位置及檔案名稱，這時請勿匆匆忙按下**儲存**鈕！

STEP 01 開啟**另存新檔**視窗後，請選取檔案要存放在電腦中的哪個位置：

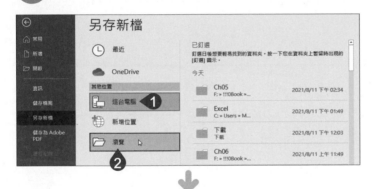

❶ 點選**這台電腦**

❷ 按下**瀏覽**

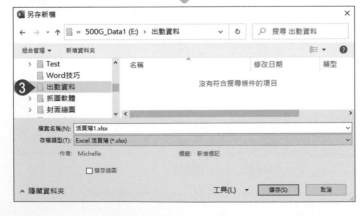

❸ 選擇要存放活頁簿的資料夾

> **TIP**
> 可按下**新增資料夾**鈕，依自己的規劃建立新的資料夾來存放活頁簿檔案。

請在**檔案名稱**欄輸入活頁簿的檔名，存檔類型預設是 **Excel 活頁簿**，其副檔名為 .xlsx。

❶ 輸入檔案名稱

❷ 使用預設的 .xlsx
檔案類型

❸ 按下**儲存**鈕

> **TIP**
>
> 檔案儲存過一次，除非刻意「另存新檔」，否則下次存檔時，Excel 就會用已設定好的位置及檔名來存檔了。

將活頁簿儲存成不可修改內容的 PDF 格式

有些報表只想提供給相關人員檢視或列印，不希望內容被任意修改，這時候就可以將活頁簿檔案儲存成不可修改的 PDF 格式。

> **常見問題**
>
> 很多人在儲存檔案時，習慣直接使用 Excel 預設的檔案位置，但匆促之間沒有把位置記住，以致於後來找不到檔案了！所以事先規劃儲存位置很重要，以免檔案散居各地！同時，Excel 預設的檔名叫「活頁簿 1」、「活頁簿 2」、「活頁簿 3」、…，但是這樣的檔名不具任何意義，日後要開啟檔案時很難從檔名聯想內容，建議改成與內容有關的檔名。

> **TIP**
>
> 從 Excel 2007 開始，活頁簿的副檔名改為 .xlsx，此格式無法直接在舊版 Excel (如 Excel 97、2003) 中開啟。若是活頁簿需要在舊版 Excel 中開啟，請在**存檔類型**列示窗中選擇 **Excel 97-2003 活頁簿** (.xls) 格式。

自訂活頁簿的儲存位置

Excel 預設會將活頁簿儲存在**文件**(C:\Users\使用者名稱\Documents) 資料夾裡，所以每次開啟**另存新檔**視窗，都得重新選擇要儲存的位置，實在有點麻煩！若是你習慣將活頁簿都存放在同一個資料夾裡 (如：行政表單)，那麼可以將此資料夾「**釘選**」(固定顯示) 起來，下次另存新檔時就不用層層點選要儲存的位置了！

❶ 切換到**檔案**頁次後，點選**另存新檔**　　❷ 將滑鼠移到要釘選的資料夾，按下此鈕

此區會列出先前開啟過的資料夾

❸ 已釘選的資料夾會顯示在最上面，下次存檔時就可以直接點選此儲存位置了

若是要取消釘選此資料夾，請按下此鈕

將編輯完成的活頁簿 E-mail 給相關人員

電腦中若是有安裝郵件軟體 (例如 Outlook 或 Windows 內建的郵件 APP)，可在完成活頁簿的編輯後，直接 E-mail 給相關人員，簡化後續的操作。

STEP 01 請切換到**檔案**頁次，並如下操作：

❶ 點選**共用**　　❷ 選擇**電子郵件**項目

❸ 選擇**以附件傳送**，將活頁簿檔案附加到郵件裡

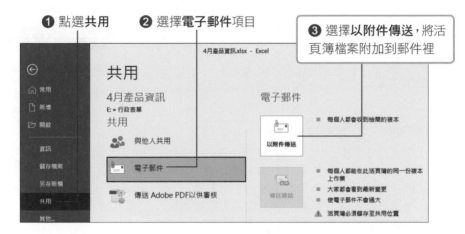

STEP 02 接著會開啟預設的郵件軟體 (在此以 Outlook 為例)，輸入收件者的郵件地址、主旨及內容後，按下**傳送**鈕即可。

以附件傳送活頁簿檔案

此為 Outlook 的新郵件畫面

SECTION 4-3 開啟活頁簿檔案

開啟既有活頁簿檔案的方法很多，你可以視情況選擇最便利的開啟方式。

方法1：直接雙按活頁簿檔案

若是尚未啟動 Excel，最直覺的開檔方法是在 Windows **檔案總管**或**桌面**上，雙按活頁簿檔案，就能立即啟動 Excel 並開啟活頁簿。

Ch04-01.xlsx Ch04-02.xlsx

雙按檔案即可開啟

常見問題

為什麼別人寄來的 Excel 檔案，縮圖跟自己建立的不一樣？這是因為對方在儲存檔案時勾選了**儲存縮圖**選項，所以會顯示活頁簿的內容。若是不想顯示縮圖，你可以將檔案另存一份，在存檔時取消勾選**儲存縮圖**選項即可。

Ch04-01_A.xlsx

存檔時勾選了 **儲存縮圖**選項

Ch04-01.xlsx

改回預設的 檔案圖示

方法2：在「檔案」頁次中操作

若是已經開啟 Excel，請切換到**檔案**頁次再如下操作：

❶ 點選**開啟**

❸ 按下**瀏覽**鈕

❷ 選擇**這台電腦**

活頁簿1 - Excel　　登入 ☺ ☹ ?　─

開啟

常用
新增
開啟
資訊
儲存檔案
另存新檔
儲存為 Adobe

🕐 最近
☁ OneDrive
🖥 這台電腦
🌐 新增位置
📁 瀏覽

↑ 📁 文件
🔍 搜尋
名稱 ↑
Adobe
CIDFont

④ 切換到存放檔案的資料夾 (例如切換到本章的範例檔案資料夾)

⑤ 點選要開啟的檔案

⑥ 按下**開啟**鈕

常見問題

Excel 不能同時開啟相同檔名的檔案，例如：**桌面**有個「年度計劃.xlsx」檔案，D 磁碟機裡也有個「年度計劃.xlsx」檔案，雖然存放的位置不同，但如果要同時開啟以便交互參照，其中一個檔案要先更改檔名。

Microsoft Excel

⚠ 很抱歉，Excel 無法同時開啟兩個相同名稱的活頁簿。

確定

方法3：開啟最近使用過的檔案 (忘記檔案放哪兒的好幫手)

萬一忘記最近編輯過的檔案存到哪兒，可在 Excel 中開啟最近使用過的檔案，就可以快速找到活頁簿了。請切換到**檔案**頁次，再如下操作：

❶ 點選**開啟**　　　❷ 點選**最近**

❸ 此區會列出最近開啟過的活頁簿及檔案位置，在檔案上按一下滑鼠左鍵，即可開啟檔案

一次開啟／關閉多個活頁簿

有時候需要一次開啟多個檔案來對照，例如要計算員工薪資，開啟薪資表後還得再開啟健保費、勞保費的檔案來做查詢。但是一個個開啟檔案實在有點麻煩，有沒有什麼好方法可以一次開啟多個活頁簿？

其實只要在**檔案總管**中選取多個活頁簿後，直接按下 Enter 鍵，就可以一次開啟選取的多個檔案了！

員工薪資資料.xlsx

健保負擔金額表.xlsx

勞保負擔金額表.xlsx

選取要開啟的 3 個檔案後，直接按 Enter 鍵

開啟多個檔案後，還可以利用**並排顯示**功能 (參考 7-2 頁的說明)，將多個活頁簿檔案並排，以方便對照或複製、貼上資料。

若要一次關閉多個開啟的活頁簿，只要按住 shift 鍵，再按右上角的**關閉**鈕

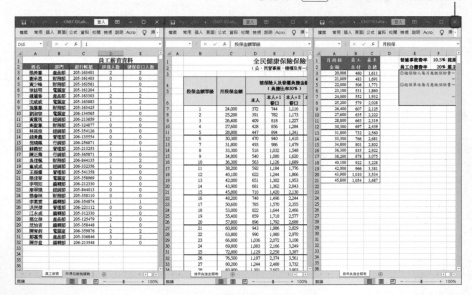

▲ 將視窗並排顯示，以便對照

第 **4** 章

▼ 別小看 Excel 的存檔與開檔

SECTION 4-4 將舊版的 .xls 檔案轉換成新版的 .xlsx 格式

目前使用 Excel 97、2003…等舊版軟體的學校、公司行號還是很多，如果收到舊版格式的檔案也可以轉換成新版格式喔！

收到別人寄來的舊版檔案格式 (.xls)，在 Excel 2010、2013、2016… 之後的版本開啟，會在活頁簿檔名的右側顯示 **[相容模式]**，提醒你這是舊版的檔案格式。

在檔名後面會顯示**[相容模式]**

舊格式的檔案無法使用新版 Excel 功能 (會呈現無法使用的狀態)，例如切換到**插入**頁次，其中的**3D 地圖**、**走勢圖**等相關按鈕會呈灰色無法按下。

無法使用新版的功能

若是要將舊版的 .xls 格式轉成新版的 .xlsx 格式，可在**檔案**頁次做設定：

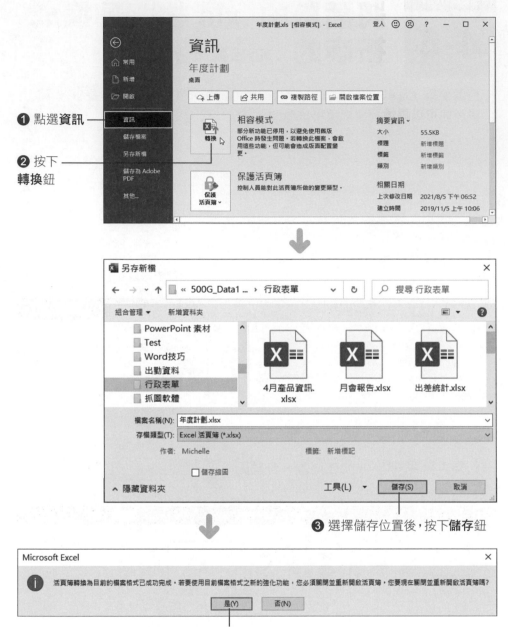

❶ 點選**資訊**

❷ 按下
轉換鈕

❸ 選擇儲存位置後，按下**儲存**鈕

❹ 出現此訊息，表示檔案已經轉換
成功，按下**是**鈕重新開啟活頁簿

轉換成新版格式後，檔名旁邊就不會出現 **[相容模式]** 了，而且能使用新版
Excel 的各項功能，檔案也比舊版小很多喔！檔案變小了，更有利於 Line
或 E-mail 傳送。

SECTION 4-5 將活頁簿檔案以唯讀或複本方式開啟

不要小看 Excel 的開檔功能喔，在**開啟舊檔**視窗中有多種開啟檔案的方式，你可以視情況善加運用！

將活頁簿檔案以「唯讀」方式開啟

如果要開啟的活頁簿檔案是重要資料，例如薪資表、獎金統計、…等，或者是主管寄來的表單範本檔案，為了避免不小心修改了其中的內容，你可以在開啟檔案時以「唯讀」的方式開啟。

STEP 01 請切換到**檔案**頁次，按下畫面左側的**開啟**，再按下**瀏覽**鈕，打開**開啟舊檔**視窗，如下操作：

❶ 選取要開啟的檔案

❷ 按下**開啟**鈕旁的下拉箭頭

❸ 選擇**開啟為唯讀檔案**

❹ 開啟檔案後，檔名的右側會顯示 [唯讀]

STEP 02 將檔案以「唯讀」方式開啟，你仍然可以編輯工作表的內容，但是按下**儲存檔案**鈕後，會出現如下的訊息，提醒你只能以**另存新檔**的方式儲存檔案。儲存後的檔案不是「唯讀」屬性，檔名前面會加上「複本」兩個字。

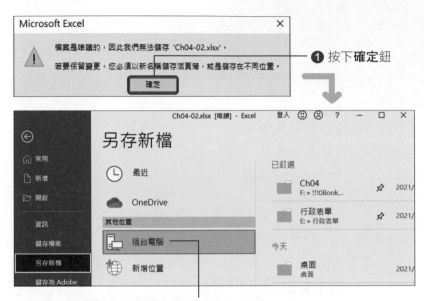

❶ 按下**確定**鈕

❷ 隨即會開啟**另存新檔**視窗，讓你儲存檔案，這樣就不用擔心會覆蓋到原本的內容了

常見問題

還有另一種狀況是，傳送檔案給你的人，事先將檔案的屬性設成「唯讀」，為了不更動原本檔案內容，你可以用**另存新檔**來存檔，然後在新檔案輸入、修改資料。如果要更動檔案內容，你可以在檔案上按右鍵，選擇**內容**，開啟如右的交談窗，取消勾選**唯讀**項目。

取消勾選此項，即可取消檔案的「唯讀」屬性

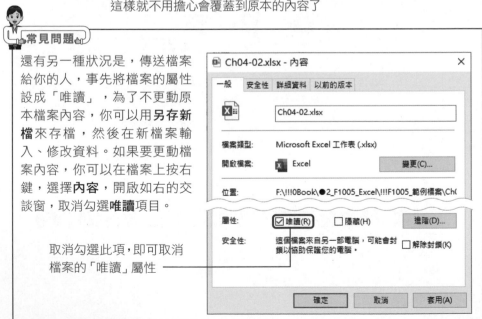

將活頁簿檔案以「複本」方式開啟

如果要編輯的活頁簿中有上千、上萬筆資料，通常在進行各種計算、篩選等處理作業時會花較久時間，為了避免編輯過程中當機或是改錯資料，建議在開啟檔案時建立一份**複本**來編輯，這樣就可以保留原本的檔案，以備不時之需。

要以**複本**的方式開啟檔案，同樣也是在**開啟舊檔**視窗中進行：

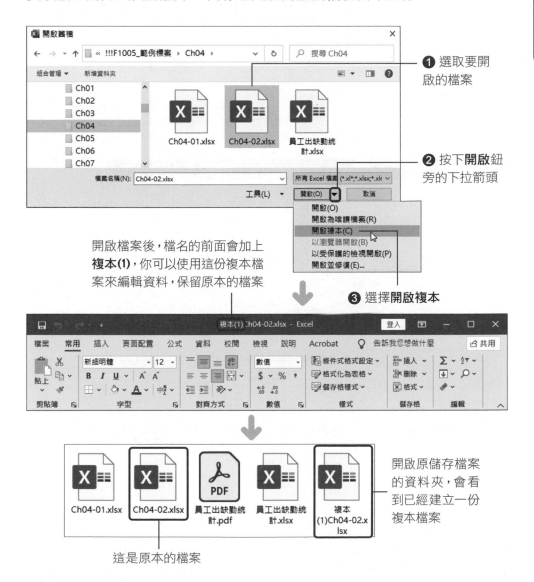

❶ 選取要開啟的檔案

❷ 按下**開啟**鈕旁的下拉箭頭

開啟檔案後，檔名的前面會加上**複本(1)**，你可以使用這份複本檔案來編輯資料，保留原本的檔案

❸ 選擇**開啟複本**

開啟原儲存檔案的資料夾，會看到已經建立一份複本檔案

這是原本的檔案

開檔時出現受保護的檢視訊息

很多人都遇過在開啟從網頁下載的 Excel 檔或是 E-mail 附件的 Excel 檔時，畫面上方會出現一條黃色的通知訊息，提醒你來自網路的檔案可能有病毒，看到這個訊息先別慌，我們告訴你如何處理。

解除「受保護的檢視」模式

開啟 Excel 檔時，若是出現如下的通知訊息先別緊張，這是為了防範病毒而做的保護機制，**只要你確定檔案沒問題**，就可以按下**啟用編輯**鈕來編輯內容。

在**受保護的檢視**模式下，無法編輯工作表內容

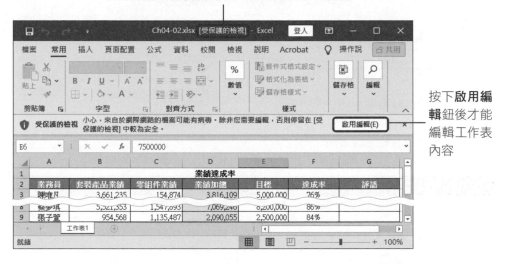

按下**啟用編輯**鈕後才能編輯工作表內容

停用「受保護的檢視」模式

如果覺得這個通知訊息很干擾，不想每次都要先按**啟用編輯**才能編輯內容，而且你也能夠確定取得的檔案都很安全 (例如電腦中有安裝防毒軟體、或者檔案是自己建立的，只是要從雲端硬碟下載下來、…等)，那麼就可以停用**受保護的檢視**模式。

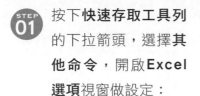

STEP 01 按下**快速存取工具列**的下拉箭頭,選擇**其他命令**,開啟Excel **選項**視窗做設定:

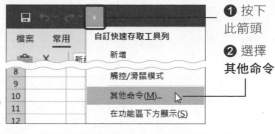

❶ 按下此箭頭

❷ 選擇**其他命令**

❹ 按下**信任中心設定**鈕

❸ 切換到**信任中心**

STEP 02 進入**信任中心**後,請依自己的需求取消勾選「來自網路的檔案」、「可能位於不安全位置的檔案」、「開啟 Outlook 郵件的附件」等選項,下次就不會再進入**受保護的檢視**模式了。

❶ 切換到**受保護的檢視**

❷ 依自己的需求取消勾選這些項目,再按下**確定**鈕

編輯 E-mail 附加的 Excel 檔，關閉檔案後卻找不到存在哪裡？

經理 mail 了一個 Excel 檔叫我分析，直接按兩下 e-mail 的夾檔開啟檔案來編輯，辛苦打了一整天存檔後，檔案不知道存到哪裡去了，怎麼辦？☹

相信很多人都遇過這樣的狀況，收到 E-mail 附加的 Excel 檔，就直覺地雙按檔案來開啟並進行編輯，雖然編輯過程中有儲存檔案，但是關閉檔案後卻找不到檔案存到哪裡去了，這時該怎麼辦呢？你可以切換到電腦中的「暫存資料夾」來找找看：

C:\Users\<u>使用者名稱</u>\AppData\Local\Microsoft\Windows\INetCache\
　　　　　❶

IE\<u>7EC3NGPU</u>\<u>員工出缺勤統計.xlsx</u>
　　　❷　　　　　　❸

❶ 請改成你電腦的使用者名稱。

❷ 依序切換到 IE 資料夾後，就會看到這類檔名不規則的資料夾，每部電腦都不同，有些電腦只有一個資料夾，有些電腦會產生多個檔名不規則的資料夾，建議你每個資料夾都點進去看看，就可以找到剛剛編輯過的 Excel 檔。

❸ 這就是 e-mail 夾帶的 Excel 檔。

若是不知道自己的使用者名稱，可以按一下**開始**鈕，點選使用者圖示來查看。

技巧
補充

除了上述路徑外，也可以到以下兩個路徑找找

- C:\Documents and Settings\使用者名稱\Application Data\Microsoft\Excel\

- C:\Users\使用者名稱\AppData\Roaming\Microsoft\Excel\

底下就實際帶你找出 e-mail 附加的 Excel 檔，我們的操作環境為 Windows 10、Windows Live Mail、Excel 2010。

❶ 雙按 mail 中的 Excel 檔

❷ 按下**開啟**鈕開啟檔案

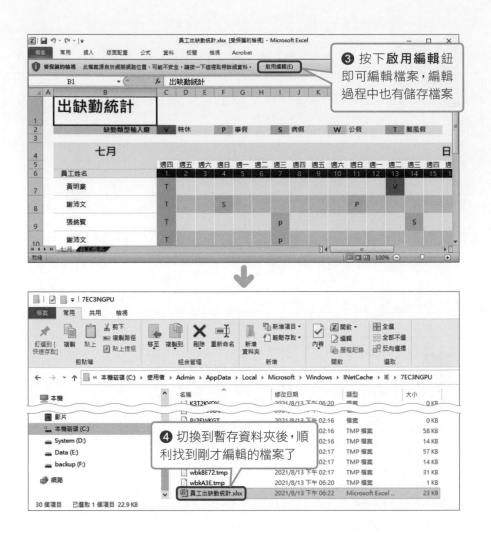

③ 按下**啟用編輯**鈕即可編輯檔案，編輯過程中也有儲存檔案

④ 切換到暫存資料夾後，順利找到剛才編輯的檔案了

請注意！如果編輯 Excel 後有重新開機，那麼先前編輯的檔案有可能會不見。此外，若是重新再開啟 mail 裡的同一個 Excel 檔來編輯，也可能覆蓋掉先前編輯的檔案。

 TIP

Excel 2016 之後的版本，開啟 E-mail 夾檔，會要求先「另存新檔」，所以不會有找不到檔案的問題。

TIP

若是直接雙按 Line 訊息中的 Excel 檔來編輯，其檔案會儲存在電腦中的**下載**資料夾裡。

再次提醒！請養成先儲存 mail 或是 Line 訊息中的附檔再進行編輯的好習慣吧！

設定「定時自動存檔」避免做白工！

很多人都遇過 Excel 操作到一半，突然停電或是筆電電池沒電、當機、…等突發狀況，這時該怎麼救回辛苦編輯的資料呢？

其實 Excel 有個「自動回復」機制，當你在編輯活頁簿時會自動儲存資料 (預設是 10 分鐘存一次)，所以當遇到突發狀況，重新啟動 Excel 後，會出現如下的復原畫面，讓你選擇要使用哪個檔案繼續編輯：

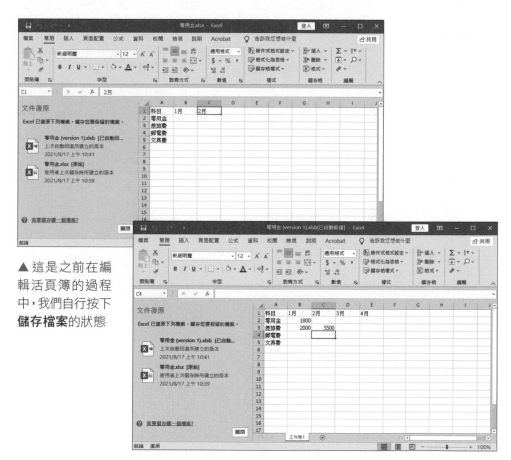

▲ 這是之前在編輯活頁簿的過程中，我們自行按下**儲存檔案**的狀態

▲ 這是當機前 Excel 自動幫我們儲存的檔案

設定定時存檔的時間

雖然 Excel 會自動儲存檔案，但是儲存的間隔為 10 分鐘，現在使用 SSD 的電腦存檔速度都很快，你可以自行縮短儲存的間隔，這樣當發生突發狀況時，就能儘可能保留較多、較新的資料。

要設定定時存檔的時間，請切換到**檔案**頁次，點選**選項**，開啟 **Excel 選項**視窗後，如下設定：

① 點選**儲存**　　**②** 確認已勾選此項

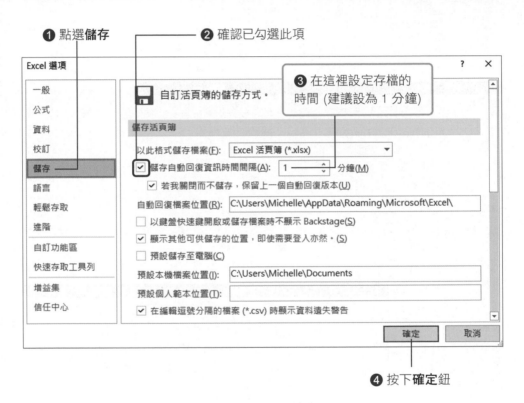

③ 在這裡設定存檔的時間 (建議設為 1 分鐘)

④ 按下**確定**鈕

特別提醒！雖然 Excel 有自動回復檔案的機制，但是請不要過度依賴此功能，還是要保持隨時儲存檔案的好習慣。

CHAPTER 5
學會資料的格式設定，讓報表變專業

想讓工作表看起來更專業，要如何讓「資料對齊、會計帳的負數變紅色、太長的文字自動換行不要被遮住、標題文字跨欄置中、將中文變直式、…」呢？

確實，看到同事們的工作表都很專業、整齊、不凌亂，妳也想讓自己的工作表像他們一樣專業吧！我來教你怎麼做吧！

跨欄置中 p.5-16

自動換行 p.5-14

設定日期格式 p.5-8

變更文字方向 p.5-17

加上框線 p.5-19

依欄寬大小縮小字型 p.5-15

設定負數格式 p.5-5

一月零用金明細					
日期	科目	摘要	支出	餘額	單據
01/04	運費	快遞	238	4,450	
01/08	交通費	公務車加油、保養	1,900	2,550	發票
01/10	雜項	電池	864	1,686	收據
01/16	文具用品	文具一批	846	840	發票
01/22	匯費	匯款給上立公司	60	780	
01/27	交通費	公務車加油	1,670	-890	發票
01/27	修繕費	冷氣維修費	3,200	-4,090	收據
01/28	文具用品	文件夾	843	-4,933	發票

p.5-6   p.5-28   p.5-30

一定要會的資料編輯技巧

- 輸入以零為開頭的編號。
- 一次刪除空白儲存格所在的資料列。
- 如何在同一個儲存格中擺放兩個標題，並用斜線區隔？
- 善用「縮排」功能，讓具有層級關係的資料容易辨識。
- 合併多個儲存格後，如何還原合併前的資料？

p.5-35   p.5-33

文字格式設定：突顯要強調的重點

儲存格中的文字預設是黑字、新細明體，為了突顯重點，我們可以將文字加粗、放大、換色…等等。

變更文字格式

只要選取儲存格，或是選取指定的儲存格範圍、整欄、整列，再切換到**常用**頁次，按下**字型**區的工具鈕，文字就會套用格式了。請開啟範例檔案 Ch05-01 做個簡單的練習，選取 A2:E2 儲存格，再由**字型**區的**字型**列示窗選擇**微軟正黑體**，並按下**粗體**鈕，選取範圍的字型就改變了。

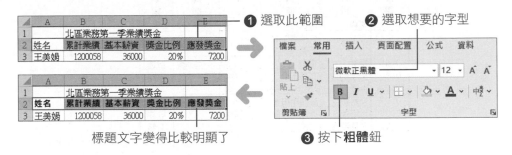

① 選取此範圍　② 選取想要的字型

標題文字變得比較明顯了

③ 按下**粗體**鈕

你也可以只選取儲存格中的某幾個字來加粗、換色、…。

技巧補充

迷你工具列

在**編輯**模式下選取文字時，會出現一個如右圖的**迷你工具列**，將滑鼠指標移到**迷你工具列**上即可快速進行字型、字體大小、加粗、斜體…等設定。雖然這些設定在**常用**頁次下就可以看到，不過當你目前切換到其他頁次時，就可直接使用這個**迷你工具列**設定格式，不用再切換回**常用**頁次了。

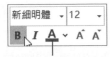

也可以利用選取文字時出現的**迷你工具列**來設定

5-2 數值資料的格式化

工作表中的數值資料，也許是一筆金額、一個數量或是銀行利率、…等等，若能為數值加上貨幣符號 ($)、百分比符號 (%)…，就能更明確表達出它們的特性。

直接輸入數值格式

儲存格預設的格式為**通用格式**，它會記住上次輸入的資料格式。請開啟一份新活頁簿，在 A1 儲存格中輸入 "$1,500"，再按下 Enter 鍵：

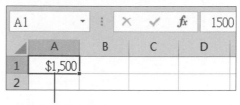

A1 儲存格的數值格式變成貨幣格式了

以後就算在 A1 儲存格中重新輸入其他數字，也會以貨幣格式來顯示。請再次選取 A1 儲存格，直接輸入 "2500" (不要輸入 $ 符號)，再按下 Enter 鍵：

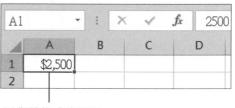

以貨幣格式來顯示

從「數值格式」列示窗設定格式

剛剛是以直接輸入的方式來設定格式，我們也可以切換到**常用**頁次，在**數值**區中拉下**數值格式**列示窗，選擇適合的數值格式。繼續以 A1 儲存格為例，將剛才的 "$2,500" 改為 "$2,500.00"，請先選取 A1 儲存格，然後如圖操作：

按下此鈕選擇**貨幣符號**

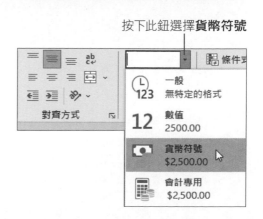

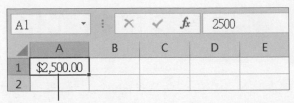

顯示成我們想要的格式了

由「數值」區設定各種數字格式

常用頁次的**數值**區中，還有多種可快速設定數字
格式的工具鈕，列舉如下：

格式	說明	範例
會計數字格式 $ ˅	將儲存格的數值資料設定為會計專用格式，並加上貨幣符號、小數點及千分位逗號。拉下**會計數字格式**旁的向下箭頭，還可以選擇英鎊、歐元、…等貨幣格式	5000 ⟶ $5,000.00
百分比樣式 %	將儲存格的數值資料設為百分比格式	0.08 ⟶ 8%
千分位樣式 ,	將儲存格的數值資料設為會計專用格式，但不加貨幣符號	3580 ⟶ 3,580.00
增加小數位數	每按一次會增加一位小數位數	120.4 ⟶ 120.40
減少小數位數	每按一次會以四捨五入的方式，減少一位小數位數	6387.69 ⟶ 6387.7

將負數的數值以紅色標示

財務報表、零用金、…等表單，通常會以紅字來標示負數數值，這樣才能在密密麻麻的數值資料中突顯出來。要將負數數值標示為紅字，你可以如下操作：

STEP 01 請開啟範例檔案 Ch05-02，選取 F5:F24 儲存格範圍，在此要將餘額為負數的資料標示紅字。

選取儲存格範圍

	A	B	C	D	E	F	G	H
1				一月零用金明細				
2								
3							上月結餘：	23,980
4		日期	科目	摘要	支出	餘額	單據種類	發票號碼
5		1/4	運費	快遞	238	23,742		
6		1/4	郵電費	郵票	168	23,574		
7		1/6	匯費	匯款給傑元公司	30	23,544		
8		1/8	交通費	公務車加油	1,900	21,644	發票	WS15874657
9		1/10	雜項	電池	864	20,780	收據	

STEP 02 按下 `Ctrl` + `1` 鍵，開啟 **設定儲存格格式** 交談窗，切換到 **數值** 頁次做設定：

勾選此項，會顯示千分位符號

❶ 在此區選擇負數的呈現方式

❷ 按下 **確定** 鈕

	B	C	D	E	F	G
4	日期	科目	摘要	支出	餘額	單據種類
5	1/4	運費	快遞	238	23,742	
6	1/4	郵電費	郵票	168	23,574	
7	1/6	匯費	匯款給傑元公司	30	23,544	
8	1/8	交通費	公務車加油	1,900	21,644	發票
9	1/10	雜項	電池	864	20,780	收據
10	1/12	郵電費	郵寄包裹	250	20,530	發票
11	1/16	文具用品	文具一批	846	19,684	發票
21	1/27	修繕費	冷氣維修費	3,200	-4,328	收據
22	1/28	文具用品	文件夾	843	-5,171	發票
23	1/29	雜項	清潔用品	587	-5,758	
24	1/29	郵電費	快遞	253	-6,011	收據

以紅字顯示負數資料

技巧補充

想輸入「0004521」這樣的產品編號，為什麼零都不會顯示？

有些公司的產品編號或是流水號會預留比較多的數字位數，例如「0004521」，但是在儲存格輸入這樣的數字後，0 會變不見，只顯示「4521」，要怎麼顯示前面的 0 呢？

- **方法 1**：在編號的最前面加上「'」符號 (在 Enter 鍵左側)，例如要輸入「0004521」，請輸入成「'0004521」。

└─ 顯示編號前的 0 了

此時會出現**錯誤檢查選項**鈕，請不用理會這個按鈕，詳細說明請參考 9-20 頁

- **方法 2**：先將儲存格格式設為**文字**，再輸入「0004521」。

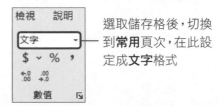

選取儲存格後，切換到**常用**頁次，在此設定成**文字**格式

SECTION
5-3 日期和時間的格式設定

日期和時間也是屬於數值資料，不過因為它們的格式比較特殊，可顯示的格式也有多種變化，所以我們特別獨立一節來詳細說明。

輸入日期與時間

當你在儲存格中輸入日期或時間資料時，必須以 Excel 能接受的格式輸入，才會被當成是日期或時間，否則會被當成文字資料。以下列舉 Excel 所能接受的日期與時間格式：

輸入的日期	Excel 判斷的日期
2021 年 12 月 1 日	2021/12/1
21 年 12 月 1 日	2021/12/1
2021/12/1	2021/12/1
21/12/1	2021/12/1
1-DEC-21	2021/12/1
12/1	2021/12/1 (不輸入年份時，Excel 會視為當年)
1-DEC	2021/12/1 (不輸入年份時，Excel 會視為當年)

輸入的時間	Excel 判斷的時間
11:20	11:20:00 AM
12:03 AM	12:03:00 AM
12 時 10 分	12:10:00 PM
12 時 10 分 30 秒	12:10:30 PM
上午 8 時 50 分	08:50:00 AM

TIP

請特別注意！輸入時間及日期時，數字與文字間不要空格，年份請用西元年。

常見問題

輸入日期時若沒有輸入年份，Excel 會視為當年的年份，很多人在處理**跨年度的資料**時，經常忘記要輸入年份，這樣會造成統計資料時的錯誤，而且這種錯誤有時很難發現！

STEP 01 在 B1 儲存格輸入 "2021 年 12 月 15 日"，輸入完成按下 Enter 鍵：

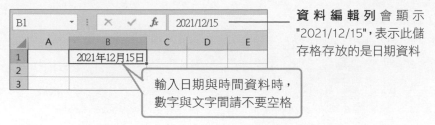

資料編輯列會顯示 "2021/12/15"，表示此儲存格存放的是日期資料

輸入日期與時間資料時，數字與文字間請不要空格

STEP 02 接著在 B2 儲存格輸入 "15 時 36 分"，輸入完成按下 Enter 鍵：

B2	▼	:	×	✓	f_x	03:36:00 PM	
	A		B		C	D	E
1		2021年12月15日					
2		15時36分					
3							

更改日期的顯示方式

輸入日期及時間資料後，還可以依需求更改顯示方式。例如要將 2021/11/6 改成 2021 年 11 月 6 日；將 09:30AM 改成 上午 9 時 30 分。

STEP 01 請開啟範例檔案 Ch05-03，選取 B3:C3 儲存格，在選取的儲存格上按滑鼠右鍵執行『**儲存格格式**』命令，開啟**設定儲存格格式**交談窗來做設定：

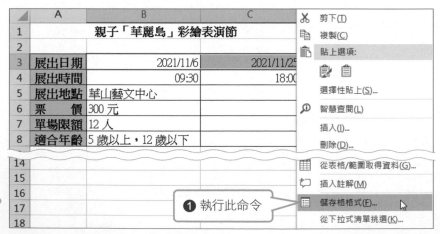

❶ 執行此命令

❷ 切換到
日期類別

❸ 選擇日期的顯示類型

❹ 按下**確定**鈕

	A	B	C
1	親子「華麗島」彩繪表演節		
2			
3	展出日期	2021年11月6日	2021年11月25日
4	展出時間	09:30	18:00
5	展出地點	華山藝文中心	

 TIP

若是欄寬不足以顯示全部內容時，會顯示成 "###"，只要拖曳欄標題旁的框線，就會完整顯示內容了。

 Hotkey

不論是設定數值、日期、時間、文字、…等格式，都會經常開啟**設定儲存格格式**交談窗，想要快速開啟此交談窗，請按下 Ctrl + 1 鍵。

Hotkey

如果要在儲存格中輸入當天的日期，請選取儲存格後直接按下 Ctrl + ; 鍵。

STEP 02 再來試試時間格式的設定方法。請選取 B4:C4 儲存格，在儲存格上按滑鼠右鍵執行『**儲存格格式**』命令：

❶ 切換到**時間**類別

❷ 挑選時間的顯示方式

時間格式會將日期和時間序號以日期值顯示。以星號 (*) 開頭的時間格式，會與作業系統在區域設定中指定的日期與時間設定相對應。沒有星號的格式，則不受作業系統的設定所影響。

❸ 按下**確定**鈕

時間的顯示方式改變了

 Hotkey

如果要在儲存格中輸入目前的時間，可選取儲存格後直接按下 Ctrl + Shift + : (分號) 鍵。

在日期旁邊顯示星期

有時為了方便參照，希望能在日期旁邊顯示出星期，這樣就不用另外對照日曆了。接續上例，我們來練習變更日期格式並在旁邊加上星期。

請選取 B3:C3 儲存格，在選取的儲存格上按滑鼠右鍵執行 『**儲存格格式**』命令，開啟**設定儲存格格式**交談窗：

② 清除**類型**欄的資料，並輸入 "yyyy/mm/dd(aaa)"，這裡的「yyyy」表示顯示 4 位數的年份；「mm」表示顯示 2 位數的月份；「dd」表示顯示 2 位數的日期；最後的「(aaa)」則是顯示「星期」的格式

① 切換到**自訂**類別

③ 按下**確定**鈕

變更日期格式，並在日期旁顯示星期

計算兩個日期相差幾天

如果想知道兩個日期間的間隔天數，或是兩個時間所間隔的時數，可以用簡單的公式來計算。公式中若要使用日期或時間資料，必須將其視為文字以雙引號括住。接續上例，我們想知道展出日期共有幾天，其公式如下：

```
="2021/11/25" – "2021/11/6"
```

請在 D3 儲存格中輸入上述公式，或是直接輸入 "=C3-B3"，再按下 Enter 鍵，即可計算 "2021/11/6" 到 "2021/11/25" 之間的天數，其結果如下：

展出期間共 19 天

要計算兩個日期的間隔天數、月數、年，也可以用 DATEDIF 函數來計算，請參考 10-35 頁的說明。

資料的對齊方式

儲存格內文字預設的水平對齊方式為**靠左對齊**，數值則是**靠右對齊**；垂直對齊方式則是**置中對齊**，即擺放在儲存格的垂直中央位置，我們可以視情況變更對齊方式，或是讓儲存格內的資料自動換列。

設定文字靠左、靠右或置中對齊

要調整資料的對齊方式，最快的方法是選取儲存格，切換到**常用**頁次按下**對齊方式**區的工具鈕來設定。

設定垂直的對齊方式 (靠上對齊、置中對齊、靠下對齊)

設定水平的對齊方式 (靠左對齊、置中、靠右對齊)

跨欄置中鈕，可將資料橫跨數個儲存格並擺放在水平中央的位置

請開啟範例檔案 Ch05-04，選取 A5:A24 儲存格範圍，接著按住 Ctrl 鍵不放，再選取 F5:F24 儲存格範圍，按下**常用**頁次**對齊方式**區的**置中**鈕 ≡。

	日期	科目	摘要	支出	餘額	單據種類	發票號碼
3						上月結餘：	23,980
4	日期	科目	摘要	支出	餘額	單據種類	發票號碼
5	1/4	運費	快遞	238	23,742		
6	1/4	郵電費	郵票	168	23,574		
7	1/6	匯費	匯款給傑元公	30	23,544		
8	1/8	交通費	公務車加油	1,900	21,644	發票	WS15874657
9	1/10	雜項	電池	864	20,780	收據	
10	1/12	郵電費	郵寄包裹	250	20,530	發票	WS15795135
11	1/16	文具用品	文具一批	846	19,684	發票	WS15687345
12	1/16	運費	搬運費	2,500	17,184		
13	1/17	交通費	ETC加值	1,500	15,684	發票	WS12687513
14	1/17	雜項	五金零件	3,560	12,124	收據	
15	1/22	匯費	匯款給上立公	60	12,064		
16	1/22	雜項	桶裝水	2,356	9,708	收據	
17	1/25	文具用品	魔術膠帶	688	9,020	收據	
18	1/25	雜項	碳粉匣	2,380	6,640	發票	WS12687581
19	1/26	雜項	橡膠插頭	6,098	542	收據	
20	1/27	交通費	公務車加油	1,670	-1,128	發票	WS1287651
21	1/27	修繕費	冷氣維修費	3,200	-4,328	收據	
22	1/28	文具用品	文件夾	843	-5,171	發票	WS11687453
23	1/29	雜項	清潔用品	587	-5,758		
24	1/29	郵電費	快遞	253	-6,011	收據	

將這兩欄的文字置中對齊

讓文字配合欄位寬度自動換列

當某幾筆資料字數太多又不想調整欄寬,就可利用**自動換行**功能來解決。

STEP 01 接續剛才的範例檔案 Ch05-04,目前 C7 及 C15 儲存格因為字數太多而沒有完整顯示出來,請選取這兩個儲存格:

4	日期	科目	摘要	支出	餘額	單據種類	發票號碼
5	1/4	運費	快遞	238	23,742		
6	1/4	郵電費	郵票	168	23,574		
7	1/6	匯費	匯款給傑元公	30	23,544		
8	1/8	交通費	公務車加油	1,900	21,644	發票	WS15874657
9	1/10	雜項	電池	864	20,780	收據	
10	1/12	郵電費	郵寄包裹	250	20,530	發票	WS15795135
11	1/16	文具用品	文具一批	846	19,684	發票	WS15687345
12	1/16	運費	搬運費	2,500	17,184		
13	1/17	交通費	ETC加值	1,500	15,684	發票	WS12687513
14	1/17	雜項	五金零件	3,560	12,124	收據	
15	1/22	匯費	匯款給上立公	60	12,064		
16	1/22	雜項	桶裝水	2,356	9,708	收據	

STEP 02 切換到**常用**頁次,在**對齊方式**區按下 `ab 自動換行` 鈕:

按下此鈕

在不改變欄寬的情況下,文字自動換到下一行

在不改變欄寬的情況下，自動縮小儲存格文字

除了**自動換行**功能，也可以利用**縮小字型以適合欄寬**，接續上例，同樣選取 C7 及 C15 儲存格，按下 `Ctrl` + `1` 快速鍵，開啟**設定儲存格格式**交談窗如下設定：

❶ 切換到此頁次

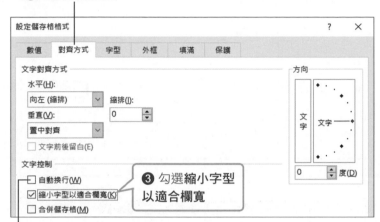

❸ 勾選**縮小字型以適合欄寬**

❷ 先取消勾選**自動換行**項目

❹ 按下**確定**鈕

	A	B	C	D
4	日期	科目	摘要	支出
5	1/4	運費	快遞	238
6	1/4	郵電費	郵票	168
7	1/6	匯費	匯款給傑元公司	30
8	1/8	交通費	公務車加油	1,900
9	1/10	雜項	電池	864
10	1/12	郵電費	郵寄包裹	250
11	1/16	文具用品	文具一批	846
12	1/16	運費	搬運費	2,500
13	1/17	交通費	ETC加值	1,500
14	1/17	雜項	五金零件	3,560
15	1/22	匯費	匯款給上立公司	60
16	1/22	雜項	桶裝水	2,356

欄寬不變，但文字變小了

自動換行及**縮小字型以適合欄寬**
這兩個功能無法同時選用，只能選擇其中一種。

跨欄置中

資料表的標題，通常會將字型調大並且加粗，有時也會將標題置中放在所有欄位的中間，讓標題更醒目。接續剛才的範例，我們練習將 A1 儲存格的標題文字**跨欄置中**。

❶ 請選取 A1:G1 儲存格　　　　　　❷ 按下**跨欄置中**鈕

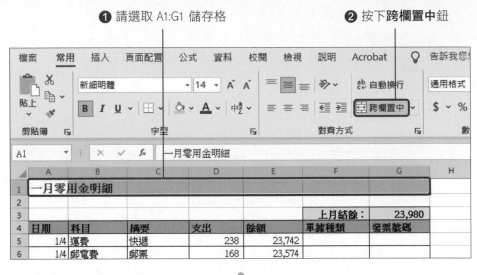

A1 儲存格文字橫跨 A 欄到 G 欄，並且置中排列

SECTION 5-5 變更文字的方向

儲存格內的資料預設是橫式走向，若字數較多儲存格寬度較窄，還可以設為直式文字，更特別的是可以將文字旋轉角度，將文字斜著放！

將文字改成直式

要變更文字的方向，請先選取儲存格，切換到**常用**頁次，在**對齊方式**區按下**方向**鈕 ，從中選擇要套用的文字方向，你可以開啟範例檔案 Ch05-05 來練習：

❶ 選取 B1:E1 儲存格　　❷ 按下**方向**鈕

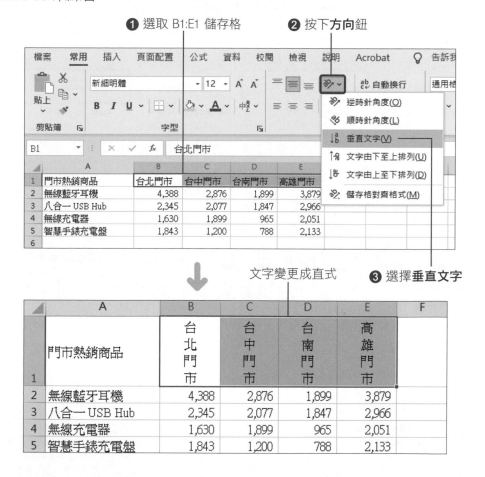

文字變更成直式　　❸ 選擇**垂直文字**

旋轉文字角度

儲存格內的文字除了可以變更為直式，還可以旋轉成不同角度。接續上例，我們來練習旋轉文字角度：

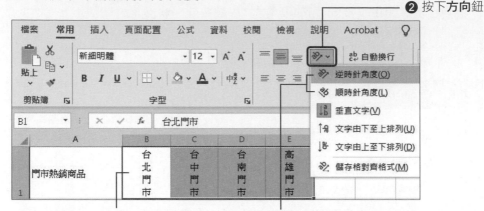

❷ 按下**方向鈕**

❶ 同樣選取 B1 : E1 儲存格　　❸ 選擇**逆時針角度**或**順時針角度**

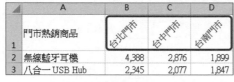

▲ 逆時針角度

▲ 順時針角度

除了按下**方向** ⚟ 鈕來變更文字角度外，也可以在選取儲存格後，按下 Ctrl + 1 鍵，開啟**設定儲存格格式**交談窗，在**對齊方式**頁次中做設定。

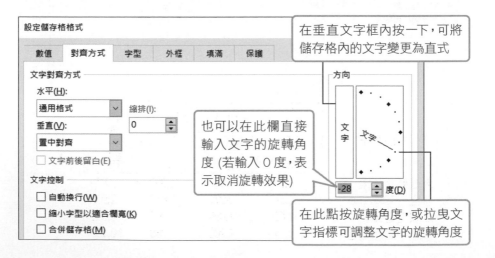

在垂直文字框內按一下，可將儲存格內的文字變更為直式

也可以在此欄直接輸入文字的旋轉角度 (若輸入 0 度，表示取消旋轉效果)

在此點按旋轉角度，或拉曳文字指標可調整文字的旋轉角度

替儲存格加上框線與圖樣效果

想要強調儲存格的資料，也可以為儲存格設定格式，例如：改變儲存格的框線樣式、顏色，為儲存格填滿底色等，若是覺得填滿底色的變化太少，還能為儲存格填滿各種圖樣變化。

為儲存格加上框線

請開啟範例檔案 Ch05-06，選取 A1:E5 儲存格，切換到**常用**頁次，我們要利用**字型**區的**框線**鈕 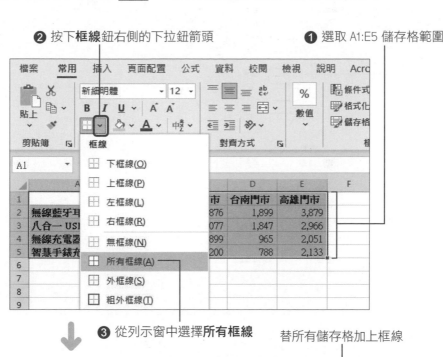，為選取的儲存格加上框線的效果。

❷ 按下**框線**鈕右側的下拉鈕箭頭　　　　　　❶ 選取 A1:E5 儲存格範圍

❸ 從列示窗中選擇**所有框線**　　　替所有儲存格加上框線

	A	B	C	D	E	F	G
1		台北門市	台中門市	台南門市	高雄門市		
2	無線藍牙耳機	4,388	2,876	1,899	3,879		
3	八合一 USB Hub	2,345	2,077	1,847	2,966		
4	無線充電器	1,630	1,899	965	2,051		
5	智慧手錶充電盤	1,843	1,200	788	2,133		
6							

變更框線的粗細及樣式

Excel 預設的表格框線為細黑線，如果想要變更框線的粗細、顏色或是變更成虛線、點線等效果，可以按下**框線鈕** 🔲▾ 的下拉箭頭，執行『**其他框線**』命令，開啟**設定儲存格格式**交談窗做設定。

同樣沿用剛才的範例檔案 Ch05-06，請選取 A2:E5 儲存格範圍，開啟**設定儲存格格式**交談窗，如下操作：

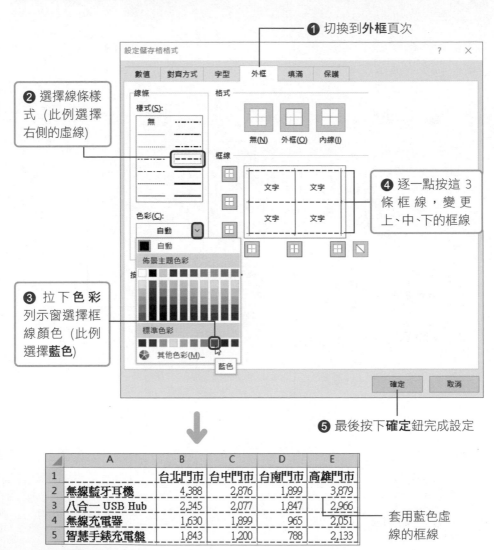

套用藍色虛線的框線

在儲存格中填色或加上圖樣效果

我們可以在輸入資料後，為想強調的內容填入底色，或是加上圖樣效果。
請開啟範例檔案 Ch05-07，選取 A2:A5 儲存格範圍，切換到**常用**頁次，
按下**填滿色彩**鈕  旁的下拉箭頭，並在色盤中挑選喜愛的顏色：

填入底色的效果　　若執行**其他色彩**命令，會開啟　　請選擇綠色 (將指標移到
色彩交談窗讓你挑選其他色彩　　色盤上，可從選取的儲存
格預覽套用後的色彩)

若要在儲存格中填入圖樣，可按
下 Ctrl + 1 鍵，開啟**設定儲存
格格式**交談窗，切換到**填滿**頁
次，從**圖樣樣式**列示窗選擇要填
滿的圖樣。

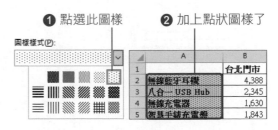

❶ 點選此圖樣　　❷ 加上點狀圖樣了

快速套用相同的儲存格格式

當你為儲存格加上字型、框線、圖樣等格式設定後，若想為其他儲存格
(或範圍) 套用相同的格式設定，可切換到**常用**頁次，按下**剪貼簿**區的**複製
格式**鈕 快速完成。

接續剛才的範例檔案 Ch05-07，我們要將設定好格式的 A2:A5 儲存格複製
到 B1:E1 儲存格中：

❶ 選取要複製格式的來源儲存格，按下
複製格式鈕 ，此時指標會呈 ⬇🖌 狀

	A	B	C	D	E
1		台北門市	台中門市	台南門市	高雄門市
2	無線藍牙耳機	4,388	2,876	1,899	3,879
3	八合一 USB Hub	2,345	2,077	1,847	2,966
4	無線充電器	1,630	1,899	965	2,051
5	智慧手錶充電盤	1,843	1,200	788	2,133

❷ 選取目的儲存格 B1:E1，
即可將格式複製過來

	A	B	C	D	E
1		台北門市	台中門市	台南門市	高雄門市
2	無線藍牙耳機	4,388	2,876	1,899	3,879
3	八合一 USB Hub	2,345	2,077	1,847	2,966
4	無線充電器	1,630	1,899	965	2,051
5	智慧手錶充電盤	1,843	1,200	788	2,133

技巧補充

連續複製相同的儲存格格式

如果想要將同一個儲存格 (或儲存格範圍) 的格式，**連續複製**到其他儲存
格，最快的做法就是在**複製格式**鈕 上按兩下，使按鈕呈按下狀態 ，
就可以持續點選其他儲存格複製相同的格式了。例如，此範例新增了兩個
門市資料，就可以從其他儲存格將格式複製過來，節省設定格式的時間。

❶ 選取此儲存格範圍

❷ 在**複製格式**鈕上按兩下

	A	B	C	D	E	F	G
1		台北門市	台中門市	台南門市	高雄門市	新竹門市	苗栗門市
2	無線藍牙耳機	4,388	2,876	1,899	3,879	3,894	2,938
3	八合一 USB Hub	2,345	2,077	1,847	2,966	2,375	3,421
4	無線充電器	1,630	1,899	965	2,051	1,259	1,678
5	智慧手錶充電盤	1,843	1,200	788	2,133	2,094	1,896

將 B1:B5 的格式複製到 F1:F5 儲存格了

❸ 當滑鼠指標呈 ✛🖌 狀，由上而下拖曳 F1:F5 儲存格

❹ 當滑鼠指標呈 ✛🖌 狀，繼續由上而下拖曳 G1:G5 儲存格，放開滑鼠即可將 B1:B5 的格式複製過來

隱藏儲存格格線

當設定好儲存格的框線或填滿的圖樣後，如果想讓整份表格更清爽，可以適時地將儲存格原本的格線隱藏起來。要隱藏格線請切換到**檢視**頁次，取消勾選**格線**項目。

藉由勾選或取消勾選此項，可切換格線的顯示或隱藏

◀ 顯示格線

◀ 隱藏格線

取代儲存格格式

在工作表中設定了不同的格式後，可以讓 Excel 來幫你找出符合某格式設定的儲存格，例如找出使用斜體字的儲存格、找出套用圖樣效果的儲存格…等，再取代成其他格式，以節省人力尋找及設定的時間。

有時我們會為多個儲存格設定相同的格式，若想一次替換成另一種格式，就可以利用**取代格式**的功能來辦到。請開啟範例檔案 Ch05-09，假設我們想將所有的日期設成藍底、置中對齊，就可以如下操作：

	A	B	C	D	E	F	G
1			各月應付帳款				
2	進貨日期	客戶名稱	未 稅	稅 金	含 稅	付款方式	付款日期
3	04/01	銓東有限公司	125,500	6,275	131,775	現金	05/05
4	04/03	榮鼎有限公司	95,487	4,774	100,261	現金	05/05
5	04/12	聯鎂公司	36,800	1,840	38,640	現金	05/05
6	04/15	偉鋒有限公司	34,400	1,720	36,120	現金	05/05
7	05/02	宏升股份有限公司	12,548	627	13,175	現金	06/05
8	05/10	立享股份有限公司	22,680	1,134	23,814	支票	06/05
9	05/15	平洋實業	118,420	5,921	124,341	現金	06/05
10	05/16	騰華科技	671,670	33,584	705,254	現金	06/05
11	05/20	嘉迎股份有限公司	12,000	600	12,600	支票	06/05
12	06/10	德羽實業有限公司	62,760	3,138	65,898	電匯	07/05
13	06/13	竹誠國際股份有限公司	25,478	1,274	26,752	現金	07/05
14	06/15	易杰國際	40,860	2,043	42,903	現金	07/05
15	06/20	偉鋒有限公司	54,878	2,744	57,622	現金	07/05
16	07/04	宏升股份有限公司	65,448	3,272	68,720	支票	08/05
17	07/08	聯鎂公司	28,000	1,400	29,400	現金	08/05
18	07/12	榮鼎有限公司	68,963	3,448	72,411	現金	08/05
19	07/15	騰華科技	21,657	1,083	22,740	現金	08/05
20	07/22	德羽實業有限公司	33,000	1,650	34,650	支票	08/05
21	07/30	易杰國際	54,878	2,744	57,622	現金	08/05
22	08/01	平洋實業	35,487	1,774	37,261	現金	09/05
23	08/06	銓東有限公司	2,500	125	2,625	現金	09/05
24	08/10	竹誠國際股份有限公司	325,478	16,274	341,752	電匯	09/05
25	08/16	騰華科技	11,440	572	12,012	現金	09/05
26	08/24	嘉迎股份有限公司	19,605	981	20,586	現金	09/05
27	08/28	聯鎂公司	28,953	1,448	30,401	現金	09/05
28	08/30	立享股份有限公司	25,487	1,274	26,761	現金	09/05

▲ 原本的日期資料，沒有全部填滿底色且靠右對齊

STEP 01 請切換到**常用**頁次，在**編輯**區中按下**尋找與選取**鈕，執行『**取代**』命令，開啟**尋找及取代**交談窗：

按下**選項**鈕，展開下方的選項設定，點選**尋找目標**右側**格式**鈕的下拉箭頭，選擇**格式**

STEP 02 設定要尋找的目標。在此將日期格式設為尋找目標：

❶ 切換到**數值**頁次　❷ 選擇**自訂**類別

❸ 先刪除此欄的內容，再輸入 "mm/dd" (二位數的月份及日期)

❹ 按下**確定**鈕

STEP 03 設定取代後的格式，在此要將日期儲存格填滿藍色並置中對齊。

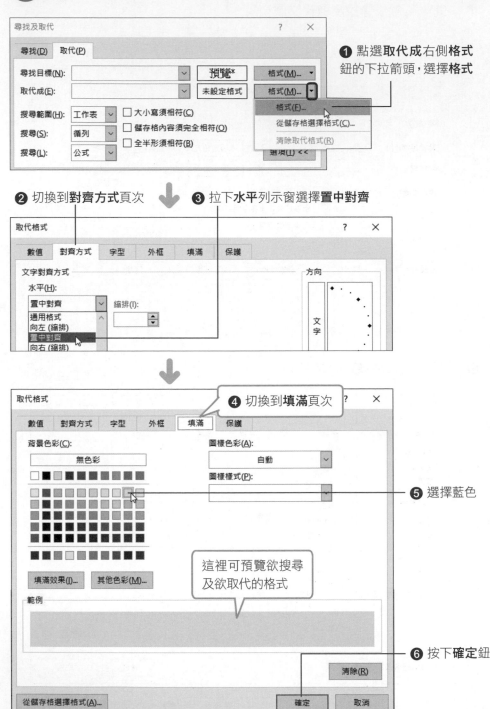

❶ 點選**取代成**右側**格式**鈕的下拉箭頭，選擇**格式**

❷ 切換到**對齊方式**頁次

❸ 拉下**水平**列示窗選擇**置中對齊**

❹ 切換到**填滿**頁次

❺ 選擇藍色

這裡可預覽欲搜尋及欲取代的格式

❻ 按下**確定**鈕

回到**尋找及取代**交談窗後，按下**全部取代**鈕，即會顯示已取代幾個項目，最後關閉**尋找及取代**交談窗就完成了。

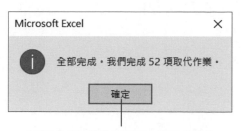

會顯示已取代幾個項目，按下**確定**鈕

	A	B	C	D	E	F	G	H
1			各月應付帳款					
2	進貨日期	客戶名稱	未 稅	稅 金	含 稅	付款方式	付款日期	
3	04/01	銓東有限公司	125,500	6,275	131,775	現金	05/05	
4	04/03	榮鼎有限公司	95,487	4,774	100,261	現金	05/05	
5	04/12	聯鎂公司	36,800	1,840	38,640	現金	05/05	
6	04/15	偉鋒有限公司	34,400	1,720	36,120	現金	05/05	
7	05/02	宏升股份有限公司	12,548	627	13,175	現金	06/05	
8	05/10	立享股份有限公司	22,680	1,134	23,814	支票	06/05	
9	05/15	平洋實業	118,420	5,921	124,341	現金	06/05	
10	05/16	騰華科技	671,670	33,584	705,254	現金	06/05	
11	05/20	嘉迎股份有限公司	12,000	600	12,600	支票	06/05	
12	06/10	德羽實業有限公司	62,760	3,138	65,898	電匯	07/05	
13	06/13	竹誠國際股份有限公司	25,478	1,274	26,752	現金	07/05	
14	06/15	易杰國際	40,860	2,043	42,903	現金	07/05	
15	06/20	偉鋒有限公司	54,878	2,744	57,622	現金	07/05	
16	07/04	宏升股份有限公司	65,448	3,272	68,720	支票	08/05	
17	07/08	聯鎂公司	28,000	1,400	29,400	現金	08/05	
18	07/12	榮鼎有限公司	68,963	3,448	72,411	現金	08/05	
19	07/15	騰華科技	21,657	1,083	22,740	現金	08/05	
20	07/22	德羽實業有限公司	33,000	1,650	34,650	支票	08/05	
21	07/30	易杰國際	54,878	2,744	57,622	現金	08/05	
22	08/01	平洋實業	35,487	1,774	37,261	現金	09/05	
23	08/06	銓東有限公司	2,500	125	2,625	現金	09/05	
24	08/10	竹誠國際股份有限公司	325,478	16,274	341,752	電匯	09/05	
25	08/16	騰華科技	11,440	572	12,012	現金	09/05	
26	08/24	嘉迎股份有限公司	19,605	981	20,586	現金	09/05	
27	08/28	聯鎂公司	28,953	1,448	30,401	現金	09/05	
28	08/30	立享股份有限公司	25,487	1,274	26,761	現金	09/05	

▲ 格式替換成功

職場活用術 一次刪除空白儲存格所在的資料列

有時候匯入到 Excel 的資料裡含有空白儲存格，要一個一個找出來再刪除，實在很傷眼力。在此，要教你一個小技巧，可以一次選取所有的空白儲存格，並且一次刪除空白儲存格所在的整列資料。

請開啟範例檔案 Ch05-10，以此範例而言，庫存表裡沒有填入資料的儲存格，表示此材料已經沒有庫存了或是該材料已經更換成新的編號，在此我們要刪除這些不完整的資料。

STEP 01 選取 A4:D16 儲存格範圍，再按下**常用**頁次**編輯**區中的**尋找與選取**鈕，選擇**特殊目標**。

	A	B	C	D
1		烘培材料庫存表		
2	盤點日期	5/20		
3	料號	名稱	庫存量	單位
4	CA01	不鏽鋼蛋糕膜	10	組
5	CA02	不鏽鋼吐司膜	15	組
6	WT01	和果子膜	30	組
7	WT05	數字膜	8	包
8		英文字母膜		包
9	DA01	甜度計	6	支
10	DA05	量杯		個
11	DA03	甜心盒	10	個
12		攪拌器		支
13	DG01	生巧克力	18	包
14	DG08	巧克力米	15	包
15	DG06	可可粉		包
16		低筋麵粉		包
17				

❷ 執行此命令

❶ 選取此資料範圍

STEP 02 開啟**特殊目標**交談窗後，點選**空格**項目，再按下**確定**鈕。

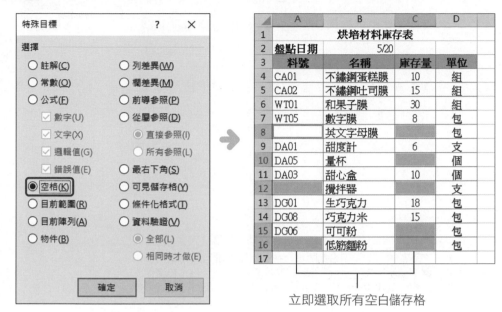

立即選取所有空白儲存格

STEP 03 按下**常用**頁次**儲存格**區中的**刪除**鈕，選擇**刪除工作表列**，這樣所有空白儲存格所在的列資料就會一併刪除。

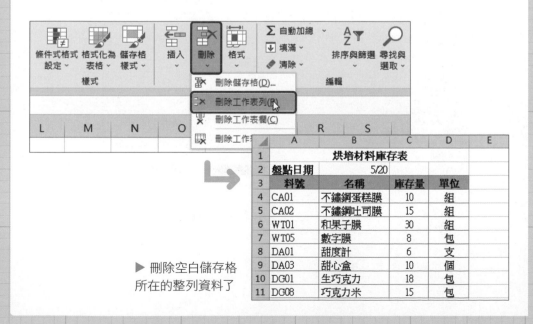

▶ 刪除空白儲存格
所在的整列資料了

職場
活用術 # 如何在同一個儲存格中擺放兩個標題，並用斜線區隔？

要在同一個儲存格中放置兩個標題，可善用**上標**及**下標**功能，接著再利用框線繪製斜線做區隔，請開啟範例檔案 ChO5-11 如下操作：

STEP 01 請先在 A1 儲存格中輸入 "產品名稱門市"，輸入完畢，請在 A1 儲存格按下 F2 快速鍵，進入**編輯**模式，選取「產品名稱」這 4 個字：

選取「產品名稱」這 4 兩個字

	A	B	C	D	E
1	產品名稱門市	台北門市	台中門市	台南門市	高雄門市
2	無線藍牙耳機	4,388	2,876	1,899	3,879
3	八合一 USB Hub	2,345	2,077	1,847	2,966

STEP 02 按下 Ctrl + 1 鍵開啟**設定儲存格格式**交談窗在**字型**頁次，勾選**下標**選項：

勾選**下標**選項，再按下**確定**鈕

「產品名稱」4 個字變成下標字

	A	B	C	D	E
1	產品名稱門市	台北門市	台中門市	台南門市	高雄門市
2		4,388	2,876	1,899	3,879
3	八合一 USB Hub	2,345	2,077	1,847	2,966
4	無線充電器	1,630	1,899	965	2,051
5	智慧手錶充電盤	1,843	1,200	788	2,133

STEP 03 接著，選取「門市」 2 個字，參照 **STEP 02** 的方法，勾選**上標**選項，將「門市」變成上標字：

	A	B	C	D	E
1	產品名稱門市	台北門市	台中門市	台南門市	高雄門市
2		4,388	2,876	1,899	3,879
3	八合一 USB Hub	2,345	2,077	1,847	2,966
4	無線充電器	1,630	1,899	965	2,051
5	智慧手錶充電盤	1,843	1,200	788	2,133

STEP 04 設定了上標及下標字後，文字會變小，請選取 A1 儲存格，按下**字型大小**鈕，將字型調到 18，並設為**粗體**：

	A	B	C	D	E
1	門市 產品名稱	台北門市	台中門市	台南門市	高雄門市
2	無線藍牙耳機	4,388	2,876	1,899	3,879
3	八合一 USB Hub	2,345	2,077	1,847	2,966
4	無線充電器	1,630	1,899	965	2,051
5	智慧手錶充電盤	1,843	1,200	788	2,133

STEP 05 設定好文字後，接著要在儲存格中繪製斜線，請選取 A1 儲存格後，按下**框線**鈕，選擇『**其他框線**』命令，開啟**設定儲存格格式**交談窗如下設定：

❶ 按下此鈕

❷ 選擇此命令

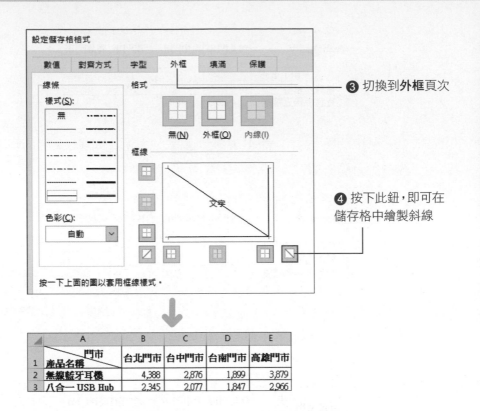

❸ 切換到**外框**頁次

❹ 按下此鈕，即可在儲存格中繪製斜線

	A	B	C	D	E
1	產品名稱　門市	台北門市	台中門市	台南門市	高雄門市
2	無線藍牙耳機	4,388	2,876	1,899	3,879
3	八合一 USB Hub	2,345	2,077	1,847	2,966

STEP 06 在儲存格中加上斜線後，已經完成斜表頭的設定了，不過我們還希望將「門市」這 2 個字往右移一點。請選取 A1 儲存格，按下 F2 鍵，進入**編輯**模式，將插入點移到「門市」之前，切換成「全形」，並輸入一個空白。

在此輸入一個全形空白，再按下 Enter 鍵　　　　　　　　　完成斜表頭的設定了

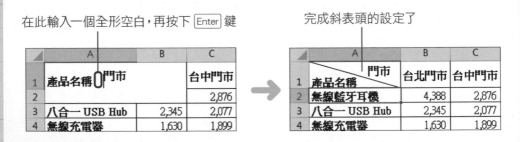

職場 活用術	善用「縮排」功能，讓具有 層級關係的資料容易辨識

有些資料具有關聯性或是層級關係，例如「部門、員工」、「地區、門市」、「產品大類別、產品小類別」、…等等。如果將這些有層級關係的資料放在同一欄會不容易區分，這時候不妨善用**縮排**功能，讓次一層級的資料內縮，可讀性會比較好！請開啟範例檔案 Ch05-12 來練習：

❶ 先選取 A5:A10 儲存格

❷ 按住 Ctrl 鍵不放，陸續選取 A12:A15、A17:A22、A24:A29、A31:A34 以及 A36:A41 儲存格範圍

	A	B	C	D	E	F	G
1		員工旅遊補助金額					
2							
3	部門	到職日	年資	補助金額		年資	金額
4	人事部					三年以上	10,000
5	白美惠	2011/08/09	9年	10,000		未滿三年	5,000
6	朱麗雅	2016/05/20	5年	10,000		未滿一年	3,000
7	宋秀惠	2016/03/08	5年	10,000			
8	張文雅	2016/03/02	5年	10,000			
9	許東賢	2019/06/03	2年	5,000			
10	盧仲偉	2008/10/20	12年	10,000			
11	工程部						
12	汪炳哲	2018/09/03	2年	5,000			
13	陳曲佩	2005/03/22	16年	10,000			
14	陳淑美	2019/05/01	2年	5,000			
15	權弘泰	2018/09/04	2年	5,000			
16	研發部						
17	李沛偉	2007/11/15	13年	10,000			
18	谷瑄若	2016/11/10	4年	10,000			
19	金志偉	2017/08/14	3年	10,000			
20	許淑卿	2019/04/15	2年	5,000			
21	黃士傑	2009/04/30	12年	10,000			
22	潘芊美	2014/06/03	7年	10,000			
23	倉儲部						
24	林琪琪	2008/01/15	13年	10,000			
25	金洪均	2013/04/15	8年	10,000			

TIP

上圖是逐一選取各部門底下的人員，選取的操作比較費時，其實你也可以反向操作，先一次選取 A4:A41 範圍，接著再按住 Ctrl 鍵不放，逐一點選各部門名稱 (取消選取部門名稱)，這樣的作法會比較快喔！

部門名稱底下的姓名往內縮
一個字，這樣就很容易辨識了

③ 按下**常用**頁次**對齊方式**區的**增加縮排**鈕

	A	B	C	D	E	F	G	H
1		員工旅遊補助金額						
2								
3	部門	到職日	年資	補助金額		年資	金額	
4	人事部					三年以上	10,000	
5	白美惠	2011/08/09	9年	10,000		未滿三年	5,000	
6	朱麗雅	2016/05/20	5年	10,000		未滿一年	3,000	
7	宋秀惠	2016/03/08	5年	10,000				
8	張文雅	2016/03/02	5年	10,000				
9	許東賢	2019/06/03	2年	5,000				
10	盧仲偉	2008/10/20	12年	10,000				
11	工程部							
12	汪炳哲	2018/09/03	2年	5,000				
13	陳曲佩	2005/03/22	16年	10,000				
14	陳淑美	2019/05/01	2年	5,000				
15	權弘泰	2018/09/04	2年	5,000				
16	研發部							
17	李沛偉	2007/11/15	13年	10,000				
18	谷瑄若	2016/11/10	4年	10,000				
19	金志偉	2017/08/14	3年	10,000				
20	許淑卿	2019/04/15	2年	5,000				
21	黃士傑	2009/04/30	12年	10,000				
22	潘芊美	2014/06/03	7年	10,000				
23	倉儲部							
24	林琪琪	2008/01/15	13年	10,000				
25	金洪均	2013/04/15	8年	10,000				

職場
活用術 | 合併多個儲存格後，
如何還原成合併前的資料？

相信大家經常使用**跨欄置中**鈕來合併多個儲存格，但是合併多個儲存格後，
只會顯示左上角的第一格資料，若是想回復合併前的資料該怎麼辦呢？

❷ 按下**跨欄
置中**鈕

❶ 選取 B4:B7 儲存格

❸ 出現此訊息，告訴你合併後只會
保留左上角的資料，請按下**確定**鈕

	A	B	C	D	E	F	G
1							
2				零用金統計			
3		月份	產品部	會計部	行政部	業務部	
4			89,834	83,906	84,206	84,600	
5		第一季	33,187	31,481	29,420	25,796	
6			32,463	34,252	33,062	28,962	
7			24,184	18,173	21,724	29,842	
8		第二季	75,533	72,431	73,598	84,910	
9		4月	25,188	30,243	25,056	32,727	
10		5月	31,241	21,085	19,039	19,219	
11		6月	19,104	21,103	29,503	32,964	

合併 B4:B7 儲
存格後，只會顯
示第一格資料

上述的作法，在還沒有儲存檔案前，都可以按 Ctrl + Z 鍵，回復未合併儲存格前的資料；但若是儲存檔案就沒辦法回復了。後續若有需要回復合併前的資料，可以用以下的方法來解決。請開啟範例檔案 Ch05-13：

❶ 隨意在工作表中選取 4 個儲存格，並按下**跨欄置中**鈕

❷ 按下**框線**鈕，選擇**外框線**，我們希望在合併的儲存格加上框線

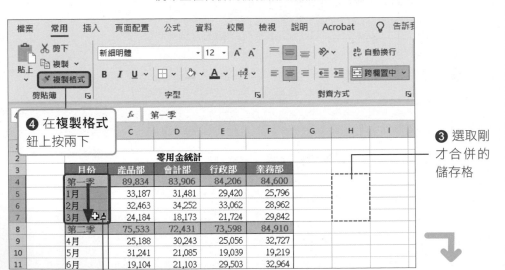

❸ 選取剛才合併的儲存格

❹ 在**複製格式**鈕上按兩下

❺ 當滑鼠指標呈 ✛♣ 狀態時，由上往下拖曳 B4:B7 儲存格

❻ 當滑鼠指標呈 ✛⬛ 狀態時，繼續拖曳 B8:B11、B12:B15、B16:B19 儲存格，即可將各月份合併成第一季、第二季、……

利用**複製格式**鈕來合併儲存格，即使儲存檔案後，還是能回復未合併前的資料，因為**複製格式**只是改變儲存格的外觀設定，不會影響儲存格的內容。請開啟「完成檔案」資料夾中的 Ch05-13.xlsx，選取 B4:B19 儲存格，按下**跨欄置中**鈕，即可還原未合併前的資料。

雖然顯示未合併前的資料，不過儲存格格式得要重新設定

MEMO

同事們輸入、整理資料都很快,幾分鐘就完成了,可是我還在一字一字地刻……

Excel 有很多工作表、儲存格的快速操作技法,可以讓妳十倍速完成工作,絕對不可不學!

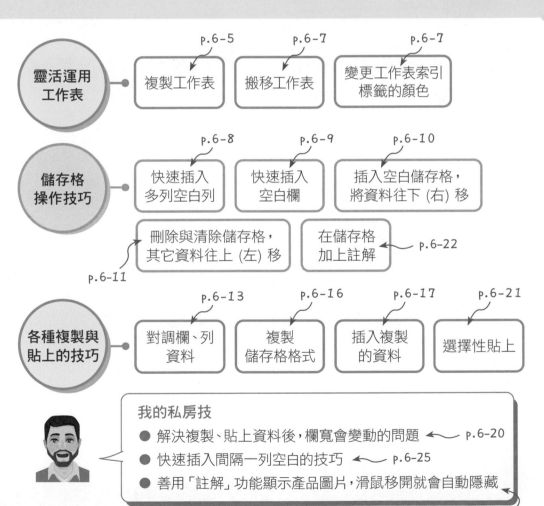

靈活運用工作表

- 複製工作表 p.6-5
- 搬移工作表 p.6-7
- 變更工作表索引標籤的顏色 p.6-7

儲存格操作技巧

- 快速插入多列空白列 p.6-8
- 快速插入空白欄 p.6-9
- 插入空白儲存格,將資料往下 (右) 移 p.6-10
- 刪除與清除儲存格,其它資料往上 (左) 移 p.6-11
- 在儲存格加上註解 p.6-22

各種複製與貼上的技巧

- 對調欄、列資料 p.6-13
- 複製儲存格格式 p.6-16
- 插入複製的資料 p.6-17
- 選擇性貼上 p.6-21

我的私房技

- 解決複製、貼上資料後,欄寬會變動的問題 ← p.6-20
- 快速插入間隔一列空白的技巧 ← p.6-25
- 善用「註解」功能顯示產品圖片,滑鼠移開就會自動隱藏 p.6-29

職場前輩都在用的 工作表技巧

Excel 的工作表就像日常生活中活頁筆記本裡的活頁紙一樣，不夠用可以隨時增加、不需要時可以抽掉，而且還可以依內容為工作表命名或是變換顏色，以方便後續的管理與取用。

快速建立新工作表

1 份活頁簿預設只有 1 張工作表，如果不夠用可以自行插入新的工作表。

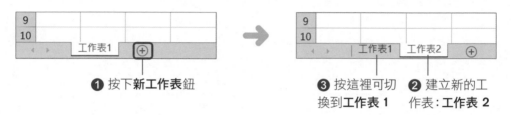

❶ 按下**新工作表**鈕

❸ 按這裡可切換到**工作表 1**　❷ 建立新的工作表：**工作表 2**

只要點按工作表名稱就能切換工作表。

替工作表命名

Excel 會以工作表 1、工作表 2、工作表 3、⋯為工作表命名，但這類名稱沒有什麼意義，因此建議將工作表更改成實用又有意義的名稱，這樣當工作表愈來愈多時，會比較容易查找與切換。

假設我們要在**工作表 1** 中統計各項商品的銷售數量，那就將「工作表 1」命名為「銷售數量」吧！

STEP 01 請雙按**工作表 1** 索引標籤，使其呈選取狀態：

STEP 02 輸入 "銷售數量" 後，緊接著按下 Enter 鍵，工作表就更名成功了。

自訂活頁簿的預設工作表數量

在預設情況下，1 個活頁簿檔案只會包含 1 個工作表，如果你經常需要使用多個工作表，可以如下設定，這樣日後在建立新活頁簿時，就會自動建立多個工作表。

請切換到**檔案**頁次點選左下角的**選項**，開啟 **Excel 選項**交談窗進行設定：

❶ 切換到**一般**頁次

❷ 在此更改數量，例如改成「5」，再按下**確定**鈕，這樣之後建立新活頁簿時，就會自動產生 5 個工作表

常見問題

若是收到別人寄來的 Excel 檔，裡面完全沒有工作表索引標籤時，該怎麼新增工作表呢？此時不用緊張，只要切換到**檔案**頁次，點選左下角的**選項**，開啟 **Excel 選項**交談窗，勾選**顯示工作表索引標籤**就可以了。

▲ 完全找不到工作表索引標籤

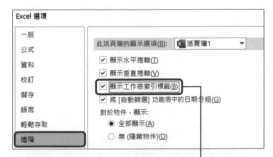

切換到**進階**頁次，勾選**顯示工作表索引標籤**，按下**確定**鈕，就會顯示工作表索引標籤了

技巧補充

快速從多個工作表中切換到指定的工作表

如果活頁簿中建立了太多工作表而一時難以尋找,可在活頁簿視窗左下角的 ◀ ▶ 處按滑鼠右鍵,此時會列出所有工作表名稱的清單,點選想要切換的工作表即可:

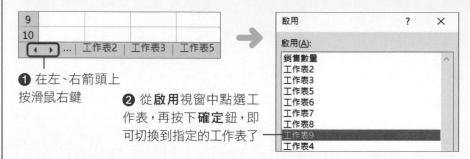

❶ 在左、右箭頭上按滑鼠右鍵

❷ 從 **啟用** 視窗中點選工作表,再按下 **確定** 鈕,即可切換到指定的工作表了

> 若是想快速捲動到第一張工作表,可按住 Ctrl 鍵,再按一下 ◀ ▶ 的左側箭頭;若是要快速捲動到最後一張工作表,可在按住 Ctrl 鍵後,再按一下 ◀ ▶ 的右側箭頭。

刪除工作表

工作表太多會不易管理,對於不再需要的工作表,建議將它刪除。例如我們要刪除此活頁簿的 **工作表 2**,請如下操作:

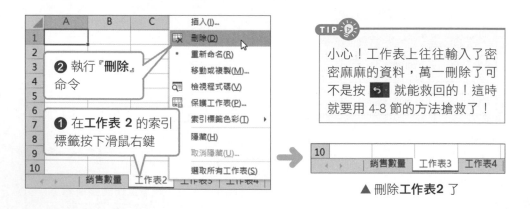

❷ 執行『**刪除**』命令

❶ 在 **工作表 2** 的索引標籤按下滑鼠右鍵

TIP

小心!工作表上往往輸入了密密麻麻的資料,萬一刪除了可不是按 ↶ 就能救回的!這時就要用 4-8 節的方法搶救了!

▲ 刪除 **工作表2** 了

第 **6** 章 ▼ 靈活運用工作表

複製工作表

複製工作表可以幫助我們快速建立相同內容的複本，以加快工作效率。例如想建立 1～12 月的出勤工作表，這 12 個月份的工作表內容格式都相同，但是要建立 12 次相同的內容實在很花時間，這時就可以用**複製工作表**來完成。

STEP 01 例如範例檔案 Ch06-01，已經建立好「1 月出勤」的工作表，請在此工作表上按滑鼠右鍵，選擇『**移動或複製**』命令：

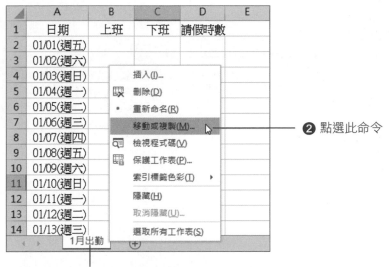

❷ 點選此命令

❶ 在此工作表上按滑鼠右鍵

STEP 02 在開啟的**移動或複製**交談窗中做設定，即可複製工作表：

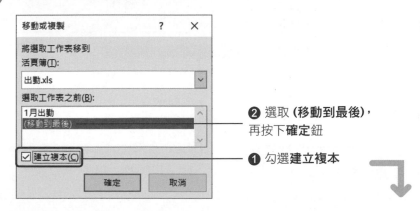

❷ 選取 (**移動到最後**)，再按下**確定**鈕

❶ 勾選**建立複本**

若是要一次複製多個工作表，可如下選取多個工作表：

- **選取相鄰的工作表**：選取第一個工作表後，按住 [Shift] 鍵不放再選取最後一個工作表

- **選取不相鄰的工作表**：選取第一個工作表後，按住 [Ctrl] 鍵，再點選其他工作表

- **取消選取多張工作表**：在任何一個工作表上按滑鼠右鍵，點選**取消工作表群組設定**即可。

請注意！如果在**移動或複製**交談窗中沒有勾選**建立複本**，那麼操作後的結果會變成是「移動工作表」而不是「複製工作表」喔！

建立了和「1 月出勤」相同內容的複本了，你可以自行將工作表名稱修改成「2 月出勤」

技巧補充

將工作表複製到其他活頁簿

如果要將工作表複製到其他活頁簿 (或新活頁簿)，請在工作表索引標籤上按滑鼠右鍵，執行**移動或複製**命令，開啟交談窗後如下做設定：

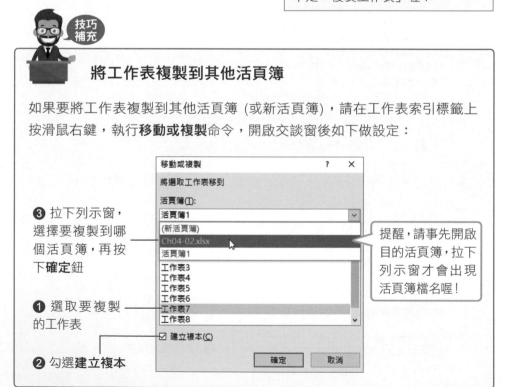

❸ 拉下列示窗，選擇要複製到哪個活頁簿，再按下**確定**鈕

提醒，請事先開啟目的活頁簿，拉下列示窗才會出現活頁簿檔名喔！

❶ 選取要複製的工作表

❷ 勾選**建立複本**

搬移工作表的順序

當建立的工作表愈來愈多，希望工作表依照月份、工作流程、…等順序來
排列時，就可以搬移工作表來調整順序。例如想依月份來排列出勤表。

目前各月的出勤表
沒有依照月份排列

❶ 在 **1 月出勤** 工作表上按住滑鼠左鍵，向左
拖曳到 **2 月出勤** 工作表之前，再放開滑鼠

❷ **1 月出勤** 工作表移到　　　請自行練習將 **3 月出勤** 工作表
2 月出勤 工作表之前了　　移到 **4 月出勤** 工作表之前

設定工作表索引標籤的顏色

對於一些重要的工作表 (如應收帳款或應付帳款等) 或是編輯到一半還沒
結案的資料，我們可以在工作表的索引標籤上設定顏色來做提醒。

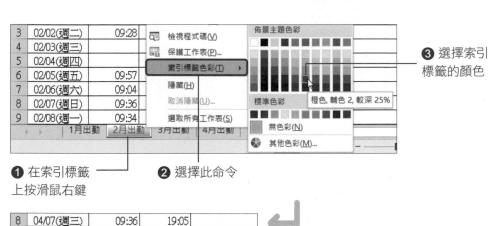

❸ 選擇索引
標籤的顏色

❶ 在索引標籤
上按滑鼠右鍵　　　❷ 選擇此命令

▲ 切換到其他工作表，索引標籤的顏色會更明顯

▼ 職場前輩都在用的工作表技巧

6-2　儲存格的操作技巧

- 插入、刪除、恢復列、欄
- 插入、刪除、恢復儲存格
- 清除儲存格資料

第 **6** 章 ▼ 靈活運用工作表

快速插入多列空白列

請開啟範例檔案 Ch06-02，我們想在第 4 列之前加入 2 筆資料，但由於已經沒有空間了，所以請如下操作，新增 2 列空白列。

STEP 01 請將滑鼠指標移到列編號 3，此時指標會變成 ➡，往下拖曳到列編號 4，即可選取 2 列資料：

	A	B	C	D
1	產品編號	品名	單位	單價
2	D0328	上選烏龍茶	罐	25
3	D9833	綜合蔬果汁	瓶	35
4	W0927	清涼礦泉水	瓶	20
5	R32234	低糖檸檬紅茶	罐	30
6	W005	低糖優酪乳	瓶	35
7	A3828	健康綠拿鐵	瓶	45

TIP 操作錯了，可隨時按下 復原喔！

STEP 02 按下**常用**頁次**儲存格**區中的**插入**鈕，就可以插入 2 列空白列 (選取幾列就插入幾列)，而原本選定範圍的資料皆會往下移。

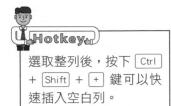

Hotkey 選取整列後，按下 Ctrl + Shift + + 鍵可以快速插入空白列。

	A	B	C	D	E
1	產品編號	品名	單位	單價	數量
2	D0328	上選烏龍茶	罐	25	300
3					
4					
5	833	綜合蔬果汁	瓶	35	200
6	W0927	清涼礦泉水	瓶	20	432

插入 2 列空白

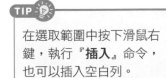

TIP 在選取範圍中按下滑鼠右鍵，執行『**插入**』命令，也可以插入空白列。

快速插入空白欄

插入空白欄的方法和插入空白列大同小異，只要從要插入的地方選取欲插入的欄數，再按下**插入**鈕，即可在原選定範圍的左側插入空白欄。

① 選取 F 欄

	A	B	C	D	E	F
1	產品編號	品名	單位	單價	數量	總價
2	D0328	上選烏龍茶	罐	25	300	7,500
3						
4						
5	D9833	綜合蔬果汁	瓶	35	200	7,000
6	W0927	清涼礦泉水	瓶	20	432	8,640
7	R32234	低糖檸檬紅茶	罐	30	328	9,840
8	W005	低糖優酪乳	瓶	35	188	6,580
9	A3828	健康綠拿鐵	瓶	45	350	15,750
10						
11						

② 按下插入鈕，即可在左側插入空白欄

	A	B	C	D	E	F	G
1	產品編號	品名	單位	單價	數量		總價
2	D0328	上選烏龍茶	罐	25	300		7,500
3							
4							
5	D9833	綜合蔬果汁	瓶	35	200		7,000
6	W0927	清涼礦泉水	瓶	20	432		8,640
7	R32234	低糖檸檬紅茶	罐	30	328		9,840
8	W005	低糖優酪乳	瓶	35	188		6,580
9	A3828	健康綠拿鐵	瓶	45	350		15,750
10							
11							

TIP

選取整欄資料後，在選取範圍中按下滑鼠右鍵，執行『插入』命令，也可以插入空白欄。

Hotkey

選取整欄資料後，按下 Ctrl + Shift + + 鍵，可以快速插入空白欄。

刪除欄或列

若資料範圍中有多餘的欄 (或列)，可將其刪除。沿續剛才的範例，請選取 C 欄，我們要刪除產品的單位。

① 選取 C 欄

	A	B	C	D	E
1	產品編號	品名	單位	單價	數量
2	D0328	上選烏龍茶	罐	25	300
3					
4					
5	D9833	綜合蔬果汁	瓶	35	200
6	W0927	清涼礦泉水	瓶	20	432
7	R32234	低糖檸檬紅茶	罐	30	328

② 按下刪除鈕

插入　刪除　格式

儲存格

TIP

選取整欄或整列資料後，在選取範圍中按下滑鼠右鍵，執行『刪除』命令，也可以刪除空白欄或列。

③ D 欄之後的欄位會往前移

	A	B	C	D	E
1	產品編號	品名	單價	數量	總價
2	D0328	上選烏龍茶	25	300	7,500
3					
4					
5	D9833	綜合蔬果汁	35	200	7,000
6	W0927	清涼礦泉水	20	432	8,640
7	R32234	低糖檸檬紅茶	30	328	9,840

Hotkey

選取整欄或整列資料後，按下 Ctrl + - 鍵，可以快速刪除整欄或整列。

插入空白儲存格，將資料往下（右）移

輸入資料時，難免會有看錯行或是漏打，整個資料都差一格，怎麼辦？這時可以用插入空白儲存格的方法來插入儲存格，並且把現有的資料往下（右）擠。

STEP 01 請開啟範例檔案 Ch06-03，我們要在 D5:F5 儲存格插入 3 個空白儲存格：

STEP 02 開啟**插入**交談窗後，請點選**現有儲存格下移**，再按下**確定**鈕：

在此插入 3 個儲存格

原本的資料往下移了

選取儲存格後，按住 Ctrl 鍵，再按下鍵盤數字鍵區的 + 鍵，即可開啟**插入**交談窗，選擇要插入儲存格或是空白欄、列。

刪除儲存格

對於不再需要 (或是輸入錯誤) 的儲存格，我們可以將它刪除。接續上例，練習將剛才插入的 3 個空白儲存格刪除：

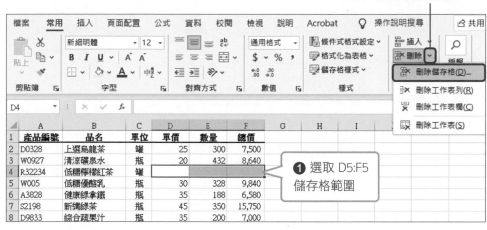

❷ 按下**刪除**鈕的向下箭頭
執行『**刪除儲存格**』命令

❶ 選取 D5:F5
儲存格範圍

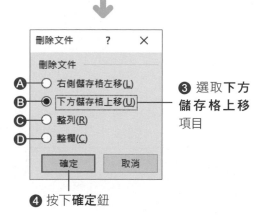

❸ 選取**下方
儲存格上移**
項目

❹ 按下**確定**鈕

Ⓐ 刪除後，右側的儲存格會向左移

Ⓑ 刪除後，下方的儲存格會往上移

Ⓒ 刪除儲存格範圍所在的列

Ⓓ 刪除儲存格範圍所在的欄

3 個空白儲存格被刪除，
下方的資料也往上移了

清除儲存格資料

要清除儲存格的資料，請先選定儲存格後，切換到**常用**頁次，按下**編輯**區中的**清除**鈕 ，選單中有 6 個項目，可分別清除儲存格中的不同屬性：

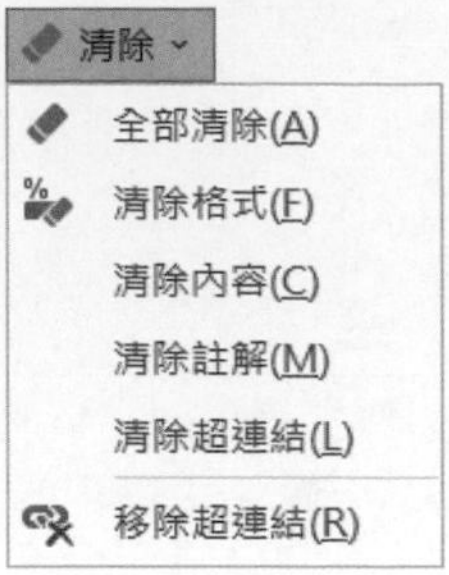

清除
全部清除(A)
清除格式(F)
清除內容(C)
清除註解(M)
清除超連結(L)
移除超連結(R)

▶ **全部清除**：清除選取儲存格的所有內容，包括格式、內容、…等。

▶ **清除格式**：清除選取儲存格的格式設定，但保留內容。

▶ **清除內容**：清除選取儲存格的內容，但保留格式設定及註解(參考 6-4 節)。重新輸入資料會沿用先前的格式設定。

▶ **清除註解**：只會清除選取儲存格的註解。

▶ **清除超連結**：只會清除選取儲存格內所包含的超連結 (參考 18-1 節)，但會保留超連結的格式 (文字換色並加底線)。

▶ **移除超連結**：刪除選取儲存格內所包含的超連結，以及清除超連結的格式設定。

「清除儲存格」與「刪除儲存格」的差異

清除是將儲存格中的資料擦掉，但是儲存格仍然保留在工作表中；而刪除則是會用相鄰的儲存格來填滿被刪除的地方，雖然外表看不出刪除的痕跡，但實際上這些儲存格已經不存在了。

永遠記得：操作錯了，可隨時按 救回來！

各種複製／貼上／轉置的技巧

別小看複製／貼上很簡單，本節將介紹：
■ 把欄列資料轉置（如下圖） ■ 不只資料可以複製／貼上，資料格式也可以喔！
■ 剪下／貼上資料 ■ 複製／插入資料 ■ 解決複製、貼上資料後，欄寬會變動的問題
■ 用「貼上選項」鈕貼上數值、公式、連結、圖片

複製與貼上資料的技巧

請開啟範例檔案 Ch06-04，這是一份三家門市 1～3 月的銷售資料，主管希望將不同門市資料拆開且將月份放在列、產品類別放在欄，這樣跟原始表格完全不同，該不會要全部重打吧！

門市	類別	1月	2月	3月
站前店	文具用品	185300	168533	258315
站前店	辦公收納	85432	98512	78583
站前店	事務機	154896	254586	248963
信義店	文具用品	245896	354698	247856
信義店	辦公收納	47856	54789	78545
信義店	事務機	314789	214569	299874
大安店	文具用品	321456	248965	298745
大安店	辦公收納	78563	84563	102547
大安店	事務機	345896	288456	457896

▲ 原始的銷售資料

別擔心，要轉換成如右圖的表格不需重打，只要懂得複製與貼上的技巧，就可以在短時間內完成囉！

站前店	文具用品	辦公收納	事務機
1月	185,300	85,432	154,896
2月	168,533	98,512	254,586
3月	258,315	78,583	248,963

信義店	文具用品	辦公收納	事務機
1月	245,896	47,856	314,789
2月	354,698	54,789	214,569
3月	247,856	78,545	299,874

大安店	文具用品	辦公收納	事務機
1月	321,456	78,563	345,896
2月	248,965	84,563	288,456
3月	298,745	102,547	457,896

▲ 希望將不同分店的銷售資料拆開呈現

STEP 01 **複製類別與銷售資料**：請選取 B1:E4 儲存格範圍，按下**常用**頁次中**剪貼簿**區中的**複製**鈕 (或 Ctrl + C 鍵) 複製來源資料。

STEP 02 貼上並轉置類別與銷售資料：選取 G1 儲存格，按下**剪貼簿**區**貼上**鈕的下拉箭頭，再點選**轉置**鈕 📋，這樣就能馬上完成資料的欄、列互換了。

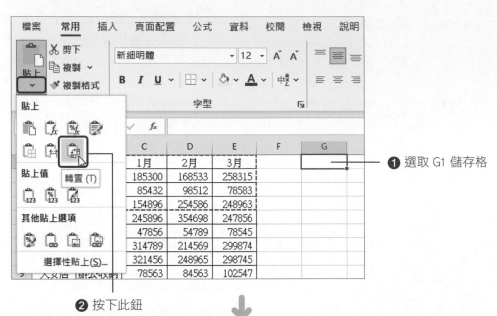

❶ 選取 G1 儲存格

❷ 按下此鈕

	A	B	C	D	E	F	G	H	I	J
1	門市	類別	1月	2月	3月		類別	文具用品	辦公收納	事務機
2	站前店	文具用品	185300	168533	258315		1月	185300	85432	154896
3	站前店	辦公收納	85432	98512	78583		2月	168533	98512	254586
4	站前店	事務機	154896	254586	248963		3月	258315	78583	248963
5	信義店	文具用品	245896	354698	247856					
6	信義店	辦公收納	47856	54789	78545					
7	信義店	事務機	314789	214569	299874					
8	大安店	文具用品	321456	248965	298745					
9	大安店	辦公收納	78563	84563	102547					

快速將類別與銷售資料的欄、列互換了

貼上來源資料後，儲存格旁邊會出現**貼上選項**鈕 📋(Ctrl)▾，請參考 6-21 頁的說明

STEP 03 選取 A2 儲存格，按下 Ctrl + C 鍵，複製「站前店」，再選取 G1 儲存格，按下 Ctrl + V 鍵貼上資料，這樣就完成一家分店資料的轉換了。

	G	H	I	J
	站前店	文具用品	辦公收納	事務機
	1月	📋(Ctrl)▾	85432	154896
	2月	168533	98512	254586
	3月	258315	78583	248963

STEP 04 請重複 STEP 1～STEP 3 的操作，分別將「信義店」的資料轉置到 G7:J10 儲存格範圍，將「大安店」的資料轉置到 G13:J16 儲存格範圍。

	A	B	C	D	E	F	G	H	I	J
1	門市	類別	1月	2月	3月		站前店	文具用品	辦公收納	事務機
2	站前店	文具用品	185300	168533	258315		1月	185300	85432	154896
3	站前店	辦公收納	85432	98512	78583		2月	168533	98512	254586
4	站前店	事務機	154896	254586	248963		3月	258315	78583	248963
5	信義店	文具用品	245896	354698	247856					
6	信義店	辦公收納	47856	54789	78545					
7	信義店	事務機	314789	214569	299874		信義店	文具用品	辦公收納	事務機
8	大安店	文具用品	321456	248965	298745		1月	245896	47856	314789
9	大安店	辦公收納	78563	84563	102547		2月	354698	54789	214569
10	大安店	事務機	345896	288456	457896		3月	247856	78545	299874
11										
12										
13							大安店	文具用品	辦公收納	事務機
14							1月	321456	78563	345896
15							2月	248965	84563	288456
16							3月	298745	102547	457896
17										

STEP 05 **設定儲存格格式**：請自行替「站前店」的資料設定儲存格格式，在此將銷售資料加上千分位符號，加粗第 1 列及 G 欄的標題並填上背景色。

G	H	I	J	K
站前店	**文具用品**	**辦公收納**	**事務機**	
1月	185,300	85,432	154,896	
2月	168,533	98,512	254,586	
3月	258,315	78,583	248,963	

> 若是對儲存格
> 格式設定不熟，
> 可參考第 5 章

STEP 06 **複製儲存格格式**：設定好「站前店」的儲存格格式後，請選取 G1:J4 儲存格範圍，按下**剪貼簿**區的**複製格式**鈕 🖌 ，此時指標會呈刷子狀 ⇱，只要用此刷子在「信義店」的銷售資料上拖曳選取，就可以將「站前店」的儲存格格式複製過來了。

G	H	I	J	K
站前店	**文具用品**	**辦公收納**	**事務機**	
1月	185,300	85,432	154,896	
2月	168,533	98,512	254,586	
3月	258,315	78,583	248,963	

❶ 選取 G1:J4 範圍

❷ 按下**常用**頁次中**剪貼簿**區的**複製格式**鈕

| 檔案 | 常用 | 插入 | 頁面配置 | 公式 | 資料 | 校閱 | 檢視 | 說明 | Acrobat | ♀ 告訴我您想做什麼 |

剪貼簿 | 字型 | 對齊方式 | 數值

4R x 4C ▾ : × ✓ fx 信義店

	A	B	C	D	E	F	G	H	I	J	K
1	門市	類別	1月	2月	3月		**站前店**	**文具用品**	**辦公收納**	**事務機**	
2	站前店	文具用品	185300	168533	258315		**1月**	185,300	85,432	154,896	
3	站前店	辦公收納	85432	98512	78583		**2月**	168,533	98,512	254,586	
4	站前店	事務機	154896	254586	248963		**3月**	258,315	78,583	248,963	
5	信義店	文具用品	245896	354698	247856						
6	信義店	辦公收納	47856	54789	78545						
7	信義店	事務機	314789	214569	299874		信義店	文具用品	辦公收納	事務機	
8	大安店	文具用品	321456	248965	298745		1月	245896	47856	314789	
9	大安店	辦公收納	78563	84563	102547		2月	354698	54789	214569	
10	大安店	事務機	345896	288456	457896		3月	247856	78545	299874	
11											

❸ 此時指標會呈刷子狀 ，請由左上往右下拖曳選取儲存格

	A	B	C	D	E	F	G	H	I	J	K
1	門市	類別	1月	2月	3月		**站前店**	**文具用品**	**辦公收納**	**事務機**	
2	站前店	文具用品	185300	168533	258315		**1月**	185,300	85,432	154,896	
3	站前店	辦公收納	85432	98512	78583		**2月**	168,533	98,512	254,586	
4	站前店	事務機	154896	254586	248963		**3月**	258,315	78,583	248,963	
5	信義店	文具用品	245896	354698	247856						
6	信義店	辦公收納	47856	54789	78545						
7	信義店	事務機	314789	214569	299874		**信義店**	**文具用品**	**辦公收納**	**事務機**	
8	大安店	文具用品	321456	248965	298745		**1月**	245,896	47,856	314,789	
9	大安店	辦公收納	78563	84563	102547		**2月**	354,698	54,789	214,569	
10	大安店	事務機	345896	288456	457896		**3月**	247,856	78,545	299,874	
11											
12											
13							**大安店**	**文具用品**	**辦公收納**	**事務機**	
14							**1月**	321,456	78,563	345,896	
15							**2月**	248,965	84,563	288,456	
16							**3月**	298,745	102,547	457,896	
17											

將站前店的格式複製到信義店了

❹ 再次按下**複製格式**鈕，將信義店的格式複製過來

TIP

連續複製格式：需要將同一個格式連續複製到其他儲存格時，可雙按**複製格式**鈕 📎，使按鈕呈按下的狀態 📎 (會加上框線及深灰色背景)，當指標變成刷子狀 時，就可以連續選取要套用格式的儲存格了。要結束複製格式，請按下 ESC 鍵。

插入複製的資料

若是要貼上資料的儲存格已經有資料存在，直接將複製的資料貼上去，會覆蓋貼上區域中原有的資料。要保留貼上區域原有的資料，可改用**插入**的方式。請開啟範例檔案 Ch06-05，我們想將 F4:I8 的新進員工資料，複製到 A4 儲存格，但仍然要保留原有的資料，請如下操作：

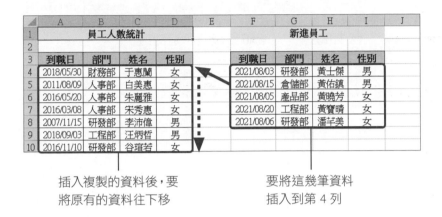

插入複製的資料後，要
將原有的資料往下移

要將這幾筆資料
插入到第 4 列

STEP 01 **複製來源資料**：請選取 F4:I8 儲存格範圍，按下**常用**頁次**剪貼簿**區的**複製**鈕 🗐 ▾ (或 Ctrl + C 鍵) 複製來源資料。

❷ 按下此鈕

❶ 選取 F4:I8
儲存格

STEP 02　貼上複製的資料：選取 A4 儲存格，按下**常用**頁次**儲存格**鈕中的**插入**鈕，點選**插入複製的儲存格**：

❶ 選取 A4 儲存格

❷ 點選此項

❸ 選擇**現有儲存格下移**，再按下**確定**鈕

由 F4:I8 複製過來的資料

	A	B	C	D	E	F	G	H	I	J
1		員工人數統計					新進員工			
2										
3	到職日	部門	姓名	性別		到職日	部門	姓名	性別	
4	2021/08/03	研發部	黃士傑	男		2021/08/03	研發部	黃士傑	男	
5	2021/08/15	倉儲部	黃佑鎮	男		2021/08/15	倉儲部	黃佑鎮	男	
6	2021/08/05	產品部	黃曉芳	女		2021/08/05	產品部	黃曉芳	女	
7	2021/08/20	工程部	黃寶晴	女		2021/08/20	工程部	黃寶晴	女	
8	2021/08/06	研發部	潘芊美	女		2021/08/06	研發部	潘芊美	女	
9	2018/05/30	財務部	于惠蘭	女						
10	2011/08/09	人事部	白美惠	女						
11	2016/05/20	人事部	朱麗雅	女						
12	2016/03/08	人事部	宋秀惠	女						
13	2007/11/15	研發部	李沛偉	男						

原本的資料往下移 5 列了

按下 ESC 鍵，可取消複製來源的框線

6-18

以滑鼠拖曳的方式插入資料

選取來源儲存格後，將指標移至粗框線上，指標會呈 ⟨image⟩，按住 Ctrl +
Shift 鍵不放再開始進行拖曳，此時會出現綠色的粗線，將粗線移到目的
儲存格的上方，即可將資料複製到此。

	A	B	C	D	E	F	G	H	I	J
1		員工人數統計					新進員工			
2										
3	到職日	部門	姓名	性別		到職日	部門	姓名	性別	
4	2018/05/30	財務部	于惠蘭	女		2021/08/03	研發部	黃士傑	男	
5	2011/08/09	人事部	白美惠	女		2021/08/15	倉儲部	黃佑鎮	男	
6	2016/05/20	人事部	朱麗雅	女		2021/08/05	產品部	黃曉芳	女	
7	2016/03/08	人事部	宋秀惠	女		2021/08/20	工程部	黃寶晴	女	
8	2007/11/15	研發部	李沛偉	男		2021/08/06	研發部	潘芊美	女	
9	2018/09/03	工程部	汪炳哲	男						

❷ 綠色粗線的位置就是
要插入資料的位置

❶ 當指標呈 ⟨image⟩，按住 Ctrl +
Shift 鍵不放再開始拖曳

	A	B	C	D	E	F	G	H	I	J
1		員工人數統計					新進員工			
2										
3	到職日	部門	姓名	性別		到職日	部門	姓名	性別	
4	2018/05/30	財務部	于惠蘭	女		2021/08/03	研發部	黃士傑	男	
5	2011/08/09	人事部	白美惠	女		2021/08/15	倉儲部	黃佑鎮	男	
6	2016/05/20	人事部	朱麗雅	女		2021/08/05	產品部	黃曉芳	女	
7	2016/03/08	人事部	宋秀惠	女		2021/08/20	工程部	黃寶晴	女	
8	2007/11/15	研發部	李沛偉	男		2021/08/06	研發部	潘芊美	女	
9	2018/09/03	工程部	汪炳哲	男						

A5:D9

技巧補充

「剪下」再「貼上」資料

剛才介紹的複製再貼上資料，會保留複製來源的
資料，若是不需保留複製來源的資料，可改按**常
用**頁次**剪貼簿**區的**剪下**鈕 ✂ (或按下 Ctrl + x
鍵)，將來源資料剪下，再貼入目的位置。

技巧補充

解決複製、貼上資料後，欄寬會變動的問題

很多人在複製、貼上資料後，會發現欄寬跟來源資料不同，例如下圖是將範例檔案 Ch06-06 的 A1:D4 儲存格複製到 F1:I4，但是貼上資料後欄寬卻變小了：

	A	B	C	D	E	F	G	H	I	J
1	站前店	文具用品	辦公收納	事務機		站前店	文具用品	辦公收納	事務機	
2	1月	185,300	85,432	154,896		1月	185,300	85,432	154,896	
3	2月	168,533	98,512	254,586		2月	168,533	98,512	254,586	
4	3月	258,315	78,583	248,963		3月	258,315	78,583	248,963	
5										
6	信義店	文具用品	辦公收納	事務機						
7	1月	245,896	47,856	314,789						

貼上資料後，欄寬變小了

如果想維持與複製來源相同的欄寬，請不要直接貼上資料，改按**剪貼簿**區**貼上**鈕的下拉箭頭，點選**保持來源欄寬**鈕 ，就可以解決欄寬變動的問題了。

按下此鈕

來源資料與複製後
的資料其欄寬一樣了

	A	B	C	D	E	F	G	H	I	J
1	站前店	文具用品	辦公收納	事務機		站前店	文具用品	辦公收納	事務機	
2	1月	185,300	85,432	154,896		1月	185,300	85,432	154,896	
3	2月	168,533	98,512	254,586		2月	168,533	98,512	254,586	
4	3月	258,315	78,583	248,963		3月	258,315	78,583	248,963	
5										
6	信義店	文具用品	辦公收納	事務機						
7	1月	245,896	47,856	314,789						
8	2月	354,698	54,789	214,569						
9	3月	247,856	78,545	299,874						

第 **6** 章 ▼ 靈活運用工作表

「貼上選項」鈕

將複製的儲存格貼到目的儲存格後，目的儲存格旁邊會出現**貼上選項**鈕
📋(Ctrl)▼，按下此鈕會出現選單，讓你挑選要貼上的儲存格屬性。請開啟
範例檔案 Ch06-07，並如下操作。

❶ 選取 E3 儲存格，並按下**複製**鈕 📋▼

❷ 選取 E4 儲存格，按下**貼上**鈕，將所有屬性複製過來

▲	A	B	C	D	E	F	G
1		第一季汽車銷售量					
2	廠牌	一月	二月	三月	平均		
3	和泰豐田	5,312	6,513	6,854	6,226		
4	台灣賓士	2,102	2,325	2,610	2,346		
5	裕隆日產	1,988	2,154	2,015			
6	台灣本田	1,536	1,779	1,584			
7	台灣福特	1,420	1,630	1,502			
8	台灣馬自達	1,600	1,579	1,688			
9							
10							
11							
12							
13							
14							
15							
16							
17							

❸ 按下**貼上選項**鈕，拉出選單

選單中有多種貼上屬性的方式，我們將屬性整理如下表

按鈕名稱	按鈕名稱
📋 貼上	📋 值
📋 公式	📋 值與數字格式
📋 公式與數字設定	📋 值與來源格式設定
📋 保持來源格式設定	📋 設定格式
📋 無框線	📋 貼上連結
📋 保持來源欄寬	📋 圖片
📋 轉置	📋 連結的圖片

在儲存格加上註解

想補充說明儲存格資料的用途或注意事項,可以在儲存格旁邊加上**註解**,以便提醒相關人員注意。

加上註解

請開啟範例檔案 Ch06-08,這是網路購物公司 1～3 月最熱銷的商品統計表,從表中可以發現「成人醫療口罩」的銷量逐月增加,有必要增加採購量。所以我們要在「成人醫療口罩」儲存格旁加上一些註解,提醒採購人員多備貨。

STEP 01 請先選取欲加上註解的 A3 儲存格,按下滑鼠右鍵,執行『**插入註解**』命令,就可以快速為儲存格新增註解。

會自動顯示使用者名稱　　註解圖文框

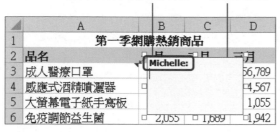

TIP

若要更改使用者名稱,請按下**檔案**頁次,再按下**選項**,即可開啟**Excel 選項**交談窗,切換到**一般**頁次,在右側的**使用者名稱**欄中進行更改。

STEP 02 在註解圖文框中輸入註解內容,輸入完畢只要將滑鼠點按圖文框以外的地方即完成註解的輸入。

TIP

拖曳註解圖文框的控點可調整圖文框的大小;拖曳圖文框的邊框則可以移動註解的位置。

輸入註解內容時,無需按 Enter 鍵換行,Excel 會自動換行

檢視註解

當我們結束註解的輸入後,註解便會隱藏起來,不過 Excel 會在儲存格的右上角顯示一個紅色三角形,稱為**註解指標**,提醒使用者這個儲存格中有註解。只要將指標移到有註解指標的儲存格上 (不需選取儲存格),註解便會出現:

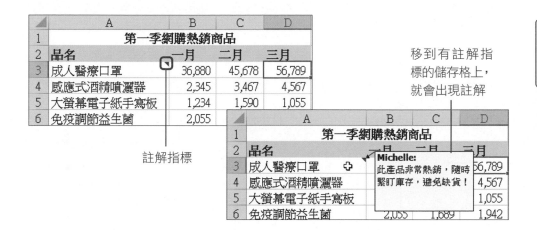

註解指標

移到有註解指標的儲存格上,就會出現註解

顯示或隱藏註解

如果希望將註解內容直接顯示在工作表上提醒瀏覽者,請先選取要顯示註解的儲存格,切換到**校閱**頁次按下**註解**區中的**顯示/隱藏註解**鈕,註解就會顯示出來了。反之,再次按下**顯示/隱藏註解**鈕取消此功能,就可隱藏註解內容。若想要顯示或隱藏工作表上的所有註解時,請按**顯示所有註解**鈕來切換。

TIP

在已設定註解的儲存格上按滑鼠右鍵,亦可執行『**顯示/隱藏註解**』命令,來切換是否要顯示單一儲存格的註解圖文框。

修改註解

若要修改註解的內容，請先選取欲修改註解的儲存格，切換到**校閱**頁次，按下**註解**區的**編輯註解**鈕，此時註解圖文框會出現插入點讓你修改內容，待修改完畢再按一下圖文框以外的地方即可結束編輯狀態。

複製註解

若要複製註解，請選取包含註解的儲存格，切換到**常用**頁次，按下**剪貼簿**區的**複製**鈕 ，接著再選取要貼上註解的儲存格如下操作：

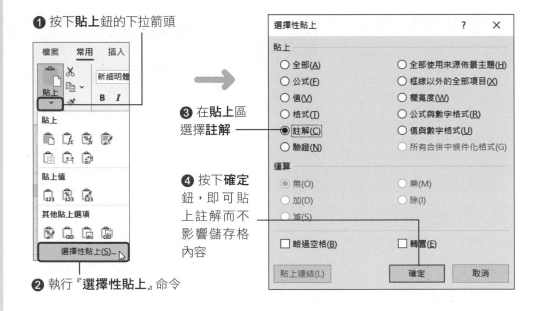

❶ 按下**貼上**鈕的下拉箭頭

❷ 執行『**選擇性貼上**』命令

❸ 在**貼上**區選擇**註解**

❹ 按下**確定**鈕，即可貼上註解而不影響儲存格內容

刪除註解

若是想刪除儲存格的註解，請選取欲刪除註解的儲存格，再按滑鼠右鍵點選『**刪除註解**』命令，或是按下**校閱**頁次中**註解**區的**刪除註解**鈕 。

快速插入間隔一列空白的技巧

如果儲存格中的資料都是英、數字且字體顏色都一樣，在輸入或對照時很容易看錯，如果想間隔一列插入一列空白，該怎麼做呢？請開啟範例檔案 Ch06-09 來練習：

方法 1：逐一選取列標題

STEP 01　請先選取第 7 列的列編號，接著**按住** Ctrl **鍵不放**，一一點選第 8 列到第14 列的列編號 (記得要逐列點選)：

	A	B	C	D	E	F	G	H
1				商品原料進口				
2								
3		進口日	出 貨 國	單據編號	美金匯率	進貨金額 (美金)	進貨金額 (台幣)	進口稅 (台幣)
4								
5								
6		1/10	美國	AG254893	30.87	40,650	1,254,866	150,584
7		1/15	日本	AW215974	30.85	50,204	1,548,844	185,861
8		2/12	馬來西亞	TT213579	30.84	31,959	985,456	118,255
9		2/20	美國	LL123578	30.92	82,423	2,548,766	305,852
10		3/10	美國	PI215987	30.87	64,773	1,999,543	239,945

STEP 02　在選取範圍內，按下滑鼠右鍵，執行『**插入**』命令，即可每間隔一列就插入一列空白。

5						
6	1/10	美國	AG254893	✂ 剪下(T)		54,866	150,584
7	1/15	日本	AW215974	複製(C)	38,844	185,861
8	2/12	馬來西亞	TT213579	貼上選項：	35,456	118,255
9	2/20	美國	LL123578		38,766	305,852
10	3/10	美國	PI215987	選擇性貼上(S)...	39,543	239,945
11	3/22	日本	WE215479	智慧查閱(L)	54,855	241,783
12	4/14	美國	RE124587	插入(I)	34,557	118,147
13	5/20	馬來西亞	UY893548	刪除(D)	37,952	298,554
14	6/11	日本	LO202478	清除內容(N)	38,758	185,851

執行此命令

	A	B	C	D	E	F	G	H
1		商品原料進口						
2-5		進口日	出貨國	單據編號	美金匯率	進貨金額(美金)	進貨金額(台幣)	進口稅(台幣)
6		1/10	美國	AG254893	30.87	40,650	1,254,866	150,584
7								
8		1/15	日本	AW215974	30.85	50,204	1,548,844	185,861
9								
10		2/12	馬來西亞	TT213579	30.84	31,959	985,456	118,255
11								
12		2/20	美國	LL123578	30.92	82,423	2,548,766	305,852
13								
14		3/10	美國	PI215987	30.87	64,773	1,999,543	239,945
15								
16		3/22	日本	WE215479	30.89	65,231	2,014,855	241,783
17								
18		4/14	美國	RE124587	30.92	31,839	984,557	118,147
19								
20		5/20	馬來西亞	UY893548	31.58	78,790	2,487,952	298,554
21								
22		6/11	日本	LO202478	31.51	49,156	1,548,758	185,851
23								

▲ 每間隔一列就插入一列空白

方法 2：利用「數列＋排序」功能擴大選取範圍

當資料筆數較多，使用**方法 1**逐一點選列編號會不好操作，這時你可以改用**方法 2**，利用**數列＋排序**功能，新增間隔一列 (或 n 列) 空白。請開啟範例檔案 Ch06-10 來練習：

STEP 01 請在 I3:I11 儲存格中建立數列 (有幾筆資料就建立幾個編號)，接著將 I3:I11 儲存格的數列複製到 I12:I20 儲存格。想間隔插入一列空白就複製一次，若是想插入兩列空白請複製兩次，依此類推。

	A	B	C	D	E		G	H	I	J
1					商品原料					
2		進口日	出貨國	單據編號	美金匯率		進貨金額 (台幣)	進口稅 (台幣)		
3		1/10	美國	AG254893	30.87	0	1,254,866	150,584	1	
4		1/15	日本	AW215974	30.85	4	1,548,844	185,861	2	
5		2/12	馬來西亞	TT213579	30.84	9	985,456	118,255	3	
6		2/20	美國	LL123578	30.92	3	2,548,766	305,852	4	
7		3/10	美國	PI215987	30.87	3	1,999,543	239,945	5	
8		3/22	日本	WE215479	30.89	1	2,014,855	241,783	6	
9		4/14	美國	RE124587	30.92	0	984,557	118,147	7	
10		5/20	馬來西亞	UY893548	31.58	0	2,487,952	298,554	8	
11		6/11	日本	LO202478	31.51	6	1,548,758	185,851	9	
12									1	
13									2	
14									3	
15									4	
16									5	
17									6	
18									7	
19									8	
20									9	

❶ 依資料的筆數
輸入數列

❷ 複製一份剛才
輸入的數列

STEP 02 請選取整個 I 欄 (也可以只選取數列的部份)，按下**常用**頁次**編輯**區的**排序與篩選**，點選**從最小到最大排序**：

❷ 點選**從最小到最大排序**

	A	B	C	D	E	F	G	H	I	J
1					商品原料進口					
2		進口日	出貨國	單據編號	美金匯率	進貨金額 (美金)	進貨金額 (台幣)	進口稅 (台幣)		
3		1/10	美國	AG254893	30.87	40,650	1,254,866	150,584	1	
4		1/15	日本	AW215974	30.85	50,204	1,548,844	185,861	2	
5		2/12	馬來西亞	TT213579	30.84	31,959	985,456	118,255	3	
6		2/20	美國	LL123578	30.92	82,423	2,548,766	305,852	4	
7		3/10	美國	PI215987	30.87	64,773	1,999,543	239,945	5	
8		3/22	日本	WE215479	30.89	65,231	2,014,855	241,783	6	
9		4/14	美國	RE124587	30.92	31,839	984,557	118,147	7	
10		5/20	馬來西亞	UY893548	31.58	78,790	2,487,952	298,554	8	
11		6/11	日本	LO202478	31.51	49,156	1,548,758	185,851	9	
12									1	
13									2	
14									3	
15									4	
16									5	
17									6	
18									7	
19									8	
20									9	

❶ 選取整個 I 欄

STEP 03 開啟**排序警告**交談窗後，請點選**將選取範圍擴大**，再按下**排序**鈕：

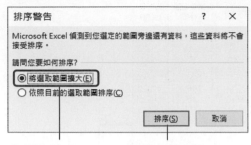

❶ 選取此項　　❷ 按下**排序**鈕

請注意！用來排序的數列資料必須輸入在資料範圍的相鄰位置 (例如首欄或最後一欄)，這樣執行排序時，才能利用**將選取範圍擴大**功能產生空白列。

	A	B	C	D	E	F	G	H	I
1					商品原料進口				
2		進口日	出貨國	單據編號	美金匯率	進貨金額 (美金)	進貨金額 (台幣)	進口稅 (台幣)	
3		1/10	美國	AG254893	30.87	40,650	1,254,866	150,584	1
4									1
5		1/15	日本	AW215974	30.85	50,204	1,548,844	185,861	2
6									2
7		2/12	馬來西亞	TT213579	30.84	31,959	985,456	118,255	3
8									3
9		2/20	美國	LL123578	30.92	82,423	2,548,766	305,852	4
10									4
11		3/10	美國	PI215987	30.87	64,773	1,999,543	239,945	5
12									5
13		3/22	日本	WE215479	30.89	65,231	2,014,855	241,783	6
14									6
15		4/14	美國	RE124587	30.92	31,839	984,557	118,147	7
16									7
17		5/20	馬來西亞	UY893548	31.58	78,790	2,487,952	298,554	8
18									8
19		6/11	日本	LO202478	31.51	49,156	1,548,758	185,851	9
20									9

將數列由小到大排序，並自動產生間隔的空白列

STEP 04 每隔一列插入空白後，請自行刪除 I 欄的數列，並自行替資料加上框線或設定格式。

利用「註解」插入產品圖片，滑鼠移開就會自動隱藏

有時候想在產品名稱旁加上對應的產品圖片，但常會因為圖片的大小不一或是無法固定對齊，反而造成困擾。其實你可以善用**註解**功能，將產品圖片插入到註解中，當滑鼠移到註解時便會顯示；移開滑鼠時就會自動隱藏。請開啟範例檔案 Ch06-11 來練習：

STEP 01 **插入註解**。選取 B4 儲存格，按滑鼠右鍵執行『**插入註解**』命令：

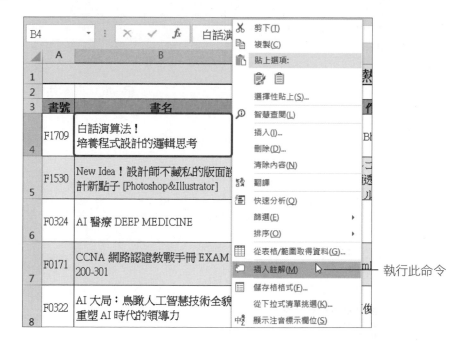

STEP 02 **設定「註解格式」**。出現註解框後，在註解框的**框線**或是**白色控點**上按滑鼠右鍵，執行『**註解格式**』命令：

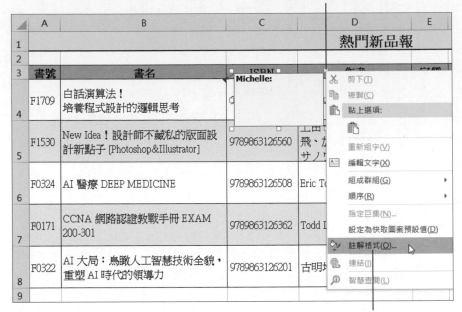

❶ 在控點上按滑鼠右鍵

❷ 執行『註解格式』命令

❸ 切換到**色彩和線條**頁次

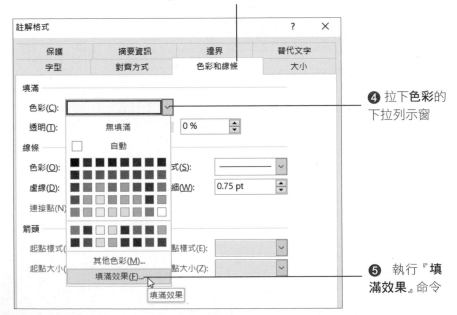

❹ 拉下**色彩**的下拉列示窗

❺ 執行『填滿效果』命令

STEP 03 插入圖片。接著,會開啟**填滿效果**交談窗,請切換到**圖片**頁次。

❶ 切換到**圖片**頁次

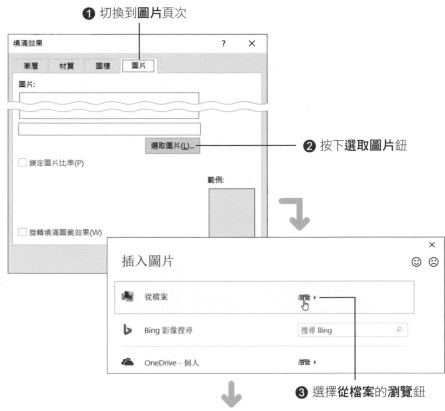

❷ 按下**選取圖片**鈕

❸ 選擇**從檔案**的**瀏覽**鈕

❹ 選擇要插入的圖片　❺ 按下**插入**鈕

❻ 選取圖片後，請
陸續按下**確定**鈕，
關閉交談窗

STEP
04
調整圖片的顯示大小。在註解中填入圖片後，目前會在編輯註解的
狀態，你可以拖曳四周的白色控點調整圖片的顯示大小。

拖曳四周的白色控點
調整圖片顯示大小

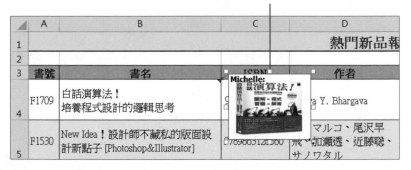

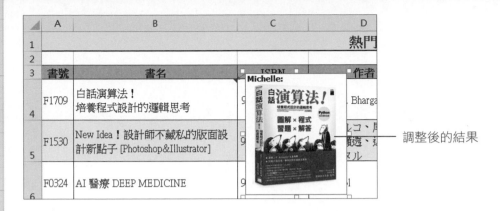

調整後的結果

TIP

如果不小心在註解框以外按了滑鼠左鍵，結束了編輯註解的狀態，請在 B4 儲存格按滑鼠右鍵，執行『**編輯註解**』命令，就可以繼續調整註解中的圖片。

STEP
05

最後，在註解框中按一下滑鼠左鍵，選取建立註解的使用者名稱，按下 Delete 鍵刪除使用者名稱，這樣註解中就只會顯示圖片了。

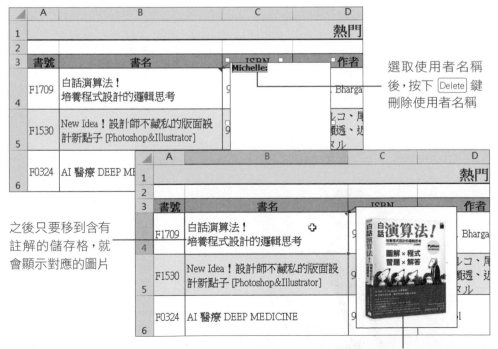

選取使用者名稱後，按下 Delete 鍵刪除使用者名稱

之後只要移到含有註解的儲存格，就會顯示對應的圖片

移開滑鼠就會收合註解中的圖片

6-33

CHAPTER 7 活頁簿與工作表的進階操作與保護

收到 Excel 高手同事傳來的檔案,但是裡面有些欄位不見了、有些資料被固定住不能捲動、要編輯資料還得輸入密碼?怎麼辦?不好意思問同事,又不知道怎麼解決～😂😂😂

Excel 的功能很強大,它可以分割、凍結視窗、隱藏欄、列,還有完整的各層級密碼保護措施。你可以指定對檔案、工作表、儲存格區域加以保護。在職場上還可以依權限多人協同工作喔!

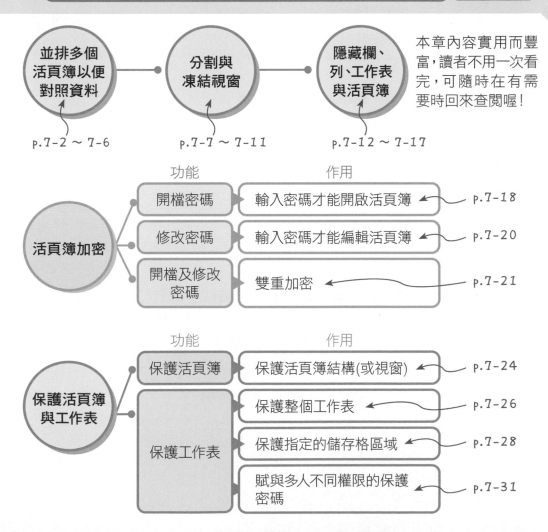

並排多個活頁簿以便對照資料 → 分割與凍結視窗 → 隱藏欄、列、工作表與活頁簿

本章內容實用而豐富,讀者不用一次看完,可隨時在有需要時回來查閱喔!

p.7-2 ~ 7-6　　p.7-7 ~ 7-11　　p.7-12 ~ 7-17

功能		作用	
活頁簿加密	開檔密碼	輸入密碼才能開啟活頁簿	p.7-18
	修改密碼	輸入密碼才能編輯活頁簿	p.7-20
	開檔及修改密碼	雙重加密	p.7-21

功能		作用	
保護活頁簿與工作表	保護活頁簿	保護活頁簿結構(或視窗)	p.7-24
	保護工作表	保護整個工作表	p.7-26
		保護指定的儲存格區域	p.7-28
		賦與多人不同權限的保護密碼	p.7-31

並排多個活頁簿或工作表

開啟多個活頁簿檔案時，通常只會看到切換到螢幕最上層的工作視窗，其餘的活頁簿都躲在工作視窗的背後。若需要同時比對、參考不同活頁簿內容，可以善用「並排視窗」一次將多個活頁簿排列在畫面上。

並排多個活頁簿視窗以便交互參考內容

請同時開啟範例檔案 Ch07-01、Ch07-02 與 Ch07-03 這 3 個檔案，這些檔案彼此具有關聯性，若能排列在同一個畫面中交互參照，將可大大提升操作上的便利。

請將 Ch07-01 切換為作用中視窗，然後按下**檢視**頁次**視窗**區的**並排顯示**鈕 ，會顯示如右圖的**重排視窗**交談窗：

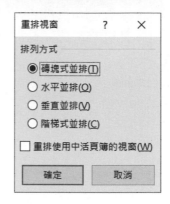

請選擇排列方式，然後按下**確定**鈕，則所有開啟的活頁簿視窗就會同時顯示在螢幕上。以下為 4 種視窗排列方式的呈現結果：

▶ **磚塊式並排**

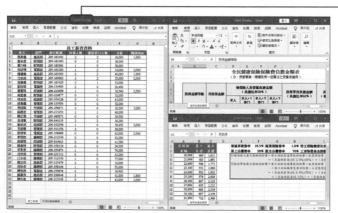

▲ 為方便觀看結果，在此先將功能區暫時隱藏

將視窗以大小相等的方塊排列，目前只開啟 3 個檔案，作用中視窗 (Ch07-01) 會排在左側較大區域

> **Hotkey**
>
> 按下 Ctrl + F1 鍵，可快速隱藏功能區，空出更大的空間顯示資料。再按一次快速鍵，就會再度顯示功能區。

▶ 水平並排

作用中的視窗 (Ch07-01) 會排在最上方

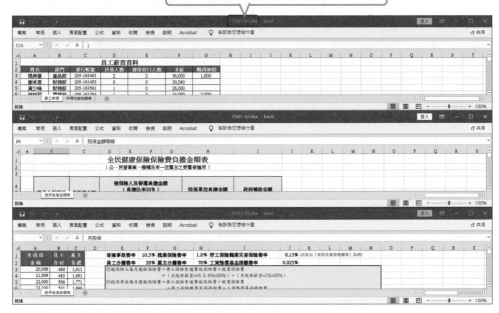

▶ 垂直並排

作用中視窗 (Ch07-01) 會排在最左方

▶ 階梯式並排

作用中視窗 (Ch07-01) 會排在最前面

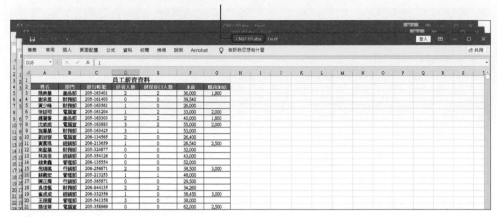

將所有開啟的活頁簿並排在螢幕上的好處如下：

▶ 可以方便看出目前開啟了哪些檔案，並在檔案之間比對、複製、貼上相關資料。

▶ 方便檔案的切換：我們要處理哪個檔案，只要在該檔案的視窗範圍內按一下，就可以將它切換成作用中視窗了。

還原成單一視窗

如果要將 Excel 工作環境恢復成只顯示一個檔案視窗，請先將該視窗切換為作用視窗，再按一下該工作視窗右上角的**最大化**鈕 🔲 即可。

檢視同一本活頁簿的不同工作表

如果活頁簿中有多張工作表需要交互參照，可以利用**重排視窗**的方法，重新排列**活頁簿視窗**：

STEP 01 請切換到 Ch07-01 活頁簿，按下**檢視**頁次**視窗**區的**開新視窗**鈕，即可為 Ch07-01 再開啟另一個視窗。

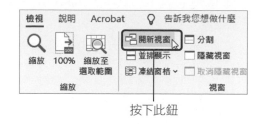

按下此鈕

STEP 02 此時會有兩個 Ch07-01 的活頁簿視窗，在任一個 Ch07-01 的活頁簿視窗，按下**檢視**頁次**視窗**區的**並排顯示**鈕，選擇**垂直並排**，並勾選**重排使用中活頁簿的視窗**項目，然後按下**確定**鈕。

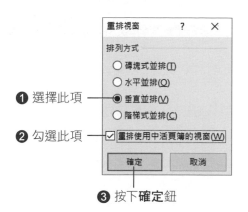

❶ 選擇此項

❷ 勾選此項

❸ 按下**確定**鈕

新視窗的內容與原來的視窗完全一樣，仍是同一個檔案，就像本尊與分身一樣，但是在視窗的標題列會加上「視窗序號」

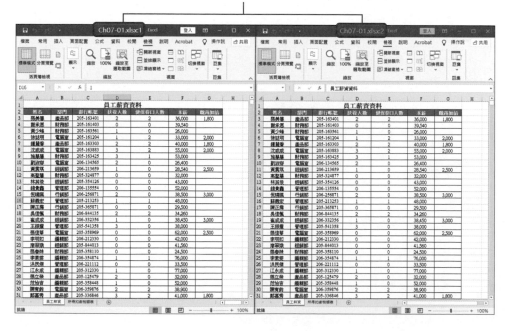

在**重排視窗**交談窗中,勾選**重排使用中活頁簿的視窗**項目,表示只排列作用中視窗 (如 Ch07-01),對於其他活頁簿視窗 (如 Ch07-02 及 Ch07-03) 則不排列。

STEP 03 現在螢幕上並排了兩個 Ch07-01 視窗,在兩個視窗中分別選取不同的工作表,就可以同時檢視兩張工作表:

▲ 檢視**員工薪資**工作表　　　　　　▲ 檢視**所得扣繳稅額表**工作表

這兩個視窗仍然是同一個檔案,因此不管修改哪個視窗的工作表資料,**另一個視窗也會跟著修改**。

技巧補充

取消視窗的分身

當視窗還有分身時 (即按下**檢視**頁次**視窗**區的**開新視窗**鈕所增加的視窗),若直接存檔,則下次開啟此檔案時,仍會保留這些分身。如果不想保留視窗的分身,請將分身的視窗一一關閉,最後只保留一個視窗,這時視窗的標題列序號就會消失,恢復成只有檔名的狀態,再進行存檔即可。

當工作表中的資料很多，只要一捲動工作表視窗，標題就會被捲到上方或左邊去，常會搞不清楚數據的涵義而要捲回去查看欄位標題。這些不便，只要分割及凍結視窗，就可以解決了。

分割視窗

我們可以將視窗分割成多個窗格，再讓每個窗格顯示不同的工作表區域，這樣要對照前後的資料就簡單多了！請開啟範例檔案 Ch07-04，選取 F5 儲存格作為分割點，再按下**檢視**頁次**視窗**區上的**分割**鈕 ⊡，就會從選取儲存格的上方及左側分割出窗格。

以 F5 儲存格為分割點

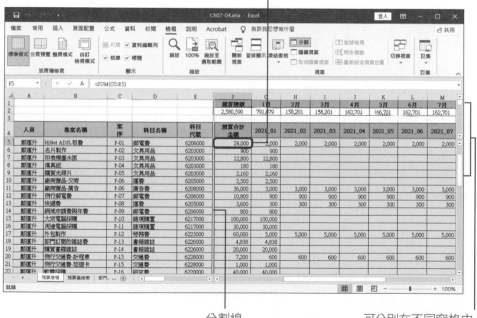

分割線

可分別在不同窗格中，拖曳捲軸以捲動資料

變更分割線的位置

若要變更分割的位置，直接在分割線上拖曳即可。

分割線的位置會依你所選取的儲存格而有不同結果，我們整理如下方便你更容易了解：

▶ 選取工作表中第 1 欄的任一個儲存格：分割線會建立在儲存格的上方，將工作表做**水平分割**。

選取 A5 儲存格，
再按下**分割**鈕 📖

▲ 畫面會分割成上下 2 個窗格

▶ 選取工作表中第 1 列的任一個儲存格：分割線會建立在選取儲存格的左方，將工作表做**垂直分割**。

選取 F1 儲存格，再按下**分割鈕** ⬚

	A	B	C	D	E	F	G	H	I	J
1						預算總額	1月	2月	3月	4月
2						2,580,590	791,879	158,201	158,201	162,701
3										
4	人員	專案名稱	案序	科目名稱	科目代號	預算合計金額	2021_01	2021_02	2021_03	2021_04
5	鄭運升	HiNet ADSL租費	P-01	郵電費	6206000	24,000	2,000	2,000	2,000	2,000
6	鄭運升	名片製作	P-02	文具用品	6203000	900	900			
7	鄭運升	印表機墨水匣	P-03	文具用品	6203000	12,800	12,800			
8	鄭運升	傳真紙	P-04	文具用品	6203000	180	180			
9	鄭運升	購買光碟片	P-05	文具用品	6203000	2,160	2,160			
10	鄭運升	廠商贈品-交寄	P-06	運費	6205000	2,500	2,500			
11	鄭運升	廠商贈品-廣告	P-06	廣告費	6208000	36,000	3,000	3,000	3,000	3,000
12	鄭運升	例行郵電費	P-07	郵電費	6206000	10,800	900	900	900	900
13	鄭運升	快遞費	P-08	運費	6205000	3,600	300	300	300	300
14	鄭運升	網域申請費與年費	P-09	郵電費	6206000	800	800			

預算底稿　預算彙總表　部門... ⊕

▲ 畫面會分割成左右 2 個窗格

▶ 選取工作表中的任一個儲存格：會同時建立水平及垂直的**交叉分割線**，將畫面分割成 4 個窗格。

	A	B	C	D	E	F	G	H	I	J
4	人員	專案名稱	案序	科目名稱	科目代號	預算合計金額	2021_01	2021_02	2021_03	2021_04
5	鄭運升	HiNet ADSL租費	P-01	郵電費	6206000	24,000	2,000	2,000	2,000	2,000
6	鄭運升	名片製作	P-02	文具用品	6203000	900	900			
7	鄭運升	印表機墨水匣	P-03	文具用品	6203000	12,800	12,800			
8	鄭運升	傳真紙	P-04	文具用品	6203000	180	180			
9	鄭運升	購買光碟片	P-05	文具用品	6203000	2,160	2,160			
10	鄭運升	廠商贈品-交寄	P-06	運費	6205000	2,500	2,500			
11	鄭運升	廠商贈品-廣告	P-06	廣告費	6208000	36,000	3,000	3,000	3,000	3,000
12	鄭運升	例行郵電費	P-07	郵電費	6206000	10,800	900	900	900	900
13	鄭運升	快遞費	P-08	運費	6205000	3,600	300	300	300	300
14	鄭運升	網域申請費與年費	P-09	郵電費	6206000	800	800			
15	鄭運升	大宗電腦採購	P-10	雜項購置	6217000	100,000	100,000			
16	鄭運升	周邊電腦採購	P-11	雜項購置	6217000	30,000	30,000			
17	鄭運升	外包製作	P-12	勞務費	6223000	60,000	5,000	5,000	5,000	5,000

預算底稿　預算彙總表　部門... ⊕

畫面會分割成 4 個窗格

選取 F13 儲存格，再按下**分割鈕** ⬚

捲動窗格

一個視窗最多可分出四個窗格,每個窗格都可以捲動,其捲動方法如下:

- ▶ 當你拖曳上方的垂直捲軸,可同時上下捲動上方的左右兩個窗格。
- ▶ 當你拖曳下方的垂直捲軸,可同時上下捲動下方的左右兩個窗格。
- ▶ 當你拖曳左方的水平捲軸,可同時左右捲動左方的上下兩個窗格。
- ▶ 當你拖曳右方的水平捲軸,可同時左右捲動右方的上下兩個窗格。

移除分割線

要移除分割線 (取消分割視窗狀態),只要再次按下**檢視**頁次**視窗**區的**分割**鈕 ▭,或是直接在分割線上雙按,就可以移除分割線。

凍結窗格:讓欄位的標題名稱固定顯示

先前提到利用水平分割線,可以讓上面的窗格顯示資料欄位,但上面的窗格仍然可以捲動,若想要將工作表的標題固定顯示在畫面上不被捲動,可將標題列凍結起來。

請開啟範例檔案 Ch07-02，為了方便參照健保眷口人數的費用，在此想將第 1 列到第 6 列的標題固定顯示，不受畫面捲動影響。請選取 B7 儲存格按下**檢視**頁次**視窗**區的**凍結窗格**鈕，從下拉式選單中選取『**凍結窗格**』命令，即可將標題的部份固定在螢幕上。

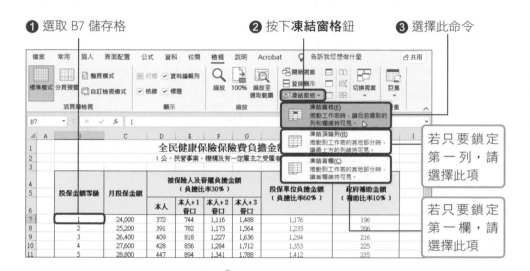

❶ 選取 B7 儲存格　　❷ 按下**凍結窗格**鈕　　❸ 選擇此命令

若只要鎖定第一列，請選擇此項

若只要鎖定第一欄，請選擇此項

❺ 此區會固定顯示，無法上下捲動

分割線在此

❹ 往下捲動捲軸

取消凍結窗格

檢視完工作表的資料就可以按下**檢視**頁次**視窗**區的**凍結窗格**鈕，並在其下拉選單中選取『**取消凍結窗格**』，恢復原本的狀態。

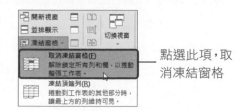

點選此項，取消凍結窗格

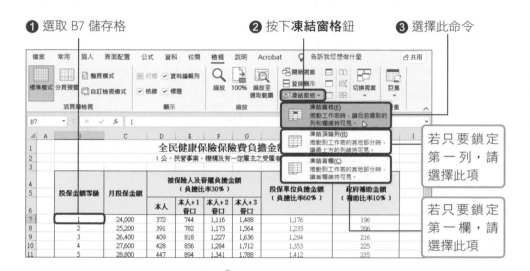（右側標籤）**7-2** ▼ 分割與凍結視窗

隱藏整欄、整列、工作表與活頁簿

一份工作表可能送交不同的單位查閱，而各單位需要的資料也不盡相同，因此我們可以依照各單位的需求，將工作表上不相干的欄位、甚至是整個工作表隱藏起來，方便各單位查閱他們所需要的資料。

隱藏欄與列

隱藏欄和隱藏列的方法類似，只是選取的對象 (欄或列) 不同而已。請開啟範例檔案 Ch07-05，我們以**員工資料**工作表來做練習。在此想將 C、D、E 這 3 欄隱藏起來，請選取 C、D、E 欄後，在選取範圍內按下滑鼠右鍵，從選單中點選『**隱藏**』：

❶ 將滑鼠指標移到 C 欄的欄標題上，往右拖曳到 E 欄，即可一次選取多個欄位

C、D、E 三欄不見了
(欄框線會變成雙線)

❷ 執行此命令，即可將選取的欄位隱藏

若是想隱藏列，除了按滑鼠右鍵，從選單中點選『**隱藏**』外，還可按下**常用**頁次**儲存格**區的**格式**鈕，在下拉式選單中執行『**隱藏及取消隱藏/ 隱藏列**』命令。

取消隱藏欄與列

若要取消欄、列的隱藏狀態，請先選取隱藏欄 (列) 兩側相鄰的整欄 (列)，然後按滑鼠右鍵，從選單中點選『**取消隱藏**』，便可讓隱藏的欄 (列) 再度顯示！

選取 B 跟 F 欄，按右鍵執行此命令，
可使 C、D、E 三欄再度顯示

技巧補充

如何顯示被隱藏起來的 A 欄或第 1 列呢？

要取消欄或列的隱藏，得選取相鄰的兩個欄或列，但如果是 A 欄或第 1 列被隱藏起來，要怎麼選取相鄰的欄或列呢？在此提供一個簡便的方法，那就是按下最左上角的**全選**鈕 ◢，選取所有儲存格後，在欄標題或列標題上按滑鼠右鍵點選**取消隱藏**，就可以顯示被隱藏的 A 欄或第 1 列了！

❶ 按下**全選**鈕，選取所有儲存格

❷ 在欄標題上按右鍵，點選**取消隱藏**

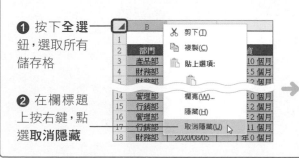

顯示 A 欄了

隱藏活頁簿視窗

當你在處理較機密或涉及隱私的資料時，若不希望畫面中的內容被別人看見，也可以將這個活頁簿視窗「隱藏」起來！

例如同時開啟 Ch07-05 及 Ch07-06 這兩個範例檔案，Ch07-06 的薪資表會參照 Ch07-05 的員工資料，但現在要處理的是 Ch07-06，我們不希望 Ch07-05 裡的匯款帳號及本薪出現在畫面上，就可以將 Ch07-05 隱藏起來，這樣不會影響到 Ch07-06 的參照，又可以保障隱私：

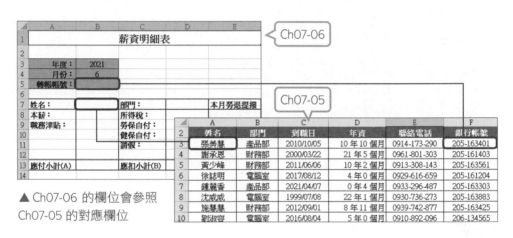

▲ Ch07-06 的欄位會參照 Ch07-05 的對應欄位

STEP 01　請將範例檔案 Ch07-05 切換為作用視窗，按下**檢視**頁次**視窗**區的**隱藏視窗**鈕。

STEP 02　現在畫面上只剩下範例檔案 Ch07-06，按下**檢視**頁次的**切換視窗**鈕或在工作列中都找不到 Ch07-05 這個檔案。

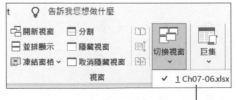

完全看不到 Ch07-05 的檔案

雖然隱藏了 Ch07-05 活頁簿視窗，但其實活頁簿視窗仍然是開啟的狀態，所以 Ch07-06 照樣可以參照到隱藏活頁簿裡的資料。例如 Ch07-06 的 B7 儲存格要參照到 Ch07-05 儲存格的**員工資料**工作表中的 A3 儲存格，就可以在 B7 儲存格輸入 " ='[Ch07-05.xlsx]員工資料'!$A$3"，按下 Enter 鍵就會顯示資料：

B7	▼	:	×	✓	*fx*	='[Ch07-05.xlsx]員工資料'!$A$3		
◢	A	B	C	D	E	F		
1			薪資明細表					
2								
3	年度：	2021						
4	月份：	6						
5	轉帳帳號：							
6								
7	姓名：	張美慧	部門：		本月勞退提撥			
8	本薪：		所得稅：					
9	職務津貼：		勞保自付：					
10			健保自付：					
11			請假：					
12								
13	應付小計(A)		應扣小計(B)					
14								

薪資明細 ⊕

顯示 Ch07-05 的姓名資料

重新顯示隱藏的活頁簿視窗

如果要重新顯示被隱藏的視窗，請切換到**檢視**頁次，按下**視窗**區的**取消隱藏視窗**鈕 ☐：

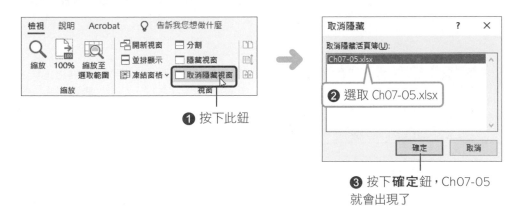

❶ 按下此鈕

❷ 選取 Ch07-05.xlsx

❸ 按下**確定**鈕，Ch07-05 就會出現了

隱藏工作表

如果活頁簿裡只有幾張工作表特別重要，並不需要大費周章地將整本活頁簿都隱藏起來，只要隱藏工作表即可。

在此要將範例檔案 Ch07-05 的**所得扣繳稅額表**工作表隱藏起來，請選取此工作表，按下**常用**頁次**儲存格**區的**格式**鈕，在下拉式選單中執行『**隱藏及取消隱藏/隱藏工作表**』命令即可：

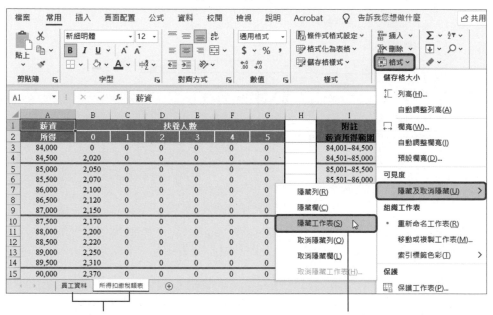

目前顯示兩個工作表　　　　　　執行此命令，隱藏**所得扣繳稅額表**工作表

	A	B	C	D
1				
2	姓名	部門	到職日	年資
3	張美慧	產品部	2010/10/05	10 年 7 個月
4	謝承恩	財務部	2000/03/22	21 年 2 個月
5	黃少峰	財務部	2011/06/06	9 年 11 個月
6	徐誌明	電腦室	2017/08/12	3 年 9 個月
7	鍾麗香	產品部	2021/04/07	0 年 1 個月

員工資料

找不到**所得扣繳稅額表**這個索引標籤了

TIP

你也可以直接在工作表的索引標籤上按滑鼠右鍵，執行『**隱藏**』命令來隱藏工作表。

取消工作表的隱藏

要顯示被隱藏的工作表，請按下**常用**頁次**儲存格**區的**格式**鈕，在下拉式選單中執行『**隱藏及取消隱藏/取消隱藏工作表**』命令：

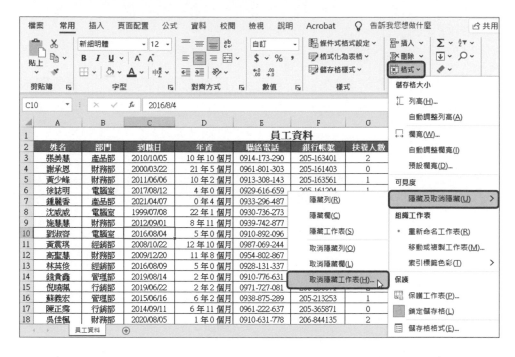

從**取消隱藏**列示窗中選取**所得扣繳稅額表**工作表，按下**確定**鈕，則**所得扣繳稅額表**工作表就會重新顯示了。

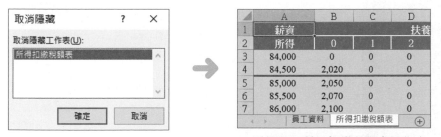

▲ 重新顯示**所得扣繳稅額表**工作表

Excel 可以同時選取多張工作表並隱藏起來，但一次卻只能取消一張工作表的隱藏狀態，因此若是隱藏了多張工作表，必須分次在**取消隱藏**工作表中取消工作表的隱藏狀態。

為重要的活頁簿設定開啟及防寫密碼

重要的活頁簿檔案（如：財務報表、薪資資料、營收資料、毛利資料、…等）不希望被他人擅自開啟或修改，我們可以為活頁簿檔案加上層層的把關措施。

第 **7** 章

▼

活頁簿與工作表的進階操作與保護

活頁簿的保護分成兩個層次：一是**防止活頁簿被別人開啟**，二是**允許開啟但是禁止修改內容**。不管是哪一個層次，都需要透過密碼設定來達成保護檔案的目的。

設定保護密碼防止開啟檔案

如果活頁簿只想給部份人員查閱，可以為該檔案設定一個「保護密碼」，如此一來就只有知道密碼的人才能開啟檔案。請開啟範例檔案 Ch07-07，練習設定「保護密碼」：

STEP 01 請切換到**檔案**頁次，點選**資訊**項目，並如下操作：

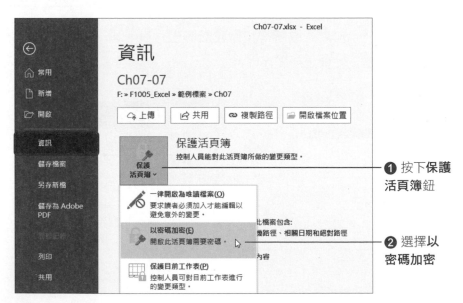

STEP 02 接著，在**加密文件**交談窗中輸入密碼，例如輸入 "confidential"。請注意輸入的字元會以 ● 來顯示，因此會看到 12 個 ●。

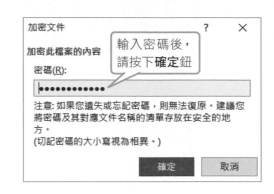

STEP 03 顯示**確認密碼**交談窗後，請再次輸入保護密碼。

TIP 若 **03** 輸入的密碼和 **02** 不一樣，會跳出**確認密碼不相同**的訊息，請按下**確定**鈕，重新輸入密碼。

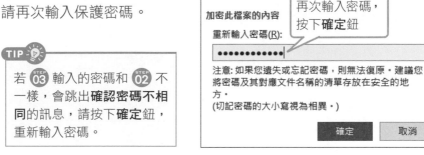

STEP 04 替活頁簿設定保護密碼後，**保護活頁簿**鈕，會顯示「開啟此活頁簿需要密碼」的訊息，請按下**儲存檔案**鈕，剛剛設定的密碼才能隨檔案儲存下來。在此我們將設定密碼的活頁簿另存為 Ch07-08。

會顯示「開啟此活頁簿需要密碼」的訊息

TIP 請務必牢記檔案的保護密碼，若忘記密碼，以後檔案就打不開囉！

STEP 05 請先關閉範例檔案 Ch07-07，再開啟我們剛才另存的範例檔案 Ch07-08，此時會出現**密碼**交談窗要求輸入密碼：

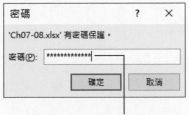

請在**密碼**欄輸入剛剛設定的保護密碼 "confidential"，按下**確定**鈕，便可開啟檔案

設定防寫密碼避免內容被修改

剛才設定的活頁簿密碼是為了防止活頁簿檔案被任意開啟，如果不希望活頁簿內容被任意修改，我們還可以設定「防寫密碼」，這樣不知道「防寫密碼」的人只能以**唯讀**的方式開啟檔案，也就是只能查看資料，不能修改資料並存回活頁簿檔案中。請重新開啟範例檔案 Ch07-08，輸入「confidential」密碼後，練習設定「防寫密碼」：

STEP 01 請切換到**檔案**頁次，點選**另存新檔**，按下**瀏覽**鈕，在開啟的**另存新檔**交談窗如下做設定：

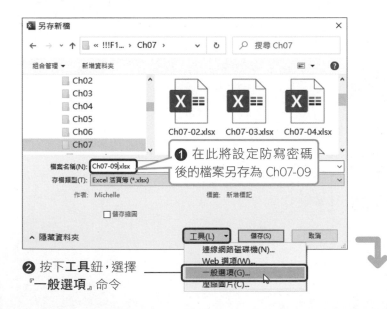

❶ 在此將設定防寫密碼後的檔案另存為 Ch07-09

❷ 按下**工具**鈕，選擇『**一般選項**』命令

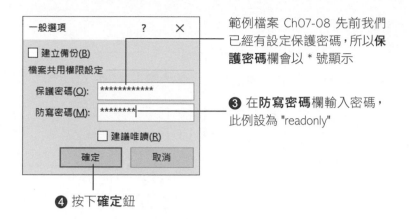

範例檔案 Ch07-08 先前我們
已經有設定保護密碼，所以**保
護密碼**欄會以 * 號顯示

❸ 在**防寫密碼**欄輸入密碼，
此例設為 "readonly"

❹ 按下**確定**鈕

STEP 02 接著會開啟**確認密碼**交談窗，請再次輸入 "readonly"，並按下**確定**鈕，確認密碼。

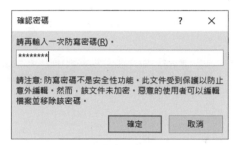

STEP 03 確認密碼後會回到**另存新檔**交談窗，請按下**儲存**鈕儲存檔案，這樣一來 Ch07-09 便具有「防寫密碼」了。

STEP 04 請關閉檔案，再重新開啟 Ch07-09，開啟檔案時除了要求你輸入檔案的「保護密碼」外，還會要求輸入「防寫密碼」。此時只有知道「防寫密碼」的人，在輸入密碼後才能檢視及編輯內容並進行儲存；不知道密碼的人，只能按下**唯讀**鈕來開啟。

❶ 輸入先前設定的
開啟密碼：confidential

❷ 輸入防寫密碼：readonly，再按下
確定鈕，才能編輯與儲存檔案

技巧補充

以「唯讀」的方式開啟會出現什麼狀況呢？

若是不知道防寫密碼的人，在**密碼**交談窗中
按下**唯讀**鈕，也可以開啟檔案及編輯內容，
檔名的後面會顯示 **[唯讀]**。

檔名後面會顯示**[唯讀]**

▲ 在**唯讀**模式下仍然可編輯資料

但是按下**儲存檔案**鈕就會跳出下圖的訊息，你必須將修改後的資料另存成
其他檔名。另存的檔案仍具備與原檔案相同的「保護密碼」，但「防寫密
碼」會自動取消。

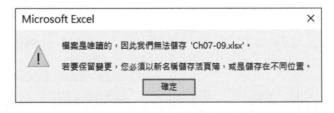

取消密碼設定

接續上例，如果要取消範例檔案 Ch07-09 所設定的密碼，可以如下操作：

STEP 01 請切換到**檔案**頁次，點選**另存新檔**，按下**瀏覽**鈕後，在開啟的**另存新檔**交談窗如下做設定：

❶ 按下**工具**鈕

❷ 選擇**一般選項**

STEP 02 開啟**一般選項**交談窗後，分別選取欲刪除的密碼，再按下 [Delete] 鍵，將密碼刪掉。

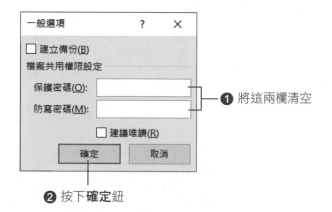

❶ 將這兩欄清空

❷ 按下**確定**鈕

STEP 03 回到**另存新檔**交談窗，按下**儲存**鈕重新儲存 Ch07-09，日後開啟此檔案時，就不用輸入密碼了。

你必須知道原來的密碼才能開啟檔案並解除密碼的設定，所以為了以防萬一，最好將密碼和對應的檔案列個清單並妥善保存。

▼ 為重要的活頁簿設定開啟及防寫密碼

7-5 保護活頁簿的結構

除了防止別人任意開啟活頁簿檔案及修改活頁簿內容，我們也可以限制工作表的整體操作，例如無法增加或刪除工作表、改變工作表名稱…等。

限制工作表的增、刪、複製或隱藏

保護活頁簿的**結構**，就無法移動、複製、刪除、隱藏 (或取消隱藏)、新增工作表及改變工作表的名稱和索引標籤顏色。請開啟範例檔案 Ch07-10，切換到**校閱**頁次如下練習保護活頁簿的結構：

❶ 按下**保護**區的**保護活頁簿**鈕

密碼可省略不設定 (但須注意其他使用者將可輕易解除保護)

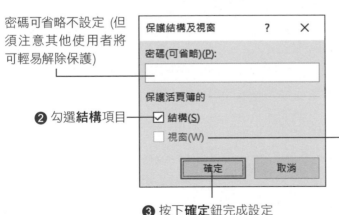

如果要防止使用者移動活頁簿視窗、調整視窗大小、關閉視窗，或是隱藏／取消隱藏視窗，請選取**視窗**選項。不過**視窗**選項只適用在 Excel 2007、Excel 2010、Excel for Mac 2011，以及 Excel 2016 for Mac 的版本

❷ 勾選**結構**項目

❸ 按下**確定**鈕完成設定

接著，測試一下保護活頁簿結構的結果：

在工作表索引標籤上按滑鼠右鍵，會發現部
分命令無法使用 (保護活頁簿結構的結果)

	A	B	C	D	E		F	G
1			招				獎金計算	
2	區別	姓名	到職日				年期人數	第一階段獎金
3	中區	江海忠	95/9/3		插入(I)...		65	18,500
4	中區	李信民	91/9/10		刪除(D)		18	12,300
5	中區	丁小文	94/8/2		重新命名(R)		45	12,000
6	中區	陳如芸	95/7/22		移動或複製(M)...		59	9,400
7	北區	陳裕龍	98/5/15		檢視程式碼(V)		36	15,100
8	北區	吳培祥	98/7/6		保護工作表(P)...		27	11,200
9	北區	陳文欽	98/8/16		索引標籤色彩(T)	▶	32	10,700
10	北區	張夢茹	97/7/30		隱藏(H)		14	4,900
					取消隱藏(U)...			
	◀ ▶	業績標準	計算獎金		選取所有工作表(S)			

按下 **新工作表** 鈕會沒
反應，無法新增工作表

取消活頁簿結構的保護

若要取消活頁簿結構的保護，可再次按下 **保護活頁簿** 鈕，讓它呈未按下的
狀態即可。

若先前在設定保護活頁簿時有輸入密碼，則此時就必須輸入密碼才能取消保護。

學會保護工作表，不用擔心別人更改內容

「防寫密碼」只能在開啟檔案時過濾沒有修改權的人，一旦使用「防寫密碼」開檔後，整本活頁簿就可以任意修改了。還好 Excel 提供保護工作表的功能，你可以保護整張工作表或是部份儲存格的範圍不受更改。

保護整個工作表，避免內容被修改

請開啟範例檔案 Ch07-11，我們要保護整張**訂購單**工作表的內容，讓開啟檔案的人只能查看無法做任何修改：

STEP 01 按下工作表最左上角的**全選**鈕選取所有儲存格：

全選鈕

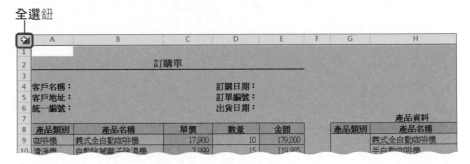

STEP 02 在選取範圍中按下滑鼠右鍵，點選 『**儲存格格式**』命令 (或直接按下 Ctrl + 1 鍵)，開啟**設定儲存格格式**交談窗：

❷ 請勾選**鎖定**，表示要保護儲存格免於被更改、刪除或搬移 (此選項預設便會勾選，進入此交談窗是為了做確認)，確認勾選，請按下**確定**鈕關閉視窗

❶ 切換到**保護**頁次

按下**常用**頁次**儲存格**區的**格式**鈕，從下拉式選單執行『**保護工作表**』命令：

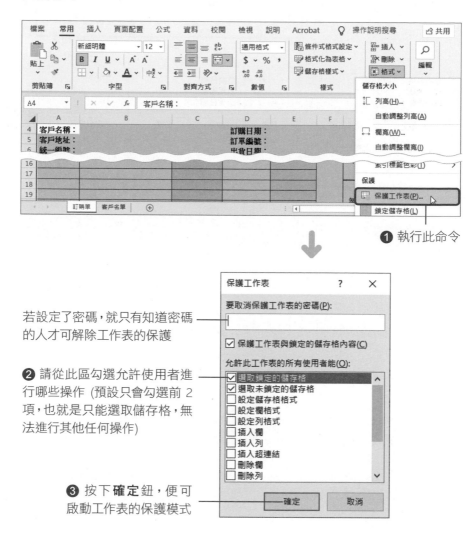

❶ 執行此命令

若設定了密碼，就只有知道密碼的人才可解除工作表的保護

❷ 請從此區勾選允許使用者進行哪些操作 (預設只會勾選前 2 項，也就是只能選取儲存格，無法進行其他任何操作)

❸ 按下**確定**鈕，便可啟動工作表的保護模式

根據我們在**保護工作表**交談窗中所做的勾選 (允許選取鎖定及未鎖定的儲存格)，你會發現雖然可以選取**訂購單**工作表中的儲存格，但無法編輯儲存格內容，也無法更改儲存格的格式，也不能進行欄、列的插入等操作。

　　可以選定儲存格　　　　　但這些工具鈕都呈現無法使用的狀態

此時，若試圖在儲存格中輸入資料，還會立即顯示警告訊息，不允許修改儲存格的資料：

只保護部分儲存格範圍

剛才的示範我們是針對整張工作表做保護，但有時候只想針對部分儲存格做保護 (例如公司表單為固定格式不希望輸入資料時更動到，或是有設定公式的儲存格，不希望被誤改或輸入資料)，該怎麼辦呢？

請不要儲存剛才的操作，重新開啟範例檔案 Ch07-11，我們想保護**訂購單**工作表中的產品資料範圍 (G8:I21)：

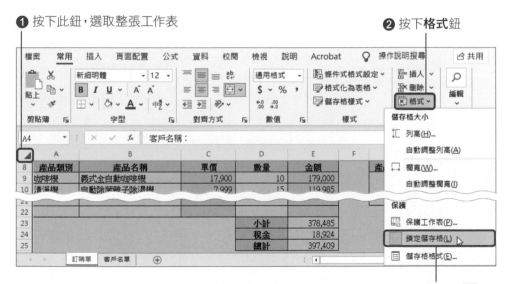

	A	B	C		G	H	I	
1								
2		訂購單						
3								
4	客戶名稱:							
5	客戶地址:							
6	統一編號:							
7						產品資料		
8	產品類別	產品名稱	單價		產品類別	產品名稱	單價	
9	咖啡機	義式全自動咖啡機	17,900			義式全自動咖啡機	17,900	
10	清淨機	自動除菌離子除濕機	7,999			半自動咖啡機	12,000	
11	智慧家電	智慧多功能投影	15,900		咖啡機	專業奶泡機	10,500	
12						雙杯全自動咖啡機	27,900	
13						膠囊咖啡機	15,800	
14						環型空氣清淨機	12,900	
15					清淨機	自動除菌離子除濕機	7,999	
16						隨身型空氣清淨機	7,990	
17						手機搖控空氣清淨除濕機	13,390	
18						智慧多層擦掃拖機器人	14,888	
19					智慧家電	智慧節能低溫乾衣機	36,900	
20						智慧多功能投影	15,900	
21						智慧蒸氣乾洗機	62,900	
22								

希望保護此範圍的內容,避免產品名稱或單價被亂改

若只要保護某些儲存格,就要先把工作表中預設的鎖定狀態取消,然後重新選取儲存格範圍來做局部鎖定及保護設定。請如下操作:

STEP 01 請按下儲存格最左上角的**全選**鈕,選取整張工作表,然後如下取消鎖定狀態:

❶ 按下此鈕,選取整張工作表　　　　　　　　　　　❷ 按下**格式**鈕

❸ 點選**鎖定儲存格**命令,目前此命令前面的圖示呈 ▣ 狀態,表示鎖定整張工作表,執行此命令後,就可以取消鎖定

STEP 02 重新選取要保護的儲存格範圍 (G8:I21)，按下**格式**鈕執行『**鎖定儲存格**』命令，即可只針對選取的儲存格範圍做鎖定。

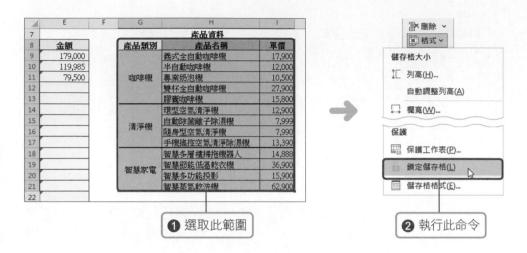

❶ 選取此範圍   ❷ 執行此命令

STEP 03 按下**常用**頁次**儲存格**區的**格式**鈕，在下拉選單中點選『**保護工作表**』，開啟**保護工作表**交談窗後，如右圖設定使用者可以進行的操作：

勾選允許使用者可以進行的操作，設定完成請按下**確定**鈕

請試著在 G8:I21 儲存格範圍輸入資料，看看會發生什麼事！結果會發現無法在此範圍做編輯動作，但是可以依上圖的勾選，允許設定儲存格與欄列格式 (例如選取儲存格、加粗文字、換色、…等)。這個範圍以外的儲存格皆可以自由刪改資料，也就是只針對 G8:I21 儲存格範圍做保護，並自訂允許哪些編輯操作。

解除保護狀態

若是想要修改被保護的儲存格資料，就必須按下**常用**頁次**儲存格**區的**格式**鈕，並在下拉選單點選『**取消保護工作表**』，以解除保護效力。若當初執行『**保護工作表**』命令時，曾設定保護密碼，則 Excel 會要求你先輸入正確的密碼後，才能解除工作表的保護效力。

依不同使用者設定可編輯的範圍

除了上述保護工作表的技巧，我們還可以針對不同的儲存格範圍，設定不同的保護密碼，讓只有知道保護範圍密碼的人，才能解除保護效力、修改儲存格內容。適合多人一起編輯同一份工作表時使用。

請開啟範例檔案 Ch07-12，我們要利用**允許編輯範圍**功能，讓每個業務員輸入自己的密碼來填入各自的費用：

STEP 01 首先設定「張其揚」的密碼和可修改的儲存格範圍 B4:B8。請切換到**校閱**頁次，如下操作：

❶ 按下**保護**區的**允許編輯範圍**鈕

② 按下**新範圍**鈕

③ 輸入標題

④ 按下**摺疊**鈕 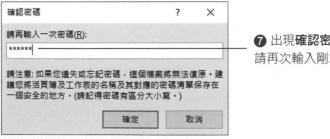，到工作表中選取 B4:B8 範圍

⑤ 輸入密碼 (在此設定「123456」)

⑥ 按下**確定**鈕

⑦ 出現**確認密碼**交談窗，請再次輸入剛才的密碼

STEP 02 密碼確認無誤後，會回到**允許使用者編輯範圍**交談窗，可繼續設定另一位業務員「許惠敏」的可修改範圍 (C4:C8) 及密碼：

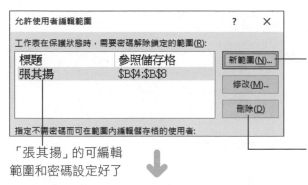

❶ 請按下**新範圍**鈕，以相同的方法繼續設定「許惠敏」的可修改範圍 (C4:C8) 及密碼

若要刪除已加入到此交談窗中的範圍，請先選取該組範圍，再按下**刪除**鈕

「張其揚」的可編輯範圍和密碼設定好了

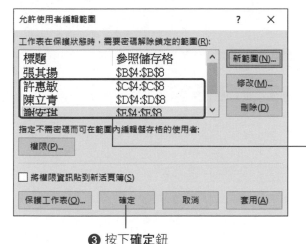

❷ 依照 ❶ 的操作，陸續建立其他三位業務員的編輯範圍及密碼

❸ 按下**確定**鈕

STEP 03 按下**常用**頁次**儲存格**區的**格式**鈕，並在下拉式選單點選『**保護工作表**』，則儲存格範圍的保護效力才會真正啟動。此時同樣會開啟**保護工作表**交談窗，讓你勾選**允許使用者進行**的操作：

在此請直接按下**確定**鈕

STEP 04 現在，假設業務員「張其揚」要在 B6 儲存格輸入資料，則此時不是出現無法更改的訊息，而是出現如下的**解除鎖定範圍**交談窗：

❶ 請試著在 B6 儲存格中輸入資料

❷ 只要輸入「張其揚」的密碼，就可編輯 B4:B8 儲存格的內容，而其餘的儲存格則無法修改

	張其揚	許惠敏	陳立青	謝安琪
差旅費				
交際費				
油資費	1500			
誤餐費				
郵寄費				
合計	1500	0	0	0

（業務部一月費用統計）

「張其揚」只能在此範圍中輸入資料

若是「張其揚」在其他儲存格輸入資料，則會跳出如下的訊息，告訴你無法做變更：

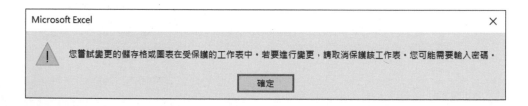

如此一來，工作表中的資料，就可以依照使用者的需求及權限，分別設定不同的密碼來落實工作表的保護囉！

CHAPTER

8

用條件快速篩選、分析、標示資料

終於完成各分店盤點資料的彙整了,可是經理說要把庫存小於 5 的資料標出來,還要找出原料有「不鏽鋼」的品項,我不會用函數該怎麼辦呢?

這簡單,只要用內建的「條件式格式設定」功能,指定好你要找的條件,就可以快速篩選出資料,並設定醒目的字體顏色囉!

醒目提示儲存格規則

- 找出銷量大於、小於指定條件的資料 p.8-2
- 設定「多個條件」需注意其執行順序 p.8-7
- 用「包含下列的文字」標示出請事假的人 p.8-10
- 用「發生的日期」找出上個月請假的人 p.8-11
- 利用「重複的值」找出相同的會員編號 p.8-12

前段/後段項目規則

找出毛利前 3 名及倒數 3 名的資料 p.8-13

p.8-15

我的私房技
希望開啟活頁簿時,能自動將當天日期整列換色

條件式篩選主要是找出符合條件的資料並標示起來,如果搭配公式和函數將發揮更強的潛力!

找出銷量大於、小於指定條件的資料

辛苦整理好的資料，要如何讓老闆一眼就看出報表的重點呢？例如想傳達某項產品賣最好、某段期間創新高、某些費用超出預算、哪些員工常請假、…等等，就可以善用**條件式格式設定**功能，以醒目的顏色來強調。

用「大於」規則標示銷量大於 5,000 的資料

當報表裡的資料很多，想將具有指標意義的值特別標示出來，你不需手動一個一個查找、設定格式，只要用**條件式格式設定**功能，就能自動替符合條件的資料，標示醒目顏色做辨識。

請開啟範例檔案 Ch08-01，這是一份文具用品展的銷售資料，我們想找出銷量大於 5,000 的資料，並用醒目的顏色做標示。

STEP
01
請選取 D3:D43 儲存格，切換到**常用**頁次，在**樣式**區按下**條件式格式設定**鈕，執行『**醒目提示儲存格規則/大於**』命令：

❷ 執行此命令

	B	C	D	E	H
1		文具 / 用品展銷售統計			
2	品名	單價	銷量	銷售金額	
3	木質裁紙機	899	1,259	1,131,841	
4	紅外線測溫槍	590	985	581,150	
5	強力二孔打孔機	1,540	2,541	3,913,140	
6	糖度儀/甜度計	990	2,015	1,994,850	
7	桌上型圓角機	3,500	5,488	19,208,000	
8	木質裁紙機	899	5,487	4,932,813	
9	充電式紅光雷射筆	498	1,954	973,092	
10	桌上型圓角機	3,500	2,548	8,918,000	
11	充電式紅光雷射筆	498	2,111	1,051,278	
12	6 位數自動跳號號碼機	670	2,159	1,446,530	
13	便攜手持電子放大鏡	1,200	3,574	4,288,800	

❶ 選取 D3:D43 儲存格

STEP02 設定銷量超過 5,000 的資料，要標示什麼樣的格式。

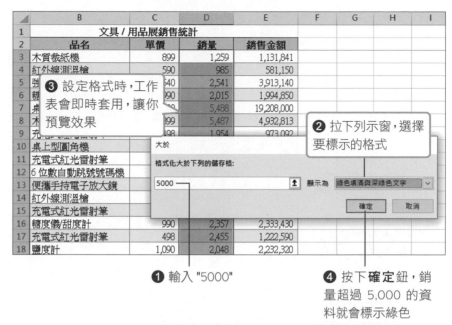

❸ 設定格式時，工作表會即時套用，讓你預覽效果

❷ 拉下列示窗，選擇要標示的格式

大於

格式化大於下列的儲存格：

5000 ●————

顯示為 綠色填滿與深綠色文字

確定　取消

❶ 輸入 "5000"

❹ 按下 **確定** 鈕，銷量超過 5,000 的資料就會標示綠色

更新數值資料，格式設定也會立即變更

在資料中進行條件式格式設定後，如果在設定的範圍內修改了數值，標示的結果也會立即變更。

	B	C	D	E
1	文具 / 用品展銷售統計			
2	品名	單價	銷量	銷售金額
17	充電式紅光雷射筆	498	2,455	1,222,590
18	鹽度計	1,090	2,048	2,232,320
19	桌上型圓角機	3,500	4,587	16,054,500
20	鹽度計	1,090	3,558	3,878,220
21	數位照度計	790	1,587	1,253,730
22	便攜手持電子放大鏡	1,200	1,687	2,024,400

原本 D19 儲存格的銷量為「4,587」

	B	C	D	E
1	文具 / 用品展銷售統計			
2	品名	單價	銷量	銷售金額
17	充電式紅光雷射筆	498	2,455	1,222,590
18	鹽度計	1,090	2,048	2,232,320
19	桌上型圓角機	3,500	5,030	17,605,000
20	鹽度計	1,090	3,558	3,878,220
21	數位照度計	790	1,587	1,253,730
22	便攜手持電子放大鏡	1,200	1,687	2,024,400

修改為「5,030」後，符合設定的條件 (大於 5,000)，就會立即套用格式設定

用「小於」規則標示銷量小於 1,500 的資料

接著，利用相同的方法，選取 D3:D43 儲存格範圍，按下**條件式格式設定**鈕，執行『**醒目提示儲存格規則/小於**』命令，將銷量小於 1,500 的資料標示為紅色，就可以在工作表中立即看出銷量高與銷量低的資料了。

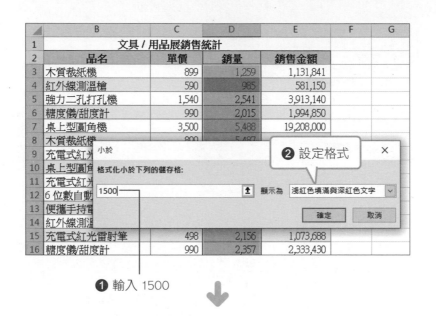

❶ 輸入 1500

標示為綠色，表示銷量高於 5,000

自訂條件規則的標示格式

按下**條件式格式設定**鈕，選擇要執行的命令後，你可以從預設的格式項目中挑選要顯示的格式。除了使用預設格式，也可以選擇**自訂格式**項目，開啟**儲存格格式**交談窗來自訂：

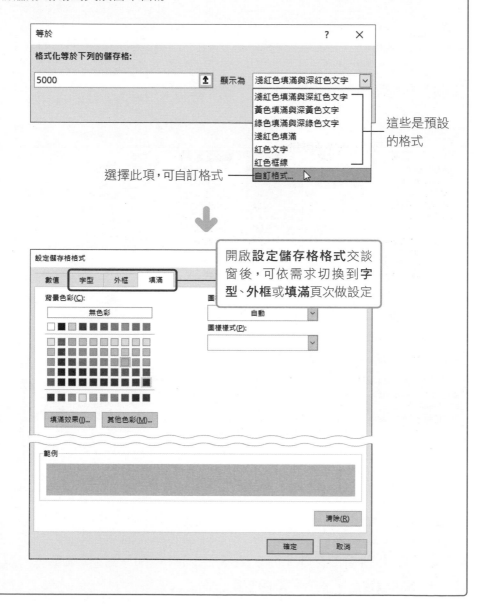

這些是預設的格式

選擇此項，可自訂格式

開啟**設定儲存格格式**交談窗後，可依需求切換到**字型**、**外框**或**填滿**頁次做設定

刪除條件式格式設定

若要取消條件式格式設定，請選取含有格式設定的儲存格範圍 (如上例的 D3:D43)，再按下**條件式格式設定**鈕，執行『**管理規則**』命令，在開啟的交談窗中會列出已設定的所有條件規則：

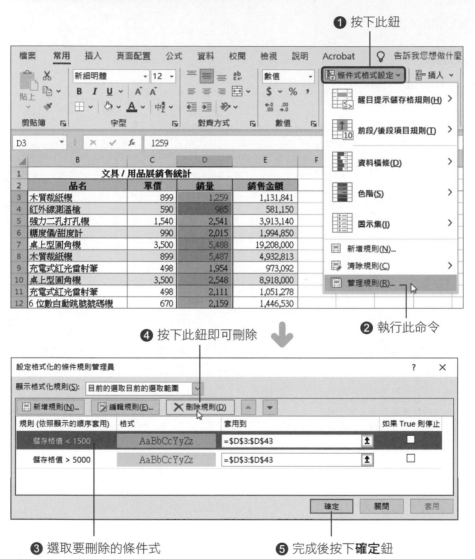

① 按下此鈕

② 執行此命令

④ 按下此鈕即可刪除

③ 選取要刪除的條件式

⑤ 完成後按下**確定**鈕

若想一次刪除所有的條件，可在選取已設定條件的儲存格範圍後，按下**條件式格式設定**鈕，執行『**清除規則**』命令：

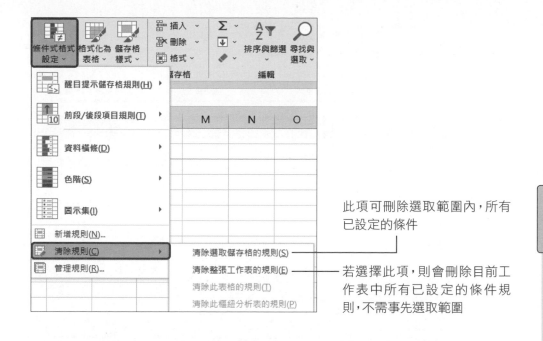

此項可刪除選取範圍內，所有已設定的條件

若選擇此項，則會刪除目前工作表中所有已設定的條件規則，不需事先選取範圍

若是設定多個條件式需注意其執行順序

如果儲存格範圍設定了 2 組以上的條件，當設定的規則相互衝突時，執行順序較低的規則就不會被執行(位於上方的條件式會優先執行)，此時，可按下**條件式格式設定**鈕，執行『**管理規則**』命令，在開啟的交談窗中利用**上移** ▲ 及**下移** ▼ 鈕，調整條件式的執行順序。

請開啟範例檔案 Ch08-02，此工作表在 D2:D52 儲存格範圍設定了兩組規則，「第一組」是將加班時數超過 2 小時的資料填滿紅色背景；「第二組」是將加班時數超過 8 小時的資料填滿綠色背景。

但是問題來了，設定條件後怎麼只有顯示「第一組」(超過 2 小時) 條件的格式，「第二組」(超過 8 小時) 條件不會顯示呢？其實是因為這兩個條件有衝突，大於 8 小時的資料一定大於 2 小時，所以 Excel 不知道怎麼判斷，這時只要更改執行順序，讓「第二組」條件先執行，就可以解決了！

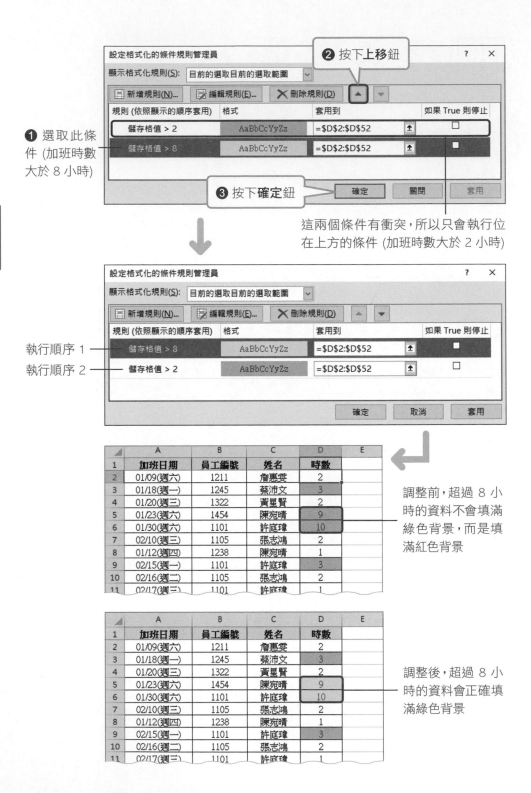

❷ 按下上移鈕

設定格式化的條件規則管理員   ?   ✕

顯示格式化規則(S)：目前的選取目前的選取範圍 ▾

新增規則(N)...   編輯規則(E)...   ✕ 刪除規則(D)   ▲   ▾

規則 (依照顯示的順序套用)	格式	套用到	如果 True 則停止
儲存格值 > 2	AaBbCcYyZz	=$D$2:$D$52 ▲	☐
儲存格值 > 8	AaBbCcYyZz	=$D$2:$D$52 ▲	☐

❶ 選取此條件 (加班時數大於 8 小時)

❸ 按下確定鈕

確定   關閉   套用

這兩個條件有衝突，所以只會執行位在上方的條件 (加班時數大於 2 小時)

設定格式化的條件規則管理員   ?   ✕

顯示格式化規則(S)：目前的選取目前的選取範圍 ▾

新增規則(N)...   編輯規則(E)...   ✕ 刪除規則(D)   ▲   ▾

規則 (依照顯示的順序套用)	格式	套用到	如果 True 則停止
儲存格值 > 8	AaBbCcYyZz	=$D$2:$D$52 ▲	☐
儲存格值 > 2	AaBbCcYyZz	=$D$2:$D$52 ▲	☐

執行順序 1
執行順序 2

確定   取消   套用

▲	A	B	C	D	E
1	加班日期	員工編號	姓名	時數	
2	01/09(週六)	1211	詹惠雯	2	
3	01/18(週一)	1245	蔡沛文	3	
4	01/20(週三)	1322	黃昱賢	2	
5	01/23(週六)	1454	陳宛晴	9	
6	01/30(週六)	1101	許庭瑋	10	
7	02/10(週三)	1105	張志鴻	2	
8	01/12(週四)	1238	陳宛晴	1	
9	02/15(週一)	1101	許庭瑋	3	
10	02/16(週二)	1105	張志鴻	2	
11	02/17(週三)	1101	許庭瑋	1	

調整前，超過 8 小時的資料不會填滿綠色背景，而是填滿紅色背景

▲	A	B	C	D	E
1	加班日期	員工編號	姓名	時數	
2	01/09(週六)	1211	詹惠雯	2	
3	01/18(週一)	1245	蔡沛文	3	
4	01/20(週三)	1322	黃昱賢	2	
5	01/23(週六)	1454	陳宛晴	9	
6	01/30(週六)	1101	許庭瑋	10	
7	02/10(週三)	1105	張志鴻	2	
8	01/12(週四)	1238	陳宛晴	1	
9	02/15(週一)	1101	許庭瑋	3	
10	02/16(週二)	1105	張志鴻	2	
11	02/17(週三)	1101	許庭瑋	1	

調整後，超過 8 小時的資料會正確填滿綠色背景

利用「快速分析」鈕設定條件式格式

條件式格式設定鈕位於**常用**頁次下的**樣式**區裡，如果你正好切換到其他頁次，不想來回做切換，可在選取儲存格範圍後，善用**快速分析**鈕 ▤ 立即套用條件式格式。

❶ 選取 D3:D43 儲存格範圍

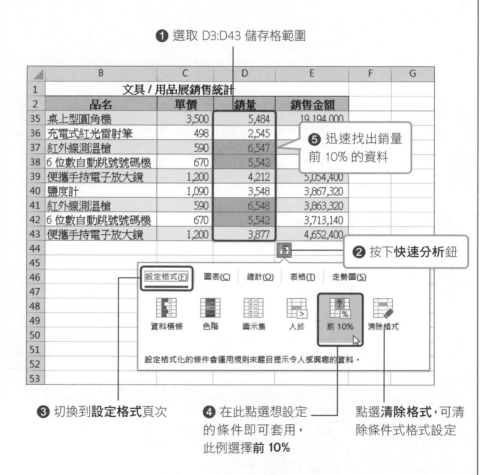

❺ 迅速找出銷量前 10% 的資料

❷ 按下**快速分析**鈕

❸ 切換到**設定格式**頁次

❹ 在此點選想設定的條件即可套用，此例選擇**前 10%**

點選**清除格式**，可清除條件式格式設定

用「包含下列的文字」標示出請事假的人

條件式格式設定鈕中的**醒目提示儲存格規則**下,有個**包含下列的文字**規則,可找出選取的儲存格範圍中,符合特定字串或數值的資料。

請開啟範例檔案 Ch08-03,我們想將所有事假標示出來,就可以用**包含下列的文字**規則來完成,請選取 D2:D52 儲存格範圍,再如下操作:

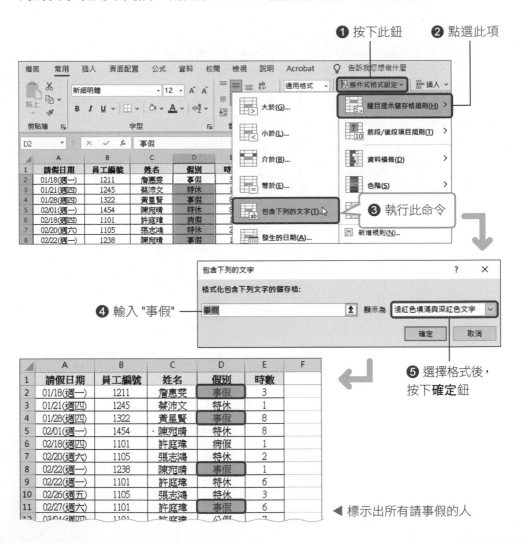

❶ 按下此鈕　　❷ 點選此項

❸ 執行此命令

❹ 輸入 "事假"

❺ 選擇格式後,按下**確定**鈕

◀ 標示出所有請事假的人

用「發生的日期」找出上個月請假的人

發生的日期規則，會標示出符合某時間條件的資料，例如可以找出昨天、上個月、明天、…等資料。請注意，這些日期條件會以系統日期為依據來尋找，例如今天為 6/1，設定上個月，就會找出 5 月份的資料。

請開啟範例檔案 Ch08-04，選取 A2:A52 範圍，按下**條件式格式設定**鈕，執行『**醒目提示儲存格規則/發生的日期**』命令，查詢上個月請假的人：

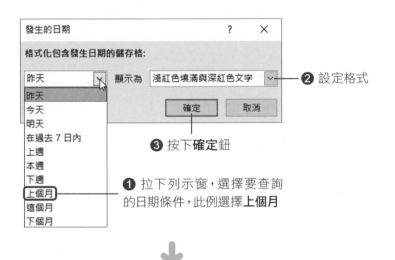

❶ 拉下列示窗，選擇要查詢的日期條件，此例選擇**上個月**

❷ 設定格式

❸ 按下**確定**鈕

◢	A	B	C	D	E	F
1	請假日期	員工編號	姓名	假別	時數	
26	04/01(週四)	1238	陳宛晴	特休	4	
27	04/11(週日)	1105	張志鴻	事假	6	
28	04/18(週日)	1322	黃星賢	事假	3	
29	04/24(週六)	1238	陳宛晴	特休	2	
30	04/26(週一)	1105	張志鴻	特休	8	
31	05/03(週一)	1322	黃星賢	病假	6	
32	05/07(週五)	1454	許夢偉	特休	7	
33	05/08(週六)	1105	張志鴻	事假	1	
34	05/08(週六)	1245	蔡沛文	病假	6	
35	05/10(週一)	1322	黃星賢	特休	8	
36	05/27(週四)	1211	詹惠雯	產假	5	
37	06/06(週日)	1238	陳宛晴	病假	3	

標示出上個月請假的日期 (我們操作此檔案時為 6 月，所以會標示 5 月的資料)

請注意！由於**發生的日期**規則，會以系統日期為依據，所以你開啟本範例檔案進行操作時，會與我們示範的結果不同，請自行修改 A 欄中的日期來練習。

利用「重複的值」找出相同的會員編號

重複的值規則可標示出儲存格中的重複項目。利用這個規則，我們可以檢查會員編號、訂單編號、客戶名稱、…等資料是否重複輸入。

請開啟範例檔案 Ch08-05，我們想檢查會員編號是否重複輸入，選取 A3:A26 儲存格範圍後，按下**條件式格式設定**鈕，執行『**醒目提示儲存格規則/重複的值**』命令：

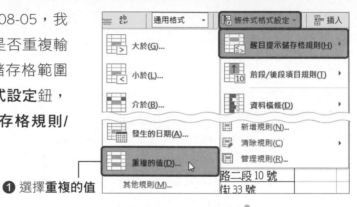

❶ 選擇**重複的值**

❷ 選擇**重複**

若選擇**唯一**，則會標示只出現過一次的會員編號

❸ 選擇格式後，按下**確定**鈕

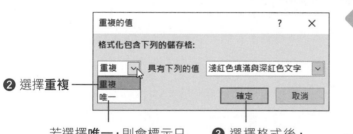

標示出重複的會員編號了

	A	B	C	D	E
1	會員資料				
2	會員編號	姓名	生日	手機號碼	地址
3	8317	謝辛如	1998/02/22	0956-324-312	台北市忠孝東路一段 333 號
4	8385	許育弘	2002/08/11	0935-963-854	新北市新莊區中正路 577 號
5	4879	張詩佩	1983/05/08	0954-071-435	台中市西區英才路 212 號
6	2458	林亞倩	1992/05/10	0913-410-599	台北市南港區經貿二號 1 號
7	6547	王郁昌	1995/02/12	0972-371-299	台北市重慶南路一段 8 號
8	6987	宋智鈞	2008/08/29	0933-250-036	新北市板橋區文化路二段 10 號
9	2458	黃裕翔	2008/12/05	0934-750-620	新北市中和區安邦街 33 號
10	3658	姚欣穎	2011/12/30	0954-647-127	台中市西屯區朝富路 188 號
11	5478	李家豪	2005/08/25	0982-597-901	苗栗市新苗街 18 號
12	8641	陳瑞淑	1983/04/24	0968-491-182	新竹市北區中山路 128 號
13	8385	蔡佳利	2010/05/15	0927-882-411	桃園市中壢區溪洲街 299 號
14	6874	吳立其	2009/10/24	0987-094-998	台南市安平區中華西路二段 533 號
15	3584	郭堯竹	1988/11/05	0960-798-165	

找出毛利前 3 名及倒數 3 名的資料

前面幾節的說明，都是**條件式格式設定**中醒目提示儲存格規則下的命令。本節要介紹的是**前段/後段項目規則**類別下的條件式，可幫助你快速找出前幾名、前幾項、最後幾名、最後幾項、……的資料。

利用「前 10 個項目」找出毛利前 3 名的資料

請開啟範例檔案 Ch08-06，這是一份業務員的業績及毛利表，我們想知道毛利前 3 名的數值為多少，就可以用**前 10 個項目**規則快速找出來。此命令的名稱雖然是『**前 10 個項目**』，不過可以讓你自訂要找出幾個排在前面的項目。

請選取 D2:D14 儲存格範圍，按下**條件式格式設定**鈕，執行『**前段/後段項目規則/前 10 個項目**』命令：

❶ 在此輸入 "3"，表示要查詢前 3 名的數字

前 10 個項目　　　　　　? ✕

格式化排在最前面的儲存格：

3 ▲▼　　顯示為　綠色填滿與深綠色文字 ▼

❷ 選擇格式

確定　　取消

❸ 按下**確定**鈕

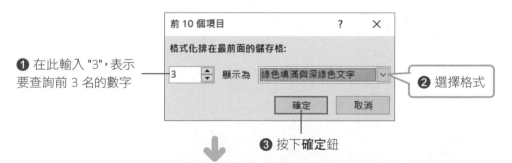

	A	B	C	D	E	F
1	業務員	業績	銷售套數	毛利	目標	達成率
2	張美娟	5,903,927	11,386	2,361,571	2,600,000	90.83%
3	許信傑	2,758,926	5,678	1,103,570	1,500,000	73.57%
4	王樂豪	5,903,829	10,974	2,361,532	2,600,000	90.83%
5	林軒宜	4,923,827	7,763	1,969,531	2,200,000	89.52%
6	謝美真	4,984,730	8,142	1,993,892	2,800,000	71.21%
7	黃建銘	3,059,873	5,638	1,223,949	2,200,000	55.63%
8	陳志成	1,135,074	1,729	454,030	2,600,000	17.46%
9	翁新荃	4,590,968	4,393	1,836,387	1,879,167	97.72%
10	周巧慧	3,966,844	6,539	1,586,738	1,804,948	87.91%

▲ 找出毛利前 3 名的資料了

利用「最後 10 個項目」找出毛利倒數 3 名的資料

找出前 3 名的毛利資料後，接著要繼續找出倒數 3 名的毛利資料。請選取 D2:D14 儲存格範圍，按下**條件式格式設定**鈕，執行『**前段/後段項目規則 /最後 10 個項目**』命令。此命令的名稱雖然是『**最後 10 個項目**』，不過可以讓你自訂要找出幾個排在最後的項目。

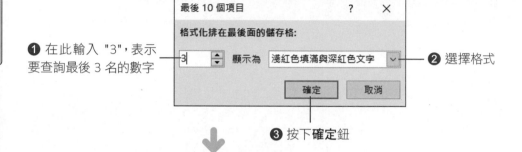

❶ 在此輸入 "3"，表示要查詢最後 3 名的數字

❷ 選擇格式

❸ 按下**確定**鈕

	A	B	C	D	E
1	業務員	業績	銷售套數	毛利	目標
2	張美娟	5,903,927	11,386	2,361,571	2,600,000
3	許信傑	2,758,926	5,678	1,103,570	1,500,000
4	王樂豪	5,903,829	10,974	2,361,532	2,600,000
5	林軒宜	4,923,827	7,763	1,969,531	2,200,000
6	謝美真	4,984,730	8,142	1,993,892	2,800,000
7	黃建銘	3,059,873	5,638	1,223,949	2,200,000
8	陳志成	1,135,074	1,729	454,030	2,600,000
9	翁新荃	4,590,968	4,393	1,836,387	1,879,167
10	周巧慧	3,966,844	6,539	1,586,738	1,804,948
11	許淑靜	3,829,487	5,623	1,531,795	2,017,400
12	陳美珊	2,938,475	4,298	1,175,390	2,094,837
13	李健智	2,392,916	4,067	957,166	2,200,000
14	劉邦德	3,964,546	5,704	1,585,818	1,803,948

▲ 用不同的格式，標示出倒數 3 名的毛利

在**前段/後段項目規則**命令下，還有「前 10%」、「最後 10%」、「高於平均」、「低於平均」等命令，操作方法大同小異，你可以自行試試看！

> 條件式篩選雖然簡單，但如果和接下來要介紹的公式或函數一起搭配使用，將發揮強大的威力！

希望開啟活頁簿時，能自動
將當天日期整列換色

為了控管每個專案進度，有些公司會希望員工填寫每日進度及時數，但是
每次開啟檔案，要捲動到當天的日期常常得花點時間，如果 Excel 能在開
檔時自動用螢光效果標出當天的日期那就太好了。

其實只要善用本章所學的**條件式格式設定**功能，再搭配簡單的公式，就能
在開啟活頁簿時，標示出當天的日期了。

請開啟範例檔案 Ch08-07，選取 A2:E366 儲存格，按下**條件式格式設定**鈕
後，點選**新增規則**，再如下做設定：

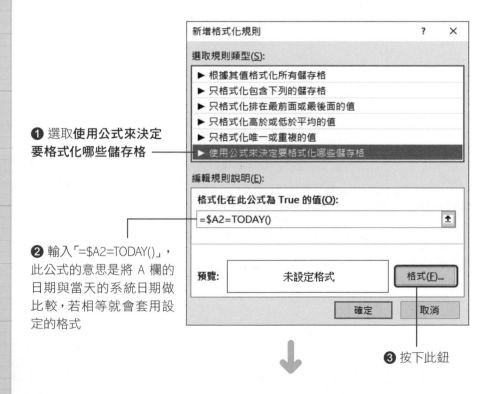

❶ 選取**使用公式來決定
要格式化哪些儲存格**

❷ 輸入「=$A2=TODAY()」，
此公式的意思是將 A 欄的
日期與當天的系統日期做
比較，若相等就會套用設
定的格式

❸ 按下此鈕

```
=$A2=TODAY()
```

TODAY() 函數會傳回當天的系統日期

固定 A 欄，不固定列

❹ 切換到
填滿頁次

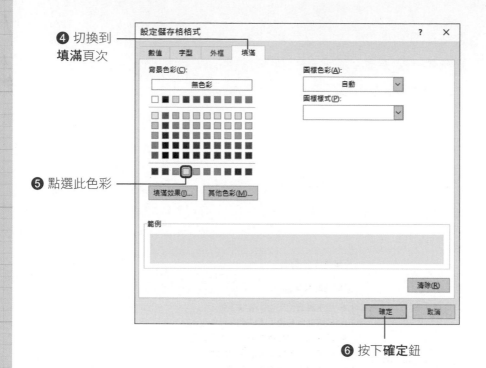

❺ 點選此色彩

❻ 按下**確定**鈕

日後開啟此活頁
簿，就會自動將
當天的日期整列
標示黃色了！

	A	B	C	D	E
1	**日期**	**專案**	**專案代號**	**事項**	**時數**
246	09/02(週四)				
247	09/03(週五)				
248	09/04(週六)				
249	09/05(週日)				
250	09/06(週一)				
251	09/07(週二)				
252	09/08(週三)				
253	09/09(週四)				
254	09/10(週五)				
255	09/11(週六)				

請注意！當你開啟本範例檔案進行操作時，會與我們示範的結果不同，此範例 A 欄
的年份為 2022 年，若您不是在 2022 年開啟此範例檔案，那麼請選取整個 A 欄，
利用**取代**功能，將 2022 年取代為您開啟此檔案時的年份。

CHAPTER

9 公式與函數的必要技能

我收到會計寄來的對帳單，可是裡面的公式怎麼都看不到啊，還有**資料編輯列**也不見了？有些儲存格我也不能更動，還有 #VALUE!、#NAME? 是怎麼回事？

那是因為會計怕多人檢視同一份表單時，資料或公式會被亂改，所以對工作表做了保護措施。使用公式、函數還有許多基本必備的技能，底子打好才能事半功倍喔！我們會一步步的教你！

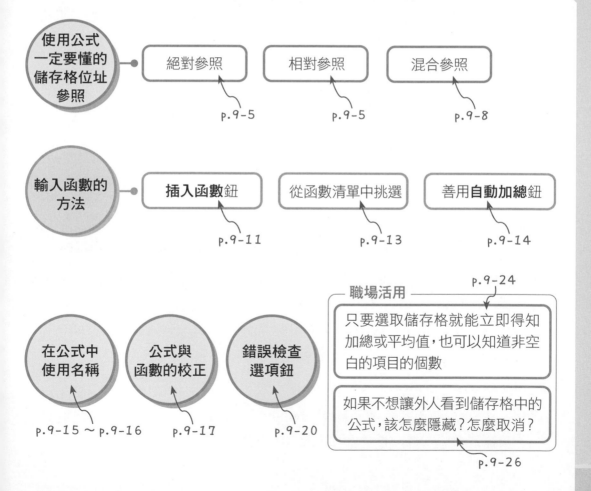

建立公式

要進行各項數值資料的統計，你不需手動計算後再把數值填入儲存格，直接交由 Excel 這個大計算機，就能立即得到結果，而且還可以避免人工計算的失誤，當資料來源有變動時，公式的計算結果也會立即更新。

公式的表示法

Excel 的公式和一般數學算式很類似，通常數學算式的表示法為：

$$A4 = (A1 + B2 * C3) / 3$$

若要將這個數學算式輸入 Excel，則要在 A4 儲存格中輸入：

$$= (\underline{A1} + \underline{B2} * \underline{C3}) / 3$$

　　　儲存格　儲存格　儲存格

意思是將 B2 儲存格的值與 C3 儲存格的值先相乘，再加上 A1 儲存格的值，最後除以 3，並將結果顯示在 A4 儲存格中。

輸入公式

輸入公式必須以**等號 (=)** 起首，例如「= (A1 + B2 * C3) / 3」，這樣 Excel 才知道我們輸入的是公式，而不是一般資料。現在我們就來練習建立公式，請開啟範例檔案 Ch09-01，我們打算在 E2 儲存格加總 1～3 月的零用金，因此 E2 儲存格的公式為 "= B2 + C2 + D2"：

STEP
01
請在要建立公式的 E2 儲存格中輸入 "="，接著選取 B2 儲存格，便會將 B2 輸入到公式中，繼續輸入 "+"，然後選取 C2 儲存格，再繼續輸入 "+"，選取 D2 儲存格，就完成公式的輸入了。

儲存格的框線和公式中對應的位址
會使用相同的顏色，以利識別

當你熟悉公式的操作後，可以直接在 E2 儲存格輸入 "= B2 + C2 + D2"，再按下 Enter 鍵，省下交替使用滑鼠、鍵盤的麻煩。

E2	▼	× ✓ ƒx		=B2+C2+D2	
▲	A	B	C	D	E	F
1	科目	1月	2月	3月	第一季	
2	零用金	1500	3120	4500	=B2+C2+D2	
3	差旅費	8000	6555	5103		
4	郵電費	605	852	789		

公式建好了

STEP 02 按下**資料編輯列**上的**輸入**鈕 ✓ 或 Enter 鍵，公式計算的結果馬上就會顯示在 E2 儲存格中：

資料編輯列會顯示公式

E2	▼	× ✓ ƒx		=B2+C2+D2	
▲	A	B	C	D	E	F
1	科目	1月	2月	3月	第一季	
2	零用金	1500	3120	4500	9120	
3	差旅費	8000	6555	5103		
4	郵電費	605	852	789		

儲存格顯示的是計算結果

Hotkey

若是想直接在儲存格中查看公式，可按下 Ctrl + `` ` `` 鍵 (`` ` `` 鍵在 Tab 鍵上方)，在公式和計算結果間做切換。

修改公式來源的資料，會自動更新計算結果

公式的計算結果會隨著儲存格的內容變動而自動更新。例如：將 B2 儲存格由 1500 改成 1300，你會發現 E2 儲存格立即從 9120 更新為 8920：

B2	▼	× ✓ ƒx		1300	
▲	A	B	C	D	E	F
1	科目	1月	2月	3月	第一季	
2	零用金	1300	3120	4500	8920	
3	差旅費	8000	6555	5103		
4	郵電費	605	852	789		

修改 1 月的零用金   自動更新計算結果

▼ 建立公式

算符 (運算子) 的優先順序

大家都學過數學的四則運算 (即基本的加減乘除)，Excel 的公式也是遵照四則運算的規則。Excel 的「算符 (Operator)」分成四種類型，分別為**參照**、**算術**、**文字**與**比較**，下表依執行的優先順序排列供你參考：

優先性	類型	算符	說明	範例
高	參照	: (冒號)	連續的儲存格範圍	C1:C5
		空格 (半形)	儲存格交會的部份 (交集)	C1:C5 A3:D3 其交集為 C3
		, (逗號)	不連續的多個儲存格	C1:C5, A3:D3
	算術	-	負號	-50
		%	百分比	50%
		^	次方 (乘冪)	2^7
		* 和 /	乘法和除法	C1* B1、C1/B1
		+ 和 -	加法和減法	C1+B1、C1-B1
	文字	&	連接字串	"台" & "北" 其結果為「台北」
	比較	=	等於	C1=B1
		<	小於	C1 < B1
		>	大於	C1 > B1
		<=	小於等於	C1 <= B1
		>=	大於等於	C1 >= B1
低		< >	不等於	C1 <> B1

相對參照、絕對參照與混合參照位址

在儲存格中設定公式後，有時需要複製公式或將公式搬移到其他位置，但是複製、搬移公式若是沒有注意參照位址，就會造成計算結果錯誤，請一定要弄懂公式的參照位址！

相對與絕對參照位址的概念

公式中的參照位址有兩種類型：**相對參照位址**與**絕對參照位址**。相對參照的表示法為：B1、C4；絕對參照則須在儲存格位址前面加上 **"$"** 符號，如：$B$1、$C$4。若是同時混用這兩種類型的位址，如：$B1，那就稱為**混合參照**，請一定要弄清楚相對與絕對參照的差別喔！

底下用生活化的例子來說明，假設你要前往圖書館，但不知道確切地址也不知道該怎麼走，於是向路人打聽。結果得知從現在的位置往前走，碰到第一個紅綠燈後右轉，再直走約 100 公尺就到了，這就是「相對參照位址」的概念。

另外有人乾脆將實際地址告訴你，假設為「台北市杭州南路一段 15 號」，這個明確的地址就是「絕對參照位址」的概念，由於地址具有唯一性，所以不論你在什麼地方，根據這個絕對參照位址，找到的永遠是同一個地點。

將這兩者的特性套用在公式上，相對參照位址會隨著公式的位置而改變，而絕對參照位址則不管公式在什麼地方，它永遠指向同一個儲存格。

相對參照與絕對參照位址的使用

看完以上的說明，相信你還是不太懂相對與絕對參照位址有什麼作用，我們以簡單的例子來做說明。請開啟範例檔案 Ch09-02 來練習：

STEP 01 請選取 B4 儲存格，輸入 "= B2 + B3"，按下 Enter 鍵計算出結果。根據前面的說明，參照位址沒有加上「$」，表示為相對參照位址。

B4	▼	:	×	✓	fx	=B2+B3

◢	A	B	C	D	E
1		相對參照	絕對參照		
2	數量1	5	5		
3	數量2	3	3		
4	合計	8			
5					

STEP 02 接著，在 C4 儲存格輸入絕對參照位址的公式。請選取 C4 儲存格，輸入 "=C2" 後，按下 F4 鍵，則 C2 會切換成 $C$2，變成絕對參照位址：

C2	▼	:	×	✓	fx	=$C$2

◢	A	B	C	D	E
1		相對參照	絕對參照		
2	數量1	5	5		
3	數量2	3	3		
4	合計	8	=$C$2		
5					

也可以直接在儲存格中輸入 "=$C$2"

絕對參照位址

STEP 03 接著輸入 "+C3"，再按 F4 鍵，將 C3 變成 $C$3，最後按下 Enter 鍵，完成公式的建立：

C3	▼	:	×	✓	fx	=$C$2+$C$3

◢	A	B	C	D	E
1		相對參照	絕對參照		
2	數量1	5	5		
3	數量2	3	3		
4	合計	8	=$C$2+$C$3		
5					

C4 儲存格的公式內容

B4 及 C4 儲存格的公式分別為相對位址與絕對位址，但兩者的計算結果卻一樣。到底它們差別在哪裡呢？請選取 B4 及 C4 儲存格，拖曳 C4 儲存格的**填滿控點**到下一列，將公式複製到下方儲存格就可看出其差異了。

拖曳儲存格的**填滿控點**,會出現**自動填滿選項**鈕 ,你可以參考 3-8 頁的說明。

B5 與 C5 儲存格的計算結果不同了

相對位址公式

B4 的公式 "= B2 + B3",使用了相對位址,表示從 B4 往上找兩個儲存格 (B2、B3) 來相加,因此當公式複製到 B5 後,便改成從 B5 往上找兩個儲存格相加,結果就變成 B3 和 B4 相加的結果:

往上找兩個儲存格　　　　　　　往上找兩個儲存格

絕對位址公式

C4 儲存格的公式 "=$C$2＋$C$3",使用了絕對位址,因此不管這個公式複製到哪裡,都是找出 C2 和 C3 的值來相加,所以 C4 和 C5 儲存格的計算結果會是一樣的。

C4 儲存格是加總 C2 及 C3 儲存格的值　　將 C4 儲存格的公式複製到 C5 儲存格,C5 儲存格還是找 C2 和 C3 進行相加

用 F4 鍵快速切換相對參照與絕對參照位址

F4 鍵可循序切換儲存格位址的參照類型，每按一次 F4 鍵，參照位址的類型就會改變，其切換結果如下所示：

F4 鍵	儲存格	參照位址 B1
按第 1 次	$B$1	絕對參照，欄與列皆為絕對位址
按第 2 次	B$1	混合參照，只有**列編號**是絕對位址
按第 3 次	$B1	混合參照，只有**欄編號**是絕對位址
按第 4 次	B1	相對參照

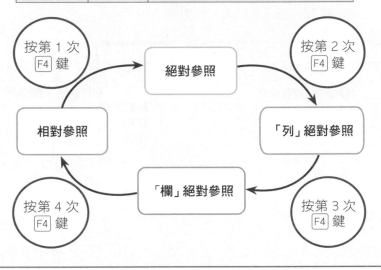

混合參照的使用

我們可以在公式中同時使用相對參照與絕對參照，這種情形稱為「混合參照」。例如底下的公式，含有混合參照位址的公式在複製後，絕對參照的部份 (如 $C3 的 $C) 不會變動，而相對參照的部份則會隨情況做調整。

$$= \$C\$2 + \$C3$$

絕對參照 ────── 混合參照 ($C 為絕對參照，3 為相對參照)

繼續沿用範例檔案 Ch09-02，請依照下列步驟將 C5 儲存格中的公式改成混合參照公式 = $C2 + C3：

STEP 01 請雙按 C5 儲存格進入編輯模式，將插入點移至 "=" 之後，接著按兩次 `F4` 鍵，讓 $C$2 變成 $C2。

STEP 02 將插入點移至 "+" 之後，按 3 次 `F4` 鍵將 $C$3 變成 C3，按下 `Enter` 鍵，公式便修改完成。

STEP 03 接著選取 C5 儲存格，分別拖曳**填滿控點**到 C6 及 D5：

拖曳到 C6

拖曳到 D5

與 C5 同欄不同列，因此 $C2 的 2 變成 3，C3 則變成 C4

與 C5 同列不同欄，因此 $C2 的部份不動，C3 變成 D3 了

混合參照可以保持位址的欄或列的不變性，初學者可能會覺得很複雜，待熟練 Excel 的公式後，就會發現它的優點了！

9-3 使用 Excel 的函數

函數是 Excel 根據各種需要，預先設計好的運算公式，使用函數可讓你發揮 Excel 強大的運算能力，底下我們就來看看如何運用 Excel 的函數。

函數的格式

每個函數都包含三個部份：**函數名稱**、**引數**和**小括號**。我們以 SUM 函數來說明：

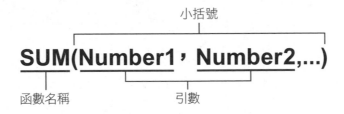

小括號

SUM(Number1，Number2,...)

函數名稱　　　　　　　　引數

▶ SUM 即是函數名稱，從函數名稱可大略得知函數的功能、用途。

▶ 小括號用來括住引數，有些函數沒有引數，但小括號不可以省略。

▶ 引數是函數計算時必須使用的資料，例如 SUM(1,3,5) 即表示要計算 1、3、5 三個數字的總和，小括號中的 1,3,5 就是引數。

引數的資料類型

函數的引數不僅是數值類型，還可以是文字，或是以下幾種類型：

● **位址**：如 SUM(B1,C3)，計算 B1 儲存格的值加上 C3 儲存格的值。

● **範圍**：如 SUM (A1:A4)，加總 A1 到 A4 儲存格範圍的值。

● **函數**：如 SQRT(SUM(B1:B4))，先求出 B1 到 B4 儲存格的加總後，再開平方根。

輸入函數

要在儲存格中輸入函數，同樣以「=」起首，接著輸入函數與引數即可。不過初學者還不熟悉函數語法，所以我們先教你透過**插入函數**交談窗來完成函數的輸入。請開啟範例檔案 Ch09-03，我們要在 B8 儲存格中使用 SUM 函數計算費用的總支出。

STEP 01 請選取 B8 儲存格，按下**插入函數**鈕 f_x，此時 B8 儲存格會自動輸入 "="，並且開啟**插入函數**交談窗：

❸ 自動輸入 "="

❷ 按下**插入函數**鈕

❶ 選取要輸入函數的儲存格

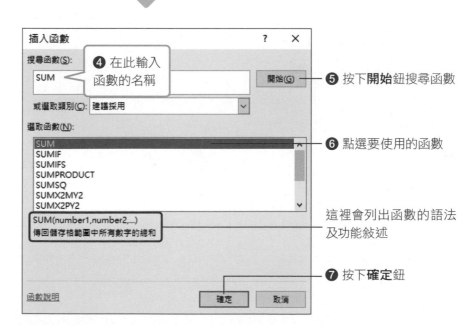

❹ 在此輸入函數的名稱

❺ 按下**開始**鈕搜尋函數

❻ 點選要使用的函數

這裡會列出函數的語法及功能敘述

❼ 按下**確定**鈕

↓

建立好函數了

B8		× ✓ fx	=SUM(B4:B7)	
	A	B	C	D	E
1	業務部一月份費用明細				
2					
3	費用名稱	金額			
4	佈置展覽	5,487			
5	零用金	2,548			
6	交際費	3,654			
7	交通費	6,840			
8	總支出	18,529			
9					

顯示計算結果

TIP

Excel 非常聰明，它會自動偵測公式儲存格的相鄰儲存格，並判斷資料來源，所以在**函數引數**交談窗中會自動填入偵測到的引數範圍，確認無誤後，就直接按下**確定**鈕。若不是你要的引數，就自行輸入即可。

Hotkey

按下 Alt + = 鍵，你不需自行輸入函數，Excel 會自動建立 SUM 函數並偵測加總範圍，完成計算。

常見問題

常有人問，輸入 Excel 函數或是儲存格位址一定要輸入大寫嗎？其實輸入大、小寫都可以，當你按下 Enter 鍵後，Excel 會自動轉成全大寫。

第 9 章 ▼ 公式與函數的必要技能

利用函數清單輸入函數

若是已經知道要使用的函數名稱，但有些函數名稱太長怕拼錯，就可以直接在儲存格中輸入 "="，再輸入函數的第一個字母，此時儲存格下方就會列出相關的函數清單，若是沒找到要用的函數，可繼續輸入第 2 個字母縮小搜尋範圍，當清單中出現要用的函數後，用滑鼠雙按函數即會自動輸入到儲存格中，讓你繼續輸入相關的引數。

雙按函數即可將函數填入儲存格

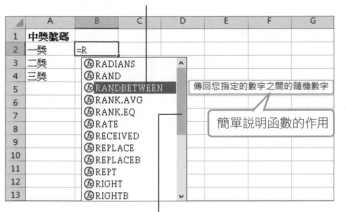

 可拖曳捲軸或按 ↑ 、 ↓ 鍵來選取函數

傳回您指定的數字之間的隨機數字

簡單說明函數的作用

TIP

若是沒有出現函數清單，請切換到**檔案**頁次再按下**選項**，切換到**公式**頁次，確認已勾選**公式自動完成**選項。

這裡有函數語法提示

接著自行輸入引數，再按下 Enter 鍵

變更引數設定

當你將函數存入儲存格以後，若想變更引數設定，請選取函數所在的儲存格，按下**插入函數**鈕 fx，即可展開**函數引數**交談窗來重新設定引數，或是直接在儲存格中修改引數。

技巧補充

利用「自動加總」鈕快速建立函數

在**常用**及**公式**頁次中，都有個 $\boxed{\Sigma\ 自動加總\ \vee}$ 鈕，可以讓我們快速輸入函數。
當選取 B8 儲存格，並按下 $\boxed{\Sigma\ 自動加總}$ 鈕，便會自動插入 SUM 函數，而且
連引數都幫我們設定好了：

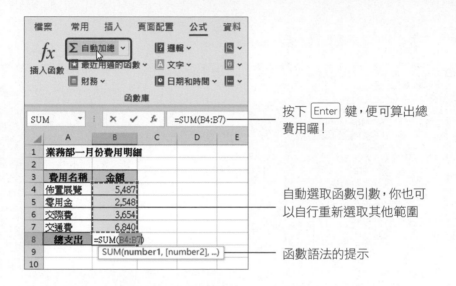

按下 Enter 鍵，便可算出總
費用囉！

自動選取函數引數，你也可
以自行重新選取其他範圍

函數語法的提示

事實上，除了加總功能之外，$\boxed{\Sigma\ 自動加總\ \vee}$ 鈕還提供數種常用的計算功能供
我們選擇。請按下 $\boxed{\Sigma\ 自動加總\ \vee}$ 鈕旁的箭頭，即可選擇要進行的計算：

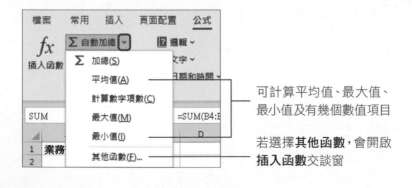

可計算平均值、最大值、
最小值及有幾個數值項目

若選擇**其他函數**，會開啟
插入函數交談窗

在公式或函數中使用名稱

用儲存格位址來運算公式或當作函數的引數,雖然可以直接指出計算的範圍,但卻無法看出公式的用途。我們可以替儲存格設定名稱,日後直接用名稱代替儲存格位址,就能讓公式的作用更為清楚。

命名的原則

為儲存格定義名稱時,必須遵守下列的命名規則:

▶ 名稱的第一個字元必須是中文、英文或底線 (_)。其餘字元則可以是英文、中文、數字、底線、句點 (.) 和問號 (?)。

▶ 名稱最多 255 個字元。但別忘了一個中文字就佔兩個字元。

▶ 名稱不能類似儲存格的位址,如 A3、$C$5。

▶ 名稱不區分大小寫字母,所以 MONEY 和 money 視為同一個名稱。

定義名稱

請開啟範例檔案 Ch09-04,將 D3:D15 儲存格範圍命名為「應付薪資」:

❷ 按一下**名稱方塊**,輸入 "應付薪資" 後按下 Enter 鍵,則 "應付薪資" 就代表 D3:D15 這個範圍

應付薪資		× ✓ ƒx	38373			
▲	A	B	C	D	E	F	G

	A	B	C	D	E	F	G
1	九月薪資轉帳表						
2	編號	姓名	部門	應付薪資		當月總薪資	
3	1238	于惠蘭	財務部	$38,373		平均薪資	
4	4609	白美惠	人事部	$39,406			
5	1545	朱麗雅	人事部	$68,147			
6	1004	宋秀惠	人事部	$41,581			
7	1399	李沛僮	研發部	$37,737			
8	1210	汪炳哲	工程部	$63,024			
9	1295	谷瑄若	研發部	$43,795			
10	1755	周基勇	業務部	$48,522			
11	2108	林巧沛	產品部	$56,934			
12	2165	林若傑	財務部	$46,194			
13	2105	林琪琪	倉儲部	$62,063			
14	1387	林慶民	產品部	$33,089			
15	1688	邱秀蘭	業務部	$51,602			
16							

❶ 選取要命名的範圍 D3:D15

在公式或函數中使用名稱

剛才已經將 D3:D15 命名為「應付薪資」那麼現在就試著用「應付薪資」這個名稱,來建立 G2 儲存格的公式:

STEP 01 請選取 G2 儲存格,輸入 "=SUM(應",隨即會列出已定義的名稱:

	A	B	C	D	E	F	G	H	I
1			九月薪資轉帳表						
2	編號	姓名	部門	應付薪資		當月總薪資	=SUM(應		
3	1238	于惠蘭	財務部	$38,373		平均薪資	SUM(number1, [number2], ...)		
4	4609	白美惠	人事部	$39,406			▦ 應付薪資		

雙按此名稱,即會填入到公式裡

STEP 02 在公式最後輸入 ")",按下 Enter 鍵,即會加總 D3:D15 的值。

函數 ─────   儲存格範圍的名稱

| G2 | ▾ ⋮ | × ✓ fx | =SUM(應付薪資) |

	A	B	C	D	E	F	G	H
1			九月薪資轉帳表					
2	編號	姓名	部門	應付薪資		當月總薪資	640,467	
3	1238	于惠蘭	財務部	$38,373		平均薪資		
4	4609	白美惠	人事部	$39,406				

加總後的結果

> **TIP**
> 如果輸入公式後,出現「#NAME?」的錯誤訊息,表示 Excel 找不到與名稱對應的儲存格,因此要在公式中使用名稱前,記得要先將名稱定義好!

修改或刪除名稱

你可切換到**公式**頁次按下**名稱管理員**鈕,進入**名稱管理員**視窗來修改或刪除已定義的名稱。

SECTION

9-5 公式與函數的校正

當我們輸入公式或函數時，難免因一時疏忽而產生錯誤。還好，Excel 提供公式自動校正、範圍搜尋等方法，幫我們快速找出錯誤。

公式自動校正

在建立公式或函數時，有時可能會因為不小心或不熟悉而造成輸入錯誤，例如打錯函數名稱、誤將冒號（：）打成分號（；）…等等。遇到這類的情況，Excel 會自動在工作表中出現建議修改公式的訊息。請開啟範例檔案 Ch09-05 來練習，例如在 E2 儲存格中多輸入一個「=」：

多打一個「=」

按下 Enter 鍵

若建議的公式正確，請按下**是**鈕接受修正，否則按**否**鈕自行修改

按下**是**鈕

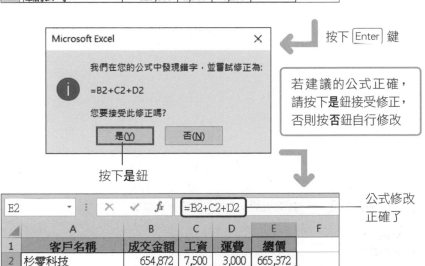

公式修改正確了

下表列出**公式自動校正**功能會幫我們校正的項目：

常犯的錯誤	範例	建議校正為
括號不對稱	= (A1+A2)*(A3+A4	= (A1+A2)*(A3+A4)
引號不對稱	= IF(A1=1,"a", b")	= IF(A1=1,"a","b")
儲存格位址顛倒	= 1 A	= A1
在公式開頭多了算符	= =A1+A2 、 = *A1+A2	= A1+A2
在公式結尾多了算符	= A1 +	= A1
算符重複	= A2**A3 或 = A2//A3	= A2*A3 或 = A2/A3
漏掉乘號	= A1 (A2+A3)	= A1*(A2+A3)
多出小數點	= 2.34.56	= 2.3456
多出千分符號	= 1,000	=1000
算符的順序不對	= A1= >A2 或 = A1> <A2	= A1>=A2 或 = A1< >A2
儲存格範圍多出冒號	= SUM (A:1:A3)	= SUM (A1:A3)
誤將分號當成冒號	= SUM (A1; A3)	= SUM (A1:A3)
儲存格位址多出空格	= SUM (A1: A3)	= SUM (A1:A3)
在數字間多出空格	= 2 5	= 25

範圍搜尋：顯示公式參照位址

當公式無法找出正確的儲存格來計算時，會出現「**#VALUE!**」的錯誤訊息。此時可利用**範圍搜尋**功能，來檢查公式所參照的位址，以便我們找出錯誤加以修改。

請開啟範例檔案 Ch09-06，我們在 E2 儲存格中輸入公式 "=成交金額+C2+D2"，結果卻出現「#VALUE!」：

| E2 | ▼ | : | × | ✓ | ƒx | =成交金額+C2+D2 |

	A	B	C	D	E	F
1	客戶名稱	成交金額	工資	運費	總價	
2	杉零科技	654,872	7,500	3,000	#VALUE!	← 出現錯誤訊息
3	偉創公司	125,000	2,500	1,200		
4	佳峰實業	800,000	8,500	3,500		

這是**錯誤檢查選項**鈕 (下一節會做介紹)

到底是哪裡出錯了呢？請雙按 E2 儲存格，顯示 Excel 的**範圍搜尋**功能：

	A	B	C	D	E	F
SUM ▾ : × ✓ fx =成交金額+C2+D2
1	客戶名稱	成交金額	工資	運費	總價	
2	杉零科技	654,872	7,500	3,000	=成交金額+C2+D2	
3	偉創公司	125,000	2,500	1,200		
4	佳峰實業	800,000	8,500	3,500		
5	昕凌有限公司	568,745	6,000	2,800		
6	茂夕股份有限公司	95,841	8,500	4,000		
7	宏全實業公司	658,845	5,500	3,200		
8	藍海科技公司	350,000	4,000	1,800		
9						

這兩個儲存格定義名稱為「成交金額」，問題出在這裡，Excel 無法判斷要取哪個值來計算

範圍搜尋功能會分別以不同顏色標示公式參照到的儲存格

找出問題後，只要將公式中的成交金額改成 B2，就可以得到正確結果了。

	A	B	C	D	E	F
E2 ▾ : × ✓ fx =B2+C2+D2
1	客戶名稱	成交金額	工資	運費	總價	
2	杉零科技	654,872	7,500	3,000	665,372	
3	偉創公司	125,000	2,500	1,200		
4	佳峰實業	800,000	8,500	3,500		

技巧補充

利用拖曳「填滿控點」改變公式的參照位址

利用**範圍搜尋**功能找出公式參照的儲存格或範圍後，可拖曳四個角落的**填滿控點**來改變公式參照的位址。例如下圖中 E2 的公式為「=SUM(B2:D2)」，只要將 D2 儲存格的**填滿控點**往左拖曳，便可將公式改為「=SUM (B2:C2)」：

❷ 公式的參照位址自動更新了

記得要先雙按 E2 儲存格，叫出**範圍搜尋**功能

❶ 向左拖曳

用錯誤檢查選項鈕除錯

當儲存格發生「#VALUE!」、「#NAME？」這類錯誤時，只要選取錯誤的儲存格，便可在儲存格旁邊發現錯誤檢查選項鈕 ⬥ ▾，這個按鈕可幫助我們進行公式除錯。

第
9
章

▼

公式與函數的必要技能

使用錯誤檢查功能

錯誤檢查選項鈕 ⬥ ▾ 提供幾種不同的除錯方法，我們來看看怎麼運用！請開啟範例檔案 Ch09-07 來練習：

❶ 選取發生錯誤的 E2 儲存格，並將指標移到左上角的綠色三角形

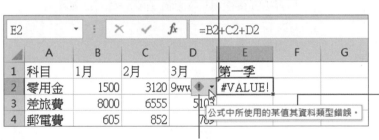

將滑鼠指標移到按鈕上，提示文字會說明發生錯誤的原因

❷ 按下此鈕

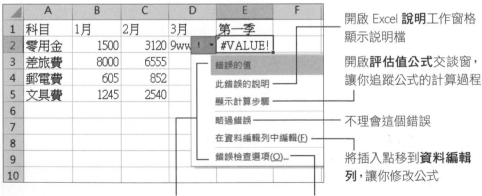

開啟 Excel **說明**工作窗格顯示說明檔

開啟**評估值公式**交談窗，讓你追蹤公式的計算過程

不理會這個錯誤

將插入點移到**資料編輯列**，讓你修改公式

提供多種除錯方法　　開啟 **Excel 選項**交談窗，可做錯誤檢查的細部設定

選擇『**顯示計算步驟**』命令，開啟**評估值公式**交談窗，看看能否找出 E2 儲存格發生錯誤的原因：

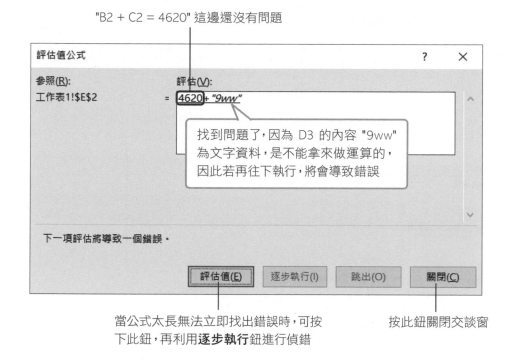

"B2 + C2 = 4620" 這邊還沒有問題

評估值公式

參照(R):　　　　評估(V):
工作表1!$E$2　　= 4620 + "9ww"

找到問題了，因為 D3 的內容 "9ww" 為文字資料，是不能拿來做運算的，因此若再往下執行，將會導致錯誤

下一項評估將導致一個錯誤。

評估值(E)　逐步執行(I)　跳出(O)　關閉(C)

當公式太長無法立即找出錯誤時，可按下此鈕，再利用**逐步執行**鈕進行偵錯

按此鈕關閉交談窗

關閉**評估值公式**視窗後，將 D2 儲存格中的 9ww 更正成正確的數字後，問題就解決了。

	A	B	C	D	E
1	科目	1月	2月	3月	第一季
2	零用金	1500	3120	4500	9120
3	差旅費	8000	6555	5103	
4	郵電費	605	852	789	
5	文具費	1245	2540	3140	
6					

E3 的公式計算出結果了

將 9ww 改為 4500

偵錯效果還不錯吧！只要跟著**評估值公式**交談窗逐步追蹤公式的計算步驟，就可以找出問題所在了。

關閉錯誤檢查功能

我們可以自行設定要執行哪些錯誤檢查，或者乾脆關掉錯誤檢查的功能，以避免**錯誤檢查選項**鈕來打擾我們工作表的編輯作業。現在請改選**錯誤檢查選項**鈕下拉選單中的『**錯誤檢查選項**』命令，開啟 **Excel 選項**交談窗，並切換到**公式**頁次，在**錯誤檢查**區與**錯誤檢查規則**區中做設定：

若要完全關閉錯誤檢查功能，請取消此項，日後便不會再出現**錯誤檢查選項**鈕

可將錯誤儲存格左上角的綠色三角形更改成喜歡的顏色

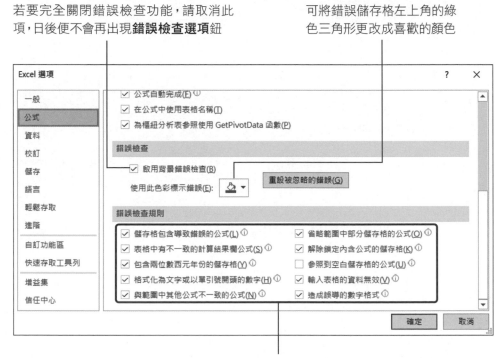

Excel 可執行的錯誤檢查項目

請在上圖中勾選所需的錯誤檢查選項，再按下**確定**鈕即可完成設定。

利用「錯誤檢查鈕」執行錯誤檢查

假如你將錯誤檢查功能關閉，而不會出現**錯誤檢查選項**鈕時，該怎麼進行除錯呢？很簡單，只要按下**公式**頁次**公式稽核**區上的**錯誤檢查**鈕就能指出錯誤的儲存格：

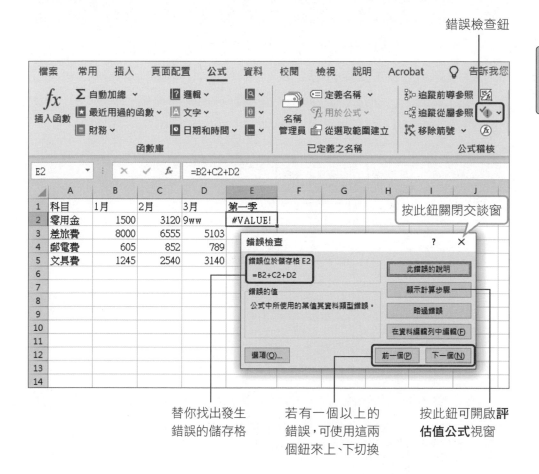

錯誤檢查鈕

按此鈕關閉交談窗

替你找出發生錯誤的儲存格

若有一個以上的錯誤，可使用這兩個鈕來上、下切換

按此鈕可開啟**評估值公式**視窗

職場活用術　免寫公式！只要選取儲存格就能立即得知加總或平均值

善用「自動計算」功能

臨時想知道某個範圍的加總或平均是多少，但又不想在儲存格中建立公式，那麼你可以善用**自動計算**功能，不需撰寫任何公式或函數，就能立即得知計算結果，比按計算機還要快。請開啟範例檔案 Ch09-08，選取 B2:D2 儲存格範圍，就能立即從**狀態列**上得知這三項數值的加總結果：

	A	B	C	D	E	F	G
1	客戶名稱	成交金額	工資	運費	總價		
2	杉零科技	654,872	7,500	3,000			
3	偉創公司	125,000	2,500	1,200			
4	佳修實業	800,000	8,500	3,500			
8	藍海科技公司	350,000	4,000	1,800			
9							

工作表1 ⊕

平均值: 221,791　項目個數: 3　**加總: 665,372**

> 顯示選取範圍的加總值，
> 這就是**自動計算**功能

可以自動計算的項目有哪些？

自動計算功能除了可計算加總，也可以計算平均值、找出最大值／最小值等。例如想知道成交金額最高是多少，可如下操作：

❶ 選取 B2:B8 範圍

	A	B	C
1	客戶名稱	成交金額	工資
2	杉零科技	654,872	7,500
3	偉創公司	125,000	2,500
4	佳峰實業	800,000	8,500
5	昕凌有限公司	568,745	6,000
6	茂夕股份有限公司	95,841	8,500
7	宏全實業公司	658,845	5,500
8	藍海科技公司	350,000	4,000
9			
10			

工作表1 ⊕

就緒

協助工具檢查程式
✓ 選取範圍模式(L)
✓ 頁碼(P)
✓ 平均值(A)　　　　464,758
✓ 項目個數(C)　　　　7
　數字計數(T)
　最小值(I)
　最大值(X) ⮐
✓ 加總(S)　　　3,253,303

> 計算功能項目前面有
> 打勾者，都會在**狀態列**
> 中顯示各項計算結果

❸ 在選單中點選
最大值項目

❷ 在**狀態列**按下滑鼠右鍵

⬇

9-24

	A	B	C	D	E	F	G
1	客戶名稱	成交金額	工資	運費	總價		
2	杉零科技	654,872	7,500	3,000			
3	偉創公司	125,000	2,500	1,200			
4	佳峰實業	800,000	8,500	3,500			
5	昕淩有限公司	568,745	6,000	2,800			
6	茂夕股份有限公司	95,841	8,500	4,000			
7	宏全實業公司	658,845	5,500	3,200			
8	藍海科技公司	350,000	4,000	1,800			
9							

工作表1

平均值: 464,758　項目個數: 7　最大值: 800,000　加總: 3,253,303

最大值顯示在**狀態列**上

平均值和**項目個數**及**加總**是
預設就會顯示的計算項目

技巧
補充

「項目個數」與「數字計數」的作用

在自動計算功能中，**項目個數**與**數字計數**比較不容易從字面上明白其用途。**項目個數**可計算選定範圍中，有幾個非空白的儲存格；**數字計數**則是計算選定範圍中，資料為數值的儲存格個數。請開啟範例檔案 Ch09-09 來練習：

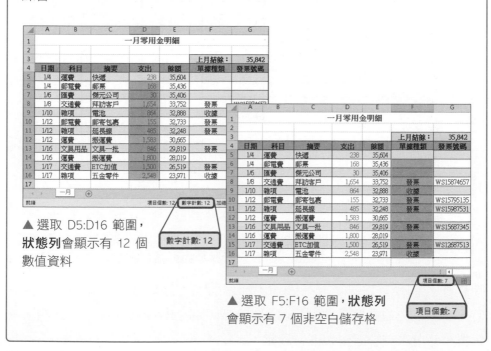

▲ 選取 D5:D16 範圍，**狀態列**會顯示有 12 個數值資料

數字計數: 12

▲ 選取 F5:F16 範圍，**狀態列**會顯示有 7 個非空白儲存格

項目個數: 7

如果不想讓外人看到儲存格
中的公式，該怎麼隱藏？

很多人在製作報表時，可能都會遇到不想把公式內容給外人看的情形，可
是要怎麼做才能把公式隱藏起來，只保留計算後的數值呢？在此提供兩個
方法，請開啟範例檔案 Ch09-10 來練習：

例如選取 C9 儲存格，即
可在**資料編輯列**看到公式

C9		:	×	✓	fx	=IFERROR(VLOOKUP(B9,$H$9:$I$21,2,FALSE),"")	

	A	B	C	D	E	F
8	**產品類別**	**產品名稱**	**單價**	**數量**	**金額**	
9	咖啡機	義式全自動咖啡機	17,900	10	179,000	
10	清淨機	自動除菌離子除濕機	7,999	15	119,985	
11	智慧家電	智慧多功能投影	15,900	5	79,500	
12						
13						
14						
15						
16						
17						
18						
19						
20						
21						
22						
23				小計	378,485	
24				稅金	18,924	
25				總計	397,409	

此訂購單的 C 欄及 E 欄都有公式

方法 1：隱藏公式列

如果報表或是各類表單只在公司內部傳閱，不想讓其他人看到公式內容
時，最快的方法是將公式列隱藏起來。請切換到**檔案**頁次，按下**選項**，開
啟 **Excel 選項**交談窗，如下做設定：

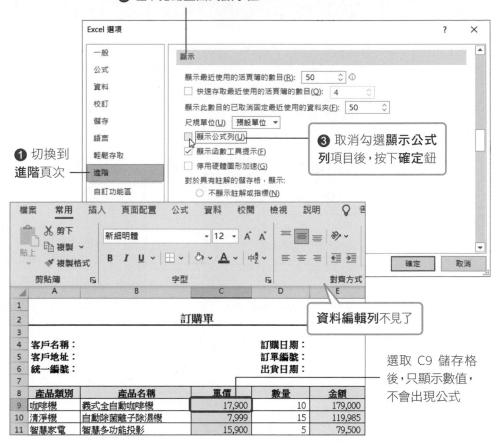

❷ 往下捲動畫面到**顯示**區

❶ 切換到**進階**頁次

❸ 取消勾選**顯示公式列**項目後，按下**確定**鈕

資料編輯列不見了

選取 C9 儲存格後，只顯示數值，不會出現公式

雖然關閉了公式列，但如果臨時想要查看公式，可按下 `Ctrl` + `~` 鍵：

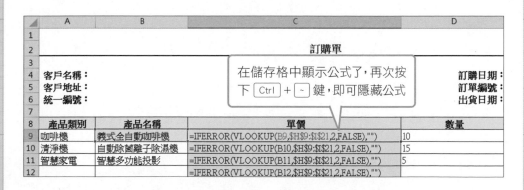

在儲存格中顯示公式了，再次按下 `Ctrl` + `~` 鍵，即可隱藏公式

方法 2：保護工作表

方法 1 雖然可以快速隱藏公式，不過這個方法如果遇到 Excel 高手，馬上就會被識破了，要真正隱藏公式內容，最好使用**保護工作表**功能。

STEP 01 選取要隱藏公式的儲存格。請選取 C9:C22 及 E9:E25 範圍。

	A	B	C	D	E	F
8	產品類別	產品名稱	單價	數量	金額	
9	咖啡機	義式全自動咖啡機	17,900	10	179,000	
10	清淨機	自動除菌離子除濕機	7,999	15	119,985	
11	智慧家電	智慧多功能投影	15,900	5	79,500	
12						
13						
14						
15						
16						
17						
18						
19						
20						
21						
22						
23					小計	378,485
24					稅金	18,924
25					總計	397,409

STEP 02 按下 Ctrl + 1 鍵，開啟**設定儲存格格式**交談窗，切換到**保護**頁次：

❶ 切換到此頁次

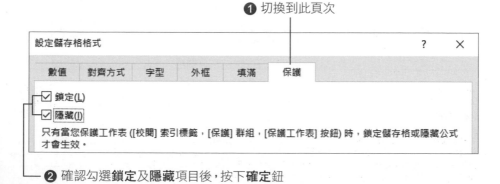

❷ 確認勾選**鎖定**及**隱藏**項目後，按下**確定**鈕

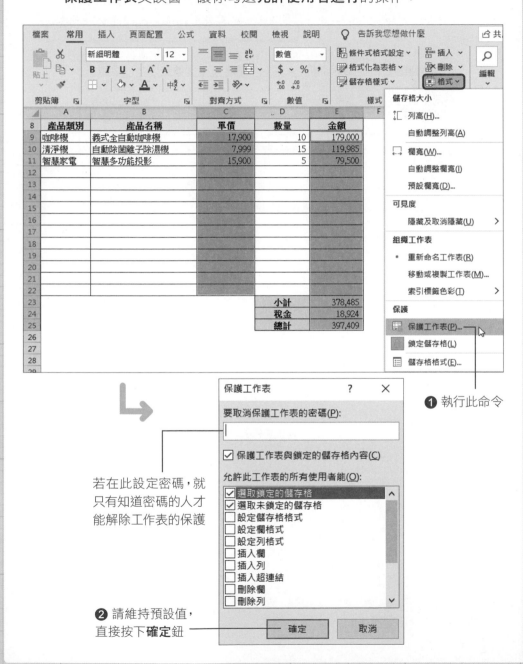

STEP 03 按下**常用**頁次**儲存格**區的**格式**鈕,並在下拉式選單執行『**保護工作表**』命令,則儲存格範圍的保護效力才會真正啟動。此時會開啟**保護工作表**交談窗,讓你勾選**允許使用者進行**的操作:

❶ 執行此命令

若在此設定密碼,就只有知道密碼的人才能解除工作表的保護

❷ 請維持預設值,直接按下確定鈕

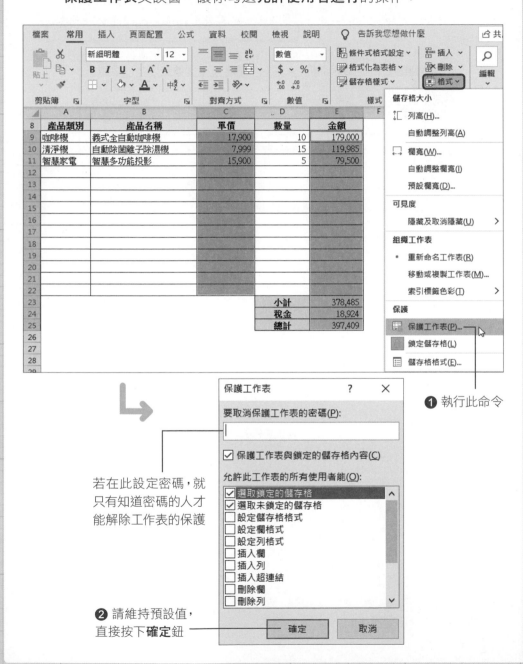

設定保護工作表後，請選取 C9:C22 及 E9:E25 的任一個儲存格，此時**資料編輯列**會變成空白，不會顯示公式或數值。

	A	B	C	D	E	F
8	產品類別	產品名稱	單價	數量	金額	
9	咖啡機	義式全自動咖啡機	17,900	10	179,000	
10	清淨機	自動除菌離子除濕機	7,999	15	119,985	
11	智慧家電	智慧多功能投影	15,900	5	79,500	
12						
13						
14						

E11

10 常用的函數與應用

經理說員工旅遊補助依年資不同補助的金額也不同，一年以上補助 3,000 元、三年以上補助 10,000 元、十年以上補助 20,000 元，我要用什麼方法才能在短時間內統計所有人的年資還有補助金額呢？

這簡單！只要用 DATEDIF 函數，就可以算出年資了，接著再用 IF 函數判斷年資對應的補助金額就完成了！

AVERAGE、MAX、MIN 函數： 計算平均值、最大值、最小值

想計算各類報表中的平均值、最大值、最小值，可以善用 Excel 提供的統計類函數，這類函數不僅可以幫我們省去許多繁雜的計算過程，還能快速算出結果，以做為後續的決策分析與判斷依據。

AVERAGE 函數：計算平均值

請開啟範例檔案 Ch10-01，這是一家咖啡店的銷售資料，我們要分別計算各家門市以及各類咖啡豆的平均銷售額：

STEP 01 選取 F4 儲存格後，切換到**公式**頁次，按下**函數庫**區中**自動加總**鈕的下拉箭頭，點選**平均值**：

	A	B	C	D	E	F	G	H
1		逗點手工咖啡 6 月銷售額						
2								
3		忠孝門市	敦化門市	站前門市	港墘門市	咖啡豆平均		
4	精選曼特寧	143,943	99,552	175,190	101,198	=AVERAGE(B4:E4)		
5	哥倫比亞	181,428	147,381	89,037	153,690	AVERAGE(number1, [number2], ...)		
6	肯亞AA	94,879	219,053	149,124	118,549			

若引數範圍錯誤，可直接用滑鼠在工作表中重新選取引數範圍

計算平均的函數為 AVERAGE

自動選取 B4:E4 為引數範圍

STEP 02 若自動選取的引數範圍沒錯，直接按下 Enter 鍵，就可以算出「精選曼特寧」的平均銷售額：

自動幫我們建立好公式了

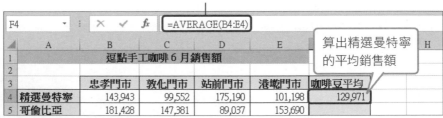

F4		× ✓ fx	=AVERAGE(B4:E4)				
	A	B	C	D	E		H
1		逗點手工咖啡 6 月銷售額					
2							
3		忠孝門市	敦化門市	站前門市	港墘門市	咖啡豆平均	
4	精選曼特寧	143,943	99,552	175,190	101,198	129,971	
5	哥倫比亞	181,428	147,381	89,037	153,690		

算出精選曼特寧的平均銷售額

計算出第一項咖啡豆的平均銷售額後，請利用滑鼠拖曳 F4 儲存格的**填滿控點**到 F9 儲存格，就會計算出各項咖啡豆的平均銷售額了。

F4		▼	：	×	✓	fx	=AVERAGE(B4:E4)		
	A	B	C	D	E	F	G	H
1		逗點手工咖啡 6 月銷售額						
2								
3		忠孝門市	敦化門市	站前門市	港墘門市	咖啡豆平均		
4	精選曼特寧	143,943	99,552	175,190	101,198	129,971		
5	哥倫比亞	181,428	147,381	89,037	153,690	142,884		
6	肯亞AA	94,879	219,053	149,124	118,549	145,401		
7	阿拉比卡	109,890	124,110	97,647	96,586	107,058		
8	耶加雪菲	197,521	162,827	147,906	115,943	156,049		
9	綜合精選豆	205,529	118,131	175,562	134,172	158,349		
10	各門市平均							
11	各門市最高							
12	各門市最低							

計算出各項咖啡豆的平均銷售額

 接著，請選取 B10 儲存格，同樣按下**自動加總**鈕的下拉箭頭，選擇**平均值**項目，就可以計算出「忠孝門市」的平均銷售額。計算出「忠孝門市」的平均銷售額後，請用滑鼠拖曳 B10 儲存格的**填滿控點**到 E10 儲存格，即可算出各門市的平均銷售額。

	A	B	C	D	E	F	G	H
1		逗點手工咖啡 6 月銷售額						
2								
3		忠孝門市	敦化門市	站前門市	港墘門市	咖啡豆平均		
4	精選曼特寧	143,943	99,552	175,190	101,198	129,971		
5	哥倫比亞	181,428	147,381	89,037	153,690	142,884		
6	肯亞AA	94,879	219,053	149,124	118,549	145,401		
7	阿拉比卡	109,890	124,110	97,647	96,586	107,058		
8	耶加雪菲	197,521	162,827	147,906	115,943	156,049		
9	綜合精選豆	205,529	118,131	175,562	134,172	158,349		
10	各門市平均	155,532	145,176	139,078	120,023			
11	各門市最高							
12	各門市最低							

「忠孝門市」的平均銷售額

用「快速分析」鈕迅速算出平均值

除了可用**自動加總**鈕來計算平均值外,當你選取某個資料範圍後,還可以
直接按下**快速分析**鈕 ▦,來計算欄、列的平均值。

第 10 章 ▼ 常用的函數與應用

❶ 選取 B4:E9
儲存格範圍

❷ 按下**快速分析**鈕

	A	B	C	D	E	F	G
1		逗點手工咖啡 6 月銷售額					
2							
3		忠孝門市	敦化門市	站前門市	港墘門市	咖啡豆平均	
4	精選曼特寧	143,943	99,552	175,190	101,198		
5	哥倫比亞	181,428	147,381	89,037	153,690		
6	肯亞AA	94,879	219,053	149,124	118,549		
7	阿拉比卡	109,890	124,110	97,647	96,586		
8	耶加雪菲	197,521	162,827	147,906	115,943		
9	綜合精選豆	205,529	118,131	175,562	134,172		
10	各門市平均						
11	各門市最高						

立即算出各項
咖啡豆的平均
銷售額

❸ 切換到**總計**

❺ 點選**列平均**

❹ 按下左、右箭頭切換功能

	A	B	C	D	E	F	G	H
1		逗點手工咖啡 6 月銷售額						
2								
3		忠孝門市	敦化門市	站前門市	港墘門市	咖啡豆平均		
4	精選曼特寧	143,943	99,552	175,190	101,198	129,971		
5	哥倫比亞	181,428	147,381	89,037	153,690	142,884		
6	肯亞AA	94,879	219,053	149,124	118,549	145,401		
7	阿拉比卡	109,890	124,110	97,647	96,586	107,058		
8	耶加雪菲	197,521	162,827	147,906	115,943	156,049		
9	綜合精選豆	205,529	118,131	175,562	134,172	158,349		
10	各門市平均	155,532	145,176	139,078	120,023			
11	各門市最高							

❻ 計算各門市的平均銷售額方
法相同,只要選取 B4:E9 儲存格
範圍後,再點選**欄平均**鈕即可

MAX 函數：計算最大值

若需要統計各類表格中的最高銷售額、最大銷售量、最高分數、最多支出、…等，可利用 MAX 函數來求得。

STEP 01 接續上例，如何找出各門市銷售額最高的咖啡豆？請選取 B11 儲存格，切換到**公式**頁次，按下**函數庫**區中**自動加總**鈕的下拉箭頭，選擇**最大值**項目，再按下 Enter 鍵：

❶ 點選此項

❷ 自動建立 MAX 函數，但是引數會抓取 B4:B10 儲存格，請改成 B4:B9

B11		× ✓ fx	=MAX(B4:B9)			
	A	B	C	D	E	F	G
3		忠孝門市	敦化門市	站前門市	港墘門市	咖啡豆平均	
4	精選曼特寧	143,943	99,552	175,190	101,198	129,971	
5	哥倫比亞	181,428	147,381	89,037	153,690	142,884	
6	肯亞AA	94,879	219,053	149,124	118,549	145,401	
7	阿拉比卡	109,890	124,110	97,647	96,586	107,058	
8	耶加雪菲	197,521	162,827	147,906	115,943	156,049	
9	綜合精選豆	205,529	118,131	175,562	134,172	158,349	
10	各門市平均	155,532	145,176	139,078	120,023		
11	各門市最高	205,529					
12	各門市最低						

「忠孝門市」銷售額最高的是「綜合精選豆」

STEP 02 拖曳 B11 儲存格的**填滿控點**到 E11 儲存格，將 B11 的公式複製到其他儲存格中：

	A	B	C	D	E	F	G
3		忠孝門市	敦化門市	站前門市	港墘門市	咖啡豆平均	
4	精選曼特寧	143,943	99,552	175,190	101,198	129,971	
5	哥倫比亞	181,428	147,381	89,037	153,690	142,884	
6	肯亞AA	94,879	219,053	149,124	118,549	145,401	
7	阿拉比卡	109,890	124,110	97,647	96,586	107,058	
8	耶加雪菲	197,521	162,827	147,906	115,943	156,049	
9	綜合精選豆	205,529	118,131	175,562	134,172	158,349	
10	各門市平均	155,532	145,176	139,078	120,023		
11	各門市最高	205,529	219,053	175,562	153,690		
12	各門市最低						
13							

找出各門市最高的銷售額

MIN 函數：計算最小值

若需要統計各類表格中的最低銷售額、最低銷量、最少支出、最低庫存、最少工時、…等，可利用 MIN 函數來求得。

STEP 01 接續剛才的範例，我們換另一種方式來求出各門市的最低銷售額。請選取 B12 儲存格，按下**資料編輯列**上的**插入函數**鈕 *fx*，開啟**插入函數**交談窗後，如圖操作：

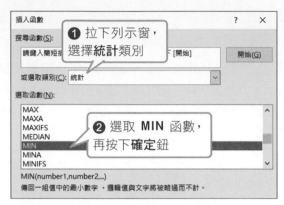

STEP 02 同樣地，利用**填滿控點**將 B12 儲存格的公式複製到 C12:E12 儲存格：

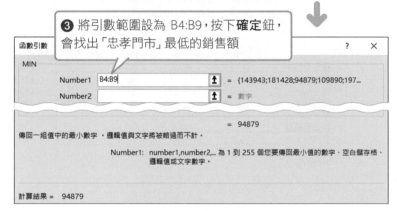

各門市的最低銷售額

COUNT 函數：計算數值資料的個數

Excel 內建多個計算函數，可針對不同的資料類型做個數統計。例如想知道數值資料的儲存格有幾個，就可以善用 COUNT 函數來計算。

COUNT 函數格式

=COUNT(value1,[value2],…)

▶ **value1**：指定第 1 個引數。計算對象可以是儲存格或儲存格範圍。

▶ **[value2],...**：可省略。指定第 2 個、第 3 個、…引數。

TIP

請記得日期資料也是屬於數值類型，所以可以用 COUNT 函數來計算個數，例如想知道 5/3 有多少人領用文具，就可以用 COUNT 函數來計算 5/3 的個數。

實例應用：計算當月各假別的請假人數

結算當月出勤時，人事部可能會依不同需求做統計，例如依部門別來統計請假人數，或是單獨統計每個人的請假總時數，或是依不同假別來統計請假人數、…等，要快速算出這些結果，可以善用 COUNT 函數來完成。

請開啟範例檔案 Ch10-02，這是一份請假時數統計表，如果想知道每一種假別的請假人數有多少該怎麼做呢？由於表格中的資料都是數值資料，所以最快的方法就是利用 COUNT 函數來統計表格中含有數值資料的儲存格個數。

STEP 01　請在 C24 儲存格輸入 "=COUNT(C3:C23)"，按下 Enter 鍵，就會立即算出當月請「公假」的人數了。

Formula bar: =COUNT(C3:C23)

Columns: A=員工編號, B=姓名, C=公假, D=事假, E=特休假, F=病假, G=婚假, H=陪產假, I=喪假, J=曠職

Row 1: 7月份請假時數統計
Row 2: headers
Row 3: 1231 林愛嘉 公假16
Row 4: 1460 張美惠 事假6 特休假16
Row 5: 1288 陳東和 病假3 婚假24
Row 6: 1840 王永聰 公假8 事假3
Row 7: 1105 林成禾 喪假8
Row 8: 1009 周金姍 事假1 特休假4
Row 9: 1008 王妮彩 公假6 事假1 曠職2
Row 10: 1522 蔡依茹 病假6
Row 11: 1466 吳年熙 事假2 特休假6 陪產假16
Row 12: 1745 陳屹強 公假4
Row 13: 1266 何玉環 公假2
Row 14: 1589 簡如雲 特休假24 婚假16
Row 15: 1322 陳小東 事假3
Row 16: 1007 李瑞比 特休假6 病假3 喪假40
Row 17: 1158 林慶詳 公假1
Row 18: 1694 林勝祥 事假2
Row 19: 1277 黃倫飛 病假2
Row 20: 1096 簡蒙達 公假2 特休假16 曠職3
Row 21: 1438 王勝玉 事假7 病假1
Row 22: 1766 林佳家 特休假8
Row 23: 1534 黃佩琪
Row 24: 假別／人數統計: 公假7

	A	B	C	D	E	F	G	H	I	J	K
1	7月份請假時數統計										
2	員工編號	姓名	公假	事假	特休假	病假	婚假	陪產假	喪假	曠職	
3	1231	林愛嘉	16								
4	1460	張美惠		6	16						
5	1288	陳東和				3	24				
6	1840	王永聰	8	3							
7	1105	林成禾							8		
8	1009	周金姍		1	4						
9	1008	王妮彩	6	1						2	
10	1522	蔡依茹				6					
11	1466	吳年熙		2	6			16			
12	1745	陳屹強	4								
13	1266	何玉環	2								
14	1589	簡如雲			24		16				
15	1322	陳小東		3							
16	1007	李瑞比			6	3			40		
17	1158	林慶詳	1								
18	1694	林勝祥		2							
19	1277	黃倫飛				2					
20	1096	簡蒙達	2		16					3	
21	1438	王勝玉		7		1					
22	1766	林佳家			8						
23	1534	黃佩琪									
24	假別／人數統計：		7								
25											

這個月共有 7 人請公假

STEP 02　拖曳 C24 的**填滿控點**到 J24 儲存格，就可以算出每種假別的請假人數了。

	A	B	C	D	E	F	G	H	I	J	K
1	7月份請假時數統計										
2	員工編號	姓名	公假	事假	特休假	病假	婚假	陪產假	喪假	曠職	
3	1231	林愛嘉	16								
4	1460	張美惠		6	16						
5	1288	陳東和				3	24				
6	1840	王永聰	8	3							
7	1105	林成禾							8		
8	1009	周金姍		1	4						
19	1277	黃倫飛				2					
20	1096	簡蒙達	2		16					3	
21	1438	王勝玉		7		1					
22	1766	林佳家			8						
23	1534	黃佩琪									
24	假別／人數統計：		7	8	7	5	2	1	2	2	
25											

Side margin text: 第 10 章 ▼ 常用的函數與應用

COUNTA 函數：計算非空白的儲存格個數

COUNTA 函數可用來計算引數範圍中含有「非空白」（包括文字或數字）資料的儲存格個數。

COUNTA 函數格式

=COUNTA(value1,[value2],…)

▶ **value1**：指定第 1 個引數。計算對象可以是儲存格或儲存格範圍。

▶ **[value2],...**：可省略。指定第 2 個、第 3 個、…引數。

實例應用：產品功能比較

請開啟範例檔案 Ch10-03，這是不同廠牌翻譯筆的功能比較表，B3:D3 是翻譯筆的廠牌名稱，A4:A15 是各項翻譯筆的功能，若翻譯筆擁有該項功能，則在對應的儲存格內填入 "★" 符號。想知道哪個廠牌的翻譯筆功能最多，就可以用 COUNTA 函數快速找出來。

請在 B16 儲存格輸入 "=COUNTA(B4:B15)"，再按下 Enter 鍵。就可算出「即可通掃譯筆」有幾項功能。接著拖曳 B16 儲存格的**填滿控點**到 D16 儲存格，即可計算出各廠牌翻譯筆的功能數。

	A	B	C	D	E
1	英漢翻譯筆功能比較				
2					
3		即可通掃譯筆	e 點掃譯筆	譯典翻譯筆	
4	USB 介面	★	★	★	
5	觸控螢幕		★	★	
6	單詞辨識	★	★	★	
7	整句翻譯	★	★	★	
8	文章翻譯		★		
9	線上更新	★	★	★	
10	自選單字記錄	★		★	
11	慢速播放		★		
12	螢幕截圖			★	
13	錄音	★	★	★	
14	複習字卡	★	★		
15	發音切換		★		
16	功能數	7	10	8	
17					

找出功能最多的是「e 點掃譯筆」，共有 10 個 ★

COUNTIF 函數：計算符合條件的個數

COUNTIF 函數可計算指定範圍內符合條件的儲存格個數。例如想分別計算搭高鐵、台鐵的次數；或是計算 4/1～4/10 這段期間中，4/7 有幾筆訂單、…等。

COUNTIF 函數格式

=COUNTIF(range,criteria)

▶ **range：條件範圍。** 指定要查看的儲存格範圍。

▶ **criteria：篩選條件。**

回傳在「條件範圍」中找到符合「篩選條件」的儲存格個數。

實例應用：統計各項零用金科目的支出次數

請開啟範例檔案 Ch10-04，老闆想知道每個月零用金各項科目的支出次數，以及支出金額大於 2,000 元的次數有多少，以便決定要不要調整每個月的零用金額度，這時侯就可以用 COUNTIF 依指定的條件來計算。

STEP 01 請在 K5 儲存格輸入 "=COUNTIF($C$5:$C$31,J5)"，並按下 Enter 鍵：

條件範圍為「科目」欄 (C 欄) ──── ── 篩選條件為「運費」(J5)

	A	B	C	D	E	F	G	H	I	J	K	L
K5				fx	=COUNTIF($C$5:$C$31,J5)							
1				一月零用金明細						運費總共支出 3 次		
2												
3							上月結餘：	35,842				
4		日期	科目	摘要	支出	餘額	單據種類	發票號碼		科目名稱	支出次數	
5		1/4	運費	快遞	238	35,604				運費	3	
6		1/4	郵電費	郵票	168	35,436				郵電費		
7		1/6	匯費	匯款給傑元公司	30	35,406				匯費		
8		1/8	交通費	公務車加油	1,654	33,752	發票	WS15874657		交通費		
9		1/10	雜項	電池	864	32,888	收據			雜項		
10		1/12	郵電費	郵寄包裹	155	32,733	發票	WS15795125		文具用品		

拖曳 K5 儲存格的**填滿控點**到 K11 儲存格，即可算出各項科目的支出次數。

	A	B	C	D	E	F	G	H	I	J	K	L
1					一月零用金明細							
2												
3							上月結餘：	35,842				
4		日期	科目	摘要	支出	餘額	單據種類	發票號碼		科目名稱	支出次數	
5		1/4	運費	快遞	238	35,604				運費	3	
6		1/4	郵電費	郵票	168	35,436				郵電費	4	
7		1/6	匯費	匯款給傑元公司	30	35,406				匯費	2	
8		1/8	交通費	公務車加油	1,654	33,752	發票	WS15874657		交通費	4	
9		1/10	雜項	電池	864	32,888	收據			雜項	10	
10		1/12	郵電費	郵寄包裹	155	32,733	發票	WS15795135		文具用品	3	
11		1/12	雜項	延長線	485	32,248	發票	WS15987531		修繕費	1	
12		1/12	運費	搬運費	1,583	30,665						

計算出各項科目的支出次數了

如果不想如上圖另外建立科目名稱及支出次數的統計表，只是臨時想了解運費的支出次數，可以將「篩選條件」引數直接改成「"運費"」(記得要加上雙引號)，例如：=COUNTIF($C$5:$C$31,**"運費"**)。

此外，老闆也想知道支出金額大於等於 2,000 元有幾次，請在 M5 儲存格輸入 "=COUNTIF($E$5:$E$31,">=2000")"，並按下 Enter 鍵。

計算的範圍為「支出」欄 (E 欄) ──────   ────── 篩選條件為「>=2000」

M5			×	✓	fx	=COUNTIF($E$5:$E$31,">=2000")					

	D	E	F	G	H	I	J	K	L	M
1	一月零用金明細									
2										
3				上月結餘：	35,842					
4	摘要	支出	餘額	單據種類	發票號碼		科目名稱	支出次數		支出大於2,000
5	快遞	238	35,604				運費	3		3
6	郵票	168	35,436				郵電費	4		
7	匯款給傑元公司	30	35,406				匯費	2		
8	公務車加油	1,654	33,752	發票	WS15874657		交通費	4		
9	電池	864	32,888	收據			雜項	10		
10	郵寄包裹	155	32,733	發票	WS15795135		文具用品	3		
11	延長線	485	32,248	發票	WS15987531		修繕費	1		
12	搬運費	1,583	30,665							
13	文具一批	846	29,819	發票	WS15687345					
14	搬運費	1,800	28,019							

支出大於 2,000 元共有 3 次

10-5 FREQUENCY 函數：計算符合區間的個數

FREQUENCY 函數可用來計算儲存格範圍內，各個區間數值所出現的次數。例如，想分別找出業務員獎金落在 10,000 以下、介於 10,001～20,000、20,001～30,000 各有多少人。

FREQUENCY 函數格式

=FREQUENCY(data_array,bins_array)

▶ **data_array**：要計算次數的資料來源範圍。

▶ **bins_array**：資料區間分組的範圍 (也就是各個區間的上限值)。

請注意！使用此函數時，必須分別指定**資料來源範圍**以及**區間分組範圍**，再按下 Ctrl + Shift + Enter 鍵完成公式的輸入。

實例應用：統計業績獎金各區間的人數

請開啟範例檔案 Ch10-05，我們想從業績獎金清單中，分別找出獎金 0～10,000、10,001～20,000、20,001～30,000、…各有多少人。

STEP 01 首先，要在 E2:E6 儲存格範圍中輸入各區間的上限值。

	A	B	C	D	E	F
1	員工編號	姓名	獎金		獎金區間	人數
2	1009001	章宏志	28,626		10,000	
3	1009002	秦鈞峰	33,765		20,000	
4	1009003	何敦明	45,777		30,000	
5	1009004	覃筱節	8,349		40,000	
6	1009005	方美茵	43,157		50,000	
7	1009006	程采樺	46,701			
8	1009007	李曉嵐	33,843			
9	1009008	莊妮妮	9,218			
10	1009009	林佩妤	16,530			
11	1009010	范曉璦	36,332			

輸入各區間的上限值 (只需輸入分組區間最大的那個數字即可，例如 0～10,000，只要輸入 10,000)

分組的最後一個數字也可以不輸入，表示大於前一個數字的任一數字

第 **10** 章
▼
常用的函數與應用

選取 F2:F6 儲存格，輸入公式 "=FREQUENCY(C2:C13,E2:E6)"，按下 Ctrl + Shift + Enter 鍵：

| F2 | ▼ | : | ✕ | ✓ | fx | {=FREQUENCY(C2:C13,E2:E6)} |

◢	A	B	C	D	E	F	G
1	員工編號	姓名	獎金		獎金區間	人數	
2	1009001	章宏志	28,626		10,000	2	
3	1009002	秦鈞峰	33,765		20,000	2	
4	1009003	何敦明	45,777		30,000	1	
5	1009004	覃筱箹	8,349		40,000	4	
6	1009005	方美茵	43,157		50,000	3	
7	1009006	程采樺	46,701				
8	1009007	李曉嵐	33,843				
9	1009008	莊妮妮	9,218				
10	1009009	林佩妤	16,530				
11	1009010	范曉璦	36,332				
12	1009011	許慧庭	18,270				
13	1009012	許子瑜	30,422				
14							

計算出各獎金區間的人數

當公式輸入完成，請注意觀察此公式和一般公式略有不同。此公式的前、後會以一組大括弧 { } 包圍，表示這是一組**陣列公式**。別被**陣列公式**這個名稱嚇到，你只要想成這些資料是一整組的就可以了，當要修改公式時，必須選取整體陣列公式範圍一起修改，否則會出現如右圖的提示訊息。

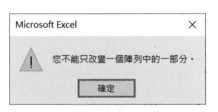

▲ 單獨修改或刪除某個儲存格中的陣列公式，便會出現此提示訊息

若是要刪除陣列公式，同樣要選取整個陣列公式範圍 (如本例的 F2:F6)，再按下 Delete 鍵。

RANDBETWEEN 函數：用亂數隨機產生數值資料

RANDBETWEEN 函數可回傳指定數值區間的亂數，當工作表重新計算，或是按下 F9 鍵，都會重新回傳新的亂數。

RANDBETWEEN 函數格式

=RANDBETWEEN(bottom,top)

▶ **bottom**：指定數值範圍的最小值。

▶ **top**：指定數值範圍的最大值。

再次提醒！使用此函數時，在其他儲存格輸入／編輯資料或是開啟檔案，都會產生新的亂數，如果希望固定亂數的值，請參考底下的說明，將亂數值複製並以**貼上值**的方式貼到其他儲存格。

實例應用：抽出得獎人號碼

大型連鎖商店通常都會舉辦節慶抽獎活動，假設每家店每天只有一位大獎幸運得主，為了公平起見，我們可以用亂數來決定每家分店的得獎號碼。

請開啟範例檔案 Ch10-06，假設每天參加抽獎的人都是從 1 號開始依序發放號碼牌，最後發出去的編號就是該分店當天的總參加人數。

STEP 01 由於在其他儲存格輸入／編輯資料或按下 F9 鍵，RANDBETWEEN 函數都會重新產生亂數，所以請先選取 E3:E10 儲存格，輸入 "= RANDBETWEEN(1,B3)"，並按下 Ctrl + Enter 鍵。

E3				✕	✓	ƒx	= RANDBETWEEN(1,B3)	

▲	A	B	C	D	E	F	G
1	週年慶抽獎活動						
2	通路	參加人數	中獎號碼				
3	台北門市	80			51		
4	台中門市	75			43		
5	高雄門市	48			29		
6	花蓮門市	52			2		
7	網路購物平台	65			12		
8	台南加盟店	33			5		
9	宜蘭加盟店	46			18		
10	高雄經銷商	45			40		

得獎號碼出爐了

▲ 由於 RANDBETWEEN 函數是隨機產生亂數，當你實際操作本範例時，所得到的結果將與上圖不同

STEP 02 接著在選取 E3:E10 儲存格的狀態下，按下 Ctrl + C 鍵複製剛才產生的亂數，然後選取 C3 儲存格，按下**常用**頁次**剪貼簿**區**貼上**鈕的下拉箭頭，選擇**值**，將剛才產生的亂數值複製到 C 欄，這樣做的目的是為了不再更變動中獎號碼。

❸ 按下此鈕

❹ 選擇**值**

❷ 選取 C3 儲存格

❶ 複製剛才產生的亂數

只貼上 RANDBETWEEN 函數產生的值，就不會一直產生新的亂數了

STEP 03 最後，刪除 E3:E10 儲存格的資料，就完成了。

SUMIF 函數：加總符合條件的資料

SUMIF 函數可用來加總符合搜尋條件的儲存格。例如有一份銷售清單，其中「產品」欄位包含 A、B、C、D 四項產品，若只想統計 B 產品的所有銷量，就可以用 SUMIF 函數快速加總。

SUMIF 函數格式

=SUMIF(range,criteria,[sum_range])

▶ **range**：要搜尋的儲存格範圍。

▶ **criteria**：搜尋條件，可以是數字、表示式或文字。例如：20、"會員" 或 ">100"。

▶ **[sum_range]**：要加總的儲存格範圍，若省略此引數，則會將 **range** 引數的資料相加。

實例應用：統計零用金各科目的加總

請開啟範例檔案 Ch10-07，這是一份零用金統計表，到了月底結算，老闆想知道各個科目的總支出為多少，你不用辛苦地按計算機，用 SUMIF 函數就能快速完成計算。

請在 K5 儲存格輸入 "=SUMIF($C$5:$C$31,$J5,$E$5:$E$31)"，按下 Enter 鍵，就可以計算出當月「運費」的總支出：

=SUMIF($C$5:$C$31,$J5,$E$5:$E$31)

　　　　　　搜尋範圍　　　　　　加總範圍

　　　　搜尋內容為「運費」的儲存格

計算出「運費」的總支出

| K5 | | × ✓ *fx* | =SUMIF($C$5:$C$31,$J5,$E$5:$E$31) |

	A	B	C	D	E	F	G	H	I	J	K
1					一月零用金明細						
2											
3							上月結餘：	35,842			
4		日期	科目	摘要	支出	餘額	單據種類	發票號碼		科目名稱	總計
5		1/4	運費	快遞	238	35,604				運費	3,621
6		1/4	郵電費	郵票	168	35,436				郵電費	
7		1/6	匯費	匯款給傑元公司	30	35,406				匯費	
8		1/8	交通費	公務車加油	1,654	33,752	發票	WS15874657		交通費	
9		1/10	雜項	電池	864	32,888	收據			雜項	
10		1/12	郵電費	郵寄包裹	155	32,733	發票	WS15795135		文具用品	
11		1/12	雜項	延長線	485	32,248	發票	WS15987531		修繕費	
12		1/12	運費	搬運費	1,583	30,665					
13		1/16	文具用品	文具一批	846	29,819	發票	WS15687345			

搜尋範圍　　　　　加總範圍　　　　　　　　　搜尋條件

STEP 02 拖曳 K5 儲存格的**填滿控點**到 K11 儲存格，就可以計算出所有科目的總花費了。

	A	B	C	D	E	F	G	H	I	J	K
1					一月零用金明細						
2											
3							上月結餘：	35,842			
4		日期	科目	摘要	支出	餘額	單據種類	發票號碼		科目名稱	總計
5		1/4	運費	快遞	238	35,604				運費	3,621
6		1/4	郵電費	郵票	168	35,436				郵電費	734
7		1/6	匯費	匯款給傑元公司	30	35,406				匯費	90
8		1/8	交通費	公務車加油	1,654	33,752	發票	WS15874657		交通費	4,534
9		1/10	雜項	電池	864	32,888	收據			雜項	15,575
10		1/12	郵電費	郵寄包裹	155	32,733	發票	WS15795135		文具用品	2,377
11		1/12	雜項	延長線	485	32,248	發票	WS15987531		修繕費	3,200
12		1/12	運費	搬運費	1,583	30,665					

舉一反三：如何計算 1/20 之後的支出共有多少？

如果想知道 1 月 20 日之後的零用金共支出多少，不需手動計算，只要將剛才的公式稍微修改一下就可以了。例如在 K13 儲存格輸入 **"=SUMIF($B$5:$B$31,">2021/1/20",$E$5:$E$31)"**，就能立即算出結果。

| K13 | | × ✓ *fx* | =SUMIF($B$5:$B$31,">2021/1/20",$E$5:$E$31) |

	G	H	I	J	K	L
3	上月結餘：	35,842				
4	單據種類	發票號碼		科目名稱	總計	
5				運費	3,621	
6				郵電費	734	
7				匯費	90	
8	發票	WS15874657		交通費	4,534	
9	收據			雜項	15,575	
10	發票	WS15795135		文具用品	2,377	
11	發票	WS15987531		修繕費	3,200	
12						
13	發票	WS15687345		1/20後的花費	18260	
14						

10-8 IF 函數：條件判斷

Excel 的邏輯類函數可用來設計判斷式，幫你判斷某條件是否成立；或者也可以指定當符合某條件時，要執行哪些運算或操作。

IF 函數格式

$$=IF(logical\_test,[value\_if\_true], \\ [value\_if\_false])$$

▶ **logical_test：條件式。** 指定要回傳 TRUE(真) 或 FALSE(假) 的條件式。

▶ **[value_if_true]：條件成立。** 指定當「條件式」的結果為 TRUE 時，所要回傳的值或執行的公式。沒有指定任何值，會回傳 0。

▶ **[value_if_false]：條件不成立。** 指定當「條件式」的結果為 FALSE 時，所要回傳的值或執行的公式。沒有指定任何值，會回傳 0。

IF 函數是用來判斷條件是否成立，如果回傳的值為 TRUE 時，就執行條件成立時的作業；反之則執行條件不成立時的作業。

實例應用：業績達成率超過 90% 給予獎金一萬元

請開啟範例檔案 Ch10-08，這是一份業務員的業績表，如果達成率大於等於 90%，就給予獎金一萬元。

STEP 01 請在 G3 儲存格輸入 =IF(F3>=0.9,"獎金一萬元！","")，按下 Enter 鍵，就可以知道第一位業務員的達成率是否達成 90%。

=IF(**F3>=0.9**,"**獎金一萬元！**","**"**)

判斷條件　　　　　　條件不成立，則顯示空白

條件成立時就顯示「獎金一萬元！」

| G3 | | | f_x | =IF(F3>=0.9,"獎金一萬元！","") | | | | |

<table>
<tr><td>▲</td><td>A</td><td>B</td><td>C</td><td>D</td><td>E</td><td>F</td><td>G</td><td>H</td></tr>
<tr><td>1</td><td colspan="8">業績達成率</td></tr>
<tr><td>2</td><td>業務員</td><td>套裝產品業績</td><td>零組件業績</td><td>業績加總</td><td>目標</td><td>達成率</td><td>達到 90%</td><td></td></tr>
<tr><td>3</td><td>陳唯凡</td><td>3,661,235</td><td>154,874</td><td>3,816,109</td><td>5,000,000</td><td>76%</td><td></td><td></td></tr>
<tr><td>4</td><td>林子函</td><td>1,844,235</td><td>654,879</td><td>2,499,114</td><td>2,500,000</td><td>100%</td><td></td><td></td></tr>
<tr><td>5</td><td>謝偉軒</td><td>5,874,532</td><td>845,556</td><td>6,720,088</td><td>6,800,000</td><td>99%</td><td></td><td></td></tr>
<tr><td>6</td><td>張育綾</td><td>6,541,235</td><td>754,565</td><td>7,295,800</td><td>7,500,000</td><td>97%</td><td></td><td></td></tr>
<tr><td>7</td><td>許欣怡</td><td>5,412,358</td><td>987,535</td><td>6,399,893</td><td>7,500,000</td><td>85%</td><td></td><td></td></tr>
<tr><td>8</td><td>蔡夢琪</td><td>5,521,353</td><td>1,547,893</td><td>7,069,246</td><td>8,200,000</td><td>86%</td><td></td><td></td></tr>
</table>

由於第一位業務員的達成率只有 76%，因
此條件不成立，G3 儲存格顯示空白

STEP 02拖曳 G3 儲存格的**填滿控點**到 G19 儲存格，複製公式後，就會列出
所有可以領取獎金的業務員了！

<table>
<tr><td>▲</td><td>A</td><td>B</td><td>C</td><td>D</td><td>E</td><td>F</td><td>G</td><td>H</td></tr>
<tr><td>1</td><td colspan="8">業績達成率</td></tr>
<tr><td>2</td><td>業務員</td><td>套裝產品業績</td><td>零組件業績</td><td>業績加總</td><td>目標</td><td>達成率</td><td>達到 90%</td><td></td></tr>
<tr><td>3</td><td>陳唯凡</td><td>3,661,235</td><td>154,874</td><td>3,816,109</td><td>5,000,000</td><td>76%</td><td></td><td></td></tr>
<tr><td>4</td><td>林子函</td><td>1,844,235</td><td>654,879</td><td>2,499,114</td><td>2,500,000</td><td>100%</td><td>獎金一萬元！</td><td></td></tr>
<tr><td>5</td><td>謝偉軒</td><td>5,874,532</td><td>845,556</td><td>6,720,088</td><td>6,800,000</td><td>99%</td><td>獎金一萬元！</td><td></td></tr>
<tr><td>6</td><td>張育綾</td><td>6,541,235</td><td>754,565</td><td>7,295,800</td><td>7,500,000</td><td>97%</td><td>獎金一萬元！</td><td></td></tr>
<tr><td>7</td><td>許欣怡</td><td>5,412,358</td><td>987,535</td><td>6,399,893</td><td>7,500,000</td><td>85%</td><td></td><td></td></tr>
<tr><td>8</td><td>蔡夢琪</td><td>5,521,353</td><td>1,547,893</td><td>7,069,246</td><td>8,200,000</td><td>86%</td><td></td><td></td></tr>
<tr><td>9</td><td>張子萱</td><td>954,568</td><td>1,135,487</td><td>2,090,055</td><td>2,500,000</td><td>84%</td><td></td><td></td></tr>
<tr><td>10</td><td>李雨澤</td><td>1,245,875</td><td>785,426</td><td>2,031,301</td><td>2,500,000</td><td>81%</td><td></td><td></td></tr>
<tr><td>11</td><td>陳浩軒</td><td>2,154,896</td><td>654,231</td><td>2,809,127</td><td>3,200,000</td><td>88%</td><td></td><td></td></tr>
<tr><td>12</td><td>王博文</td><td>874,569</td><td>1,845,213</td><td>2,719,782</td><td>3,000,000</td><td>91%</td><td>獎金一萬元！</td><td></td></tr>
<tr><td>13</td><td>譚文博</td><td>698,457</td><td>1,254,879</td><td>1,953,336</td><td>2,500,000</td><td>78%</td><td></td><td></td></tr>
<tr><td>14</td><td>朴俊浩</td><td>4,536,874</td><td>954,231</td><td>5,491,105</td><td>6,000,000</td><td>92%</td><td>獎金一萬元！</td><td></td></tr>
<tr><td>15</td><td>薛仁航</td><td>5,543,216</td><td>789,654</td><td>6,332,870</td><td>7,500,000</td><td>84%</td><td></td><td></td></tr>
<tr><td>16</td><td>柳建平</td><td>3,354,558</td><td>1,254,896</td><td>4,609,454</td><td>5,000,000</td><td>92%</td><td>獎金一萬元！</td><td></td></tr>
<tr><td>17</td><td>謝佩娟</td><td>2,548,756</td><td>695,487</td><td>3,244,243</td><td>4,200,000</td><td>77%</td><td></td><td></td></tr>
<tr><td>18</td><td>林明愛</td><td>1,587,456</td><td>1,954,875</td><td>3,542,331</td><td>4,200,000</td><td>84%</td><td></td><td></td></tr>
<tr><td>19</td><td>張涵欣</td><td>6,548,745</td><td>1,478,569</td><td>8,027,314</td><td>8,500,000</td><td>94%</td><td>獎金一萬元！</td><td></td></tr>
<tr><td>20</td><td></td><td></td><td></td><td></td><td></td><td></td><td></td><td></td></tr>
</table>

實例應用：依「達成率」高低填入評語

IF 函數不只可以判斷條件成立與不成立兩種情況，還可以寫成巢狀的 IF
函數 (也就是在 IF 函數中再插入一個 IF 函數)，以判斷更多的狀況，並給
予不同的處理作業。

以剛才的範例而言，如果「達成率」低於 80%，則顯示「要加油」的評
語；「達成率」大於 95% 以上則顯示「達標」；這兩個條件以外的則顯示
「繼續努力」。請開啟範例檔案 Ch10-09，我們來練習改寫公式：

在 G3 儲存格輸入 =IF(F3<0.8,"要加油",IF(F3>0.95,"達標","繼續努力"))，接著再拖曳 G3 儲存格的**填滿控點**，將公式複製到 G19。

| G3 | | ▼ | : | × | ✓ | *fx* | =IF(F3<0.8,"要加油",IF(F3>0.95,"達標","繼續努力")) |

	A	B	C	D	E	F	G	H
1				業績達成率				
2	業務員	套裝產品業績	零組件業績	業績加總	目標	達成率	評語	
3	陳唯凡	3,661,235	154,874	3,816,109	5,000,000	76%	要加油	
4	林子函	1,844,235	654,879	2,499,114	2,500,000	100%	達標	
5	謝僮軒	5,874,532	845,556	6,720,088	6,800,000	99%	達標	
6	張育綾	6,541,235	754,565	7,295,800	7,500,000	97%	達標	
7	許欣怡	5,412,358	987,535	6,399,893	7,500,000	85%	繼續努力	
8	蔡夢琪	5,521,353	1,547,893	7,069,246	8,200,000	86%	繼續努力	
9	張子瑩	954,568	1,135,487	2,090,055	2,500,000	84%	繼續努力	
10	李雨澤	1,245,875	785,426	2,031,301	2,500,000	81%	繼續努力	
11	陳浩軒	2,154,896	654,231	2,809,127	3,200,000	88%	繼續努力	
12	王博文	874,569	1,845,213	2,719,782	3,000,000	91%	繼續努力	
13	譚文博	698,457	1,254,879	1,953,336	2,500,000	78%	要加油	
14	朴俊浩	4,536,874	954,231	5,491,105	6,000,000	92%	繼續努力	
15	薛仁航	5,543,216	789,654	6,332,870	7,500,000	84%	繼續努力	
16	柳建平	3,354,558	1,254,896	4,609,454	5,000,000	92%	繼續努力	
17	謝佩娟	2,548,756	695,487	3,244,243	4,200,000	77%	要加油	
18	林明愛	1,587,456	1,954,875	3,542,331	4,200,000	84%	繼續努力	
19	張涵欣	6,548,745	1,478,569	8,027,314	8,500,000	94%	繼續努力	

第 1 個 IF 函數的**判斷條件**　　第 2 個 IF 函數

=IF(F3<0.8,"要加油",IF(F3>0.95,"達標","繼續努力"))

第 1 個 IF 函數**條件**　　第 1 個 IF 函數**條件不成立時**進行的處理 (將
成立時進行的處理　　第 2 個 IF 函數視為第 1 個 IF 函數的引數)

為了加深你對「巢狀函數」的印象，我們將多個函數組合表示如右：

=函數 A(函數 B (函數 B 的引數))

▼　先執行函數 B

=函數 A(函數 B 的執行結果)

▼　將函數 B 的執行結果
當成函數 A 的的引數

函數 A 的執行結果

AND 函數：判斷多個條件是否同時成立

AND 函數可以判斷多個條件是否同時成立，當所有的「條件式」為 TRUE 的情況下才會回傳 TRUE。只要有任一個「條件式」為 FALSE 就會回傳 FALSE。

AND 函數格式

=AND(logical1,[logical2],...)

▶ **logical：條件式**。指定回傳結果為 TRUE 或 FALSE 的條件式。

當有條件 A 及條件 B 時，AND 函數的表示方式為「A 且 B」(如下圖重疊部分)。這個條件要成立 (TRUE) 的話，必需條件 A 及條件 B 皆為 TRUE。

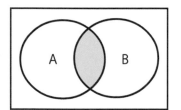

條件 A	條件 B	條件「A 且 B」
TRUE	TRUE	TRUE
TRUE	FALSE	FALSE
FALSE	TRUE	FALSE
FALSE	FALSE	FALSE

實例應用：判斷徵才考試成績是否合格

請開啟範例檔案 Ch10-10，這是一份徵才考試成績，當徵才考試結束，人事部需要統計總成績並安排合格的人進行下個階段的面試。

首先要找出合格的人，合格的條件為「計算機概論」 80 分以上、「電信網路」70 分以上、「通信系統實作」75 分以上。只要用 AND 函數搭配前面學過的 IF 函數就能快速找出合格的應徵者：

請在 E3 儲存格輸入 =IF(AND(B3>=80,C3>=70,D3>=75),"合格","不合格")，按下 [Enter] 鍵，就可以算出第一位應徵者是否合格：

條件式 1 (「計算機概論」80 分以上)　　AND 的 3 項條件皆符合就顯示「合格」

=IF(AND(B3>=80,C3>=70,D3>=75),"合格","不合格")

條件式 2 (「電信網路」70 分以上)　　條件式 3 (「通信系統實作」75 分以上)　　AND 的 3 項條件，有一項不符合就顯示「不合格」

第一位應徵者合格

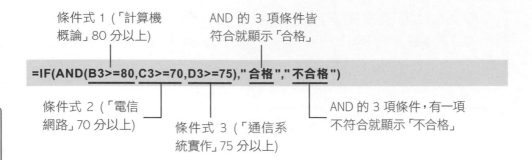

E3		× ✓ fx	=IF(AND(B3>=80,C3>=70,D3>=75),"合格","不合格")			
	A	B	C	D	E	F	G
1	電信網路規劃徵才成績						
2	姓名	計算機概論	電信網路	通信系統實作	合格	備註	
3	陳俊男	80	95	80	合格		
4	楊豐瑞	75	82	90			
5	謝見峰	82	74	73			
6	林文誠	73	55	84			
7	張文清	65	80	76			
8	陳翊明	92	73	90			
9	塗佑丞	77	88	85			
10	張徽文	80	65	79			
11	李佳見	80	75	83			
12	王立翔	87	68	75			
13							

STEP 02 拖曳 E3 儲存格的**填滿控點**到 E12 儲存格，就能找出合格與不合格的人了。

	A	B	C	D	E	F	G
1	電信網路規劃徵才成績						
2	姓名	計算機概論	電信網路	通信系統實作	合格	備註	
3	陳俊男	80	95	80	合格		
4	楊豐瑞	75	82	90	不合格		
5	謝見峰	82	74	73	不合格		
6	林文誠	73	55	84	不合格		
7	張文清	65	80	76	不合格		
8	陳翊明	92	73	90	合格		
9	塗佑丞	77	88	85	不合格		
10	張徽文	80	65	79	不合格		
11	李佳見	80	75	83	合格		
12	王立翔	87	68	75	不合格		
13							

OR 函數：判斷多個條件是否有任一個條件成立

OR 函數是用來判斷多個條件中只要有任何一個條件成立，就會回傳「TRUE」，所有條件都為「FALSE」，才會回傳「FALSE」。

OR 函數格式

=OR(logical1,[logical2],...)

▶ logical：**條件式**。指定回傳結果為 TRUE 或 FALSE 的條件式。

當有條件 A 及條件 B 時，OR 函數的表示方式為「A 或 B」(如下圖填滿色彩的部分)。這個條件要成立 (TRUE) 的話，只要條件 A 或條件 B 其中一個為 TRUE。

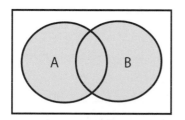

條件 A	條件 B	條件「A 或 B」
TRUE	TRUE	TRUE
TRUE	FALSE	TRUE
FALSE	TRUE	TRUE
FALSE	FALSE	FALSE

實例應用：找出可以優先面試的應徵者

請開啟範例檔案 Ch10-11，剛才我們已經學會用 AND 函數找出成績「合格」的人，由於「電信網路規劃」職務的實作經驗很重要，因此，只要「通信系統實作」科目超過 85 分，就能優先面試。

請在 F3 儲存格輸入 =IF(OR(E3="合格",D3>85),"優先面試","")，按下
01 Enter 鍵，就會顯示第一位應徵者是否可以優先面試：

=IF(OR(E3="合格",D3>85),"優先面試","")

只要兩項條件符合其中一項，　否則顯示空白
即會顯示優先面試

F3		▼	⋮	×	✓	fx	=IF(OR(E3="合格",D3>85),"優先面試","")	
	A	B	C	D	E	F	G
1	電信網路規劃徵才成績						
2	姓名	計算機概論	電信網路	通信系統實作	合格	備註	
3	陳俊男	80	95	80	合格	優先面試	
4	楊豐瑞	75	82	90	不合格		
5	謝見峰	82	74	73	不合格		
6	林文誠	73	55	84	不合格		
7	張文清	65	80	76	不合格		
8	陳翊明	92	73	90	合格		
9	塗佑丞	77	88	85	不合格		
10	張徽文	80	65	79	不合格		
11	李佳見	80	75	83	合格		
12	王立翔	87	68	75	不合格		
13							

 拖曳 F3 儲存格的**填滿控點**到 F12 儲存格，就能找出可以優先面試的
02 人了。

	A	B	C	D	E	F	G
1	電信網路規劃徵才成績						
2	姓名	計算機概論	電信網路	通信系統實作	合格	備註	
3	陳俊男	80	95	80	合格	優先面試	
4	楊豐瑞	75	82	90	不合格	優先面試	
5	謝見峰	82	74	73	不合格		
6	林文誠	73	55	84	不合格		
7	張文清	65	80	76	不合格		
8	陳翊明	92	73	90	合格	優先面試	
9	塗佑丞	77	88	85	不合格		
10	張徽文	80	65	79	不合格		
11	李佳見	80	75	83	合格	優先面試	
12	王立翔	87	68	75	不合格		
13							

VLOOKUP 函數：從直向表格快速找出指定的資料

不論是業務、業助或行政人員，經常得從資料堆中「撈資料」。例如要從庫存表中查詢某商品的庫存，若是能在輸入商品名稱後自動顯示庫存量，那就方便多了！

VLOOKUP 函數格式

=VLOOKUP(lookup_value,table_array, col_index_num,[range_lookup])

▶ **lookup_value**：**搜尋值**。指定要搜尋的值。

▶ **table_array**：**搜尋範圍**。指定要搜尋的表格範圍。

▶ **col_index_num**：**欄編號**。指定要回傳的值其欄編號，表格最左邊的欄為第 1 欄，依此類推。

▶ **[range_lookup]**：**搜尋類型**。指定為 TRUE (可寫成 1) 或省略此引數時，當找不到搜尋值，會回傳僅次於搜尋值的最大值。指定為 FALSE (可寫成 0) 時，只會搜尋出完全一致的值。若是找不到符合的值會回傳「#N/A」。

VLOOKUP 會從表格範圍的第 1 欄中搜尋「搜尋值」，搜尋到就會回傳該列「欄編號」的值。搜尋時不會區分英文字母的大小寫。「搜尋類型」指定為 TRUE 或省略時，表格範圍的第 1 欄要先「由小到大」排序。

實例應用：輸入「月投保金額」後，自動查出勞保費

了解 VLOOKUP 函數語法後，在此以簡單的勞保費查詢範例帶你練習。請開啟範例檔案 Ch10-12，希望能在輸入「月投保金額」後，自動查詢「員工自付」以及「雇主負擔」的金額。

STEP 01 請選取 B4 儲存格,輸入 =VLOOKUP($B$3,$D$4:$F$23,2,FALSE),再按下 Enter 鍵。輸入公式後會出現「#N/A」,這是因為 B3 儲存格還沒有輸入要搜尋的資料,所以 B4 儲存格找不到「搜尋值」。

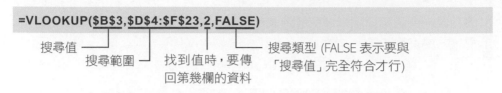

=VLOOKUP(**$B$3**,**$D$4:$F$23**,**2**,**FALSE**)

搜尋值 — **$B$3**

搜尋範圍 — **$D$4:$F$23**

找到值時,要傳回第幾欄的資料 — **2**

搜尋類型 (FALSE 表示要與「搜尋值」完全符合才行) — **FALSE**

B4	▼	:	×	✓	fx	=VLOOKUP($B$3,$D$4:$F$23,2,FALSE)	
▲	A	B	C	D	E	F	G
1			輸入月投保金額查詢勞保費				
2							
3	月投保金額			月投保金額	員工自付	雇主負擔	
4	員工自付	#N/A		19,047	438	1,552	
5	雇主負擔			20,008	460	1,631	
6				21,009	483	1,712	

由於 B3 儲存格還沒輸入月投保金額 (搜尋值),所以 B4 儲存格會出現「#N/A」

STEP 02 請在 B3 儲存格輸入 "27600",即可找出此投保金額的員工自付勞保費了。

	A	B	C	D	E	F	G
1			輸入月投保金額查詢勞保費				
2							
3	月投保金額	27,600		月投保金額	員工自付	雇主負擔	
4	員工自付	635		19,047	438	1,552	
5	雇主負擔			20,008	460	1,631	
6				21,009	483	1,712	

STEP 03 要計算「雇主負擔」的費用,只要將 B4 儲存格的公式複製到 B5 儲存格,然後將「欄編號」引數改為 3 (第 3 欄) 即可。

找出「雇主負擔」的費用了　　　將欄編號的引數改成 3

B5	▼	:	×	✓	fx	=VLOOKUP($B$3,$D$4:$F$23,3,FALSE)	
▲	A	B	C	D	E	F	G
1			輸入月投保金額查詢勞保費				
2							
3	月投保金額	27,600		月投保金額	員工自付	雇主負擔	
4	員工自付	635		19,047	438	1,552	
5	雇主負擔	2,250		20,008	460	1,631	
6				21,009	483	1,712	
7				22,000	506	1,793	

第 **10** 章

▼ 常用的函數與應用

HLOOKUP 函數：從橫向表格快速找出指定的資料

VLOOKUP 函數的好朋友是 HLOOKUP 函數。VLOOKUP 函數是從表格最左欄開始搜尋符合搜尋值的資料；而 HLOOKUP 函數則是從表格第一列開始搜尋符合搜尋值的資料。

HLOOKUP 函數格式

$$=HLOOKUP(lookup\_value,table\_array,\\ row\_index\_num,[range\_lookup])$$

▶ **lookup_value：搜尋值**。指定要搜尋的值。

▶ **table_array：搜尋範圍**。指定要搜尋的表格範圍。

▶ **row_index_num：列編號**。指定要回傳的值其列編號，表格最上方的列為第 1 列，依此類推。

▶ **[range_lookup]：搜尋類型**。指定為 TRUE (可寫成 1) 或省略此引數時，當找不到搜尋值時，會回傳僅次於搜尋值的最大值。指定為 FALSE (可寫成 0) 時，只會搜尋出完全一致的值。若是找不到符合的值會回傳「#N/A」。

HLOOKUP 會從表格範圍的第 1 列中搜尋「搜尋值」，找到搜尋值後就會回傳該欄「列編號」的值。搜尋時不會區分英文字母的大小寫。「搜尋類型」指定為 TRUE 或省略時，表格範圍的第 1 列要先以「由小到大」的方式排序。

VLOOKUP 函數和 HLOOKUP 函數的差別只在於搜尋方向不同，其他用法皆相同。

實例應用：查詢業務員的底薪、獎金與月薪

假設某公司的業務員底薪不是固定的，會依每個月的業績高低有所不同，獎金的計算方式為「業績x對應的獎金率」，該月的月薪為「底薪＋獎金」，由於底薪跟獎金會受業績高低影響，財務人員希望日後只要輸入「業績」就能自動從對照表中列出當月的月薪。

	A	B	C	D	E	F
1			薪資獎金對照表			
2	業績	-	500,000	1,000,000	2,000,000	3,000,000
3	底薪	26,000	28,000	30,000	32,000	34,000
4	獎金率	0.0%	1.5%	2.0%	2.1%	2.2%
5						
6	部門	姓名	業績	底薪	獎金	月薪
7	業務一部	蔡小芬	1,212,000	30,000	24,240	54,240
8	業務一部	羅聿晴	2,241,000	32,000	47,061	79,061
9	業務一部	方阿輝	805,463	28,000	12,082	40,082
10	業務二部	陳榮堂	548,963	28,000	8,234	36,234
11	業務二部	黃芯芯	2,954,781	32,000	62,050	94,050
12	業務三部	柯俊毅	756,213	28,000	11,343	39,343
13	業務三部	閻志祥	954,680	28,000	14,320	42,320
14	業務三部	潘雪花	934,000	28,000	14,010	42,010

◀ 以蔡小芬為例，當月的業績為「1,212,000」，查表後其底薪為「30,000」，獎金率為「2.0%」，獎金為「1,212,000*2.0%=24,240」，當月月薪為「30,000+ 24,240 =54,240」

STEP 01 請開啟範例檔案 Ch10-13，在 D7 儲存格輸入 =HLOOKUP(C7, $B$2:$F$4,2)，按下 Enter 鍵。拖曳 D7 儲存格的**填滿控點**到 D14 儲存格，即可列出所有人的底薪。

=HLOOKUP(C7,$B$2:$F$4,2)

搜尋值 ── 搜尋範圍 ── 找到值時，要傳回第幾列的資料（「底薪」放在 B2:F4 儲存格範圍中的第 2 列，因此設為 2)

D7		:	× ✓ *fx*	=HLOOKUP(C7,$B$2:$F$4,2)			
	A	B	C	D	E	F	G
6	部門	姓名	業績	底薪	獎金	月薪	
7	業務一部	蔡小芬	1,212,000	30,000			
8	業務一部	羅聿晴	2,241,000	32,000			
9	業務一部	方阿輝	805,463	28,000			
10	業務二部	陳榮堂	548,963	28,000			
11	業務二部	黃芯芯	2,954,781	32,000			
12	業務三部	柯俊毅	756,213	28,000			
13	業務三部	閻志祥	954,680	28,000			
14	業務三部	潘雪花	934,000	28,000			
15							

STEP 02 請在 E7 儲存格輸入 =C7*HLOOKUP(C7,$B$2:$F$4,3)，按下 Enter 鍵即可算出獎金。拖曳 E7 儲存格的**填滿控點**到 E14 儲存格，即可完成獎金的計算。

=C7*HLOOKUP(C7,$B$2:$F$4,3)

搜尋值　　搜尋範圍

找到搜尋值時，要傳回第幾列的資料（「獎金率」放在 B2:F4 儲存格範圍中的第 3 列，因此設為 3）

獎金的計算方式為「業績x獎金率」，利用 HLOOKUP 函數找出獎金率後，再乘上業績

E7　=C7*HLOOKUP(C7,$B$2:$F$4,3)

	A	B	C	D	E	F	G
1	薪資獎金對照表						
2	業績	-	500,000	1,000,000	2,000,000	3,000,000	
3	底薪	26,000	28,000	30,000	32,000	34,000	
4	獎金率	0.0%	1.5%	2.0%	2.1%	2.2%	
5							
6	部門	姓名	業績	底薪	獎金	月薪	
7	業務一部	蔡小芬	1,212,000	30,000	24,240		
8	業務一部	羅聿晴	2,241,000	32,000	47,061		
9	業務一部	方阿輝	805,463	28,000	12,082		
10	業務二部	陳榮堂	548,963	28,000	8,234		
11	業務二部	黃芯芯	2,954,781	32,000	62,050		
12	業務三部	柯俊毅	756,213	28,000	11,343		
13	業務三部	簡志祥	954,680	28,000	14,320		
14	業務三部	潘雪花	934,000	28,000	14,010		
15							

STEP 03 最後，在 F7 儲存格輸入 "=D7+E7"，算出第一位業務員的月薪，拖曳 F7 儲存格的**填滿控點**到 F14 儲存格，即可算出所有人的月薪。

F7　=D7+E7

	A	B	C	D	E	F	G
1	薪資獎金對照表						
6	部門	姓名	業績	底薪	獎金	月薪	
7	業務一部	蔡小芬	1,212,000	30,000	24,240	54,240	
8	業務一部	羅聿晴	2,241,000	32,000	47,061	79,061	
9	業務一部	方阿輝	805,463	28,000	12,082	40,082	
10	業務二部	陳榮堂	548,963	28,000	8,234	36,234	
11	業務二部	黃芯芯	2,954,781	32,000	62,050	94,050	
12	業務三部	柯俊毅	756,213	28,000	11,343	39,343	
13	業務三部	簡志祥	954,680	28,000	14,320	42,320	
14	業務三部	潘雪花	934,000	28,000	14,010	42,010	

INDEX 函數：回傳指定範圍中第幾列、第幾欄的值

INDEX 函數可以查詢指定範圍中第幾列、第幾欄的資料。單獨使用此函數的機會不高，通常會與 MATCH 或 VLOOKUP 函數組合使用，以發揮強大的查表功能。

第 **10** 章

▼ 常用的函數與應用

INDEX 函數格式

=INDEX(array,row_num,[column_num])

▶ **array**：指定儲存格範圍。

▶ **row_num**：**列編號**。要回傳的值是在指定範圍中的第幾列。

▶ **[column_num]**：**欄編號**。要回傳的值是在指定範圍中的第幾欄。

實例應用：依起點、終點查詢票價

請開啟範例檔案 Ch10-14，如果想在票價表中查詢台北到新竹的票價，可以在 B4 儲存格輸入 =INDEX(B7:I14, B2, B3)，按下 Enter 鍵後，會發現儲存格變成「#VALUE!」，這是因為還沒有在 B2 及 B3 儲存格中輸入要查詢的資料。分別在 B2 及 B3 儲存格中輸入要查詢的列 (起點) 及欄 (終點)，就可以得知票價了。

第 3 列，表示起點為台北　　第 6 欄，表示終點為新竹

查出票價為 180 元

	A	B	C	D	E	F	G	H	I
1	票價查詢								
2	列 (起點)	3							
3	欄 (終點)	6							
4	票價	180							
5									
6	票價	基隆	松山	台北	板橋	桃園	新竹	台中	彰化
7	基隆	0	53	66	84	132	243	441	482
8	松山	53	0	18	18	82	193	391	430
9	台北	66	18	0	18	66	180	375	416
10	板橋	84	18	18	0	50	162	359	398
11	桃園	132	82	66	50	0	114	311	350
12	新竹	243	193	180	162	114	0	198	239
13	台中	441	391	375	359	311	198	0	41
14	彰化	482	430	416	398	350	239	41	0

MATCH 函數：搜尋指定的資料在表格中的第幾列

MATCH 函數可以取得指定的資料在儲存格範圍中的相對位置。通常會與 INDEX 函數搭配使用。

MATCH 函數格式

=MATCH(lookup_value,lookup_array,[match_type])

▶ **lookup_value：搜尋值。**

▶ **lookup_array：搜尋範圍。** 指定要搜尋的儲存格範圍。

▶ **[match_type]：比對方法，** 參考下表的說明。

比對方法	說明
1 或省略	搜尋小於「搜尋值」的最大值。「搜尋範圍」的資料必需以遞增方式排序
0	搜尋與「搜尋值」完全相同的值。搜尋不到時會回傳「#N/A」
-1	搜尋大於「搜尋值」的最小值。「搜尋範圍」的資料必需以遞減方式排序

實例應用：查詢郵資

為了節省到郵局填單及排隊的時間，在寄送郵件前，可以事先秤好郵件的重量並查詢郵資。要查詢郵資不需人工對照，只要利用 MATCH 和 INDEX 函數，就能設計出簡便的查詢公式。

STEP 01 **找出指定的「類別」在第幾個位置。** 請開啟範例檔案 Ch10-15，在 C2 儲存格中輸入 =MATCH(B2,A8:A14,0)，按下 Enter 鍵後，即可找出 B2 儲存格中指定的類別在第幾個位置。若是 B2 儲存格尚未輸入資料，則會出現「#N/A」。

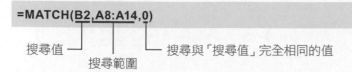

=MATCH(B2,A8:A14,0)

搜尋值 — 搜尋範圍 — 搜尋與「搜尋值」完全相同的值

拉下列示窗選 擇郵件類別 —— 查出「掛號」在 A8:A14 範圍中的第 4 個位置

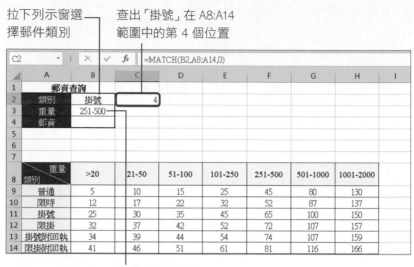

C2				=MATCH(B2,A8:A14,0)					
	A	B	C	D	E	F	G	H	I
1	郵資查詢								
2	類別	掛號	4						
3	重量	251-500							
4	郵資								
5									
6									
7									
8	重量 類別	>20	21-50	51-100	101-250	251-500	501-1000	1001-2000	
9	普通	5	10	15	25	45	80	130	
10	限時	12	17	22	32	52	87	137	
11	掛號	25	30	35	45	65	100	150	
12	限掛	32	37	42	52	72	107	157	
13	掛號附回執	34	39	44	54	74	107	159	
14	限掛附回執	41	46	51	61	81	116	166	

拉下列示窗選擇郵件重量

STEP 02 **找出指定的「重量」在第幾個位置**。在 C3 儲存格中輸入 =MATCH(B3,A8:H8,0)，按下 Enter 鍵後，即可找出 B3 儲存格中指定 的重量在第幾個位置。

查出「251-500」在 A8:H8 範圍中的第 6 個位置

C3				=MATCH(B3,A8:H8,0)					
	A	B	C	D	E	F	G	H	I
1	郵資查詢								
2	類別	掛號	4						
3	重量	251-500	6						
4	郵資								
5									
6									
7									
8	重量 類別	>20	21-50	51-100	101-250	251-500	501-1000	1001-2000	
9	普通	5	10	15	25	45	80	130	
10	限時	12	17	22	32	52	87	137	
11	掛號	25	30	35	45	65	100	150	
12	限掛	32	37	42	52	72	107	157	
13	掛號附回執	34	39	44	54	74	107	159	
14	限掛附回執	41	46	51	61	81	116	166	

第 **10** 章

▼

常用的函數與應用

最後，在 B4 儲存格輸入 =INDEX(A8:H14,C2,C3)，就可以查出「掛號」且重量「251-500」公克的郵資了。

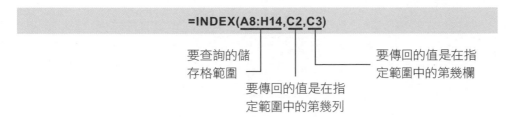

查出「掛號」且重量「251-500」的郵資了

B4	▼	:	×	✓	f_x	=INDEX(A8:H14,C2,C3)		

	A	B	C	D	E	F	G	H	I
1	郵資查詢								
2	類別	掛號	4						
3	重量	251-500	6						
4	郵資	65							
5									
6									
7									
8	重量 類別	>20	21-50	51-100	101-250	251-500	501-1000	1001-2000	
9	普通	5	10	15	25	45	80	130	
10	限時	12	17	22	32	52	87	137	
11	掛號	25	30	35	45	65	100	150	
12	限掛	32	37	42	52	72	107	157	
13	掛號附回執	34	39	44	54	74	107	159	
14	限掛附回執	41	46	51	61	81	116	166	
15									

日後只要在 B2 和 B3 儲存格中分別點選類別和重量，就可以在 B4 儲存格中顯示郵資了。

TODAY 函數：傳回當天的日期

TODAY 函數會傳回當天的系統日期。若是文件或報表需要填入當天的日期，可以用此函數自動產生。TODAY 函數沒有引數，直接輸入 =TODAY() 即可。

實例應用：顯示當天的日期

請開啟範例檔案 Ch10-16，並切換到**員工資料**工作表。我們希望每次編輯這份工作表時都能顯示製作日期，請在 G1 儲存格中輸入 "=TODAY()"，再按下 Enter 鍵。

日後開啟此活頁簿，都會自動顯示當天的日期

G1	▼	✕ ✓ ƒx	=TODAY()					
▲	A	B	C	D	E	F	G	H
1	員工資料					製表日期：	2021/6/27	
2	到職日	部門	姓名	性別				
3	2018/05/30	財務部	于惠蘭	女				
4	2011/08/09	人事部	白美惠	女		到職年	人數	
5	2016/05/20	人事部	朱麗雅	女		2016	7	
6	2016/03/08	人事部	宋秀惠	女				

按下 Ctrl + ; 鍵，也可以快速顯示當天的日期。

按下 Ctrl + Shift + ; 即可快速顯示目前的時間。

TODAY() 函數是用來顯示當天的日期，如果想要同時顯示目前的日期與時間，可改用 NOW 函數，NOW 函數也不需要設定引數，直接在儲存格中輸入 =NOW() 即可。

DATEDIF 函數：計算兩個日期相隔的天數、月數或年

DATEDIF 函數可以計算開始日到結束日的間隔，且可以依指定的單位顯示間隔天、月或年。例如要計算年齡，將生日當成開始日，將今天的日期當成結束日，再將單位設成表示「年」的「"Y"」，就能算出幾歲了。

DATEDIF 函數格式

=DATEDIF(start_date, end_date, unit)

▶ start_date：指定開始的日期。

▶ end_date：指定結束的日期。

▶ unit：指定回傳的單位 (參考右表)。

單位	回傳值
"Y"	期間內的整年年數
"M"	期間內的整月月數
"D"	期間內的天數
"YM"	期間內未滿 1 年的月數
"YD"	期間內未滿 1 年的天數
"MD"	期間內未滿 1 個月的天數

實例應用：計算員工的年資

上一節，我們提到 TODAY 函數可以與 DATEDIF 函數搭配使用，以計算出年資，現在就以實例來練習。

STEP 01 請開啟範例檔案 Ch10-16，切換到**計算年資**工作表，在 B3 儲存格輸入 =DATEDIF(A3,TODAY(),"Y")&"年"，即可求得第一位員工的年資。

=DATEDIF(A3,TODAY(),"Y")&" 年 "

開始日期 ——┐
(就是到職日)

結束日期 (以當天的日期當成結束日期，所以你計算的結果會與我們不同)

求算兩日期差距的整年數要使用 "Y"

在計算後的數值加上「年」文字

| B3 | | : | × | ✓ | fx | =DATEDIF(A3,TODAY(),"Y")&"年" |

▲	A	B	C	D	E	F	G	H
1			員工資料				製表日期：	2021/6/27
2	到職日	年資	部門	姓名	性別			
3	2018/05/30	3年	財務部	于惠蘭	女			
4	2011/08/09		人事部	白美惠	女		到職年	人數
5	2016/05/20		人事部	朱麗雅	女		2016	7
6	2016/03/08		人事部	宋秀惠	女			
7	2007/11/15		研發部	李沛偉	男			

算出第一位員工的年資

STEP 02 接著拖曳 B3 儲存格的**填滿控點**到 B40 儲存格，即可算出所有人的年資了。

▲	A	B	C	D	E	F	G	H
1			員工資料				製表日期：	2021/6/27
2	到職日	年資	部門	姓名	性別			
3	2018/05/30	3年	財務部	于惠蘭	女			
4	2011/08/09	9年	人事部	白美惠	女		到職年	人數
5	2016/05/20	5年	人事部	朱麗雅	女		2016	7
6	2016/03/08	5年	人事部	宋秀惠	女			
7	2007/11/15	13年	研發部	李沛偉	男			
8	2018/09/03	2年	工程部	汪炳哲	男			
9	2016/11/10	4年	研發部	谷瑄若	女			
10	2018/06/05	3年	業務部	周基勇	男			
11	2018/04/22	3年	產品部	林巧沛	女			
12	2015/12/20	5年	財務部	林若傑	男			
13	2008/01/15	13年	倉儲部	林琪琪	女			
14	2016/04/03	5年	產品部	林慶民	男			
15	2015/10/02	5年	業務部	邱秀蘭	女			
16	2012/12/03	8年	業務部	邱語潔	女			
17	2017/08/14	3年	研發部	金志偉	男			
18	2013/04/15	8年	倉儲部	金洪均	男			
19	2015/10/04	5年	研發部	金智泰	男			
20	2017/04/02	4年	業務部	金燦民	男			
21	2016/05/10	5年	倉儲部	柳善熙	男			
22	2019/01/22	2年	業務部	洪仁秀	男			
23	2016/07/26	4年	業務部	孫佑德	男			
24	2014/03/21	7年	產品部	崔明亨	男			
25	2006/01/23	15年	倉儲部	張文惠	女			

LEFT、RIGHT、MID 函數：取出指定的字串

有時候我們只要取出儲存格中的部份資料，例如只想取出地址裡的縣市名稱、或是要將姓氏與名字拆開，就可以利用 Excel 的文字函數，輕鬆取出指定的文字！

LEFT 與 RIGHT 函數

LEFT 函數可以從字串的最左邊開始取出指定長度的字串。

LEFT 函數格式：

$$=LEFT(text,[num\_chars])$$

▶ **text**：字串所在的儲存格。

▶ **[num_chars]**：要從最左邊開始取出的字數。

RIGHT 函數可以從字串的最右邊開始取出指定長度的字串。

RIGHT 函數格式：

$$=RIGHT(text,[num\_chars])$$

▶ **text**：字串所在的儲存格。

▶ **[num_chars]**：要從最右邊開始取出的字數。

實例應用：分別將課程的起迄時間拆開成兩欄

請開啟範例檔案 Ch10-17，我們想將**課程時間**中的起迄時間分別拆開成「開始時間」及「結束時間」，就可以利用 LEFT 函數取出開始時間、用 RIGHT 函數取出結束時間：

取出開始時間。請在 D2 儲存格輸入 =LEFT(B2,5)，按下 Enter 鍵，即可取出 B2 儲存格的開始時間。接著再將 D2 儲存格的公式複製到 D11，即可取出所有課程的開始時間。

從最左邊開始擷取 5 個字就是開始時間

D2	▼	:	×	✓	fx	=LEFT(B2,5)		

◢	A	B	C	D	E	F	G
1	上課日期	課程時間	課程名稱	開始時間	結束時間	時數	
2	3月3日	13:30~16:30	簡報技巧	13:30			
3	4月6日	09:30~12:30	時間管理技巧	09:30			
4	4月7日	18:30~20:30	檔案管理技巧	18:30			
5	5月29日	18:30~21:30	專案控管	18:30			
6	6月24日	09:30~12:30	行銷基本認識	09:30			
7	7月15日	13:00~16:00	行銷進階	13:00			
8	10月4日	09:30~12:00	工作設計與用人管理	09:30			
9	10月13日	13:00~17:00	法律常識	13:00			
10	12月19日	13:30~17:00	自我管理與激勵	13:30			
11	12月24日	18:30~21:30	客戶關係管理	18:30			
12							

取出結束時間。請在 E2 儲存格輸入 =RIGHT(B2,5)，按下 Enter 鍵，即可取出 B2 儲存格的結束時間。接著再將 E2 儲存格的公式複製到 E11，即可取出所有課程的結束時間。

從最右邊開始擷取 5 個字就是結束時間

E2	▼	:	×	✓	fx	=RIGHT(B2,5)		

◢	A	B	C	D	E	F	G
1	上課日期	課程時間	課程名稱	開始時間	結束時間	時數	
2	3月3日	13:30~16:30	簡報技巧	13:30	16:30		
3	4月6日	09:30~12:30	時間管理技巧	09:30	12:30		
4	4月7日	18:30~20:30	檔案管理技巧	18:30	20:30		
5	5月29日	18:30~21:30	專案控管	18:30	21:30		
6	6月24日	09:30~12:30	行銷基本認識	09:30	12:30		
7	7月15日	13:00~16:00	行銷進階	13:00	16:00		
8	10月4日	09:30~12:00	工作設計與用人管理	09:30	12:00		
9	10月13日	13:00~17:00	法律常識	13:00	17:00		
10	12月19日	13:30~17:00	自我管理與激勵	13:30	17:00		
11	12月24日	18:30~21:30	客戶關係管理	18:30	21:30		
12							

將課程的開始與結束時間分別拆開到不同儲存格後，就可以計算出課程的時數。請在 F2 儲存格輸入 =E2-D2，再按下 Enter 鍵。此時計算結果會變成顯示日期與時間，請按下 Ctrl + 1 鍵，開啟**設定儲存格格式**交談窗，改成**時間**格式。

設定儲存格格式

| 數值 | 對齊方式 | 字型 | 外框 | 填滿 | 保護 |

類別(C):
- 通用格式
- 數值
- 貨幣
- 會計專用
- 日期
- **時間**
- 百分比
- 分數
- 科學記號
- 文字
- 特殊
- 自訂

範例
3:00

類型(T):
- *下午 01:30:55
- 13:30 ← 選擇此格式
- 1:30 PM
- 13:30:55
- 1:30:55 PM
- 2012/3/14 1:30 PM
- 2012/3/14 13:30

F2   fx =E2-D2

	A	B	C	D	E	F
1	上課日期	課程時間	課程名稱	開始時間	結束時間	時數
2	3月3日	13:30~16:30	簡報技巧	13:30	16:30	3:00
3	4月6日	09:30~12:30	時間管理技巧	09:30	12:30	3:00
4	4月7日	18:30~20:30	檔案管理技巧	18:30	20:30	2:00
5	5月29日	18:30~21:30	專案控管	18:30	21:30	3:00
6	6月24日	09:30~12:30	行銷基本認識	09:30	12:30	3:00
7	7月15日	13:00~16:00	行銷進階	13:00	16:00	3:00
8	10月4日	09:30~12:00	工作設計與用人管理	09:30	12:00	2:30
9	10月13日	13:00~17:00	法律常識	13:00	17:00	4:00
10	12月19日	13:30~17:00	自我管理與激勵	13:30	17:00	3:30
11	12月24日	18:30~21:30	客戶關係管理	18:30	21:30	3:00
12						

▲ 拖曳 F2 儲存格的**填滿控點**到 F11 儲存格，即可算出所有課程的時數

MID 函數：擷取指定位置、指定字數的字串

MID 函數可在字串中傳回自指定的起始位置到指定長度的字串，其格式如下：

=MID(text,start_num,num_chars)

▶ **text**：字串所在的儲存格。

▶ **start_num**：指定擷取字串的起始位置。

▶ **num_chars**：指定要擷取的字串長度。

實例應用：變更手機號碼格式

請開啟範例檔案 Ch10-18，B 欄為會員的行動電話，其格式為 XXXX-XXXXXX，現在想要改成 XXXX-XXX-XXX 的格式，就可以利用 MID 函數將所要的資料取出，再加上其他格式。請在 C2 儲存格輸入 =MID(B2,1,8)&"-"&MID(B2,9,3)，按下 Enter 鍵，即會以新的格式顯示。

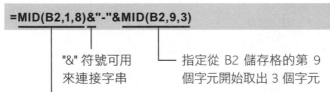

=MID(B2,1,8)&"-"&MID(B2,9,3)

"&" 符號可用　　　　指定從 B2 儲存格的第 9
來連接字串　　　　　個字元開始取出 3 個字元

指定從 B2 儲存格的第 1 個字元開始取出 8 個字元

	A	B	C	D	E	F
	C2	fx	=MID(B2,1,8)&"-"&MID(B2,9,3)			
1	姓名	行動電話	行動電話			
2	張美慧	0936-039999	0936-039-999			
3	趙若美	0929-500500	0929-500-500			
4	何慕楓	0936-207027	0936-207-027			
5	覃桜茹	0922-456456	0922-456-456			
6	方美茵	0932-515959	0932-515-959			
7	程采梅	0933-353757	0933-353-757			
8	李曉嵐	0935-852963	0935-852-963			
9	林佩穎	0935-147147	0935-147-147			
10	莊妮妮	0922-999000	0922-999-000			
11						

◀ 拖曳 C2 的**填滿控點**到 C10 儲存格，即可轉換成新的格式

經理說這份銷售報表要做成統計圖，我可以用直條圖嗎？

直條圖雖然很常用，但不是所有資料都能用直條圖喔！經理應該是想看銷售的趨勢，你用「折線圖」試試看！

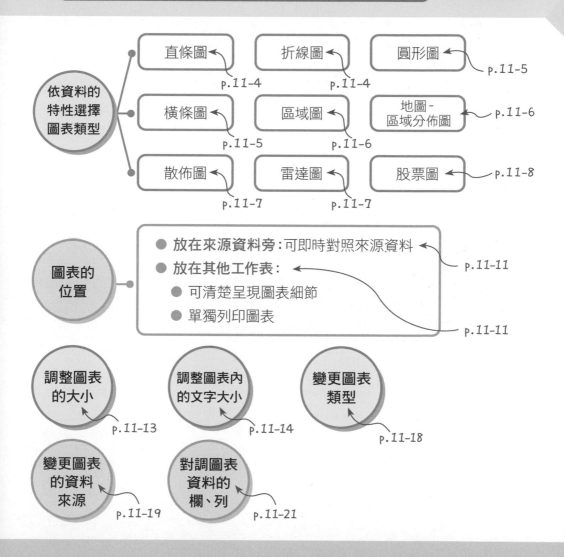

依資料的特性選擇圖表類型

- 直條圖 p.11-4
- 折線圖 p.11-4
- 圓形圖 p.11-5
- 橫條圖 p.11-5
- 區域圖 p.11-6
- 地圖-區域分佈圖 p.11-6
- 散佈圖 p.11-7
- 雷達圖 p.11-7
- 股票圖 p.11-8

圖表的位置

- 放在來源資料旁：可即時對照來源資料
- 放在其他工作表： p.11-11
  - 可清楚呈現圖表細節
  - 單獨列印圖表 p.11-11

調整圖表的大小 p.11-13

調整圖表內的文字大小 p.11-14

變更圖表類型 p.11-18

變更圖表的資料來源 p.11-19

對調圖表資料的欄、列 p.11-21

SECTION

11-1 依資料特性選擇圖表類型

Excel 雖然提供多種圖表類型,但是如果不明白每種圖表的特性,就無法提供給相關人員做決策判斷,因此在繪製圖表前,先帶你認識幾種常見的圖表。

第 **11** 章

▼ 用圖表呈現數據變化

Excel 內建的圖表類型

請開啟範例檔案 Ch11-01,點選儲存格中的任一格資料後,切換到**插入**頁次,在**圖表**區中即可看到各種內建的圖表類型。

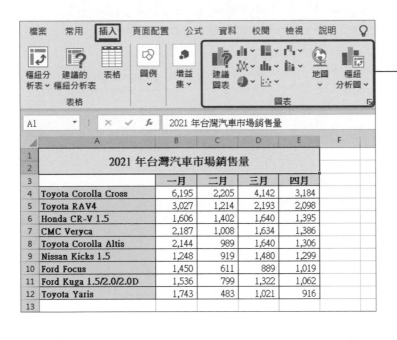

按下各個圖表類型鈕,可選擇要套用的子類型圖表

若是不知道手邊的資料適合什麼類型的圖表,可以按下**圖表**區的**建議圖表**鈕  ,Excel 會自動分析資料內容,並選出適用此資料的圖表讓你快速套用 (參考下頁的說明)。

若是覺得自動建議的圖表不適合，可切換到**所有圖表**頁次，選擇其他圖表類型

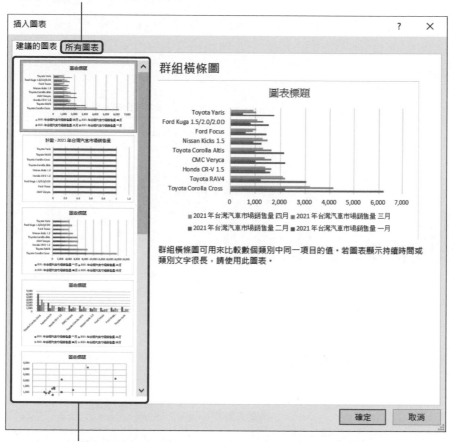

Excel 分析出目前所選取的資料適合套用**群組橫條圖**、**散佈圖**、**堆疊直條圖**、**漏斗圖**、**柏拉圖**，你可以在此區選擇適合的圖表類型

右表簡單列出幾種常見的圖表類型，在建立圖表前，可以依自己的需求選擇適用的圖表。

直條圖	折線圖	圓形圖	橫條圖	區域圖	XY 散佈圖
地圖	股票圖	曲面圖	雷達圖	矩形式樹狀結構圖	放射環狀圖
長條圖	盒鬚圖	瀑布圖	漏斗圖	組合圖	

直條圖

直條圖是最普遍使用的圖表類型，它很適合用來表現一段期間內數量的變化，或是比較不同項目之間的差異，各種項目放置於水平座標軸上，數值則以垂直的長條顯示。

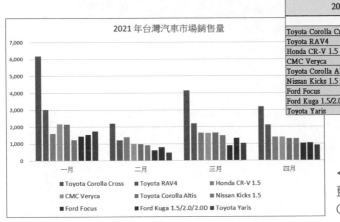

2021 年台灣汽車市場銷售量				
	一月	二月	三月	四月
Toyota Corolla Cross	6,195	2,205	4,142	3,184
Toyota RAV4	3,027	1,214	2,193	2,098
Honda CR-V 1.5	1,606	1,402	1,640	1,395
CMC Veryca	2,187	1,008	1,634	1,386
Toyota Corolla Altis	2,144	989	1,640	1,306
Nissan Kicks 1.5	1,248	919	1,480	1,299
Ford Focus	1,450	611	889	1,019
Ford Kuga 1.5/2.0/2.0D	1,536	799	1,322	1,062
Toyota Yaris	1,743	483	1,021	916

▲ 1～4 月各車款銷量

◀ 由長條圖可看出深藍色長條的「Toyota Corolla Cross」銷量最好

折線圖

顯示一段時間內的連續資料，適合用來顯示相等間隔 (每月、每季、每年、…) 的資料趨勢。

106 年到 109 年出國人數統計					
時間	亞洲	美洲	大洋洲	歐洲	其他	小計
106/01	1,039,805	62,612	16,437	29,208	910	1,150,837
106/02	1,187,260	47,867	17,415	29,732	486	1,284,579
106/03	1,108,668	49,773	13,759	38,337	451	1,212,728
106/04	1,217,543	51,335	13,707	35,048	717	1,319,531
106/05	1,237,914	64,305	13,258	53,888	916	1,371,312
106/06	1,272,308	68,458	14,924	53,395	821	1,410,713
106/07	1,355,325	64,369	15,249	44,015	172	1,480,440
106/08	1,241,730	61,484	16,511	40,719	120	1,361,761

▲ 106～109 年出國人數統計 (依目的地)

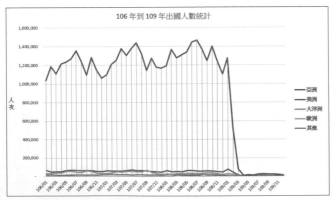

◀ 用折線圖可看出國人偏好亞洲旅遊，但 109 年 3 月之後因 COVID-19 疫情關係，出國人數急速下降

圓形圖

圓形圖只有一組數列資料，每個資料項目都有唯一的色彩或是圖樣，圓形圖適合用來表現各個項目在全體資料中所佔的比率。

台北各門市	6月營收
信義門市	1,052,051
杭南門市	174,186
忠孝門市	2,506,244
古亭門市	509,679
新生門市	1,484,939
東湖門市	1,066,572
民生門市	1,781,422

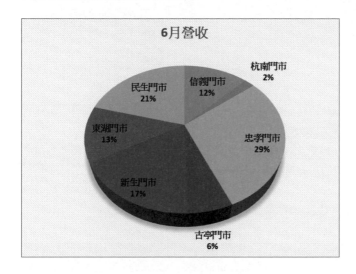

◀ 想快速得知哪家門市營收最好，可以用圓形圖來表示

橫條圖

可以顯示每個項目之間的比較情形，Y 軸表示類別項目；X 軸表示值。橫條圖主要是強調各項目之間的比較，不強調時間。

「鮮茶坊」最受歡迎飲品	
品項	投票數
百香綠茶	450
水果QQ	1,029
綠豆冰沙	565
草莓果粒茶	738
金桔檸檬	699
星空葡萄冰沙	1,298

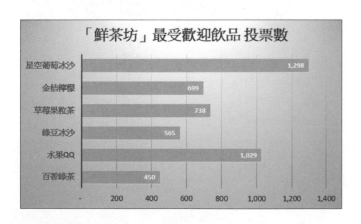

◀ 想了解各項商品的受歡迎程度，繪製橫條圖就能立即得知

區域圖

強調一段時間的變動程度，可由值看出不同時間或類別的趨勢。例如可用區域圖強調某個時間的利潤資料，或是某個地區的銷售成長狀況。

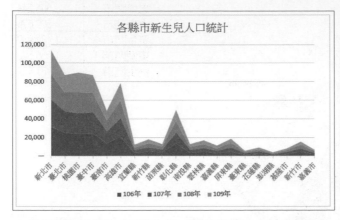

各縣市新生兒人口統計				
	106年	107年	108年	109年
新北市	31,621	28,745	27,965	25,465
臺北市	25,004	22,663	20,986	18,399
桃園市	23,430	22,568	22,493	21,005
臺中市	24,410	22,518	21,209	19,185
臺南市	13,914	12,275	11,711	10,489
高雄市	20,474	20,041	19,150	18,561
宜蘭縣	3,347	3,067	3,053	2,812
新竹縣	4,948	4,436	4,422	4,207
苗栗縣	3,865	3,332	3,050	2,744
彰化縣	13,110	12,316	12,249	11,790
南投縣	3,356	3,217	3,135	3,068
雲林縣	4,542	4,086	4,194	3,933
嘉義縣	2,845	2,563	2,937	2,859
屏東縣	4,843	4,637	4,706	4,385
臺東縣	1,497	1,497	1,467	1,350
花蓮縣	2,438	2,407	2,411	2,131
澎湖縣	1,032	875	988	956
基隆市	2,245	2,193	2,062	1,948
新竹市	4,332	3,964	3,871	3,482
嘉義市	1,925	1,873	1,676	1,386

▲ 以各縣市新生兒人口數為例，繪製區域圖

地圖：區域分佈圖

當需要呈現不同地區的數值分佈狀況時，可用 Excel 提供的**地圖**來呈現。例如想知道客戶分佈在全球的哪些區域、想知道台灣 COVID-19 疫情確診分佈的縣市、想知道各縣市新生兒人口分佈、…等。

109年各縣市新生兒人口統計	
	109年
新北市	25,465
臺北市	18,399
桃園市	21,005
臺中市	19,185
臺南市	10,489
高雄市	18,561
宜蘭縣	2,812
新竹縣	4,207
苗栗縣	2,744
彰化縣	11,790
南投縣	3,068
雲林縣	3,933
嘉義縣	2,859
屏東縣	4,385
臺東縣	1,350
花蓮縣	2,131
澎湖縣	956
基隆市	1,948
新竹市	3,482
嘉義市	1,386

▲ 用地圖來呈現 109 年新生兒人口數的分佈情形

散佈圖

顯示 2 組或是多組數值資料之間的關聯。散佈圖若包含 2 組座標軸，會在水平軸顯示一組數值資料，在垂直軸顯示另一組資料，圖表會將這些值合併成單一的資料點。散佈圖通常用於科學、統計及工程資料，你也可以拿來做產品的比較。

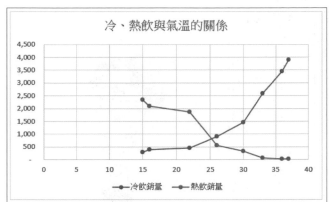

冷、熱飲與氣溫的關係			
月份	平均溫度	冷飲銷量	熱飲銷量
1	15	295	2,347
2	16	389	2,096
3	22	465	1,874
4	26	907	568
5	30	1,460	328
6	33	2,579	57
7	36	3,456	32
8	37	3,907	29

▲ 冷、熱兩種飲料會隨著氣溫變化而影響銷售量，氣溫愈高，冷飲的銷量愈好

雷達圖

可以用來做多個資料數列的比較。例如底下的例子，利用雷達圖來了解每位業務員最擅長及最不擅長的能力。

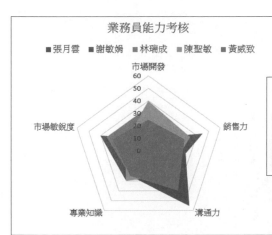

業務員能力考核					
	張月雲	謝敏娟	林瑞成	陳聖敏	黃威致
市場開發	20	10	35	40	25
銷售力	30	45	25	35	30
溝通力	55	25	30	25	40
專業知識	25	30	25	30	25
市場敏銳度	20	40	35	20	30

股票圖

股票圖顧名思義就是用來呈現股價的波動。例如輸入某檔股票一段時間內的**成交量**、**開盤價**、**最高價**、**最低價**、**收盤價**的資料，就可以繪製成圖表，以觀察走向。

個股股價行情表 (2003 台積電)					
日期	成交量	開盤	最高	最低	收盤
5/11	59020	579	580	70	571
5/12	131317	567	571	518	560
5/13	66455	547	563	541	547
5/14	38556	556	562	552	557
5/17	57631	544	558	541	549
5/18	44584	563	573	555	572
5/19	29505	571	572	565	567
5/20	30161	567	571	560	567
5/21	27796	572	577	568	573
5/24	15921	570	572	566	568
5/25	33870	576	584	573	583
5/26	19008	587	588	581	583
5/27	62889	580	582	573	585
5/28	29798	587	592	582	582
5/31	31298	595	597	590	590
6/1	18179	598	599	595	597
6/2	22205	600	600	593	598
6/3	21422	600	600	596	595
6/4	16046	591	595	590	596
6/7	17502	594	595	583	592

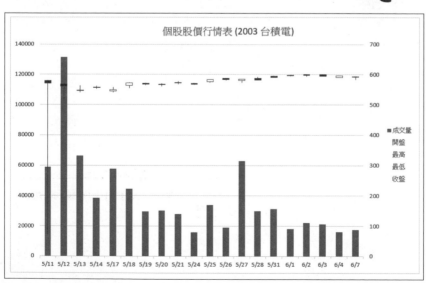

SECTION 11-2 建立圖表

了解各類型圖表的特性後,現在我們就以實例來學學如何在工作表中建立圖表,將令人眼花撩亂的數據變成美觀、容易辨別銷量高低的圖表。

將銷售資料建立成直條圖

請開啟範例檔案 Ch11-09,選取 A3:E12 儲存格範圍,切換到**插入**頁次,在**圖表**區中如下操作:

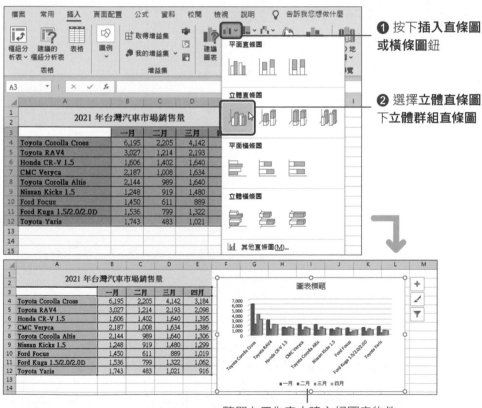

❶ 按下**插入直條圖或橫條圖**鈕

❷ 選擇**立體直條圖**下**立體群組直條圖**

隨即在工作表中建立好圖表物件

TIP 建立圖表後,若是修改了圖表的來源資料,圖表會自動修正內容。

按下「快速分析」鈕選擇圖表類型

在選取資料範圍後,按下**快速分析**鈕 ,切換到**圖表**頁次,Excel 會自動幫你分析選取的資料適用哪些圖表類型,將滑鼠指標移到圖表類型鈕上,可預覽建立圖表後的效果。若是不想套用建議的圖表類型,可按下**其他圖表**鈕從開啟的**插入圖表**交談窗中挑選。

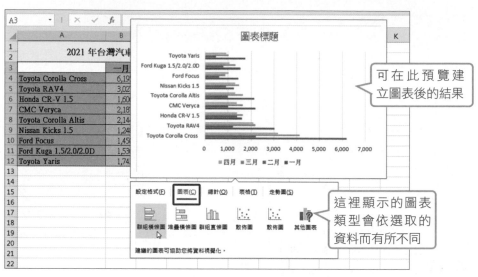

▲ 按下 圖 鈕,可從**圖表**頁次中挑選合適的圖表類型

Hotkey

選取來源資料後,按下 Alt + F1 鍵,可快速在工作表中建立圖表,不過所建立的圖表預設為直條圖,若有自行修改過預設的圖表類型,會以你設定的為主。

與圖表相關的設定都在圖表工具頁次

建立圖表物件後,圖表會呈選取狀態,功能區還會自動出現**圖表設計**及**格式**頁次,你可以在這兩個頁次中進行圖表的美化、編輯工作 (陸續會做介紹)。

圖表設計頁次

▲ 圖表的周圍出現框線，表示圖表目前為選取狀態

若是沒有看到**圖表設計**頁次，可能是你點選了圖表以外的區域，此時只要按一下圖表物件，即會再度出現**圖表設計**頁次。

將圖表單獨移動到新工作表中

剛才建立的圖表和資料來源放在同一個工作表中，其好處是可以對照資料來源中的數據，但若是圖表太大，反而容易遮住資料來源，此時建議將圖表單獨放在新的工作表中：

STEP 01 選取圖表後 (在圖表上按一下即可選取)，切換到**圖表設計**頁次，並按下**移動圖表**鈕。

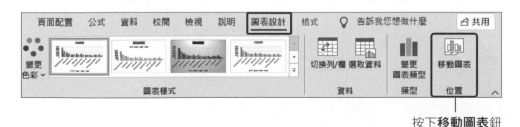

按下**移動圖表**鈕

STEP 02 接著會開啟**移動圖表**交談窗，讓你選擇圖表要移動到新工作表或是其他工作表中。

❷ 選擇**新工作表**項目，預設會以 **Chart1** 為工作表命名，可在此欄自行輸入工作表名稱

❶ 在此選擇**新工作表**

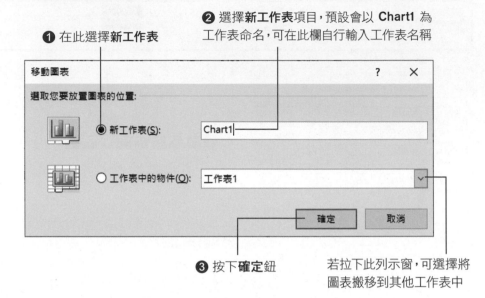

❸ 按下**確定**鈕

若拉下此列示窗，可選擇將圖表搬移到其他工作表中

STEP 03 設定完成，即可在 **Chart1** 工作表中看到圖表。

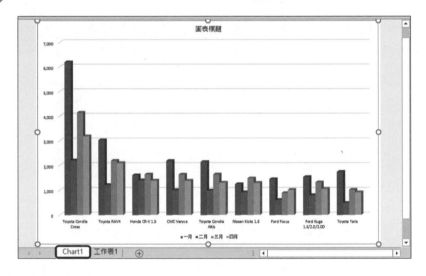

要將圖表建立在獨立的工作表中，除了剛才所述的方法外，還有一個更簡單的方法，那就是在選取資料來源後，直接按下 F11 鍵，即可自動將圖表建立在 **Chart1** 工作表中。

第 **11** 章 ▼ 用圖表呈現數據變化

調整圖表的位置及大小

為了方便與來源資料對照,將圖表建立在工作表中,也許圖表的位置和大小都不是很理想,沒關係!只要稍加調整即可。請開啟範例檔案 Ch11-10 來練習。

移動圖表的位置

建立好的圖表如果剛好覆蓋在來源資料上就不容易對照,此時可以將滑鼠指標移到圖表的外框上,當指標變成 ⁜ 狀,拖曳到適當的位置即可。

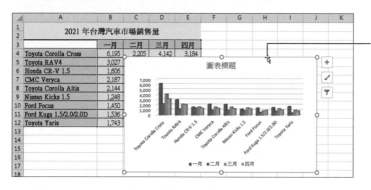

直接拖曳圖表的外框,可任意移動圖表的位置

調整圖表的大小

如果圖表的內容沒辦法完整顯示,或是覺得圖表太小看不清楚,可以拖曳圖表周圍的控點來調整:

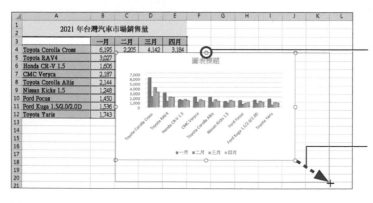

拖曳圖表上、下、左、右的控點,可單獨調整圖表的寬度或高度

拖曳四個角落的控點,可同步等比例縮放寬、高

圖表中的文字如果太小或太大，都會影響圖表的可讀性，要調整圖表中的文字大小、顏色、字型、…等，其實和調整儲存格文字的方法一樣，都可在**常用**頁次中做設定。

第**11**章

▼ 用圖表呈現數據變化

請接續剛才的範例檔案 Ch11-10，先選取圖表中的文字，再切換到**常用**頁次，在**字型**區拉下**字型大小**列示窗來調整。

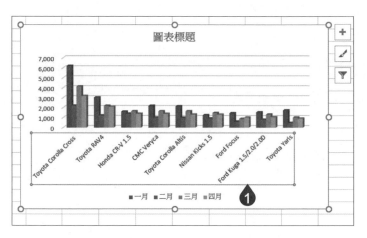

❶ 在文字上按一下，即可選定文字

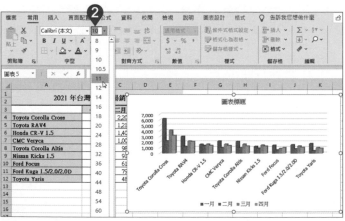

❷ 拉下**字型大小**列示窗，調整文字大小

TIP

在**字型**區中除了可以調整文字大小，還可以利用此區的工具鈕替文字加粗、套用斜體、變更顏色、…等。

調整文字大小後，圖表區也會自動縮放，如果調大文字後，圖表區反而變得不清楚，請拖曳圖表區的控點來調大圖表。

11-5 認識圖表的組成項目

圖表是由許多項目所組成，像是圖表標題、垂直座標軸、水平座標軸、圖例、…等，認識圖表中的各個項目，才能幫助我們在日後美化圖表時，正確選取目標對象。

不同圖表類型其組成項目多少會有些差異，但大部份是相同的。請開啟範例檔案 Ch11-11，切換到 **Chart1** 工作表來認識圖表的各個項目。

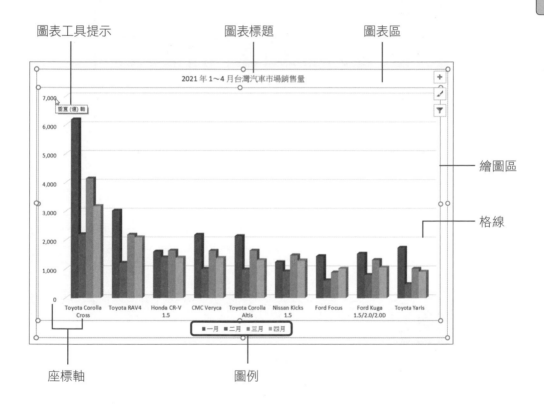

TIP

若是不清楚各個項目名稱，可將滑鼠指標移到圖表內的物件上，指標旁就會出現一個方框，顯示所指的項目名稱，這就是**圖表工具提示**的功能。

▶ **圖表區**：整個圖表及所涵蓋的所有項目。

▶ **繪圖區**：圖表顯示的區域,包含圖形、類別名稱、座標軸等區域。

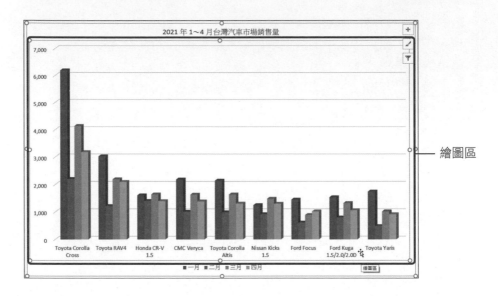

繪圖區

▶ **圖例**：各組資料數列的說明。圖例中包括**圖例符號**及**圖例項目**。

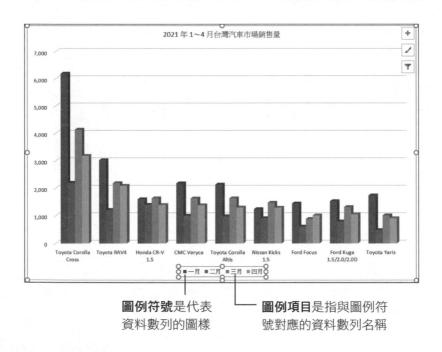

圖例符號是代表
資料數列的圖樣

圖例項目是指與圖例符
號對應的資料數列名稱

第 **11** 章
▼
用圖表呈現數據變化

▶ **座標軸與格線**：平面圖表通常有兩個座標軸：X 軸和 Y 軸；立體圖表上則有 3 個座標軸：X、Y 和 Z 軸。但並不是每種圖表都有座標軸，例如**圓形圖**就沒有座標軸。而由座標軸的刻度向上或向右延伸到整個**繪圖區**的直線就是**格線**。顯示格線比較容易查看圖表上資料點的實際數值。

Y 軸通常是垂直軸，包含數值資料　　　　　　　　　　　　　格線

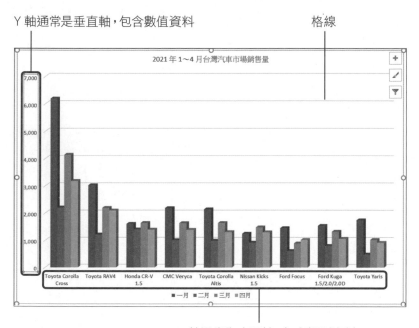

X 軸通常為水平軸，包含類別資料

▶ **圖表牆和圖表底板**：圖表牆和圖表底板則是立體圖表所特有的。

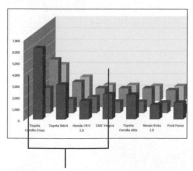

圖表**牆** (為了方便辨識，替圖表牆填上綠色，左側的灰色部份也是圖表牆)

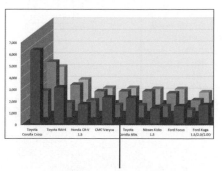

圖表**底板** (為了方便辨識，替圖表底板填上深灰色)

變更圖表類型

若是覺得當初建立圖表時所選的圖表類型不適合，該怎麼辦呢？你不必刪掉圖表再重畫，直接變換圖表類型就可以囉！

第 **11** 章

▼

用圖表呈現數據變化

要變更圖表類型，只要在選取圖表後，切換到**圖表設計**頁次，按下**類型**區的**變更圖表類型**鈕，重新選擇圖表即可。請開啟範例檔案 Ch11-12 來練習：

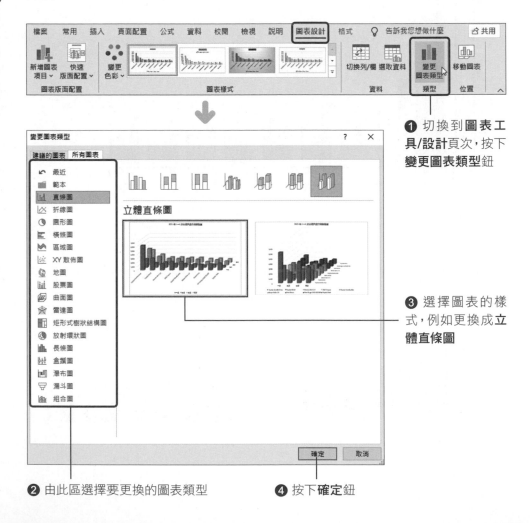

❶ 切換到**圖表工具/設計**頁次，按下**變更圖表類型**鈕

❸ 選擇圖表的樣式，例如更換成**立體直條圖**

❷ 由此區選擇要更換的圖表類型

❹ 按下**確定**鈕

SECTION
11-7 變更圖表的資料來源

建立圖表後才發現當初選取的資料範圍錯了，此時不必重新建立圖表，只要改變圖表的資料來源範圍，就可以更正了。

請重新開啟範例檔案 Ch11-12，以此範例而言，我們只需要繪製 1～3 月的銷售資料，不需要納入 4 月的資料，所以要重新選取資料範圍。

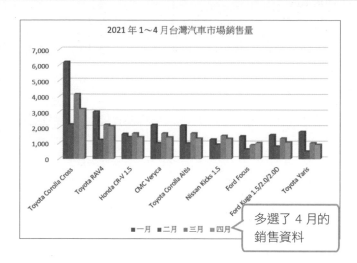

多選了 4 月的銷售資料

STEP 01 請在選取圖表後，切換到**圖表設計**頁次，按下**資料**區的**選取資料**鈕，開啟**選取資料來源**交談窗，如下操作：

❷ 按下**移除**鈕

若按下此鈕，可縮小交談窗，回到工作表中重新選取資料範圍

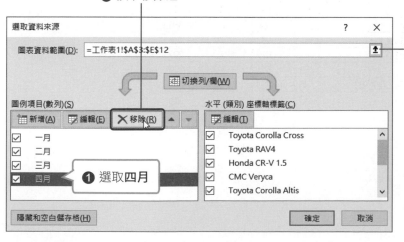

11-19

按下**確定**鈕後，圖表即會自動依選取範圍重新繪圖。

資料來源只會選取 1～3 月

圖表標題也請記得
改成 1～3 月喔！

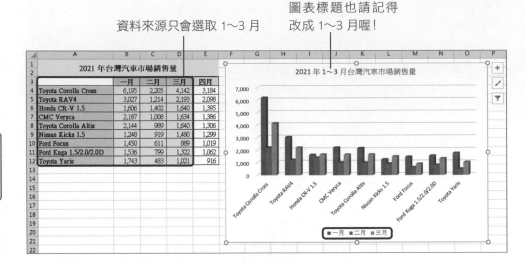

▲ 只繪製 1～3 月的銷售資料

此外，還有個更簡便的作法，就是當選取圖表時，也會自動選取來源資料
範圍，只要拖曳資料範圍角落的控點即可變更來源範圍，並更新圖表。

A	B 一月	C 二月	D 三月	E 四月
2021 年台灣汽車市場銷售量				
Toyota Corolla Cross	6,195	2,205	4,142	3,184
Toyota RAV4	3,027	1,214	2,193	2,098
Honda CR-V 1.5	1,606	1,402	1,640	1,395
CMC Veryca	2,187	1,008	1,634	1,386
Toyota Corolla Altis	2,144	989	1,640	1,306
Nissan Kicks 1.5	1,248	919	1,480	1,299
Ford Focus	1,450	611	889	1,019
Ford Kuga 1.5/2.0/2.0D	1,536	799	1,322	1,062
Toyota Yaris	1,743	483	1,021	916

拖曳角落的控點，
即可調整資料來源

職場活用術 快速改變圖表的欄列方向

資料數列取得的方向有循欄及循列兩種，以剛才的範例而言，圖表的資料數列是來自欄，如果想將資料數列改成從列取得，請在選取圖表後，切換到**圖表設計**頁次，按下**切換列/欄**鈕。

按下**切換列/欄**鈕

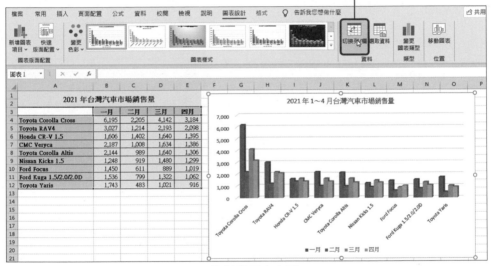

▲ 資料數列來自列

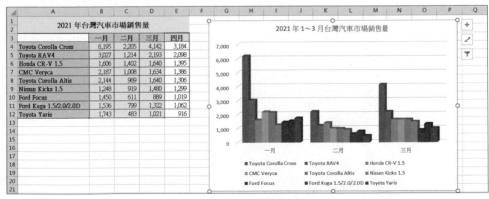

▲ 資料數列來自欄

MEMO

好不容易完成這一季各通路的銷售統計圖，可是圖表看起來好陽春啊！要怎麼調整才能讓圖表看起來專業一點呢？

其實 Excel 本身就提供很多圖表設定功能，你可以先套用現成的樣式，再逐步做細項的修改，就可以讓圖表更有專業架勢了！

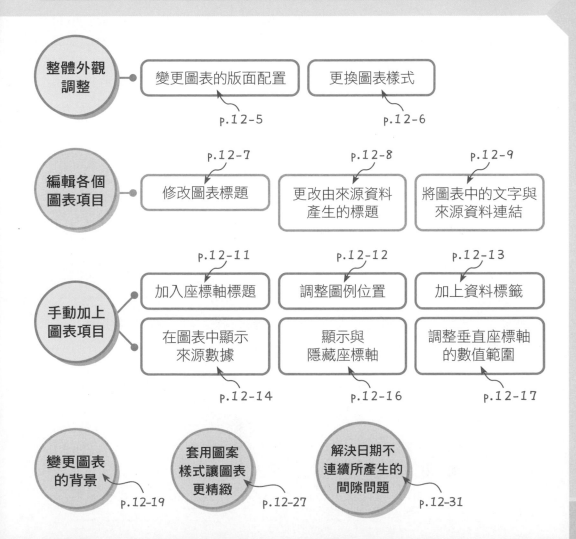

整體外觀調整

變更圖表的版面配置　p.12-5

更換圖表樣式　p.12-6

編輯各個圖表項目

p.12-7　修改圖表標題

p.12-8　更改由來源資料產生的標題

p.12-9　將圖表中的文字與來源資料連結

手動加上圖表項目

p.12-11　加入座標軸標題

p.12-12　調整圖例位置

p.12-13　加上資料標籤

在圖表中顯示來源數據　p.12-14

顯示與隱藏座標軸　p.12-16

調整垂直座標軸的數值範圍　p.12-17

變更圖表的背景　p.12-19

套用圖案樣式讓圖表更精緻　p.12-27

解決日期不連續所產生的間隙問題　p.12-31

建立圖表後可能會覺得圖表中的文字太小，或是預設的圖形色彩不夠鮮艷，或者想移動圖表中個別項目的位置、…等。在進行這些調整前，得先學會正確選取圖表項目的方法，才能精準地進行編輯或美化。

利用「圖表工具提示」辨識選取對象

圖表工具提示就是當滑鼠指標移到圖表內，指標旁會出現一個方框，顯示目前所指到的項目名稱。有了**圖表工具提示**，直接在圖表上選取圖表項目就方便多了。

請開啟範例檔案 Ch12-01，選取圖表物件後，將指標移到左圖所指的位置，當**圖表工具提示**出現「數列 "108 年" 資料點 "日本" 值：4,911,681」時，按下滑鼠左鍵即可選取 108 年出國的人數。

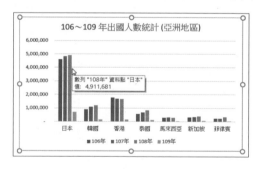
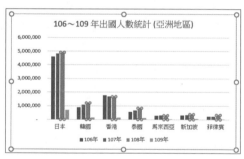

同樣地，若要選取**圖例**項目，將指標移到**圖例**附近，當**圖表工具提示**出現「圖例」時，按下滑鼠左鍵即可選取圖例。

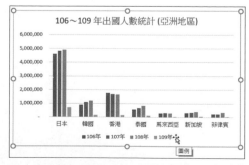
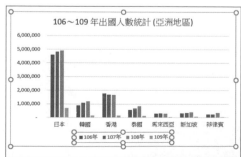

若要選取圖例中的圖例項目，則將指標
移到欲選取的圖例項目上，當圖表工具
提示出現「數列 "××" 圖例項目」時，
按一下滑鼠左鍵可選取圖例，再按一下
即可選取圖例項目。

按一下滑鼠左鍵可選取圖例

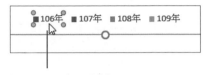

選取 "106 年" 圖例項目

使用下拉列示窗來選取圖表項目

除了使用**圖表工具提示**來選取圖表項目
外，當你選取圖表後，還可以切換到圖
表的**格式**頁次，在**目前的選取範圍**區拉
下**圖表項目**列示窗選取圖表項目，例如
要選取**繪圖區**項目，只要在列示窗中選
取**繪圖區**即可。

目前的選取
範圍 ˇ

圖表區

水平 (類別) 軸
垂直 (值) 軸
垂直 (值) 軸 主要格線
圖例
圖表區
圖表標題
繪圖區
數列 "106年"
數列 "107年"
數列 "108年"
數列 "109年"

列出圖表中所包
含的圖表項目

106～109 年出國人數統計 (亞洲地區)

6,000,000
5,000,000
4,000,000
3,000,000
2,000,000
1,000,000

日本　韓國　香港　泰國　馬來西亞　新加坡　菲律賓

■106年　■107年　■108年　■109年

選取圖表中的
「繪圖區」

取消選取圖表項目

要取消圖表項目的選取狀態,可按下 Esc 鍵,或是用滑鼠在圖表區以外的地方按一下左鍵。

調整圖表項目的位置及大小

選取圖表項目後,周圍會出現框線及控點,將指標移到框線內會呈 ⌖ 狀,可用滑鼠拖曳來搬移位置;若將指標指在控點上,指標會呈雙箭頭 ⬉,此時拖曳控點,可調整圖表項目的大小。

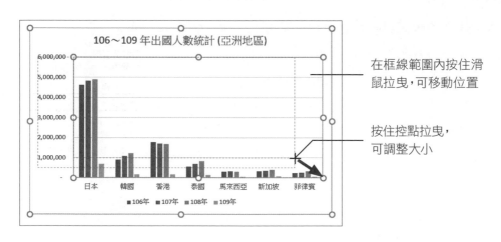

在框線範圍內按住滑鼠拉曳,可移動位置

按住控點拉曳,可調整大小

快速變換圖表的版面配置及樣式

建立圖表後，預設會顯示繪圖區、座標軸、圖例、…等項目 (套用不同的圖表類型，顯示的項目會略有不同)，並套用預設的樣式，如果想變更這些項目的位置，或是更改圖表的樣式，可依底下的說明進行修改。

變換圖表的版面配置

如果想在圖表中顯示座標軸標題或是想將圖例的位置搬到圖表上方、或是想把來源資料放在圖表下方、…等，你可以善用**快速版面配置**鈕來調整。請開啟範例檔案 Ch12-02 來練習：

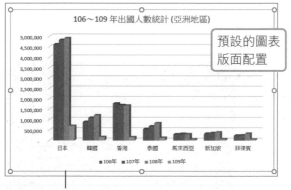

預設的圖表版面配置

❶ 請先選取圖表物件

❷ 切換到**圖表設計**頁次，按下**快速版面配置**鈕

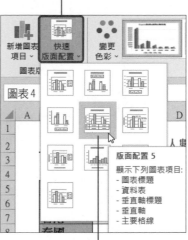

版面配置 5
顯示下列圖表項目：
- 圖表標題
- 資料表
- 垂直軸標題
- 垂直軸
- 主要格線

❸ 選擇一種版面配置 (例如選擇**版面配置 5** 樣式)

顯示座標軸標題

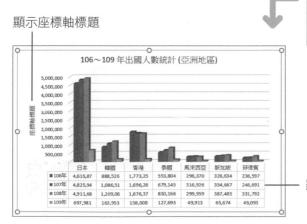

顯示圖表的來源資料

更換圖表的樣式

除了變更圖表的版面配置外，也可以替圖表套用現成的樣式，請在選取圖表後，切換到**圖表設計**頁次，在**圖表樣式**區選擇喜歡的樣式，或是按下**圖表樣式**區的**其他**鈕 ▽，展開所有樣式來挑選：

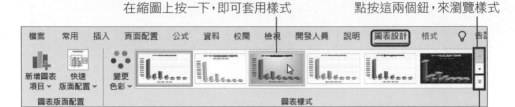

在縮圖上按一下，即可套用樣式　　　　　　點按這兩個鈕，來瀏覽樣式

按下**其他**鈕可展開所有樣式

在此套用**樣式 9**，以黑色背景來呈現可讓圖表更醒目。

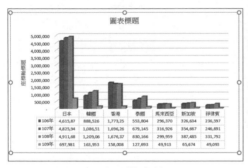

▲ 套用樣式前

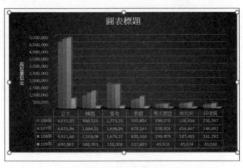

▲ 套用**樣式 9**

要更改圖表的樣式，也可以在選取圖表後，按下右側的**圖表樣式**鈕 ✎，從列示窗中挑選圖表樣式。

❶ 選取圖表後按下此鈕

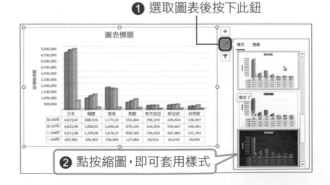

❷ 點按縮圖，即可套用樣式

Excel 在建立圖表或變換圖表的版面配置時，會自動產生相關的圖表項目，例如圖例、座標軸標題、圖表標題、…等，但預設產生的文字可能不是你想要的，現在就來看看如何修改圖表項目文字。

修改圖表標題

請開啟範例檔案 Ch12-03，在此以修改圖表標題為例：

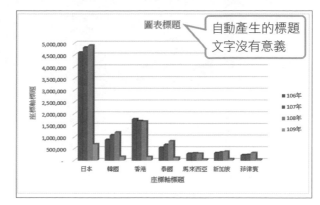

STEP 01 選取圖表標題後，再於文字中按一下滑鼠左鍵，即會出現插入點：

▲ 在圖表標題上按一下滑鼠左鍵，選取圖表標題

▲ 在圖表標題內按一下，即會出現插入點，讓你修改文字

STEP 02 將原本的文字刪除並輸入新的標題文字，輸入完畢將滑鼠移到圖表標題以外的區域按一下，即可取消選取：

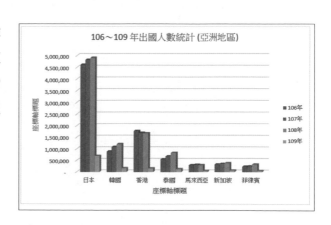

STEP 03 修改座標軸標題的文字也是同樣的方法，請自行試試！比較特別的是**垂直軸標題**的文字修改後是橫躺的。請選取**垂直軸標題**，按下**常用**頁次的**方向**鈕，選擇**垂直文字**，即可改成直式文字。

❶ 選取**垂直軸標題** (文字是橫躺的)

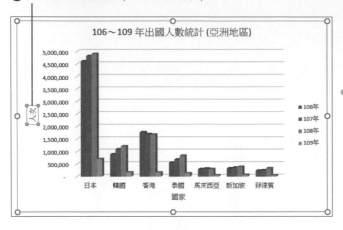

❷ 按下此鈕

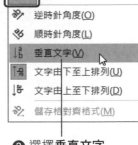

❸ 選擇**垂直文字**

更改文字方向了

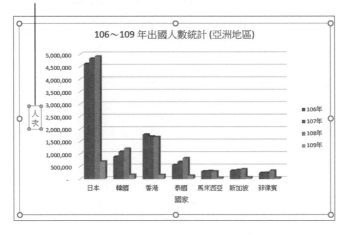

更改由來源資料產生的標題

更改圖表中其他文字也是相同的方法，不過要注意的是，如果要更改的文字是由來源資料所產生的，那麼就得修改來源資料的內容，無法直接修改圖表項目，例如圖例、類別座標軸標籤。

接續剛才的範例，我們要將類別座標軸標籤中的「菲律賓」改成「印尼」，請選取 B11 儲存格，輸入 "印尼"，按下 Enter 鍵後，圖表就會立即自動更新。

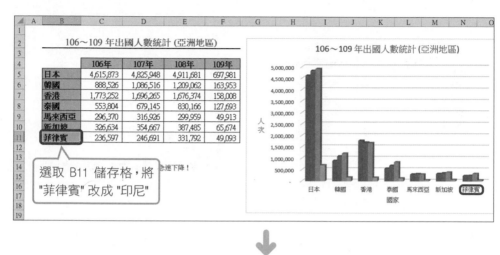

選取 B11 儲存格，將 "菲律賓" 改成 "印尼"

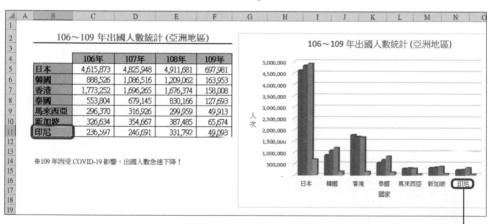

對應的類別座標軸自動隨著來源資料變更了

將圖表中的文字與來源資料連結

Excel 會自動將來源資料與圖表做連結，這樣當來源資料有變動時，圖表也會自動更新，不必重新建立圖表。如果也想將圖表文字與來源資料做連結，可以如下操作：

STEP 01 在此以圖表標題為例，請選取圖表標題，在**資料編輯列**上輸入 "="：

❷ 在此輸入 "=" ❶ 選取圖表標題

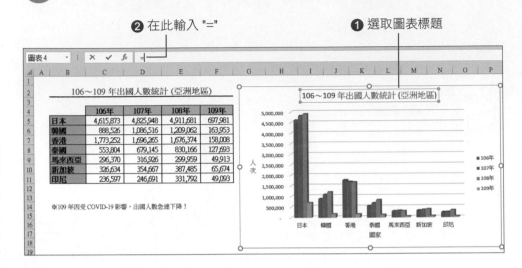

STEP 02 點選要連結的 B2 儲存格，按下 Enter 鍵，則圖表標題就會連結到 B2 儲存格，並變更為 B2 儲存格的內容，日後若更改了 B2 儲存格的內容，圖表標題也會自動跟著變更。

圖表標題變更成 B2 儲存格的內容

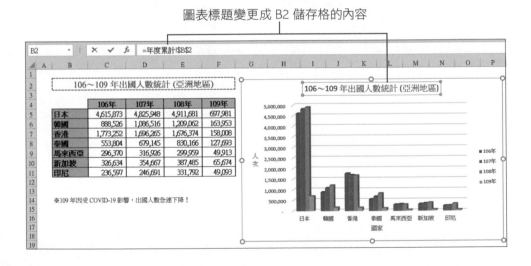

刪除圖表文字

要刪除圖表文字，只要選取圖表文字後，按下 Delete 鍵即可。

SECTION 12-4 手動加上圖表項目

建立圖表後，你可以隨時視情況增加需要的圖表項目，如：座標軸標題、圖例、資料標籤、格線…等，相關操作都在**圖表設計**頁次中。

加入「座標軸標題」

建立圖表後，會自動產生座標軸，如果想讓人更容易理解座標軸的內容是什麼，你可以適時地幫座標軸加上標題。請開啟範例檔案 Ch12-04，選取圖表後，按下**圖表設計**頁次**新增圖表項目**鈕的**座標軸標題**，選擇要顯示水平或垂直座標軸標題：

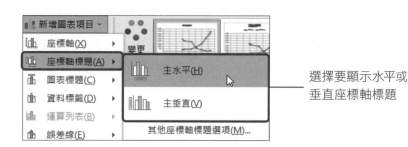

選擇要顯示水平或
垂直座標軸標題

在此以加入水平座標軸標題為例，點選上圖的**主水平**項目後，會在座標軸下方產生「座標軸標題」，按一下左鍵即可修改內容：

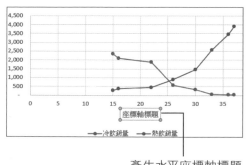

產生水平座標軸標題

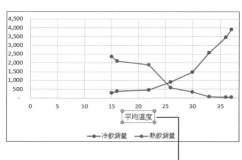

將水平座標軸標題改成 "平均溫度"

調整「圖例」位置

圖例可說是圖表的參考指南，清楚地指出資料數列所代表的意義，若是圖表沒有顯示圖例，或是想變更圖例的顯示位置，可以在**圖表版面配置**區中，按下**新增圖表項目**鈕，選擇**圖例**來設定：

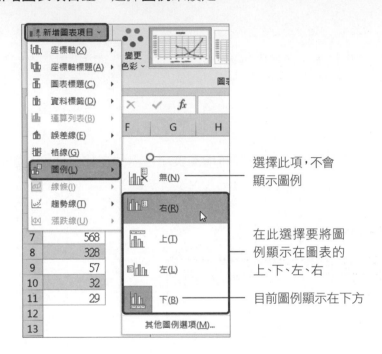

選擇此項，不會
顯示圖例

在此選擇要將圖例顯示在圖表的
上、下、左、右

目前圖例顯示在下方

你可以依需求選擇圖例的位置，例如下圖選擇將圖例放在右方：

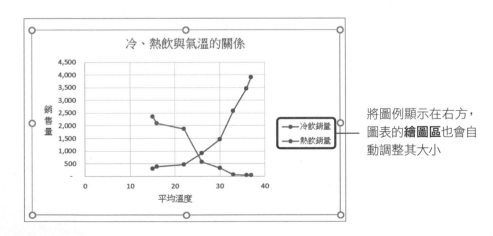

將圖例顯示在右方，
圖表的**繪圖區**也會自
動調整其大小

加上「資料標籤」讓圖表更容易閱讀

資料標籤會在圖表上顯示來源資料的數值或數列名稱、類別名稱等資訊，讓圖表的可讀性更高。要顯示資料標籤，請在選取圖表後，切換到**圖表設計**頁次按下**新增圖表項目**鈕的**資料標籤**，選擇資料標籤的顯示位置：

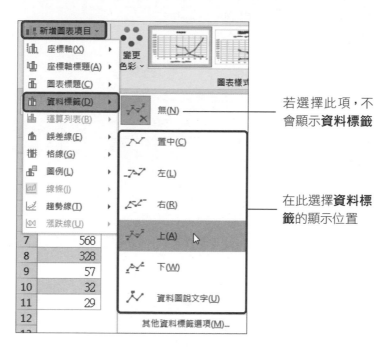

若選擇此項，不會顯示**資料標籤**

在此選擇**資料標籤**的顯示位置

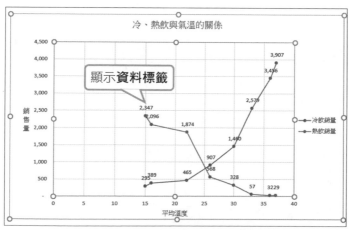

▲ 顯示資料標籤後若數值有重疊的情形，
可適時調整**繪圖區**或是圖表的大小

此外，按下**新增圖表項
目**鈕的**資料標籤**，選
擇**其他資料標籤選項**命
令，可開啟**資料標籤格
式**工作窗格，進一步選
擇資料標籤是否要顯示
數列及類別名稱：

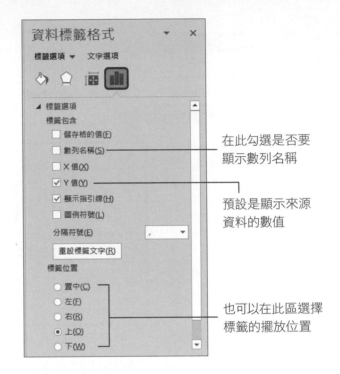

在此勾選是否要
顯示數列名稱

預設是顯示來源
資料的數值

也可以在此區選擇
標籤的擺放位置

在圖表中顯示來源數據

如果想一邊觀看圖表，一邊對照原始資料，可以在圖表中加上**運算列表**，
這樣來源資料就會直接列在圖表底下，方便做對照。

請開啟範例檔案 Ch12-05，選取圖表後，按下**新增圖表項目**鈕的**運算列
表**，選擇『**有圖例符號**』命令：

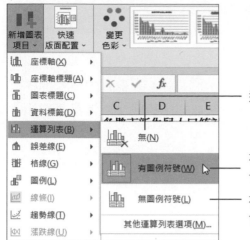

選擇此項，不會顯示資料表

在圖表下方顯示資料表，同時也包含圖例符號

在圖表下方顯示資料表，但不會顯示圖例符號

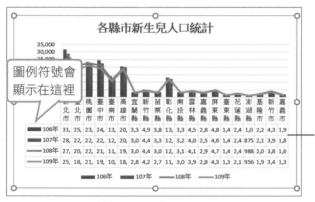

來源資料顯示在圖表底下

▲ 由於來源資料的數值位數較多，有部份資料被遮住了，請將圖表調大即可完整顯示

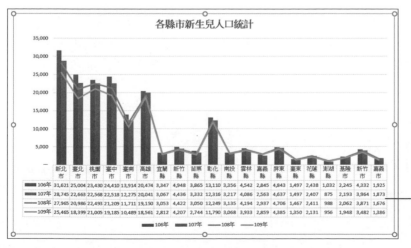

將圖表調大，就能完整顯示來源數值

顯示與隱藏座標軸

建立圖表時會自動產生水平及垂直座標軸，如果不需要對照數據，可以將垂直座標軸隱藏起來，讓圖表有較多的顯示空間。請重新開啟範例檔案 Ch12-05，選取圖表後，按下**新增圖表項目**鈕的**座標軸**，決定是否顯示水平或是垂直座標軸：

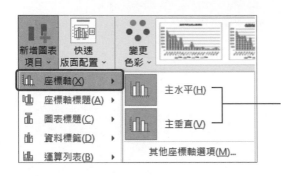

預設會顯示水平及垂直座標軸 (按鈕呈深灰色狀態)，若是不想顯示，只要在命令上按一下，即可隱藏座標軸

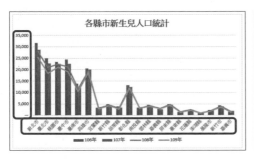

▲ 顯示水平及垂直座標軸

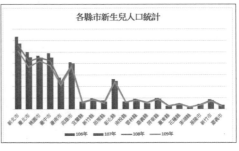

▲ 隱藏垂直座標軸

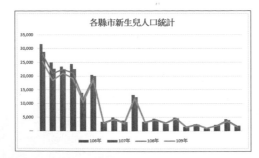

▲ 隱藏水平座標軸

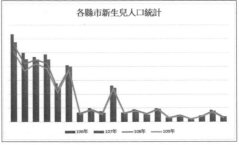

▲ 隱藏水平及垂直座標軸

調整垂直座標軸的數值範圍

如果覺得預設的垂直座標軸其數值範圍太大或太小，還可以自己手動設定。請選取垂直座標軸後，按下**新增圖表項目**鈕，執行『**座標軸/其他座標軸選項**』命令，開啟**座標軸格式**工作窗格來設定：

❶ 點選**座標軸選項**

❷ 可自行輸入數值軸範圍的最大和最小值

❸ 自行輸入主要刻度 (或次要刻度) 的間距

自行輸入數值後，這裡會變成**重設**鈕，按下此鈕可恢復預設值

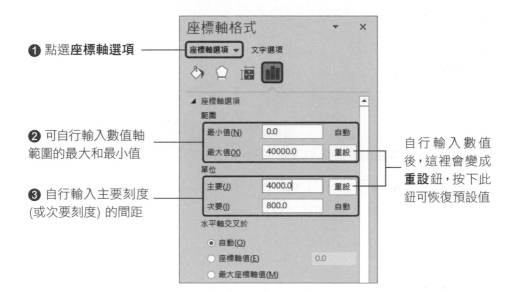

例如我們將座標軸範圍的**最小值**設為 "0"、**最大值**設為 "40,000"、主要刻度間距設為 "4000"，其結果如下圖：

最大值

刻度與刻度之間相差 4000

最小值

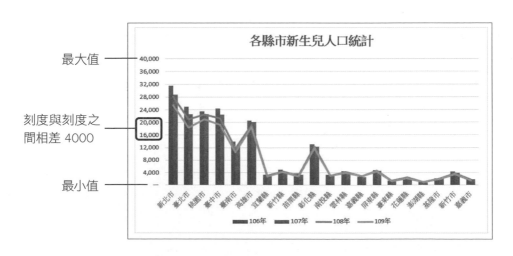

顯示格線

格線是從座標軸延伸到繪圖區的線條，你可以設定水平 (或垂直) 主座標軸及次座標軸格線的顯示與否。請切換到**圖表設計**頁次，按下**新增圖表項目**鈕的**格線**，來顯示或隱藏水平或垂直座標軸格線。

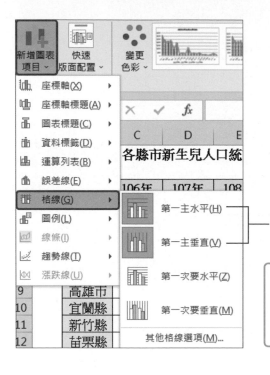

此例選擇顯示主水平及主垂直格線

預設會顯示水平座標軸格線 (按鈕呈深灰色狀態)，若是不想顯示，只要在命令上按一下即可隱藏

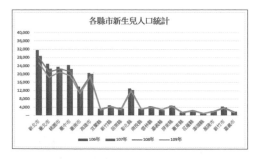

▲ 設定前只有顯示主水平座標軸格線

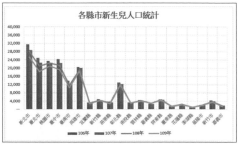

▲ 同時顯示主水平及主垂直座標軸格線

除了更改圖表的樣式外,還可以更改「圖表牆」與圖表「底板」的背景,並在「繪圖區」填入漸層色彩或圖樣,讓圖表更出色。

替「圖表牆」與圖表「底板」填上背景

圖表**牆**和圖表**底板**都是立體圖表特有的,你可以分別為圖表**牆**或圖表**底板**填入色彩、漸層、材質或是圖片,讓圖表更有立體感。

STEP 01 請開啟範例檔案 Ch12-06,選取圖表後,在圖表中按滑鼠右鍵,從**圖表項目**列示窗中挑選要設定的圖表項目:

由列示窗中選取**圖表牆**

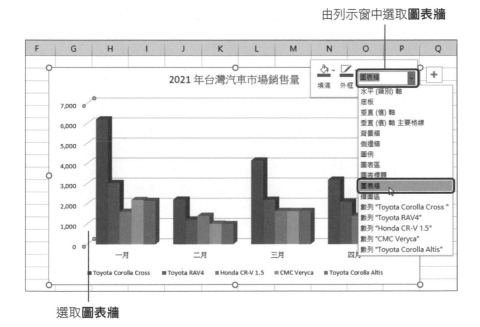

選取**圖表牆**

STEP 02 接著在選取的圖表牆上按滑鼠右鍵,執行**圖表牆格式**命令,即可開啟**圖表牆格式**工作窗格,進行相關設定:

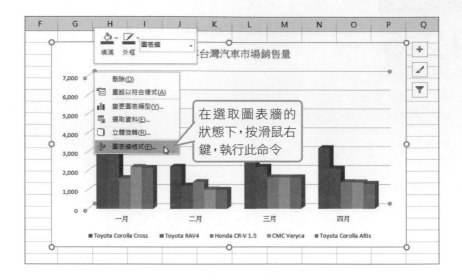

在選取圖表牆的
狀態下，按滑鼠右
鍵，執行此命令

STEP 03 開啟**圖表牆格式**工作窗格後，按一下**填滿**項目，展開其下的設定選項，即可替圖表牆填入純色、漸層或是圖片、…等。

❶ 在此選擇**漸層填滿**

❷ 按下此鈕，挑選預設的漸層色彩

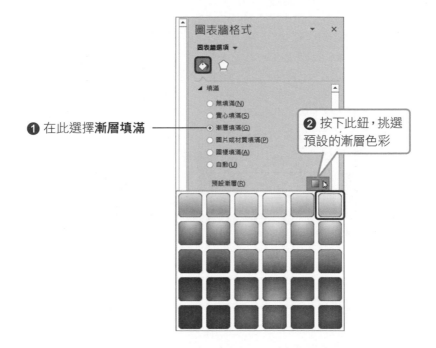

設定完成，按下**圖表牆格式**工作窗格右上角的**關閉**鈕 ⨯。

在**圖表牆**中填入漸層色

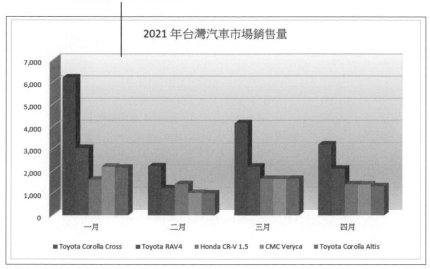

底下說明各種填滿方式：

▶ **無填滿**：選擇此項，不會填滿任何色彩或材質。

▶ **實心填滿**：選擇此項可填入單一色彩，並可調整透明度。

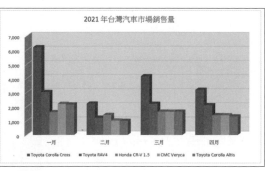

▶ **漸層填滿**：按下**預設漸層**下
拉鈕，可套用現成的漸層樣
式，或是在**漸層停駐點**區，
自訂漸層的停駐點來調配漸
層色。

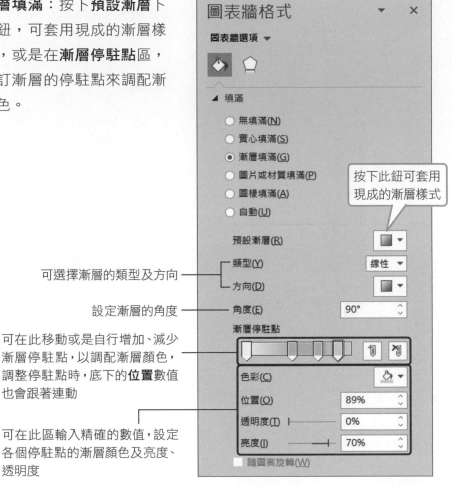

可選擇漸層的類型及方向 ─────

設定漸層的角度 ─────

可在此移動或是自行增加、減少
漸層停駐點，以調配漸層顏色，
調整停駐點時，底下的**位置**數值
也會跟著連動

可在此區輸入精確的數值，設定
各個停駐點的漸層顏色及亮度、
透明度

按下此鈕可套用
現成的漸層樣式

▶ **圖片或材質填滿**：套用
現成的材質或是圖片來
當背景，並可設定透明
度及檔案的排列方式。

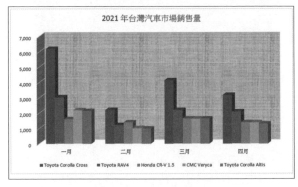

▲ 此圖為套用現成的材質樣式

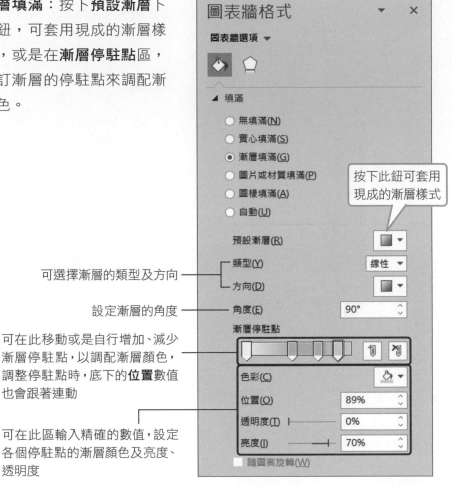（此圖包含下列內容）

圖表牆格式

圖表牆選項 ▼

◢ 填滿

○ 無填滿(N)
○ 實心填滿(S)
◉ 漸層填滿(G)
○ 圖片或材質填滿(P)
○ 圖樣填滿(A)
○ 自動(U)

預設漸層(R)

類型(Y) ─ 線性
方向(D)

角度(E) ─ 90°

漸層停駐點

色彩(C)
位置(O) ─ 89%
透明度(T) ─ 0%
亮度(I) ─ 70%

□ 隨圖案旋轉(W)

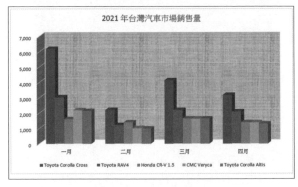

2021 年台灣汽車市場銷售量

7,000
6,000
5,000
4,000
3,000
2,000
1,000
0

一月　　二月　　三月　　四月

■ Toyota Corolla Cross　■ Toyota RAV4　■ Honda CR-V 1.5　■ CMC Veryca　■ Toyota Corolla Altis

第 **12** 章

▼ 讓圖表更專業的編輯技巧

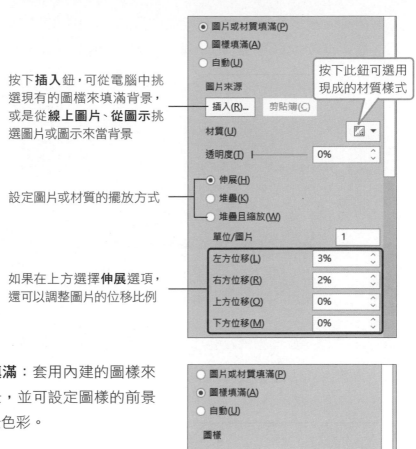

按下**插入**鈕，可從電腦中挑選現有的圖檔來填滿背景，或是從**線上圖片**、**從圖示**挑選圖片或圖示來當背景

設定圖片或材質的擺放方式

按下此鈕可選用現成的材質樣式

如果在上方選擇**伸展**選項，還可以調整圖片的位移比例

▶ **圖樣填滿**：套用內建的圖樣來當背景，並可設定圖樣的前景與背景色彩。

在此挑選圖樣來填滿

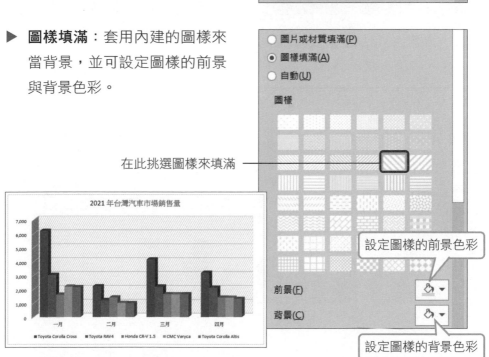

設定圖樣的前景色彩

設定圖樣的背景色彩

▶ **自動**：如果圖表套用了**圖表樣式**中的範本，再選擇此項，會以範本中設定的顏色為主。

圖表**底板**的填滿方式大同小異，你可以在圖表中點選圖表**底板**，再按右鍵執行『**底板格式**』命令，即可開啟**底板格式**工作窗格進行填色。

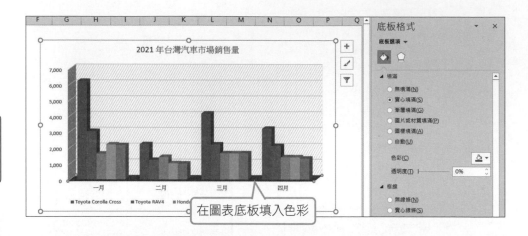

在圖表底板填入色彩

繪圖區的美化

圖表的**繪圖區**預設為白色，你可以手動替**繪圖區**填入色彩、漸層或是圖片，讓圖表更美觀。請重新開啟範例檔案 Ch12-06，選取圖表後，在圖表中按滑鼠右鍵，拉下**圖表項目**列示窗選擇**繪圖區**：

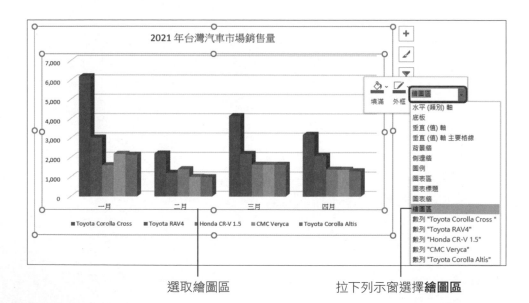

選取繪圖區　　　　　　　　　　　　　拉下列示窗選擇**繪圖區**

選取**繪圖區**後，請切換到圖表的**格式**頁次，按下**圖案樣式**區的**圖案填滿**
鈕，即可填滿顏色或是材質。

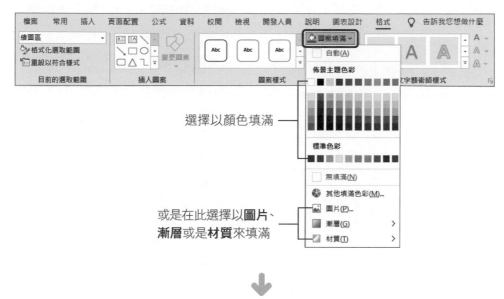

選擇以顏色填滿 ──

或是在此選擇以**圖片**、
漸層或是**材質**來填滿

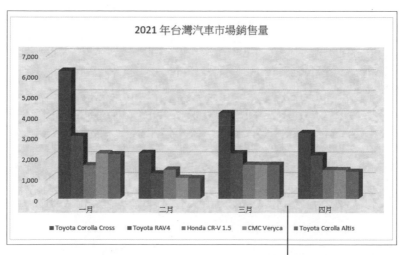

2021 年台灣汽車市場銷售量

■ Toyota Corolla Cross　■ Toyota RAV4　■ Honda CR-V 1.5　■ CMC Veryca　■ Toyota Corolla Altis

在**繪圖區**填入**羊皮紙**材質

立體圖表為三度空間型態的統計圖表，你可以改變旋轉角度來觀看圖表。請開啟範例檔案 Ch12-07，選取圖表後，在**圖表區**中雙按滑鼠左鍵，即可開啟**圖表區格式**工作窗格進行設定：

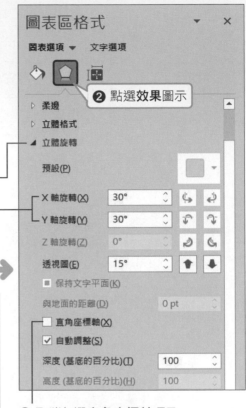

❷ 點選**效果**圖示

❸ 在**立體旋轉**項目上按一下，展開其下的設定選項

❹ 設定圖表的 X 軸或 Y 軸的旋轉角度

❺ 取消勾選**直角座標軸**項目，還可設定**透視圖**的角度

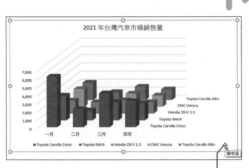

❶ 在此雙按

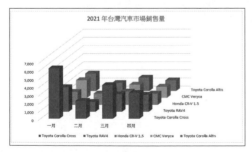

▲ 旋轉前

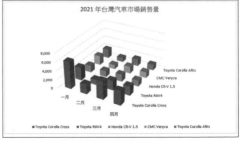

▲ **X 軸旋轉**：30 度；**Y 軸旋轉**：30 度；**透視圖**：15 度；取消勾選**直角座標軸**

套用圖案樣式
讓圖表更精緻

在圖表的格式頁次中有個圖案樣式庫，可讓圖表中的圖案更立體、美觀，此外，還能進一步調整圖案樣式的色彩、框線及立體效果，突顯想要強調的部份。

套用「圖案樣式」

請開啟範例檔案 Ch12-08，選取圖表後，切換到圖表的**格式**頁次，在**目前的選取範圍**區中拉下**圖表項目**列示窗，選擇**數列 "一月"**：

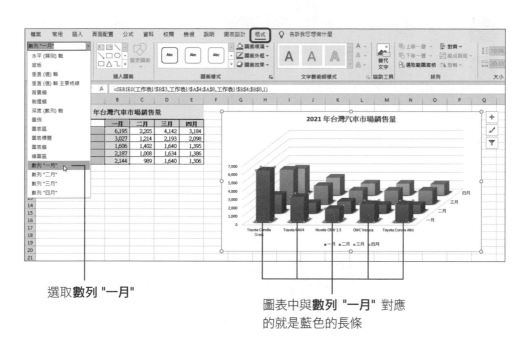

選取**數列 "一月"**

圖表中與**數列 "一月"** 對應的就是藍色的長條

接著，在**圖案樣式**區中按下**其他**鈕 ![down arrow icon]，展開圖案樣式以方便選取：

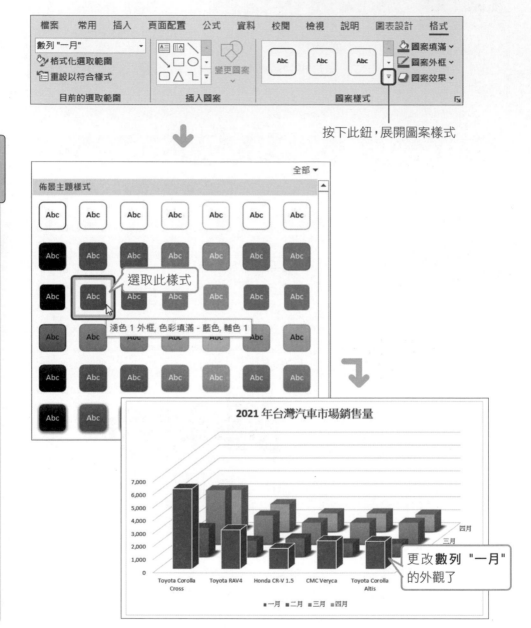

按下此鈕，展開圖案樣式

選取此樣式

淺色 1 外框, 色彩填滿 - 藍色, 輔色 1

2021 年台灣汽車市場銷售量

更改**數列 "一月"** 的外觀了

利用同樣的方法，你可以繼續更改其他數列，或是選取圖表中的其他物件來美化。

進一步調整圖案樣式的色彩、框線及立體效果

套用現成的圖案樣式後，你可以進一步更改圖案的色彩、框線或是立體效果。請選取剛才套用圖案樣式的**數列 "一月"**，我們要在**圖案樣式**區中做更進一步的調整：

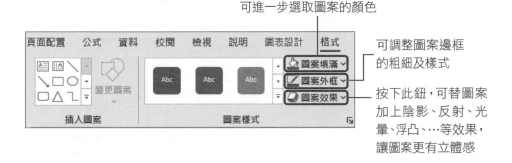

可進一步選取圖案的顏色

可調整圖案邊框的粗細及樣式

按下此鈕，可替圖案加上陰影、反射、光暈、浮凸、…等效果，讓圖案更有立體感

▶ **圖案填滿**：可由**佈景主題色彩**、**標準色彩**區中選擇單一顏色，若是這些色彩都沒有你所需要的，可選擇**其他填滿色彩**命令，由色盤中自訂顏色；另外，你也可以填入圖片、材質或是漸層色彩。

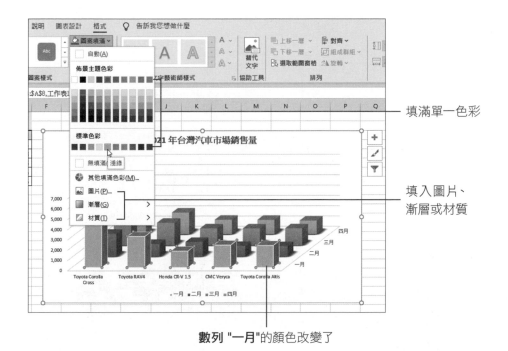

填滿單一色彩

填入圖片、漸層或材質

數列 "一月"的顏色改變了

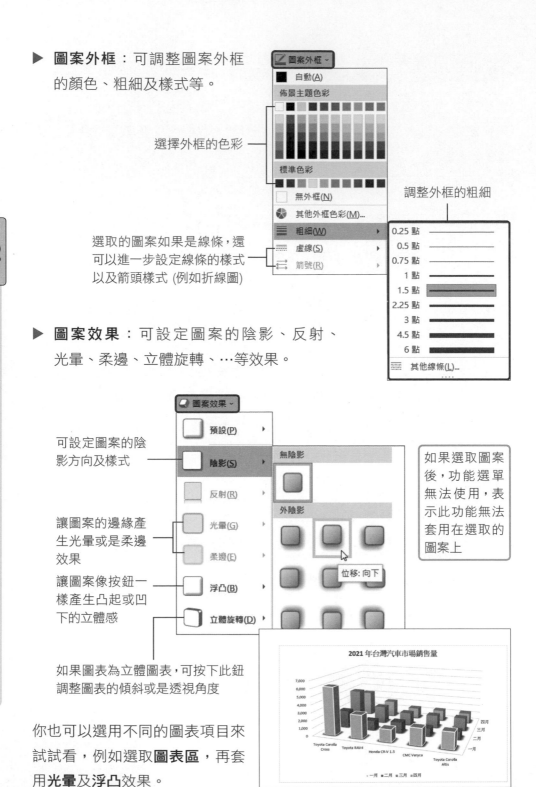

▶ **圖案外框**：可調整圖案外框的顏色、粗細及樣式等。

選擇外框的色彩

調整外框的粗細

選取的圖案如果是線條，還可以進一步設定線條的樣式以及箭頭樣式 (例如折線圖)

▶ **圖案效果**：可設定圖案的陰影、反射、光暈、柔邊、立體旋轉、…等效果。

可設定圖案的陰影方向及樣式

讓圖案的邊緣產生光暈或是柔邊效果

讓圖案像按鈕一樣產生凸起或凹下的立體感

如果圖表為立體圖表，可按下此鈕調整圖表的傾斜或是透視角度

如果選取圖案後，功能選單無法使用，表示此功能無法套用在選取的圖案上

你也可以選用不同的圖表項目來試試看，例如選取**圖表區**，再套用**光暈**及**浮凸**效果。

資料來源的日期不連續，圖表產生間隙怎麼辦？

當資料來源的日期不連續，繪製出來的圖表就會產生間隙，這樣不但不美觀，也很難從圖表看出趨勢。例如範例檔案 Ch12-09，要統計飲料日產量，但是假日不生產所以沒有資料，繪製後的直條圖變成不連續的線段，這樣就不容易看出產量狀況。

沒有資料的日期會產生間隙

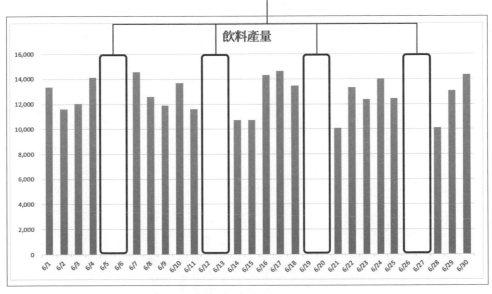

▲ 假日沒產量所以沒有資料，但 Excel 會自動帶入連續的日期資料

如果不希望資料間產生空隙，只要做個小設定就可以了。請選取圖表中的水平座標軸 (日期)，在座標軸上按滑鼠右鍵，執行**座標軸格式**命令，開啟**座標軸格式**工作窗格來做設定：

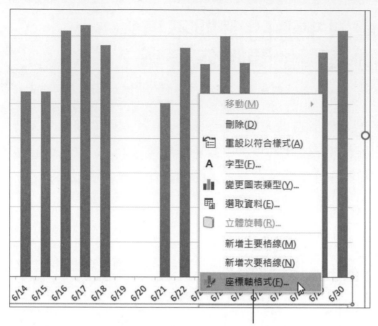

❶ 執行此命令

❷ 選取**文字座標軸**

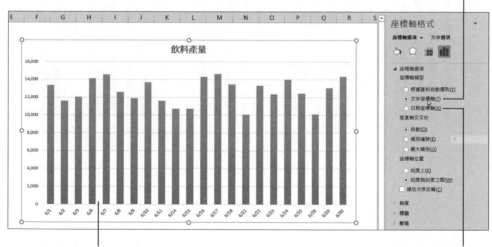

❸ 圖表中的間隙不見了

Excel 預設會採用**日期座標軸**，
所以會產生連續的日期座標軸

13 資料的排序、篩選與小計

我手邊有一份上半年的銷售資料，經理要我列出 3 月份、北區、所有蛋糕類的銷售資料，但是資料筆數太多，我要怎麼處理才快呢？

先別被龐大的資料量給嚇到了，你可以用超強的「篩選」功能，指定好條件後，瞬間就能找出你要的資料了！

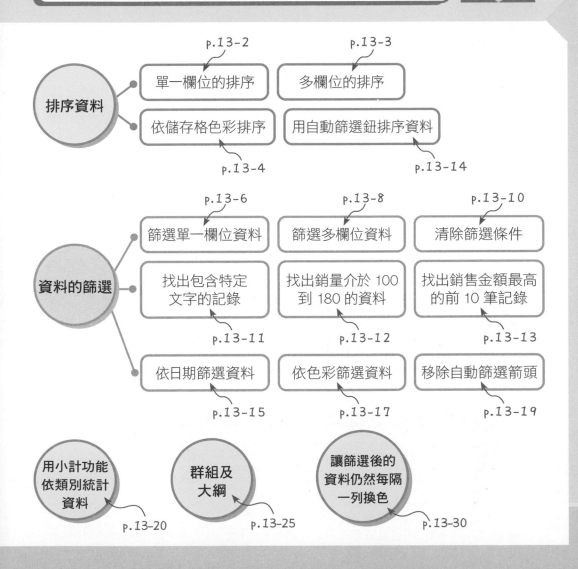

排序資料

- 單一欄位的排序　p.13-2
- 多欄位的排序　p.13-3
- 依儲存格色彩排序　p.13-4
- 用自動篩選鈕排序資料　p.13-14

資料的篩選

- 篩選單一欄位資料　p.13-6
- 篩選多欄位資料　p.13-8
- 清除篩選條件　p.13-10
- 找出包含特定文字的記錄　p.13-11
- 找出銷量介於 100 到 180 的資料　p.13-12
- 找出銷售金額最高的前 10 筆記錄　p.13-13
- 依日期篩選資料　p.13-15
- 依色彩篩選資料　p.13-17
- 移除自動篩選箭頭　p.13-19

- 用小計功能依類別統計資料　p.13-20
- 群組及大綱　p.13-25
- 讓篩選後的資料仍然每隔一列換色　p.13-30

13-1 排序資料

> 排序是將資料按照某個順序重新排列組織，例如依營業額由高到低排序、依安全庫存量的多寡來排序等等。排序除了可歸納同質性的資料外，還能找出最大值或最小值，有助於數據的分析。

如何決定排序的依據？

排序資料前，要先決定兩件事：

▶ **排序的欄位**：選擇要以哪個欄位為排列依據。

▶ **排序的順序**：有**最小到最大** (遞增) 和**最大到最小** (遞減) 兩種。

依單一欄位排序資料

請開啟範例檔案 Ch13-01，這是一份業務員業績及達成率的表格，表格中的資料沒有經過排序，想找出達成率最高的業務，很難一眼就找出來，因此想將**達成率**欄位**從最大到最小**排序。

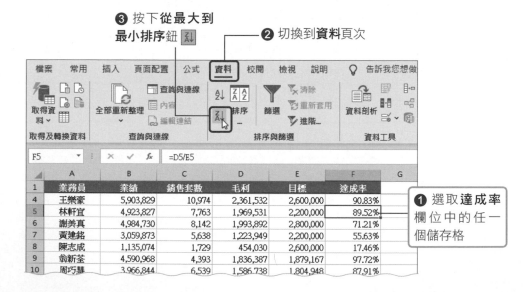

❸ 按下**從最大到最小排序**鈕 ![]

❷ 切換到**資料**頁次

❶ 選取**達成率**欄位中的任一個儲存格

	A	B	C	D	E	F
1	業務員	業績	銷售套數	毛利	目標	達成率
2	翁新荃	4,590,968	4,393	1,836,387	1,879,167	97.72%
3	張美娟	5,903,927	11,386	2,361,571	2,600,000	90.83%
4	王樂豪	5,903,829	10,974	2,361,532	2,600,000	90.83%
5	林軒宜	4,923,827	7,763	1,969,531	2,200,000	89.52%
6	周巧慧	3,966,844	6,539	1,586,738	1,804,948	87.91%
7	劉邦德	3,964,546	5,704	1,585,818	1,803,948	87.91%
8	許淑靜	3,829,487	5,623	1,531,795	2,017,400	75.93%
9	許信傑	2,758,926	5,678	1,103,570	1,500,000	73.57%
10	謝美真	4,984,730	8,142	1,993,892	2,800,000	71.21%

將達成率由
高到低排列

通常我們只需要在分析資料時使用排序功能，分析資料後希望能夠回復到初始的排列順序，但是 Excel 沒有提供還原初始排序的功能，只能在排序後立即按下**快速存取工具列**的**復原**鈕 ↩。因此，強列建議你在排序資料前利用「另存新檔」或是「複製工作表」的方法，保留一份原始資料！

多欄位的排序

排序資料不限只能排序一個欄位，也可以同時指定一個以上的欄位進行排序，例如要排序 3 個欄位，其排序的原則如下：

1. 先依據主要欄位排序。

2. 和主要欄位相同的記錄，再以次要欄位進行排序。

3. 和主要欄位、次要欄位均相同的記錄，最後再以第 3 個欄位排序。

剛才依**達成率**欄位從最大到最小排序的結果發現，有幾位業務員的達成率相同，由於之後要排名次，因此想再比較**毛利**欄位的高低。

STEP 01 請選取表格中的任一個儲存格，切換到**資料**頁次按下**排序**鈕，開啟**排序**交談窗繼續設定第 2 個排序欄位：

❶ 按下**新增層級**鈕，建立第 2 個排序欄位

❷ 拉下列示窗選擇第 2 個排序欄位：毛利

❸ 選擇依**儲存格值**來排序

❹ 選擇**最大到最小**，再按下**確定**鈕

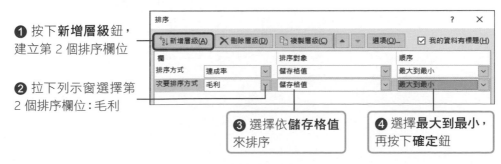

STEP 02 設定好 2 個排序條件後，會先依「達成率」做遞減排序，當達成率相同時，再以「毛利」做遞減排序。

	A	B	C	D	E	F
1	業務員	業績	銷售套數	毛利	目標	達成率
2	翁新荃	4,590,968	4,393	1,836,387	1,879,167	97.72%
3	張美娟	5,903,927	11,386	2,361,571	2,600,000	90.83%
4	王樂豪	5,903,829	10,974	2,361,532	2,600,000	90.83%
5	林軒宜	4,923,827	7,763	1,969,531	2,200,000	89.52%
6	周巧慧	3,966,844	6,539	1,586,738	1,804,948	87.91%
7	劉邦德	3,964,546	5,704	1,585,818	1,803,948	87.91%
8	許淑靜	3,829,487	5,623	1,531,795	2,017,400	75.93%
9	許信傑	2,758,926	5,678	1,103,570	1,500,000	73.57%
10	謝美真	4,984,730	8,142	1,993,892	2,800,000	71.21%
11	陳美珊	2,938,475	4,298	1,175,390	2,094,837	56.11%
12	黃建銘	3,059,873	5,638	1,223,949	2,200,000	55.63%
13	李健智	2,392,916	4,067	957,166	2,200,000	43.51%
14	陳志成	1,135,074	1,729	454,030	2,600,000	17.46%

若達成率相同，再以毛利高低來排序

依儲存格色彩排序

有些資料可能具有時效性或是需要提醒相關人員注意，我們會在儲存格中填入顏色，但是剛剛介紹的排序方法都是依儲存格的值遞增或遞減排序，有辦法依儲存格的色彩排序嗎？

其實 Excel 的排序功能不只可以依儲存格的值排序，也可以依「儲存格色彩」或是「字型色彩」來排序。

STEP 01 請開啟範例檔案 Ch13-02，這是一份房屋出租表，填滿藍色的資料是急租的物件。我們想將填滿藍色的資料排序在最前面，再依租金價格由小到大排序 (從租金最便宜的開始排)，請選取表格中的任一個儲存格，再按下**資料**頁次的**排序**鈕：

❶ 選擇**租金**　❷ 選擇**儲存格色彩**　❸ 拉下**順序**列示窗，點選藍色　❹ 選擇排序在**最上層** (先不要按下**確定**鈕，繼續 STEP 02 的操作)

13-4

接著要設定第 2 個排序欄位，請按下**排序**交談窗的**新增層級**鈕：

❶ 拉下列示窗選擇第 2 個排序欄位：租金　❷ **排序對象**，請選擇**儲存格值**

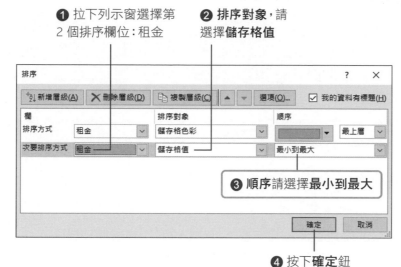

❸ **順序**請選擇**最小到最大**

❹ 按下**確定**鈕

❺ 填滿藍色的資料會排序在沒有填色資料的最上面

	A	B	C	D	E	F
1	捷運板南線出租物件					
2						
3	物件編號	最近站點	樓層	租金	電梯	保全
4	GT007	忠孝復興	3F	15,500	有	有
5	TS388	東湖	4F	18,000	有	無
6	MG658	忠孝新生	3F	19,500	無	有
7	PE128	昆陽	4F	19,500	無	無
8	OS001	忠孝敦化	4F	13,000	無	無
9	GT103	忠孝復興	5F	16,000	無	有
10	GT003	忠孝復興	7F	17,000	有	無
11	MG002	忠孝新生	4F	18,000	無	有
12	MG005	忠孝新生	7F	18,000	有	有
13	WA008	南港	3F	18,500	無	無
14	GT432	忠孝復興	5F	18,500	有	有
15	TS384	東湖	3F	18,500	有	無
16	OS069	忠孝敦化	8F	18,900	有	有

❻ 接著再依租金由小到大排序

善用自動篩選功能 找出需要的資料

想要從幾百或幾千筆資料中找出特定資料，並將不符合條件的資料暫時隱藏起來，這時候你不用煩惱公式怎麼寫，只要用內建的「篩選」功能，就可以快速得到想要的結果。

篩選單一欄位中的資料

請開啟範例檔案 Ch13-03，練習單一欄位的資料篩選。

STEP 01 顯示「**自動篩選**」鈕：請選取資料範圍中的任一個儲存格，按下**資料**頁次的**篩選**鈕，即可在表格的標題列顯示**自動篩選**鈕：

❶ 選取任一個儲存格　　　❷ 按下此鈕　　　❸ 顯示**自動篩選**鈕

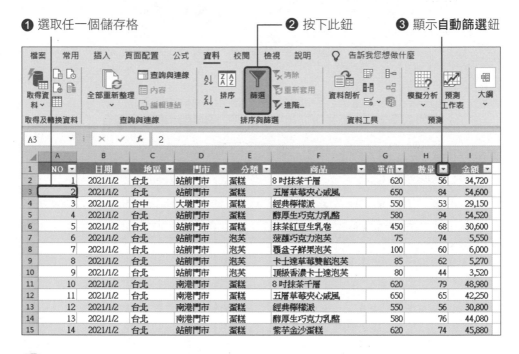

按下 Ctrl + Shift + L 鍵，可快速顯示/隱藏**自動篩選**鈕。

篩選資料：請按下**門市**欄的**自動篩選**鈕，我們只想查看「站前門市」及「南港門市」的銷售資料：

② 先取消勾選**全選**　　　　① 按下此鈕

③ 分別勾選**南港門市及站前門市**

④ 按下**確定**鈕

符合篩選條件的記錄其列標題會改用藍色顯示

	A	B	C	D	E	F	G	H
1	NO	日期	地區	門市	分類	商品	單價	數量
2	1	2021/1/2	台北	站前門市	蛋糕	8吋抹茶千層	620	56
3	2	2021/1/2	台北	站前門市	蛋糕	五層草莓夾心戚風	650	84
5	4	2021/1/2	台北	站前門市	蛋糕	醇厚生巧克力乳酪	580	94
6	5	2021/1/2	台北	站前門市	蛋糕	抹茶紅豆生乳卷	450	68
7	6	2021/1/2	台北	站前門市	泡芙	菠蘿巧克力泡芙	75	74
8	7	2021/1/2	台北	站前門市	泡芙	覆盆子鮮果泡芙	100	60
9	8	2021/1/2	台北	站前門市	泡芙	卡士達草莓雙餡泡芙	85	62
10	9	2021/1/2	台北	站前門市	泡芙	頂級香濃卡士達泡芙	80	44
11	10	2021/1/2	台北	南港門市	蛋糕	8吋抹茶千層	620	79

2021年上半年_銷售

就緒　從 1789 中找出 871 筆記錄

從**狀態列**可得知從 n 筆資料　　　▲ 只剩下**南港門市**及**站前門市**的銷售資料
中篩選出 n 筆符合的資料

用來設定篩選條件的欄位 (本例的**門市**欄)，其**自動篩選**鈕會變成 ⊼ 圖示，且**狀態列**會顯示共找出幾筆符合的記錄。篩選後的資料，仍然可以比照一般工作表的資料進行各種處理，例如加以排序或列印出來，或者是將篩選後的資料繪製成圖表。

篩選多個欄位中的資料

剛才我們篩選出**站前門市**及**南港門市**的所有銷售資料,但是想進一步查看**蛋糕**類的**抹茶紅豆生乳卷**銷量好不好,該怎麼做呢?

STEP 01 接續上例,請按下**分類**欄旁邊的**自動篩選**鈕,即可篩選出**蛋糕**類的商品:

❶ 按下此鈕

❷ 請取消勾選**全選**

❸ 勾選**蛋糕**後,按下**確定**鈕

	A	B	C	D	E	F	G
1	NO	日期	地區	門市	分類	商品	單價
2	1	2021/1/2	台北	站前門市	蛋糕	8吋抹茶千層	620
3	2	2021/1/2	台北	站前門市	蛋糕	五層草莓夾心戚風	650
5	4	2021/1/2	台北	站前門市	蛋糕	醇厚生巧克力乳酪	580
6	5	2021/1/2	台北	站前門市	蛋糕	抹茶紅豆生乳卷	450
11	10	2021/1/2	台北	南港門市	蛋糕	8吋抹茶千層	620
12	11	2021/1/2	台北	南港門市	蛋糕	五層草莓夾心戚風	650
13	12	2021/1/2	台北	南港門市	蛋糕	經典檸檬派	550
14	13	2021/1/2	台北	南港門市	蛋糕	醇厚生巧克力乳酪	580
15	14	2021/1/2	台北	站前門市	蛋糕	紫芋金沙蛋糕	620
37	36	2021/1/6	台北	站前門市	蛋糕	8吋抹茶千層	620
38	37	2021/1/6	台北	站前門市	蛋糕	五層草莓夾心戚風	650
39	38	2021/1/6	台北	站前門市	蛋糕	經典檸檬派	550
40	39	2021/1/6	台北	站前門市	蛋糕	醇厚生巧克力乳酪	580

▲ 目前篩選的結果為:**站前門市**及**南港門市**的**蛋糕**類資料

繼續按下**商品**欄旁邊的**自動篩選**鈕，篩選出**抹茶紅豆生乳卷**品項：

❶ 按下此鈕

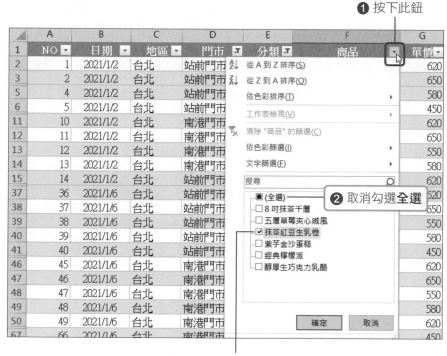

❷ 取消勾選**全選**

❸ 勾選**抹茶紅豆生乳卷**後，按下**確定**鈕

	A	B	C	D	E	F	G
1	NO	日期	地區	門市	分類	商品	單價
6	5	2021/1/2	台北	站前門市	蛋糕	抹茶紅豆生乳卷	450
41	40	2021/1/6	台北	站前門市	蛋糕	抹茶紅豆生乳卷	450
67	66	2021/1/6	台北	南港門市	蛋糕	抹茶紅豆生乳卷	450
76	75	2021/1/9	台北	站前門市	蛋糕	抹茶紅豆生乳卷	450
111	110	2021/1/13	台北	站前門市	蛋糕	抹茶紅豆生乳卷	450
146	145	2021/1/16	台北	站前門市	蛋糕	抹茶紅豆生乳卷	450
181	180	2021/1/20	台北	站前門市	蛋糕	抹茶紅豆生乳卷	450
198	197	2021/1/20	台北	南港門市	蛋糕	抹茶紅豆生乳卷	450
216	215	2021/1/23	台北	站前門市	蛋糕	抹茶紅豆生乳卷	450
251	250	2021/1/27	台北	站前門市	蛋糕	抹茶紅豆生乳卷	450

2021年上半年_銷售

就緒　從 1789中找出 58筆記錄

你可以從**狀態列**查看，
共篩選出多少筆記錄

篩選出**站前門市**及**南港門市**、
蛋糕類的**抹茶紅豆生乳卷**資料

清除篩選條件

清除篩選條件是指將不符合篩選條件，且暫時被隱藏的記錄重新顯示出來，有以下 2 種方法：

▶ **方法 1：清除單一欄位的篩選**：若要移除某欄位所設定的篩選條件，只要在該欄的**自動篩選**列示窗中執行『**清除 "xx" 的篩選**』命令，就可將被隱藏的記錄重新顯示出來。

❶ 按下此鈕

❷ 點選此命令，即可取消剛才套用的篩選條件

再次勾選**全選**項目，也可以顯示所有資料

▶ **方法 2：清除所有欄位的篩選**：如果資料中有多個欄位都設有篩選條件，請切換到**資料**頁次，按下**排序與篩選**區的**清除**鈕來清除所有欄位的篩選。

你必須移除所有欄位的篩選條件，才會顯示所有的資料。

找出包含特定文字的記錄

在**自動篩選**列示窗中，除了可依欄位資料做篩選外，還可以自訂篩選的條件以找出符合條件的記錄，依照所選的欄位不同，可分為文字篩選與數字篩選。例如想找出「商品」名稱含有「巧克力」或「生巧克力」的品項，就可以設定只找出符合條件的記錄。

請開啟範例檔案 Ch13-04，我們已經篩選出「大墩門市」的所有銷售記錄，接著想查詢與巧克力相關的商品銷量，該怎麼做呢？

STEP 01 請按下**商品**欄的**自動篩選**鈕，執行『**文字篩選/包含**』命令：

STEP 02 開啟**自訂自動篩選**交談窗後，在此交談窗中設定篩選條件。

❶ 在此輸入第一個篩選條件 (要找出商品名稱含有「巧克力」的品項)

❸ 拉下列示窗選擇**包含**

❹ 輸入第二個篩選條件 (要找出商品名稱含有「生巧克力」的品項)

❷ 選擇**或**項目，只要符合一項條件即可；若選擇**且**項目，則指定的兩項條件都要符合才行

❺ 按下**確定**鈕

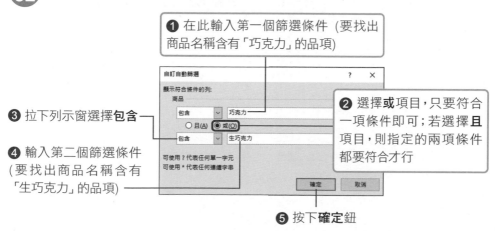

	A	B	C	D	E	F	G	H	I
1	NO ▾	日期 ▾	地區 ▾	門市 ▾	分類 ▾	商品 ▾	單價 ▾	數量 ▾	金額 ▾
31	30	2021/1/2	台中	大墩門市	蛋糕	醇厚生巧克力乳酪	580	118	68,440
34	33	2021/1/2	台中	大墩門市	泡芙	菠蘿巧克力泡芙	75	58	4,350
66	65	2021/1/6	台中	大墩門市	蛋糕	醇厚生巧克力乳酪	580	84	48,720
69	68	2021/1/6	台中	大墩門市	泡芙	菠蘿巧克力泡芙	75	64	4,800
101	100	2021/1/9	台中	大墩門市	蛋糕	醇厚生巧克力乳酪	580	92	53,360
104	103	2021/1/9	台中	大墩門市	泡芙	菠蘿巧克力泡芙	75	54	4,050
136	135	2021/1/13	台中	大墩門市	蛋糕	醇厚生巧克力乳酪	580	115	66,700
139	138	2021/1/13	台中	大墩門市	泡芙	菠蘿巧克力泡芙	75	49	3,675
171	170	2021/1/16	台中	大墩門市	蛋糕	醇厚生巧克力乳酪	580	83	48,140
174	173	2021/1/16	台中	大墩門市	泡芙	菠蘿巧克力泡芙	75	63	4,725

2021年上半年_銷售 ⊕

就緒　從 1789 中找出 103 筆記錄

▲ 「大墩門市」含有「巧克力」或「生巧克力」的記錄共有 103 筆

找出銷售數量大於 100 且低於 180 的資料

如果要篩選的欄位資料皆為數字，那麼可在**自動篩選**列示窗中，執行『**數
字篩選**』命令，由子功能表來選擇要篩選的條件。例如想找出銷售數量大
於 100 且小於 180 的記錄，請先清除剛才的篩選條件，再如下操作：

① 按下此鈕

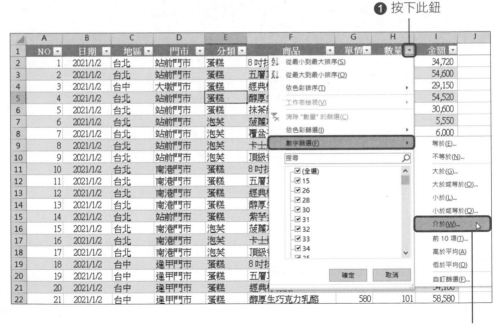

② 執行『**數字篩選/介於**』命令

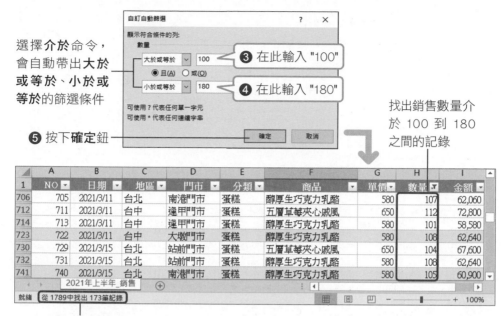

選擇**介於**命令，
會自動帶出**大於
或等於**、**小於或
等於**的篩選條件

❸ 在此輸入 "100"

❹ 在此輸入 "180"

找出銷售數量介
於 100 到 180
之間的記錄

❺ 按下**確定**鈕

符合條件的資料共有 173 筆

找出銷售金額最高的前 10 筆記錄

數字篩選還有幾項很實用的功能，像是**前 10 項**、**高於平均**、**低於平均**
等。你不必辛苦地輸入公式或套用函數，即可馬上幫你找出符合條件的記
錄。請先清除剛才的篩選條件，按下**金額**欄的**自動篩選**鈕，執行**數字篩選
/前 10 項**命令，我們要找出銷售額最高的前 10 筆記錄。

❶ 執行
此命令

❷ 拉下列示窗，
可選擇**最前**或是
最後

❸ 預設是找出 10 筆
記錄，也可以自行輸
入要找出幾筆記錄

❹ 可選擇**項**或**%**，例
如找出最前面 10 項
記錄

❺ 按下**確定**鈕

	C	D	E	F	G	H	I
1	地區	門市	分類	商品	單價	數量	金額
712	台中	逢甲門市	蛋糕	五層草莓夾心戚風	650	112	72,800
817	台中	逢甲門市	蛋糕	五層草莓夾心戚風	650	112	72,800
994	台中	逢甲門市	蛋糕	醇厚生巧克力乳酪	580	127	73,660
1353	台北	站前門市	蛋糕	五層草莓夾心戚風	650	112	72,800
1406	台中	逢甲門市	蛋糕	抹茶紅豆生乳卷	450	166	74,700
1414	台中	大墩門市	蛋糕	紫芋金沙蛋糕	620	120	74,400
1473	台中	逢甲門市	蛋糕	紫芋金沙蛋糕	620	177	109,740
1532	台北	南港門市	蛋糕	紫芋金沙蛋糕	620	150	93,000
1553	台北	站前門市	蛋糕	五層草莓夾心戚風	650	116	75,400

▲ 找出銷售金額最高的前 10 筆記錄

用自動篩選鈕排序資料

剛才篩選出來的資料沒有經過排序，你可以在**自動篩選**列示窗中進行**遞增**
或是**遞減**排序。此例要將篩選後的資料從最大到最小排序(遞減)。

❶ 按下此鈕

❷ 執行此命令

	C	D	E	F	G	H	I
1	地區 ▼	門市 ▼	分類 ▼	商品 ▼	單價 ▼	數量 ▼	金額 ▼
712	台北	南港門市	蛋糕	紫芋金沙蛋糕	620	150	93,000
817	台北	站前門市	蛋糕	五層草莓夾心戚風	650	116	75,400
994	台北	站前門市	蛋糕	五層草莓夾心戚風	650	115	74,750
1353	台中	逢甲門市	蛋糕	抹茶紅豆生乳卷	450	166	74,700
1406	台中	大墩門市	蛋糕	紫芋金沙蛋糕	620	120	74,400
1414	台中	逢甲門市	蛋糕	醇厚生巧克力乳酪	580	127	73,660
1473	台中	逢甲門市	蛋糕	五層草莓夾心戚風	650	112	72,800
1532	台中	逢甲門市	蛋糕	五層草莓夾心戚風	650	112	72,800
1553	台北	站前門市	蛋糕	五層草莓夾心戚風	650	112	72,800

將銷售金額最高的前 10 筆記錄，由高到低排序

依日期篩選資料

自動篩選鈕除了提供文字篩選、數字篩選，還可以讓你依日、週、月、季、年份、⋯等條件來篩選資料，也可以自訂要篩選的日期區間。

列出「第一季」銷售資料

請開啟範例檔案 Ch13-05，這份工作表的銷售資料是從 2021/1/2 開始到 2021/6/30。如果想知道第一季的銷售狀況只要動動滑鼠就能馬上篩選出來，完全不需要設定公式。

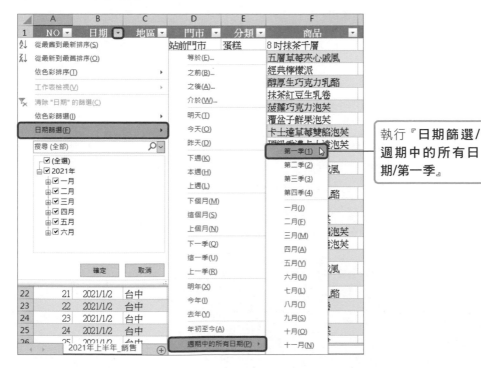

執行『日期篩選/週期中的所有日期/第一季』

	A	B	C	D	E	F	G	H	I
1	NO ▼	日期 ▼	地區 ▼	門市 ▼	分類 ▼	商品 ▼	單價▼	數量▼	金額▼
2	1	2021/1/2	台北	站前門市	蛋糕	8吋抹茶千層	620	56	34,720
3	2	2021/1/2	台北	站前門市	蛋糕	五層草莓夾心戚風	650	84	54,600
4	3	2021/1/2	台中	大墩門市	蛋糕	經典檸檬派	550	53	29,150
5	4	2021/1/2	台北	站前門市	蛋糕	醇厚生巧克力乳酪	580	94	54,520
6	5	2021/1/2	台北	站前門市	蛋糕	抹茶紅豆生乳卷	450	68	30,600
7	6	2021/1/2	台北	站前門市	泡芙	菠蘿巧克力泡芙	75	74	5,550
898	897	2021/3/29	台中	大墩門市	蛋糕	醇厚生巧克力乳酪	580	117	67,860
899	898	2021/3/29	台中	大墩門市	蛋糕	抹茶紅豆生乳卷	450	68	30,600
900	899	2021/3/29	台中	大墩門市	蛋糕	紫芋金沙蛋糕	620	95	58,900
901	900	2021/3/29	台中	大墩門市	泡芙	菠蘿巧克力泡芙	75	42	3,150
902	901	2021/3/29	台中	大墩門市	泡芙	卡士達草莓雙餡泡芙	85	48	4,080
903	902	2021/3/29	台中	大墩門市	泡芙	頂級香濃卡士達泡芙	80	62	4,960
1791									

2021年上半年_銷售 ＋

就緒　從 1789 中找出 902 筆紀錄

這裡會顯示共找出多少筆資料

列出 1～3 月的銷售資料了

> **請注意！**這裡的篩選條件是以「今天」為基準，假設今天是 2021/06/15，那麼選擇**去年**就會篩選 2020/06/15 的資料。如果你開啟範例檔案篩選不到資料，請自行修改 B 欄中的日期，再做練習。

列出指定期間的銷售資料

若是想瞭解假日、連續假期、促銷期間、…等某段日期區間的銷售狀況，可以改成選擇『**日期篩選/自訂篩選**』命令，開啟**自訂自動篩選**交談窗來設定，例如要查詢母親節檔期的銷售狀況：

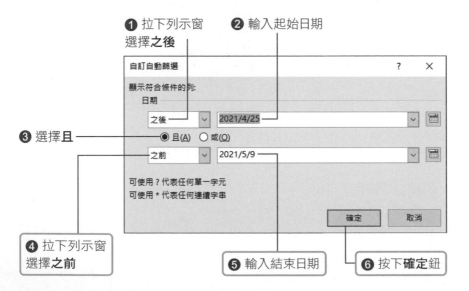

❶ 拉下列示窗選擇**之後**　❷ 輸入起始日期

❸ 選擇**且**

❹ 拉下列示窗選擇**之前**

❺ 輸入結束日期

❻ 按下**確定**鈕

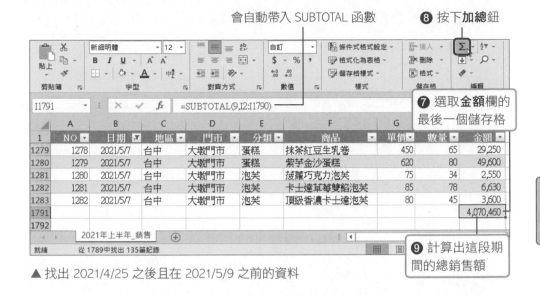

會自動帶入 SUBTOTAL 函數

❽ 按下**加總**鈕

❼ 選取**金額**欄的最後一個儲存格

I1791 =SUBTOTAL(9,I2:I1790)

	A	B	C	D	E	F	G	H	I
1	NO	日期	地區	門市	分類	商品	單價	數量	金額
1279	1278	2021/5/7	台中	大墩門市	蛋糕	抹茶紅豆生乳卷	450	65	29,250
1280	1279	2021/5/7	台中	大墩門市	蛋糕	紫芋金沙蛋糕	620	80	49,600
1281	1280	2021/5/7	台中	大墩門市	泡芙	菠蘿巧克力泡芙	75	34	2,550
1282	1281	2021/5/7	台中	大墩門市	泡芙	卡士達草莓雙餡泡芙	85	78	6,630
1283	1282	2021/5/7	台中	大墩門市	泡芙	頂級香濃卡士達泡芙	80	45	3,600
1791									4,070,460
1792									

2021年上半年_銷售

從 1789 中找出 135 筆記錄

❾ 計算出這段期間的總銷售額

▲ 找出 2021/4/25 之後且在 2021/5/9 之前的資料

依色彩篩選資料

Excel 的篩選功能不只能快速進行文字及數字篩選，還能依照儲存格或字體的色彩來篩選資料。

請開啟範例檔案 Ch13-06，此範例的**金額**欄中以黃色填滿的儲存格資料為超過 7 萬的銷售額，老闆想知道哪家門市超過 7 萬的記錄最多，該怎麼統計呢？

	A	B	C	D	E	F	G	H	I
1	NO	日期	地區	門市	分類	商品	單價	數量	金額
677	676	2021/3/8	台中	逢甲門市	蛋糕	五層草莓夾心戚風	650	78	50,700
678	677	2021/3/8	台中	逢甲門市	蛋糕	經典檸檬派	550	65	35,750
679	678	2021/3/8	台中	逢甲門市	蛋糕	醇厚生巧克力乳酪	580	124	71,920
680	679	2021/3/8	台中	逢甲門市	蛋糕	抹茶紅豆生乳卷	450	74	33,300
681	680	2021/3/8	台中	逢甲門市	蛋糕	紫芋金沙蛋糕	620	113	70,060
682	681	2021/3/8	台中	逢甲門市	泡芙	菠蘿巧克力泡芙	75	61	4,575
683	682	2021/3/8	台北	南港門市	泡芙	覆盆子鮮果泡芙	100	62	6,200

銷售額超過 7 萬的資料會以黃色填滿儲存格

你可以利用**條件式格式設定**功能，替重要的資料標示色彩。

請按下**金額**欄的**自動篩選**鈕，我們要找出填滿黃色的儲存格資料。

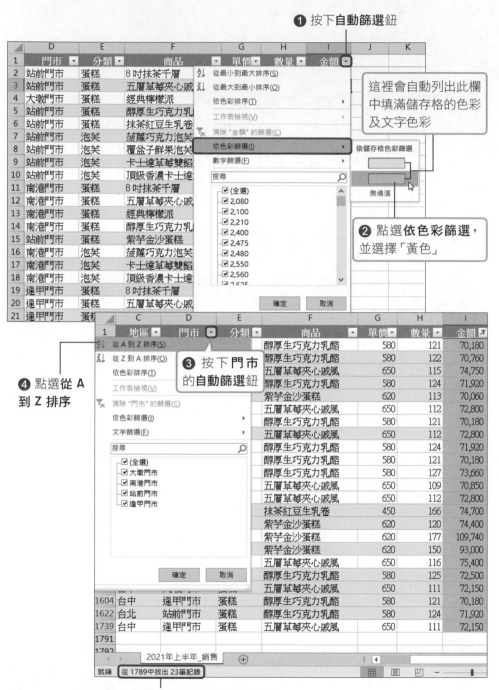

❶ 按下**自動篩選**鈕

這裡會自動列出此欄中填滿儲存格的色彩及文字色彩

❷ 點選**依色彩篩選**，並選擇「黃色」

❸ 按下**門市**的**自動篩選**鈕

❹ 點選**從 A 到 Z 排序**

從 1789 中找出 23 筆記錄

找到 23 筆儲存格填滿黃色的記錄

	C	D	E	F	G	H	I
1	地區 ▼	門市 ▼	分類 ▼	商品 ▼	單價 ▼	數量 ▼	金額 ▼
404	台中	大墩門市	蛋糕	醇厚生巧克力乳酪	580	122	70,760
481	台中	大墩門市	蛋糕	五層草莓夾心戚風	650	109	70,850
487	台中	大墩門市	蛋糕	紫芋金沙蛋糕	620	120	74,400
679	台中	大墩門市	蛋糕	五層草莓夾心戚風	650	111	72,150
681	台北	南港門市	蛋糕	紫芋金沙蛋糕	620	150	93,000
712	台北	站前門市	蛋糕	五層草莓夾心戚風	650	115	74,750
784	台北	站前門市	蛋糕	五層草莓夾心戚風	650	112	72,800
817	台北	站前門市	蛋糕	五層草莓夾心戚風	650	116	75,400
854	台北	站前門市	蛋糕	醇厚生巧克力乳酪	580	124	71,920
924	台中	逢甲門市	蛋糕	醇厚生巧克力乳酪	580	121	70,180
994	台中	逢甲門市	蛋糕	醇厚生巧克力乳酪	580	124	71,920
1277	台中	逢甲門市	蛋糕	紫芋金沙蛋糕	620	113	70,060
1353	台中	逢甲門市	蛋糕	五層草莓夾心戚風	650	112	72,800
1406	台中	逢甲門市	蛋糕	醇厚生巧克力乳酪	580	121	70,180
1414	台中	逢甲門市	蛋糕	五層草莓夾心戚風	650	112	72,800
1473	台中	逢甲門市	蛋糕	醇厚生巧克力乳酪	580	124	71,920
1532	台中	逢甲門市	蛋糕	醇厚生巧克力乳酪	580	121	70,180
1553	台中	逢甲門市	蛋糕	醇厚生巧克力乳酪	580	127	73,660
1572	台中	逢甲門市	蛋糕	抹茶紅豆生乳卷	450	166	74,700
1580	台中	逢甲門市	蛋糕	紫芋金沙蛋糕	620	177	109,740
1604	台中	逢甲門市	蛋糕	醇厚生巧克力乳酪	580	125	72,500
1622	台中	逢甲門市	蛋糕	醇厚生巧克力乳酪	580	121	70,180
1739	台中	逢甲門市	蛋糕	五層草莓夾心戚風	650	111	72,150
1791							
1792							

2021年上半年_銷售

就緒　從 1789中找出 23筆記錄　　項目個數: 14

❺ 將**門市**欄依筆劃
由小至大排序

選取「逢甲門市」即可在
狀態列馬上得知，銷售額
在 7 萬以上共有 14 筆

13-2

▼ 善用自動篩選功能找出需要的資料

移除自動篩選箭頭

如果不再需要使用**自動篩選**功能，你可以將**自動篩選**鈕移除，請切換到**資料**頁次，按下**排序與篩選**區的**篩選**鈕，即可移除所有欄位的篩選條件。

按一下此鈕，可取消或是套用篩選功能

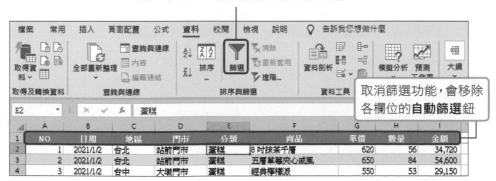

取消篩選功能，會移除
各欄位的**自動篩選**鈕

	A	B	C	D	E	F	G	H	I
1	NO	日期	地區	門市	分類	商品	單價	數量	金額
2	1	2021/1/2	台北	站前門市	蛋糕	8 吋抹茶千層	620	56	34,720
3	2	2021/1/2	台北	站前門市	蛋糕	五層草莓夾心戚風	650	84	54,600
4	3	2021/1/2	台中	大墩門市	蛋糕	經典檸檬派	550	53	29,150

13-19

善用小計功能依類別統計資料

小計功能可以快速歸納資料,而且不需要自行設計公式就能完成資料的加總、平均、…等計算,是一項實用又方便的功能。

使用小計功能的三大要素

使用**小計**功能時,必須先決定 3 件事:分組、使用的函數以及計算小計的欄位。

(1) 分組

要在儲存格中插入自動小計,首先要考慮資料分組的問題。例如有一袋球,其中有黃、紅、藍三種顏色,也有大、中、小三種尺寸,我們可以依照顏色來分組,計算每一種顏色有幾顆球;或以尺寸分組,計算每一種尺寸有幾顆球。同樣一袋球,因分組的方式不同,所得到的意義也不同;在執行小計之前,先決定要用哪個欄位來分組,也是同樣的道理。

請開啟範例檔案 Ch13-07,這是為期一週的甜點快閃店銷售資料,以這份清單來說,若依照「門市」欄分組,可以幫助我們了解各門市的銷售狀況;若是依照「分類」欄分組,則可了解「蛋糕」及「泡芙」的銷售狀況。分組的方法就是依照要分組的欄位先做好排序。

	A	B	C	D	E	F	G	H	I
1	NO	日期	地區	門市	分類	商品	單價	數量	金額
2	1	2021/3/1	台北	站前門市	蛋糕	8吋抹茶千層	620	62	38,440
3	2	2021/3/1	台北	站前門市	蛋糕	五層草莓夾心戚風	650	95	61,750
4	3	2021/3/1	台北	站前門市	泡芙	菠蘿巧克力泡芙	75	65	4,875
5	4	2021/3/1	台北	站前門市	泡芙	覆盆子鮮果泡芙	100	43	4,300
6	5	2021/3/1	台北	站前門市	泡芙	卡士達草莓雙餡泡芙	85	40	3,400
7	6	2021/3/1	台北	站前門市	泡芙	頂級香濃卡士達泡芙	80	51	4,080
8	7	2021/3/1	台北	南港門市	蛋糕	8吋抹茶千層	620	89	55,180
9	8	2021/3/1	台北	南港門市	蛋糕	醇厚生巧克力乳酪	580	80	46,400

(2) 使用的函數

小計功能提供多項計算函數,如加總、平均值、計數、最大、最小…等。
例如:想知道各家門市最高的銷售額是多少,就選擇「最大」函數。

(3) 指定要進行小計的欄位

如果我們想知道蛋糕最便宜的價格為何?則**單價**欄就是要進行小計的欄
位,選用的函數為**最小**。

> ## 用小計功能快速加總各門市的銷售額

如果想知道範例檔案 Ch13-07 各家門市的銷售額為多少,要如何使用**小計**
功能呢?

STEP 01 首先要為資料排序。請選取資料範圍中的任一個儲存格,切換到**資料**頁次,按下**排序**鈕:

❷ 按下**新增層級**鈕,
建立次要排序方式

❶ 將**地區**欄設為主要的排序
欄位,並以 **A 到 Z** 的方式排序

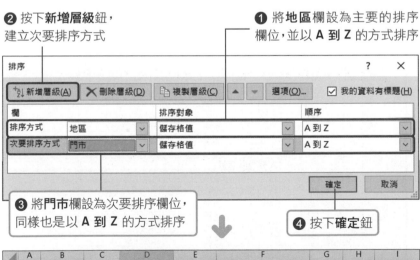

❸ 將**門市**欄設為次要排序欄位,
同樣也是以 **A 到 Z** 的方式排序

❹ 按下**確定**鈕

	A	B	C	D	E	F	G	H	I
1	NO	日期	地區	門市	分類	商品	單價	數量	金額
2	16	2021/3/2	台中	大墩門市	蛋糕	8 吋抹茶千層	620	77	47,740
3	17	2021/3/2	台中	大墩門市	蛋糕	五層草莓夾心戚風	650	74	48,100
4	18	2021/3/2	台中	大墩門市	蛋糕	醇厚生巧克力乳酪	580	117	67,860
5	49	2021/3/5	台中	大墩門市	蛋糕	抹茶紅豆生乳卷	450	63	28,350
6	50	2021/3/5	台中	大墩門市	泡芙	菠蘿巧克力泡芙	75	59	4,425
7	51	2021/3/5	台中	大墩門市	泡芙	卡士達草莓雙餡泡芙	85	78	6,630
8	10	2021/3/1	台中	逢甲門市	蛋糕	8 吋抹茶千層	620	84	52,080
9	11	2021/3/1	台中	逢甲門市	蛋糕	醇厚生巧克力乳酪	530	88	51,040

STEP 02 同樣選取資料範圍中的任一個儲存格,切換到**資料**頁次,按下**大綱**區的**小計**鈕 ⊞,開啟**小計**交談窗:

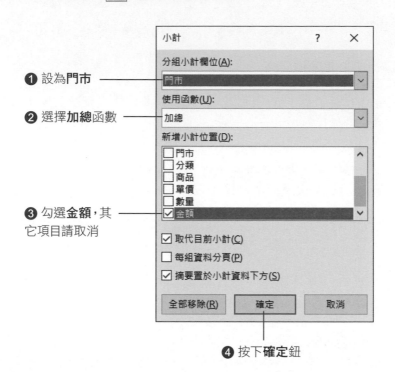

❶ 設為**門市**

❷ 選擇**加總**函數

❸ 勾選**金額**,其它項目請取消

❹ 按下**確定**鈕

1 2 3		A	B	C	D	E	F	G	H	I
	1	NO	日期	地區	門市	分類	商品	單價	數量	金額
	2	16	2021/3/2	台中	大墩門市	蛋糕	8吋抹茶千層	620	77	47,740
	3	17	2021/3/2	台中	大墩門市	蛋糕	五層草莓夾心戚風	650	74	48,100
	4	18	2021/3/2	台中	大墩門市	蛋糕	醇厚生巧克力乳酪	580	117	67,860
	5	49	2021/3/5	台中	大墩門市	蛋糕	抹茶紅豆生乳卷	450	63	28,350
	6	50	2021/3/5	台中	大墩門市	泡芙	菠蘿巧克力泡芙	75	59	4,425
	7	51	2021/3/5	台中	大墩門市	泡芙	卡士達草莓雙餡泡芙	85	78	6,630
	8				大墩門市 合計					203,105
	9	10	2021/3/1	台中	逢甲門市	蛋糕	8吋抹茶千層	620	84	52,080
	10	11	2021/3/1	台中	逢甲門市	蛋糕	醇厚生巧克力乳酪	580	88	51,040
	11	36	2021/3/4	台中	逢甲門市	蛋糕	8吋抹茶千層	620	77	47,740
	12	37	2021/3/4	台中	逢甲門市	蛋糕	五層草莓夾心戚風	650	81	52,650
	13	38	2021/3/4	台中	逢甲門市	蛋糕	經典檸檬派	550	56	30,800
	14	65	2021/3/7	台中	逢甲門市	蛋糕	8吋抹茶千層	620	80	49,600
	15	66	2021/3/7	台中	逢甲門市	蛋糕	五層草莓夾心戚風	650	78	50,700
	16	70	2021/3/7	台中	逢甲門市	蛋糕	紫芋金沙蛋糕	620	113	70,060
	17				逢甲門市 合計					404,670
	18	7	2021/3/1	台北	南港門市	蛋糕	8吋抹茶千層	620	89	55,180
	19	8	2021/3/1	台北	南港門市	蛋糕	醇厚生巧克力乳酪	580	80	46,400
	20	9	2021/3/1	台北	南港門市	蛋糕	紫芋金沙蛋糕	620	92	57,040
	21	19	2021/3/2	台北	南港門市	蛋糕	抹茶紅豆生乳卷	450	79	35,550

大綱符號 (請看下一節的說明)

列出各家門市的銷售額了

技巧補充

插入小計後的清單

從剛才的執行結果發現清單中加入了許多資料：

- 每一組資料下方會插入一列資料，在分組欄位 (此例為**門市**) 的下方顯示標題，在執行小計的欄位 (此例為**金額**) 下方顯示計算結果。

- 在整個清單的最下方，會顯示執行小計欄位的**總計**結果。

- 執行**小計**功能最特殊的地方是會為清單建立**大綱**，即清單最左邊的符號。有關**大綱**功能我們將在下一節介紹。

小計功能的其他設定

在**小計**交談窗的下方，有 3 個設定選項，其用法如下：

▶ **取代目前小計**：Excel 會自動勾選這個項目，所以即使你執行多次小計，最後的結果也是每一組只有一列小計，整張清單只有一個總計列，因為新的小計總是將原來的小計取代掉。如果希望每一次的小計都保留下來，就取消這個項目。

▶ **每組資料分頁**：若勾選此項，則Excel 會在每一組資料的下方插入分頁線，因此若將這份清單列印出來，每組資料皆會印成一頁。

▶ **摘要置於小計資料下方**：Excel 也會自動勾選這個項目，所以小計列和總計列都是位在分組資料的下方。若取消勾選這個項目，情況就會完全相反，也就是總計列會顯示在清單的最上方，每一個小計列也會顯示在分組資料的上方。

	C	D	E	F	G	H	I
1	地區	門市	分類	商品	單價	數量	金額
2	台中	大墩門市	蛋糕	8 吋抹茶千層	620	77	47,740
3	台中	大墩門市	蛋糕	五層草莓夾心戚風	650	74	48,100
4	台中	大墩門市	蛋糕	醇厚生巧克力乳酪	580	117	67,860
5	台中	大墩門市	蛋糕	抹茶紅豆生乳卷	450	63	28,350
6	台中	大墩門市	泡芙	菠蘿巧克力泡芙	75	59	4,425
7	台中	大墩門市	泡芙	卡士達草莓雙餡泡芙	85	78	6,630
8		大墩門市 合計					203,105

▲ 勾選**摘要置於小計資料下方**

	C	D	E	F	G	H	I
1	地區	門市	分類	商品	單價	數量	金額
2		總計					1,208,960
3		大墩門市 合計					203,105
4	台中	大墩門市	蛋糕	8 吋抹茶千層	620	77	47,740
5	台中	大墩門市	蛋糕	五層草莓夾心戚風	650	74	48,100
6	台中	大墩門市	蛋糕	醇厚生巧克力乳酪	580	117	67,860
7	台中	大墩門市	蛋糕	抹茶紅豆生乳卷	450	63	28,350
8	台中	大墩門市	泡芙	菠蘿巧克力泡芙	75	59	4,425
9	台中	大墩門市	泡芙	卡士達草莓雙餡泡芙	85	78	6,630

▲ 取消勾選**摘要置於小計資料下方**

TIP

摘要置於小計資料下方必須在勾選**取代目前小計**的狀態下才有效。

移除小計列

將資料列印後，若要移除小計列，只要再次切換到**資料**頁次，按下**大綱**區的**小計**鈕 ，在**小計**交談窗中按下**全部移除**鈕即可。

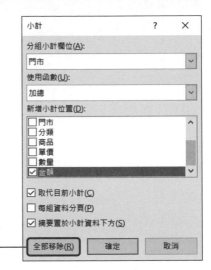

按下此鈕即可移除小計列 —

第 **13** 章

▼ 資料的排序、篩選與小計

13-4 群組及大綱

大綱是將工作表的資料分成多個層級，以方便各層級的資料管理。以一家公司來說，其下可劃分成多個部門，部門之下又分成組別，組別之下還有許多職員；公司、部門、組別、職員就形成一個大綱結構。

建立大綱

上一節在執行**小計**功能後，資料會自動加上大綱結構，Excel 是按照公式的參照位址方向來建立大綱，所有的小計公式都是合計其上方儲存格的數值，所以 Excel 就依垂直方向建立每一組公式的大綱層級。每個小計都屬於同一層 (第 2 層)，而總計則屬於較高的一層 (第 1 層)。你可以開啟範例檔案 Ch13-08 來瀏覽。

共分成 3 個層級

	A	B	C	D	E	F
1	NO	日期	地區	門市	分類	商品
2	16	2021/3/2	台中	大墩門市	蛋糕	8吋抹茶千層
3	17	2021/3/2	台中	大墩門市	蛋糕	五層草莓夾心戚風
4	18	2021/3/2	台中	大墩門市	蛋糕	醇厚生巧克力乳酪
5	49	2021/3/5	台中	大墩門市	蛋糕	抹茶紅豆生乳卷
6	50	2021/3/5	台中	大墩門市	泡芙	菠蘿巧克力泡芙
7	51	2021/3/5	台中	大墩門市	泡芙	卡士達草莓雙餡泡芙
8				大墩門市 合計		
9	10	2021/3/1	台中	逢甲門市	蛋糕	8吋抹茶千層
10	11	2021/3/1	台中	逢甲門市	蛋糕	醇厚生巧克力乳酪
11	36	2021/3/4	台中	逢甲門市	蛋糕	8吋抹茶千層
12	37	2021/3/4	台中	逢甲門市	蛋糕	五層草莓夾心戚風
13	38	2021/3/4	台中	逢甲門市	蛋糕	經典檸檬派
14	65	2021/3/7	台中	逢甲門市	蛋糕	8吋抹茶千層
15	66	2021/3/7	台中	逢甲門市	蛋糕	五層草莓夾心戚風
16	70	2021/3/7	台中	逢甲門市	蛋糕	紫芋金沙蛋糕
17				逢甲門市 合計		

同一個層級 (第 2 層)

Excel 除了可以建立垂直的大綱層級，也可建立水平的大綱層級，只要公式參照來自其左方或右方的儲存格。不過所有公式的方向必須一致。

執行**小計**功能雖然可以自動建立大綱，若不想執行**小計**功能，也可以自行建立大綱，請開啟範例檔案 Ch13-09 試試如何建立大綱結構：

STEP
01　選取要建立大綱的範圍，若要建立整份資料的大綱，則選取清單中的任一個儲存格就可以了。

STEP
02　切換到**資料**頁次，按下**大綱**區**組成群組**鈕的下拉箭頭，點選**自動建立大綱**：

垂直大綱結構　　　　　　　水平大綱結構　　　　　　　❶ 按下此鈕

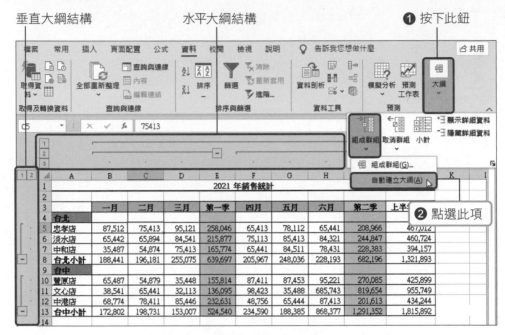

▲ 自動建立大綱

大綱符號

建立大綱之後，工作表上會多出許多符號，各符號的意義說明如下：

欄層級列　　　　　　摺疊符號

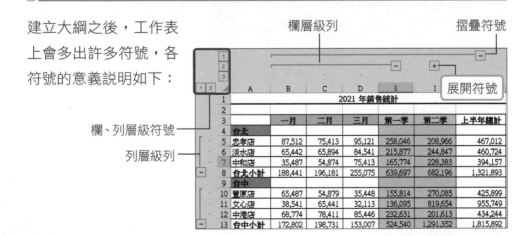

▶ **欄、列層級符號** |1| |2| ：標示欄、列各分成幾個層級。此範例中，水平
方向共分為 3 層，垂直方向分為 2 層。公式所參照的儲存格稱為**明細
資料**，屬於最低的層次。

▶ **欄、列層級列**：顯示某一層級包含哪些明細資料。

▶ **摺疊符號** |−| ：表示這一層級的明細資料都顯示出來了，可按一下**摺疊
符號**將明細資料隱藏，則**摺疊符號**會變成**展開符號** |+| 。

▶ **展開符號** |+| ：表示這一層級的明細資料被隱藏起來了，可按一下**展開
符號** |+| 將明細資料顯示出來，這時**展開符號**會變成**摺疊符號** |−| 。

清除大綱結構

若想清除大綱結構，只要切換到**資料**頁
次，按下**大綱**區的**取消群組**鈕的下拉鈕 ，
執行『**清除大綱**』命令即可。

大綱的應用

建立大綱之後，對於各層級資料的隱藏、顯示、搬移和複製會方便很多。

隱藏和顯示詳細資料

若要隱藏某一層級的明細資料，則按一下該層級的**摺疊符號** |−| 、**層級列**
或**層級符號** |1| |2| ，該層的明細資料就會被摺疊起來，同時顯示**展開符號**
|+| 。若要重新顯示被摺疊的資料，則按一下該層級的**展開符號** |+| ，明細
資料就又顯示出來了。

顯示某一層級的資料

若只要顯示某個層級的資料，則在**層級符號**的地方按一下該層級的編號即可。例如水平方向只要顯示出第一層的資料，則在水平方向的層級符號上按一下 1 。

選取某個層級

當要複製或搬移一整個層級資料時，首先必須選取該層的所有儲存格。Excel 有個很簡便的方法可以輕易地選取整個層級資料：按下 Shift 鍵，再按一下該層的摺疊、展開符號或層級列，就可一次選取該層級的所有儲存格了。

選取層級後，可以照平常的方法複製或搬移資料；也可以運用**大綱**區中的**顯示詳細資料**鈕 或**隱藏詳細資料**鈕 來摺疊或顯示該層級的資料。

自訂大綱

剛才建立大綱的做法是由 Excel 自動建立大綱，你也可以依需求自訂大綱的結構。

組成群組

大綱是由許多層級構成，所以自訂大綱即是由使用者自己決定要由哪幾個相鄰的欄或列構成一個層級，進而形成大綱組織。

請重新開啟範例檔案 Ch13-09，假設現在要將 B、C 欄組成一個層級：

STEP 01 請選取要組成一個群組的範圍，如 B3:C3（也可以選取 B、C 兩欄）。

STEP 02 切換到**資料**頁次，按下**大綱**區**組成群組**鈕的下拉箭頭，執行『**組成群組**』命令，在開啟的**組成群組**交談窗，如下設定：

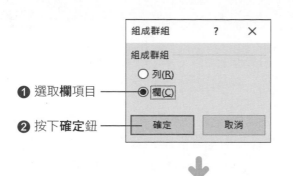

① 選取**欄**項目

② 按下**確定**鈕

TIP

若是以選取整欄或整列的方式,選取要組成的群組範圍,則不會出現此交談窗。

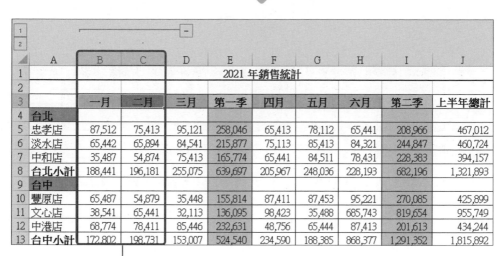

	A	B	C	D	E	F	G	H	I	J
1					2021 年銷售統計					
2										
3		一月	二月	三月	第一季	四月	五月	六月	第二季	上半年總計
4	台北									
5	忠孝店	87,512	75,413	95,121	258,046	65,413	78,112	65,441	208,966	467,012
6	淡水店	65,442	65,894	84,541	215,877	75,113	85,413	84,321	244,847	460,724
7	中和店	35,487	54,874	75,413	165,774	65,441	84,511	78,431	228,383	394,157
8	台北小計	188,441	196,181	255,075	639,697	205,967	248,036	228,193	682,196	1,321,893
9	台中									
10	豐原店	65,487	54,879	35,448	155,814	87,411	87,453	95,221	270,085	425,899
11	文心店	38,541	65,441	32,113	136,095	98,423	35,488	685,743	819,654	955,749
12	中港店	68,774	78,411	85,446	232,631	48,756	65,444	87,413	201,613	434,244
13	台中小計	172,802	198,731	153,007	524,540	234,590	188,385	868,377	1,291,352	1,815,892

將 B、C 兩欄組成一個群組

依上述的步驟多設定幾個群組,就可以形成一個大綱結構了。若是選取多列來組成群組,則在**組成群組**交談窗中請選取**列**項目。

取消群組

若要取消自己建立的層級,請先選取該層級,如 B、C 兩欄,再切換到**資料**頁次,按下**大綱**區**取消群組**鈕的下拉箭頭,執行『**取消群組**』命令即可。

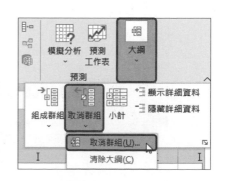

職場 活用術	如何讓篩選後的資料仍然 保持每隔一列填色？

當資料筆數很多，我們常需要用**篩選**找出指定條件的資料，但是資料經過篩選，如果儲存格原本有設定每間隔一列填色就會全部亂掉，這時該怎麼處理呢？

▲	A	B	C	D	E	F	G	H	I
1	N	日期	地區	門市	分類	商品	單價	數量	金額
8	7	2021/3/1	台北	南港門市	蛋糕	8吋抹茶千層	620	89	55,180
9	8	2021/3/1	台北	南港門市	蛋糕	醇厚生巧克力乳酪	580	80	46,400
10	9	2021/3/1	台北	南港門市	蛋糕	紫芋金沙蛋糕	620	92	57,040
16	15	2021/3/2	台北	南港門市	蛋糕	抹茶紅豆生乳卷	450	79	35,550
19	18	2021/3/3	台北	南港門市	蛋糕	經典檸檬派	550	46	25,300
20	19	2021/3/3	台北	南港門市	蛋糕	醇厚生巧克力乳酪	580	83	48,140
21	20	2021/3/3	台北	南港門市	蛋糕	紫芋金沙蛋糕	620	91	56,420
22	21	2021/3/4	台北	南港門市	泡芙	菠蘿巧克力泡芙	75	38	2,850
23	22	2021/3/4	台北	南港門市	泡芙	卡士達草莓雙餡泡芙	85	46	3,910

▲ 只想篩選出「南港門市」的資料，但篩選後原本間隔一列的填色全亂了

要解決這個問題，可以利用**條件式格式設定**來幫忙，請開啟範例檔案 Ch13-10，再如下操作：

 首先，要清除原本儲存格中的填色設定。請選取 A2:I39 儲存格範圍，切換到**常用**頁次的**字型**區，按下**填滿色彩**鈕的下拉箭頭，選擇**無填滿**：

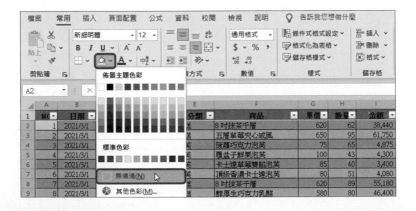

STEP 02 在選取 A2:I39 儲存格範圍的狀態下，切換到**常用**頁次，按下**樣式**區的**條件式格式設定**鈕，點選**新增規則**後，如下操作：

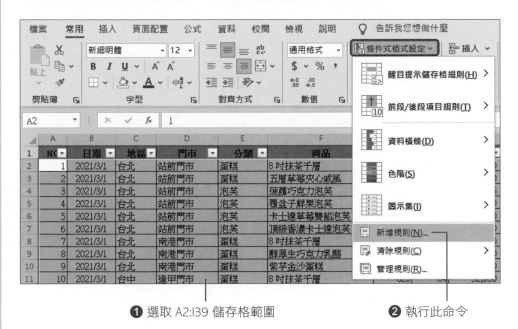

❶ 選取 A2:I39 儲存格範圍　　　　　　　　❷ 執行此命令

STEP 03 開啟**新增格式化規則**交談窗後，請選擇**使用公式來決定要格式化哪些儲存格**，並在公式欄輸入「=MOD(SUBTOTAL(3,$A$2:$A2),2)」，用 SUBTOTAL 函數計算非空白的資料個數，再用 MOD 函數除以 2。

用 SUBTOTAL 函數計算
非空白的資料個數

STEP 04 在**新增格式化規則**交談窗中按下**格式**鈕，接著在**設定儲存格格式**交談窗中設定儲存格要填入的顏色：

❶ 切換到**填滿**頁次

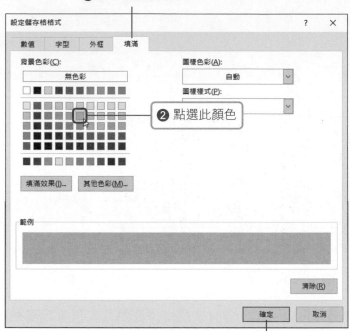

❸ 按下**確定**鈕，回到**新增格式化規則**交談窗後，再次按下**確定**鈕

	A	B	C	D	E	F	G	H	I
1	N◦▼	日期 ▼	地區▼	門市 ▼	分類▼	商品 ▼	單價▼	數量▼	金額 ▼
2	1	2021/3/1	台北	站前門市	蛋糕	8 吋抹茶千層	620	62	38,440
3	2	2021/3/1	台北	站前門市	蛋糕	五層草莓夾心戚風	650	95	61,750
4	3	2021/3/1	台北	站前門市	泡芙	菠蘿巧克力泡芙	75	65	4,875
5	4	2021/3/1	台北	站前門市	泡芙	覆盆子鮮果泡芙	100	43	4,300
6	5	2021/3/1	台北	站前門市	泡芙	卡士達草莓雙餡泡芙	85	40	3,400
7	6	2021/3/1	台北	站前門市	泡芙	頂級香濃卡士達泡芙	80	51	4,080
8	7	2021/3/1	台北	南港門市	蛋糕	8 吋抹茶千層	620	89	55,180
9	8	2021/3/1	台北	南港門市	蛋糕	醇厚生巧克力乳酪	580	80	46,400
10	9	2021/3/1	台北	南港門市	蛋糕	紫芋金沙蛋糕	620	92	57,040
11	10	2021/3/1	台中	逢甲門市	蛋糕	8 吋抹茶千層	620	84	52,080
12	11	2021/3/1	台中	逢甲門市	蛋糕	醇厚生巧克力乳酪	580	88	51,040
13	12	2021/3/2	台中	大墩門市	蛋糕	8 吋抹茶千層	620	77	47,740

▲ 資料會每隔一列填滿顏色

STEP 05 接著，請按下**門市**欄的**自動篩選**鈕，只留下**站前門市**的資料，看看篩選後的結果如何：

❶ 按下此鈕

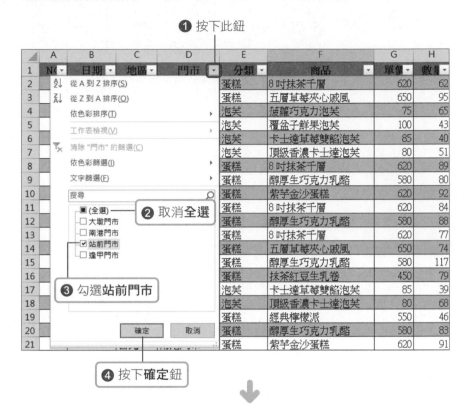

❷ 取消**全選**

❸ 勾選**站前門市**

❹ 按下**確定**鈕

	A	B	C	D	E	F	G	H
1	N	日期	地區	門市	分類	商品	單價	數量
2	1	2021/3/1	台北	站前門市	蛋糕	8吋抹茶千層	620	62
3	2	2021/3/1	台北	站前門市	蛋糕	五層草莓夾心戚風	650	95
4	3	2021/3/1	台北	站前門市	泡芙	菠蘿巧克力泡芙	75	65
5	4	2021/3/1	台北	站前門市	泡芙	覆盆子鮮果泡芙	100	43
6	5	2021/3/1	台北	站前門市	泡芙	卡士達草莓雙餡泡芙	85	40
7	6	2021/3/1	台北	站前門市	泡芙	頂級香濃卡士達泡芙	80	51
17	16	2021/3/3	台北	站前門市	泡芙	卡士達草莓雙餡泡芙	85	39
18	17	2021/3/3	台北	站前門市	泡芙	頂級香濃卡士達泡芙	80	68
30	29	2021/3/6	台北	站前門市	蛋糕	8吋抹茶千層	620	90
31	30	2021/3/6	台北	站前門市	蛋糕	五層草莓夾心戚風	650	106
32	31	2021/3/6	台北	站前門市	泡芙	卡士達草莓雙餡泡芙	85	41
33	32	2021/3/6	台北	站前門市	泡芙	頂級香濃卡士達泡芙	80	48

▲ 只篩選出「站前門市」的資料，資料順利每隔一列換色，不會亂掉了

▲	A	B	C	D	E	F	G	H	I
1	NC ▾	日期 ▾	地區 ▾	門市 ▾	分類 ▾	商品 ▼	單價 ▾	數量 ▾	金額 ▾
3	2	2021/3/1	台北	站前門市	蛋糕	五層草莓夾心戚風	650	95	61,750
14	13	2021/3/2	台中	大墩門市	蛋糕	五層草莓夾心戚風	650	74	48,100
25	24	2021/3/4	台中	逢甲門市	蛋糕	五層草莓夾心戚風	650	81	52,650
31	30	2021/3/6	台北	站前門市	蛋糕	五層草莓夾心戚風	650	106	68,900
38	37	2021/3/7	台中	逢甲門市	蛋糕	五層草莓夾心戚風	650	78	50,700

試著篩選**五層草莓夾心戚風**這個
商品，儲存格的填色也不會亂掉

SUBTOTAL 函數	
説明	計算清單中的資料。
語法	=SUBTOTAL(function_number, ref1,[ref2]…)
function_num (計算方法)	計算時使用的函數。可指定數字 1～11 或是 101～111，各編號對應的函數，請參考下表。
ref (範圍)	指定計算對象的儲存格範圍。

function_num (計算方法) (包含手動隱藏的列)	function_num (計算方法) (排除手動隱藏的列)	函數
1	101	AVERAGE(平均值)
2	102	COUNT(資料個數)
3	103	COUNTA(計算非空白資料個數)
4	104	MAX(最大值)
5	105	MIN(最小值)
6	106	PRODUCT(乘積)
7	107	STDEV(依樣本求標準差)
8	108	STDEVP(依整個母體求標準差)
9	109	SUM(加總)
10	110	VAR(依樣本求變異數)
11	111	VARP(依整個母體求變異數)

TIP

手動隱藏列的補充説明：當沒有進行資料篩選時，手動隱藏部份的列，使用引數「9」，加總結果會包含已手動隱藏的列，若使用引數「109」，則加總結果不會包含手動隱藏的列。當資料經過篩選，手動隱藏部分的列，使用引數「9」和「109」都不會包含已經隱藏的列的值。

14 用表格管理大量資料

經理叫我整理這兩個月的新會員資料,並且寄 DM 給他們,但是我發現有多筆資料是重複的,要怎麼比對才快呢?

你知道 Excel 的「表格」功能嗎?這可不是 Word 有格線的那種表格喔!它可以幫你管理大量資料,並比對及移除重複的記錄,我來教妳怎麼用吧!

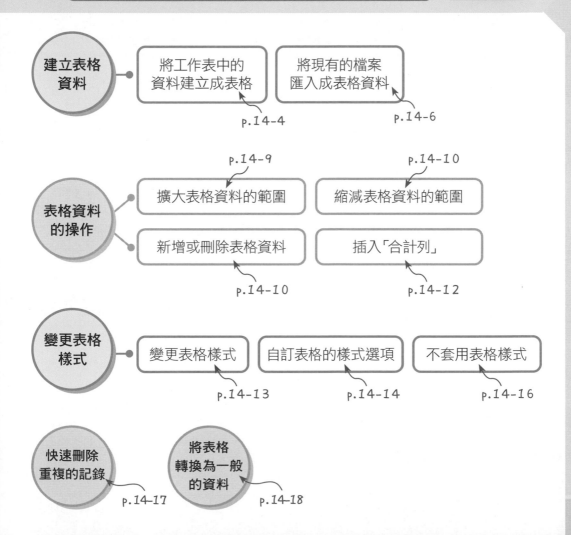

建立表格資料

將工作表中的資料建立成表格
p.14-4

將現有的檔案匯入成表格資料
p.14-6

表格資料的操作

p.14-9
擴大表格資料的範圍

p.14-10
縮減表格資料的範圍

新增或刪除表格資料
p.14-10

插入「合計列」
p.14-12

變更表格樣式

變更表格樣式
p.14-13

自訂表格的樣式選項
p.14-14

不套用表格樣式
p.14-16

快速刪除重複的記錄
p.14-17

將表格轉換為一般的資料
p.14-18

什麼資料適合用表格來管理？

Excel 的「表格」功能，具有資料庫中的資料表特性，可以用來管理與分析大量資料，除了可套用多種配色樣式，還能進行篩選與排序，讓資料的呈現更專業。

第
14
章

▼
用
表
格
管
理
大
量
資
料

表格的組成

在建立表格之前，必須確認資料是由**連續**的欄和列組成，若是資料不連續，表格功能會無法判斷出正確的資料範圍。要轉換成表格的資料，第一列須有標題列，用來說明各欄資料的性質 (例如下表的**姓名**、**身分證字號**、**獎項**)，接著才能開始應用表格的各項功能。

若以資料庫的概念來定義表格中的資料，每一欄稱為一個**欄位**；每一列稱為一筆**記錄**；第一列的名稱就稱為**欄位名稱**：

● 得獎名單

姓名	身分證字號	獎項
陳敏雄	A13054xxxx	頭獎
黃日秋	C22112xxxx	貳獎
江若誠	H17210xxxx	貳獎
賴惠蘋	F24623xxxx	叁獎
張曉春	D13237xxxx	叁獎

—— 欄位名稱

共有 5 筆記錄

共有 3 個欄位

● 筆電規格

型號	處理器	記憶體	硬碟
GA401u	AMD Ryzen 7-4800HS 2.9GHz	8GB DDR4	1TB
GT503a	AMD Ryzen 7-4800HS 2.9GHz	16GB DDR4	1TB
GW210	AMD Ryzen 5 4600H	8GB DDR4	512GB
TC433a	Intel Core i3-1005G1 Processor 1.2 GHz	4GB DDR4	128GB
TL658c	AMD Ryzen 7-4800HS 2.9GHz	16GB DDR4	512GB

連續的資料

這兩筆資料被空白列隔開，上面三筆資料在建立表格時不會列入這些資料

底下再為你整理出建立表格資料時必須遵守的幾個原則：

▶ 表格資料是由連續的多個儲存格所形成的矩形範圍。

▶ 範圍的第一列為各欄位名稱，例如物品名稱、單位、數量等，其餘為資料列，每一列即代表一筆記錄。

▶ 同一欄的資料都必須具有相同性質，例如物品名稱欄內的每一項資料都代表一項物品。

▶ 一組表格範圍內不可以有空白列或空白欄。

▶ 如果工作表內除了要建立成表格的資料外還有其他資料，則表格資料和其他資料之間，至少要隔一個空白欄或空白列。

	A	B	C	D	E
1	會員資料				
2	會員編號	姓名	生日	手機號碼	地址
3	29729245	謝辛如	1998/02/22	0956-324-312	台北市忠孝東路一段 333 號
4	79958489	許育弘	2002/08/11	0935-963-854	新北市新莊區中正路 577 號
5	28915702	張炳新	1983/05/08	0954-071-435	台中市西區英才路 212 號
6	19528508	林亞倩	1992/05/10	0913-410-599	台北市南港區經貿二號 1 號
7	81665798	王郁昌	1995/02/12	0972-371-299	台北市重慶南路一段 8 號
8	13429623	宋智鈞	2008/08/29	0933-250-036	新北市板橋區文化路二段 10 號
9	52211181	黃裕翔	2008/12/05	0934-750-620	台北市新生南路一段 8 號
10	26323670	姚欣穎	2011/12/30	0954-647-127	台中市西屯區朝富路 188 號
11					
12	32250942	陳美珍	1986/11/18	0911-322-603	新北市中和區安邦街 33 號
13	17448505	李家豪	2005/08/25	0982-597-901	苗栗市新苗街 18 號
14	95868920	陳瑞淑	1983/04/24	0968-491-182	新竹市北區中山路 128 號
15	83952910	蔡佳利	2010/05/15	0927-882-411	桃園市中壢區溪洲街 299 號
16	46232124	吳立其	2007/01/03	0987-094-998	台南市安平區中華西路二段 533 號
17	65959127	郭堯竹	1988/11/05	0960-798-165	新北市新莊區幸福路 888 號
18	99029850	陳君倫	1992/10/10	0926-988-780	高雄市鳳山區文化路 67 號

表格資料範圍

有空白列

這些資料不包含在上面的表格資料範圍內

▶ 一張工作表內可以建立多份表格資料，但為了簡化管理，建議一張工作表內僅建立一份表格資料。

以上是表格資料的結構，也是建立表格的原則。除此之外，表格資料和一般資料相同，可以進行各種格式設定。

14-2 建立表格資料

建立表格資料的方式有兩種，一種是直接將工作表中的資料轉換成表格；另一種則是以「匯入」的方式將現有的資料檔案載入工作表中。

將工作表中的資料建立成表格

若要直接在工作表中建立表格資料，只要根據上一節所說的原則輸入資料即可，範例檔案 Ch14-01 的資料，即是採用這種方式建立的：

	A	B	C	D	E
1	編號	品名	單價	訂購量	總金額
2	F6154	自動酒精噴霧消毒器	399	3,545	1,414,455
3	F6927	日本桌上型電扇 (自然白)	1,180	2,390	2,820,200
4	F6100	日本隨身型電扇 (冰心藍)	450	1,876	844,200
5	F6839	醫護級超薄型 UVC 殺菌機 (時尚白)	1,680	3,255	5,468,400

第一列輸入欄位名稱，接著輸入各筆記錄

表格資料中也可以建立公式，例如**總金額**欄即是由每項產品的**單價** × **訂購量**

開啟範例檔案 Ch14-01 後，請點選資料範圍中的任一個儲存格，切換到**插入**頁次，按下**表格**區的**表格**鈕，就可以將工作表中的資料轉成表格資料：

❷ 按下此鈕

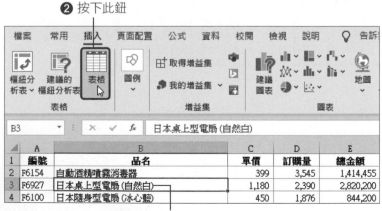

❶ 點選任一個儲存格

❸ 自動偵測表格資料的範圍

	A	B	C	D	E
1	編號	品名	單價	訂購量	總金額
2	F6154	自動酒精噴霧消毒器	399	3,545	1,414,455
3	F6927	日本桌上型電扇 (自然白)	1,180	2,390	2,820,200
4	F6100	日本隨身型電扇 (冰心藍)	450	1,876	844,200
5	F6839	醫護級超薄型 UVC 殺菌機 (時尚白)	1,680	3,255	5,468,400
6	F6003	極簡風輕巧剪髮器			2,879,905
7	F8784	德國 3D 電動牙刷			3,896,420
8	F5041	德國雙效濾芯組合 (6入)			2,444,904
9	F5825	萬用調整鍋 (珊瑚藍)			5,118,640
10	F5462	迷你 UV 殺菌機 (Type C)			569,015
11	F5627	靜音節能循環扇			2,970,000
12	F5929	衣櫃節能除濕器			1,198,500
13	F5926	隨行輕巧果汁機 (USB 充電式)	449	2,500	1,122,500
14	F5986	防疫全自動感應酒精噴霧機	890	3,500	3,115,000
15	F4040	日本多功能快煮鍋 (附萬用蒸籠)	1,250	954	1,192,500
16					

建立表格 ? ×
請問表格的資料來源(W)?
$A$1:$E$15
☑ 我的表格有標題(M)
確定　取消

按下此鈕，可
重新選取範圍

勾選此項，會將第一列當作
標題 (若不勾選，則會在最
上方幫你插入一列標題列)

❹ 確定資料範圍無誤後，
請按下**確定**鈕

加上**自動篩選**鈕 (關於**自動
篩選**功能，請參考 13-6 頁)

建立表格後會自動產生**表格設計**
頁次，讓你進行相關的設定

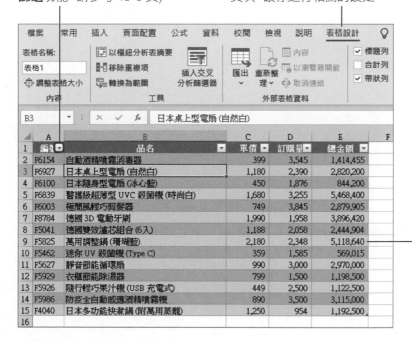

儲存格範圍已
建立成表格資
料，並套用表
格樣式

除了利用上述方法建立表格資料外，也可以在選取儲存格範圍後，按下**快速分析**鈕 ，切換到**表格**頁次點選**表格**鈕，將資料轉成表格資料。

❸ 切換到**表格**頁次

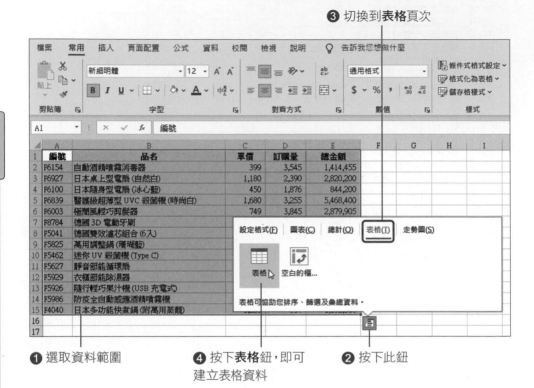

❶ 選取資料範圍　　　　❹ 按下**表格**鈕，即可　　❷ 按下此鈕
　　　　　　　　　　　　　建立表格資料

> **TIP**
>
> 此外，選取儲存格後，切換到**常用**頁次，從**樣式**區中按下**格式化為表格**鈕，並選取一種表格樣式，也會將儲存格資料轉成表格資料。

將現有的檔案匯入成表格資料

若是已經有現成的檔案 (例如文字檔或是從資料庫匯出的檔案)，則可以用匯入的方式來建立表格資料，我們以匯入 Access 資料庫檔案做示範。

STEP 01 請建立一份新活頁簿，切換到**資料**頁次，按下**取得及轉換資料**區的
取得資料鈕：

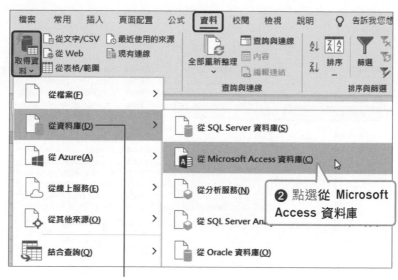

❶ 選擇**從資料庫**

STEP 02 選擇資料庫檔案。你可以開啟書附檔案中本章資料夾下的資料庫檔
案來練習：

❶ 切換到存放資料庫檔案的資料夾

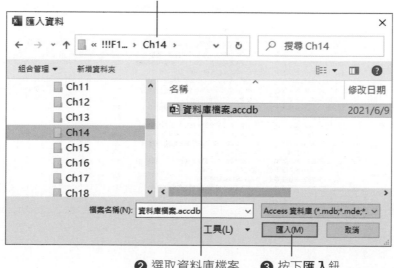

❷ 選取資料庫檔案　　　❸ 按下**匯入**鈕

接著會開啟**導覽器**交談窗，請在左側窗格選擇**書籍訂單**資料表，右側窗格即會顯示資料庫中的內容：

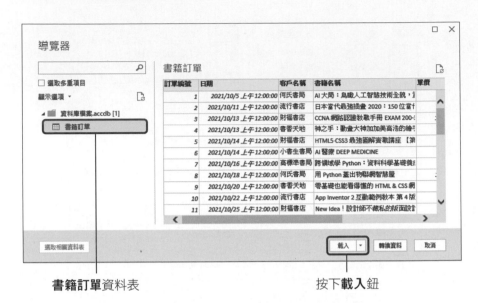

書籍訂單資料表　　　　　　　　　　　　　　按下**載入**鈕

 隨即會將資料庫中的資料匯入到工作表，並自動套用表格樣式。

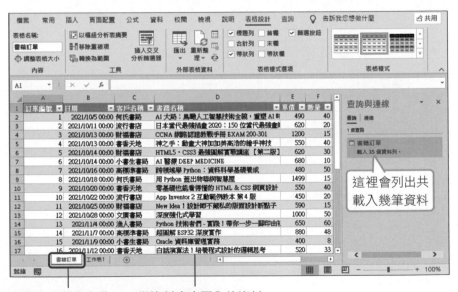

這裡會列出共載入幾筆資料

工作表名稱會自動
抓取資料庫中的
資料表名稱　　　　從資料庫中匯入的資料

表格資料的操作

建立表格後,我們來看看要如何修改表格資料的範圍、新增或刪除表格中的資料、更改表格樣式,以及插入「合計列」迅速進行各項計算。

擴大表格資料的範圍

建立表格後,仍然可以改變表格資料的範圍,只要將指標移到表格右下角的控點上,待滑鼠指標變成雙箭頭時再往下拖曳,以擴大表格的資料範圍。請開啟範例檔案 Ch14-02 來練習:

	編號	品名	單價	訂購量	總金額	F
10	F5462	迷你 UV 殺菌機 (Type C)	359	1,585	569,015	
11	F5627	靜音節能循環扇	990	3,000	2,970,000	
12	F5929	衣櫃節能除濕器	799	1,500	1,198,500	
13	F5926	隨行輕巧果汁機 (USB 充電式)	449	2,500	1,122,500	
14	F5986	防疫全自動感應酒精噴霧機	890	3,500	3,115,000	
15	F4040	日本多功能快煮鍋 (附萬用蒸籠)	1,250	954	1,192,500	
16						

❶ 表格資料的右下角會顯示此符號,請將指標移到符號上

	編號	品名	單價	訂購量	總金額	F
10	F5462	迷你 UV 殺菌機 (Type C)	359	1,585	569,015	
11	F5627	靜音節能循環扇	990	3,000	2,970,000	
12	F5929	衣櫃節能除濕器	799	1,500	1,198,500	
13	F5926	隨行輕巧果汁機 (USB 充電式)	449	2,500	1,122,500	
14	F5986	防疫全自動感應酒精噴霧機	890	3,500	3,115,000	
15	F4040	日本多功能快煮鍋 (附萬用蒸籠)	1,250	954	1,192,500	
16						
17						
18						
19						
20						
21						

❷ 待指標變成雙箭頭時往下拖曳,即可擴大資料範圍

	編號 ▼	品名	單價 ▼	訂購量 ▼	總金額 ▼
10	F5462	迷你 UV 殺菌機 (Type C)	359	1,585	569,015
11	F5627	靜音節能循環扇	990	3,000	2,970,000
12	F5929	衣櫃節能除濕器	799	1,500	1,198,500
13	F5926	隨行輕巧果汁機 (USB 充電式)	449	2,500	1,122,500
14	F5986	防疫全自動感應酒精噴霧機	890	3,500	3,115,000
15	F4040	日本多功能快煮鍋 (附萬用蒸籠)	1,250	954	1,192,500
16					0
17					0
18					0
19					0
20					0
21					

公式會自動延伸下來,不過目前尚未輸入資料,所以總金額為 0

❸ 你可以在此繼續輸入資料

擴大表格範圍後,會自動套用表格樣式,省下自己手動設定的時間

縮減表格資料的範圍

剛才示範的是增加資料範圍,如果要縮減資料範圍,則要向上或向內拖曳控點,以縮小表格的資料範圍,此時不在範圍內的資料就會變成一般儲存格資料:

	A	B	C	D	E
7	F8784	德國 3D 電動牙刷	1,990	1,958	3,896,420
8	F5041	德國雙效濾芯組合 (6入)	1,188	2,058	2,444,904
9	F5825	萬用調整鍋 (珊瑚藍)	2,180	2,348	5,118,640
10	F5462	迷你 UV 殺菌機 (Type C)	359	1,585	569,015
11	F5627	靜音節能循環扇	990	3,000	2,970,000
12	F5929	衣櫃節能除濕器	799	1,500	1,198,500
13	F5926	隨行輕巧果汁機 (USB 充電式)	449	2,500	1,122,500
14	F5986	防疫全自動感應酒精噴霧機	890	3,500	3,115,000
15	F4040	日本多功能快煮鍋 (附萬用蒸籠)	1,250	954	1,192,500
16					0
17					0
18					0
19					0
20					0

這些才是表格資料

不屬於表格資料

新增或刪除表格資料

如果想在表格中新增或刪除資料,其操作方法和一般儲存格一樣,底下示範在表格的最後新增一筆資料,請重新開啟範例檔案 Ch14-02:

選取 A16 儲存格，並輸入 "F1583"，按下 → 方向鍵，將作用儲存格移到 B16 儲存格：

	A	B	C	D	E
13	F5926	隨行輕巧果汁機 (USB 充電式)	449	2,500	1,122,500
14	F5986	防疫全自動感應酒精噴霧機	890	3,500	3,115,000
15	F4040	日本多功能快煮鍋 (附萬用蒸籠)	1,250	954	1,192,500
16	F1583				

在此輸入資料後，按下 → 方向鍵

	編號	品名	單價	訂購量	總金額
13	F5926	隨行輕巧果汁機 (USB 充電式)	449	2,500	1,122,500
14	F5986	防疫全自動感應酒精噴霧機	890	3,500	3,115,000
15	F4040	日本多功能快煮鍋 (附萬用蒸籠)	1,250	954	1,192,500
16	F1583				0
17					

顯示**自動校正選項**鈕　　自動加上藍色底色　　　　　　　　出現此控點，表示
(稍後說明)　　　　　　　　　　　　　　　　　　　　　　此列也是表格資料

 請依下圖在 B16:D16 儲存格輸入資料，當輸入 D16 儲存格的資料後，E16 儲存格便會自動計算出總金額：

	編號	品名	單價	訂購量	總金額
13	F5926	隨行輕巧果汁機 (USB 充電式)	449	2,500	1,122,500
14	F5986	防疫全自動感應酒精噴霧機	890	3,500	3,115,000
15	F4040	日本多功能快煮鍋 (附萬用蒸籠)	1,250	954	1,192,500
16	F1583	極簡氣泡水機	2,380	853	2,030,140
17					

刪除表格中的資料和一般刪除儲存格資料的方法相同，你可以自行試試。

技巧補充

「自動校正選項」鈕的作用

從上述的操作中，你應該學會在表格中新增資料的方法了，還記得剛才在 A16 儲存格輸入資料後，B16 儲存格出現的**自動校正選項**鈕 嗎？按下此鈕，可控制表格是否自動展開：

選擇此命令，可取消擴展表格

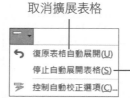

選擇此項，輸入的資料不會變成表格資料，並且關閉在表格中自動新增欄或列的功能

插入「合計列」

表格有一項非常棒的功能，那就是可以快速建立**合計列**，你不用自己設定公式，就能得到各欄的加總或平均結果。請點選表格中的任一個儲存格，切換到**表格設計**頁次，勾選**表格樣式選項**區的**合計列**，即會自動建立合計列，並顯示表格資料中最後一欄的加總值：

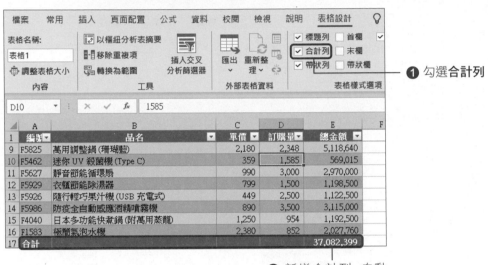

❶ 勾選**合計列**

❷ 新增合計列，自動計算最後一欄的加總

除了計算加總外，**合計列**還提供許多運算，如：平均值、項目個數、最大值、最小值、標準差…等，而且不只最後一欄擁有這項合計功能，只要選取**合計列**上的儲存格，就會出現下拉鈕讓我們選擇所需要的運算：

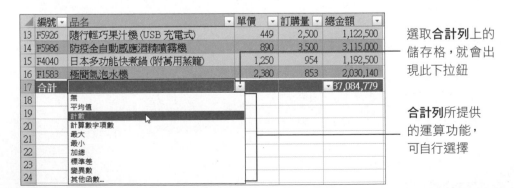

選取**合計列**上的儲存格，就會出現此下拉鈕

合計列所提供的運算功能，可自行選擇

變更表格樣式

建立表格資料時，會自動套用預設的表格樣式，若是不喜歡預設的樣式，可以另外挑選其他的樣式來套用。

套用表格樣式

若要變更表格樣式，只要先選取表格中的任一個儲存格，在**表格設計**頁次下的**表格樣式**區設定。表格樣式分成**淺色**、**中等**及**深色** 3 種不同類別，你可以點選喜愛的樣式來套用：

TIP

當滑鼠移到樣式上，表格即會立即呈現套用後的結果。

按下**其他**鈕，可展開所有樣式，以方便選擇

	A	B	C	D	E	F
1	編號	品名	單價	訂購量	總金額	
2	F6154	自動酒精噴霧消毒器	399	3,545	1,414,455	
3	F6927	日本桌上型電扇 (自然白)	1,180	2,390	2,820,200	
4	F6100	日本隨身型電扇 (冰心藍)	450	1,876	844,200	
5	F6839	醫護級超薄型 UVC 殺菌機 (時尚白)	1,680	3,255	5,468,400	
6	F6003	極簡風輕巧剪髮器	749	3,845	2,879,905	
7	F8784	德國 3D 電動牙刷	1,990	1,958	3,896,420	
8	F5041	德國雙效濾芯組合 (6入)	1,188	2,058	2,444,904	
9	F5825	萬用調整鍋 (珊瑚藍)	2,180	2,348	5,118,640	
10	F5462	迷你 UV 殺菌機 (Type C)	359	1,585	569,015	
11	F5627	靜音節能循環扇	990	3,000	2,970,000	
12	F5929	衣櫃節能除濕器	799	1,500	1,198,500	
13	F5926	隨行輕巧果汁機 (USB 充電式)	449	2,500	1,122,500	
14	F5986	防疫全自動感應酒精噴霧機	890	3,500	3,115,000	
15	F4040	日本多功能快煮鍋 (附萬用蒸籠)	1,250	954	1,192,500	
16	F1583	極簡氣泡水機	2,380	852	2,027,760	
17	合計				37,082,399	
18						

▲ 套用**紅色, 表格樣式中等深淺 10** 的結果

自訂表格的樣式選項

套用內建的表格樣式預設會包含篩選鈕、每隔一列換色、標題列會填滿深色背景、…等。若是想自訂是否顯示這些表格樣式，可從**表格設計**頁次的**表格樣式選項**區做設定：

可由此區勾選要顯示的項目

	A	B	C	D	E	
1						── 取消勾選**標題列**
2	F6154	自動酒精噴霧消毒器	399	3,545	1,414,455	
3	F6927	日本桌上型電扇 (自然白)	1,180	2,390	2,820,200	
4	F6100	日本隨身型電扇 (冰心藍)	450	1,876	844,200	
5	F6839	醫護級超薄型 UVC 殺菌機 (時尚白)	1,680	3,255	5,468,400	
6	F6003	極簡風輕巧剪髮器	749	3,845	2,879,905	
7	F8784	德國 3D 電動牙刷	1,990	1,958	3,896,420	
8	F5041	德國雙效濾芯組合 (6入)	1,188	2,058	2,444,904	
9	F5825	萬用調整鍋 (珊瑚藍)	2,180	2,348	5,118,640	
10	F5462	迷你 UV 殺菌機 (Type C)	359	1,585	569,015	
11	F5627	靜音節能循環扇	990	3,000	2,970,000	◀ 為了方便看出不
12	F5929	衣櫃節能除濕器	799	1,500	1,198,500	同選項的效果，在
13	F5926	隨行輕巧果汁機 (USB 充電式)	449	2,500	1,122,500	此套用**青色，表格**
14	F5986	防疫全自動感應酒精噴霧機	890	3,500	3,115,000	**樣式中等深淺 6**
15	F4040	日本多功能快煮鍋 (附萬用蒸籠)	1,250	954	1,192,500	
16	F1583	極簡氣泡水機	2,380	852	2,027,760	
17	合計				37,082,399	

	A	B	C	D	E	
1	編號	品名	單價	訂購量	總金額	
2	F6154	自動酒精噴霧消毒器	399	3,545	1,414,455	
3	F6927	日本桌上型電扇 (自然白)	1,180	2,390	2,820,200	
4	F6100	日本隨身型電扇 (冰心藍)	450	1,876	844,200	
5	F6839	醫護級超薄型 UVC 殺菌機 (時尚白)	1,680	3,255	5,468,400	
6	F6003	極簡風輕巧剪髮器	749	3,845	2,879,905	
7	F8784	德國 3D 電動牙刷	1,990	1,958	3,896,420	
8	F5041	德國雙效濾芯組合 (6入)	1,188	2,058	2,444,904	
9	F5825	萬用調整鍋 (珊瑚藍)	2,180	2,348	5,118,640	
10	F5462	迷你 UV 殺菌機 (Type C)	359	1,585	569,015	
11	F5627	靜音節能循環扇	990	3,000	2,970,000	
12	F5929	衣櫃節能除濕器	799	1,500	1,198,500	
13	F5926	隨行輕巧果汁機 (USB 充電式)	449	2,500	1,122,500	
14	F5986	防疫全自動感應酒精噴霧機	890	3,500	3,115,000	
15	F4040	日本多功能快煮鍋 (附萬用蒸籠)	1,250	954	1,192,500	◀ 在最後一列
16	F1583	極簡氣泡水機	2,380	852	2,027,760	加上**合計列**
17	合計				37,082,399	
18						

	A 編號	B 品名	C 單價	D 訂購量	E 總金額
2	F6154	自動酒精噴霧消毒器	399	3,545	1,414,455
3	F6927	日本桌上型電扇 (自然白)	1,180	2,390	2,820,200
4	F6100	日本隨身型電扇 (冰心藍)	450	1,876	844,200
5	F6839	醫護級超薄型 UVC 殺菌機 (時尚白)	1,680	3,255	5,468,400
6	F6003	極簡風輕巧剪髮器	749	3,845	2,879,905
7	F8784	德國 3D 電動牙刷	1,990	1,958	3,896,420
8	F5041	德國雙效濾芯組合 (6入)	1,188	2,058	2,444,904
9	F5825	萬用調整鍋 (珊瑚藍)	2,180	2,348	5,118,640
10	F5462	迷你 UV 殺菌機 (Type C)	359	1,585	569,015
11	F5627	靜音節能循環扇	990	3,000	2,970,000
12	F5929	衣櫃節能除濕器	799	1,500	1,198,500
13	F5926	隨行輕巧果汁機 (USB 充電式)	449	2,500	1,122,500
14	F5986	防疫全自動感應酒精噴霧機	890	3,500	3,115,000
15	F4040	日本多功能快煮鍋 (附萬用蒸籠)	1,250	954	1,192,500
16	F1583	極簡氣泡水機	2,380	852	2,027,760
17	合計				37,082,399
18					

◀ 取消**帶狀列**，就不會每隔一列填滿背景色彩

	A 編號	B 品名	C 單價	D 訂購量	E 總金額
2	F6154	自動酒精噴霧消毒器	399	3,545	1,414,455
3	F6927	日本桌上型電扇 (自然白)	1,180	2,390	2,820,200
4	F6100	日本隨身型電扇 (冰心藍)	450	1,876	844,200
5	F6839	醫護級超薄型 UVC 殺菌機 (時尚白)	1,680	3,255	5,468,400
6	F6003	極簡風輕巧剪髮器	749	3,845	2,879,905
7	F8784	德國 3D 電動牙刷	1,990	1,958	3,896,420
8	F5041	德國雙效濾芯組合 (6入)	1,188	2,058	2,444,904
9	F5825	萬用調整鍋 (珊瑚藍)	2,180	2,348	5,118,640
10	F5462	迷你 UV 殺菌機 (Type C)	359	1,585	569,015
11	F5627	靜音節能循環扇	990	3,000	2,970,000
12	F5929	衣櫃節能除濕器	799	1,500	1,198,500
13	F5926	隨行輕巧果汁機 (USB 充電式)	449	2,500	1,122,500
14	F5986	防疫全自動感應酒精噴霧機	890	3,500	3,115,000
15	F4040	日本多功能快煮鍋 (附萬用蒸籠)	1,250	954	1,192,500
16	F1583	極簡氣泡水機	2,380	852	2,027,760
17	合計				37,082,399
18					

◀ 勾選**首欄**，會加粗第 1 欄的文字；套用某些樣式會填滿底色

	A 編號	B 品名	C 單價	D 訂購量	E 總金額
2	F6154	自動酒精噴霧消毒器	399	3,545	1,414,455
3	F6927	日本桌上型電扇 (自然白)	1,180	2,390	2,820,200
4	F6100	日本隨身型電扇 (冰心藍)	450	1,876	844,200
5	F6839	醫護級超薄型 UVC 殺菌機 (時尚白)	1,680	3,255	5,468,400
6	F6003	極簡風輕巧剪髮器	749	3,845	2,879,905
7	F8784	德國 3D 電動牙刷	1,990	1,958	3,896,420
8	F5041	德國雙效濾芯組合 (6入)	1,188	2,058	2,444,904
9	F5825	萬用調整鍋 (珊瑚藍)	2,180	2,348	5,118,640
10	F5462	迷你 UV 殺菌機 (Type C)	359	1,585	569,015
11	F5627	靜音節能循環扇	990	3,000	2,970,000
12	F5929	衣櫃節能除濕器	799	1,500	1,198,500
13	F5926	隨行輕巧果汁機 (USB 充電式)	449	2,500	1,122,500
14	F5986	防疫全自動感應酒精噴霧機	890	3,500	3,115,000
15	F4040	日本多功能快煮鍋 (附萬用蒸籠)	1,250	954	1,192,500
16	F1583	極簡氣泡水機	2,380	852	2,027,760
17	合計				37,082,399
18					

◀ 勾選**末欄**，會加粗最後 1 欄的文字；套用某些樣式會填滿底色

	A	B	C	D	E
1	編號 ▼	品名 ▼	單價 ▼	訂購量 ▼	總金額 ▼
2	F6154	自動酒精噴霧消毒器	399	3,545	1,414,455
3	F6927	日本桌上型電扇(自然白)	1,180	2,390	2,820,200
4	F6100	日本隨身型電扇(冰心藍)	450	1,876	844,200
5	F6839	醫護級超薄型 UVC 殺菌機 (時尚白)	1,680	3,255	5,468,400
6	F6003	極簡風輕巧剪髮器	749	3,845	2,879,905

◀ 勾選**帶狀欄**
取消**帶狀列**

	A	B	C	D	E
1	編號	品名	單價	訂購量	總金額
2	F6154	自動酒精噴霧消毒器	399	3,545	1,414,455
3	F6927	日本桌上型電扇(自然白)	1,180	2,390	2,820,200
4	F6100	日本隨身型電扇(冰心藍)	450	1,876	844,200
5	F6839	醫護級超薄型 UVC 殺菌機 (時尚白)	1,680	3,255	5,468,400
6	F6003	極簡風輕巧剪髮器	749	3,845	2,879,905

◀ 取消**篩選按鈕**

不套用表格樣式

若希望表格不要太花俏，可取消套用表格樣式，同樣先選取表格中的任一個儲存格，在**表格設計**頁次下的**表格樣式**區設定。

點選**無**，即可不套用樣式

不套用表格樣式

	A	B	C	D	E	F
1	編號 ▼	品名 ▼	單價 ▼	訂購量 ▼	總金額 ▼	
2	F6154	自動酒精噴霧消毒器	399	3,545	1,414,455	
3	F6927	日本桌上型電扇(自然白)	1,180	2,390	2,820,200	
4	F6100	日本隨身型電扇(冰心藍)	450	1,876	844,200	
5	F6839	醫護級超薄型 UVC 殺菌機 (時尚白)	1,680	3,255	5,468,400	
14	F5986	防疫全自動感應酒精噴霧機	890	3,500	3,115,000	
15	F4040	日本多功能快煮鍋 (附萬用蒸籠)	1,250	954	1,192,500	
16	F1583	極簡氣泡水機	2,380	852	2,027,760	
17	合計				37,082,399	
18						

但角落有此控點，表示此
資料範圍仍是「表格」

14-5 快速刪除重複的記錄

表格有一項非常實用的功能，那就是可以依據你指定的欄位，自動找出重複的資料列並且刪除。對於經常要處理大量訂單資料、會員資料的人，可以善加利用這個功能來刪除重複輸入的資料。

移除重複項

請開啟範例檔案 Ch14-03，這是一份會員資料，為了確保資料的唯一性，可如下操作來檢查並刪除重複的資料。

請選取表格範圍中的任一個儲存格，切換到**表格設計**頁次按下**移除重複項**鈕，開啟**移除重複項**交談窗，勾選要比對的欄位，當指定的欄位資料都一樣，就表示資料為重複。

資料有重複的情形　　❶ 在此勾選要比對的欄位　❷ 按下**確定**鈕

❸ 會告訴你總共找到幾筆並且移除的重複資料

將表格轉換為一般資料

若是資料不需要做篩選或使用合計列，可將表格轉換成一般資料，只保留樣式設定。

請開啟範例檔案 Ch14-04，選取表格範圍中的任一個儲存格，切換到**表格設計**頁次，按下**工具**區的**轉換為範圍**鈕，再如下操作：

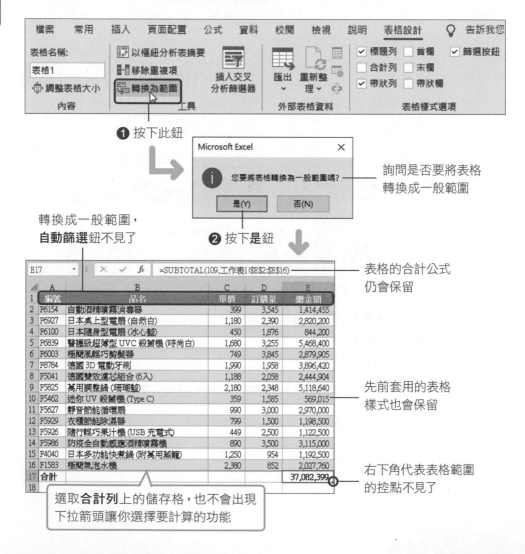

❶ 按下此鈕

詢問是否要將表格轉換成一般範圍

Microsoft Excel

您要將表格轉換為一般範圍嗎？

是(Y)　　否(N)

❷ 按下**是**鈕

轉換成一般範圍，**自動篩選**鈕不見了

表格的合計公式仍會保留

E17　=SUBTOTAL(109,工作表1!$E$2:$E$16)

	A	B	C	D	E
1	編號	品名	單價	訂購量	響金額
2	F6154	自動酒精噴霧消毒器	399	3,545	1,414,455
3	F6927	日本桌上型電扇 (自然白)	1,180	2,390	2,820,200
4	F6100	日本隨身型電扇 (冰心藍)	450	1,876	844,200
5	F6839	醫護級超薄型 UVC 殺菌機 (時尚白)	1,680	3,255	5,468,400
6	F6003	極簡風輕巧剪髮器	749	3,845	2,879,905
7	F8784	德國 3D 電動牙刷	1,990	1,958	3,896,420
8	F5041	德國雙效濾芯組合 (6入)	1,188	2,058	2,444,904
9	F5825	萬用調整鍋 (珊瑚藍)	2,180	2,348	5,118,640
10	F5462	迷你 UV 殺菌機 (Type C)	359	1,585	569,015
11	F5627	靜音節能循環扇	990	3,000	2,970,000
12	F5929	衣櫃節能除濕器	799	1,500	1,198,500
13	F5926	隨行輕巧果汁機 (USB 充電式)	449	2,500	1,122,500
14	F5986	防疫全自動感應酒精噴霧機	890	3,500	3,115,000
15	F4040	日本多功能快煮鍋 (附萬用蒸籠)	1,250	954	1,192,500
16	F1583	極簡無泡水機	2,380	852	2,027,760
17	合計				37,082,399
18					

先前套用的表格樣式也會保留

右下角代表表格範圍的控點不見了

選取**合計列**上的儲存格，也不會出現下拉箭頭讓你選擇要計算的功能

15 樞紐分析：資料分析的好幫手

經理給我這個月的出勤表，要我統計所有業務員當月的「出差次數」(公假)，但是表格裡還有其他部門的人以及不同假別資料，我要怎麼統計

最快的方法就是用**樞紐分析表**，只要將業務員姓名放在「列」區域，再把「假別」分別放在「欄」及「Σ 值」區域，就可以輕鬆列出業務員的出差次數了

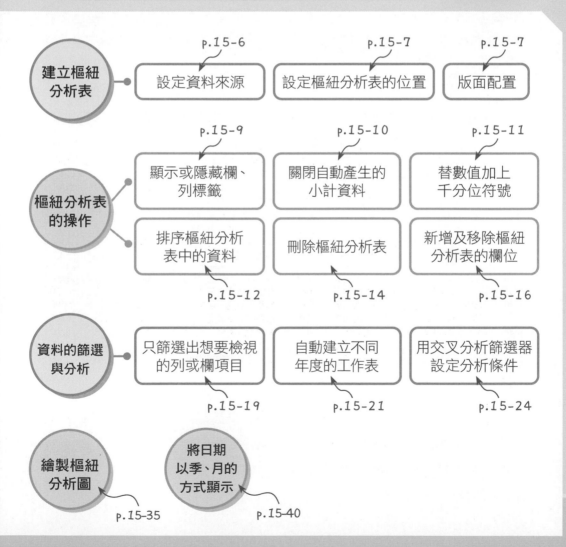

建立樞紐分析表

- 設定資料來源　p.15-6
- 設定樞紐分析表的位置　p.15-7
- 版面配置　p.15-7

樞紐分析表的操作

- 顯示或隱藏欄、列標籤　p.15-9
- 關閉自動產生的小計資料　p.15-10
- 替數值加上千分位符號　p.15-11
- 排序樞紐分析表中的資料　p.15-12
- 刪除樞紐分析表　p.15-14
- 新增及移除樞紐分析表的欄位　p.15-16

資料的篩選與分析

- 只篩選出想要檢視的列或欄項目　p.15-19
- 自動建立不同年度的工作表　p.15-21
- 用交叉分析篩選器設定分析條件　p.15-24

繪製樞紐分析圖　p.15-35

將日期以季、月的方式顯示　p.15-40

要對大量數據進行彙總及分析，又不想寫長串公式時，樞紐分析表就是最方便的工具，不僅可以靈活調整欄列項目，還能立即完成統計結果。

只要用滑鼠點點按按，就能瞬間統計大量資料！

請開啟範例檔案 Ch15-01，這是一家開業半年的甜點店銷售資料，包含了 2020 及 2021年各類蛋糕及泡芙在各門市的銷售資料。老闆想知道這半年來在不同地區各品項的銷售狀況，但是資料量很大，該怎麼做才能馬上完成統計呢？

	A	B	C	D	E	F	G	H	I
1	NO	日期	地區	門市	分類	商品	單價	數量	金額
2	1	2020/11/4	台北	站前門市	蛋糕	8吋抹茶千層	620	15	9,300
3	2	2020/11/4	台北	站前門市	蛋糕	五層草莓夾心戚風	650	96	62,400
4	3	2020/11/4	台北	站前門市	蛋糕	經典檸檬派	550	82	45,100
5	4	2020/11/4	台北	站前門市	蛋糕	醇厚生巧克力乳酪	580	106	61,480
6	5	2020/11/4	台北	站前門市	蛋糕	抹茶紅豆生乳卷	420	73	30,660
7	6	2020/11/4	台北	站前門市	泡芙	波蘿巧克力泡芙	75	40	3,000
8	7	2020/11/4	台北	站前門市	泡芙	覆盆子鮮果泡芙	100	77	7,700
9	8	2020/11/4	台北	站前門市	泡芙	卡士達草莓雙餡泡芙	85	43	3,655
10	9	2020/11/4	台北	站前門市	泡芙	頂級香濃卡士達泡芙	80	43	3,440
11	10	2020/11/4	台北	南港門市	蛋糕	8吋抹茶千層	620	41	25,420
12	11	2020/11/4	台北	南港門市	蛋糕	五層草莓夾心戚風	650	73	47,450
1784	1783	2021/4/29	台中	大墩門市	蛋糕	8吋抹茶千層	620	85	52,700
1785	1784	2021/4/29	台中	大墩門市	蛋糕	五層草莓夾心戚風	650	102	66,300
1786	1785	2021/4/29	台中	大墩門市	蛋糕	醇厚生巧克力乳酪	580	78	45,240
1787	1786	2021/4/29	台中	大墩門市	蛋糕	抹茶紅豆生乳卷	420	83	34,860
1788	1787	2021/4/29	台中	大墩門市	蛋糕	紫芋金沙蛋糕	620	75	46,500
1789	1788	2021/4/29	台中	大墩門市	泡芙	波蘿巧克力泡芙	75	55	4,125
1790	1789	2021/4/29	台中	大墩門市	泡芙	卡士達草莓雙餡泡芙	85	40	3,400

▲ 銷售資料

先別急著開始苦算，利用 "互動式" 的樞紐分析表功能，只要動動滑鼠就可以依據老闆的要求快速產生報表，而且這份報表可隨意變更欄位，無論是新增、移除欄位、變換欄位的位置，都能在瞬間調整完成，依想要的形式來呈現資料。

加總 - 金額	欄標籤		
列標籤	台中	台北	總計
8 吋抹茶千層	4,432,380	3,684,040	8,116,420
五層草莓夾心戚風	5,645,900	5,540,600	11,186,500
卡士達草莓雙餡泡芙	477,530	452,285	929,815
抹茶紅豆生乳卷	2,855,160	1,593,060	4,448,220
波蘿巧克力泡芙	416,925	395,175	812,100
頂級香濃卡士達泡芙	427,040	397,440	824,480
紫芋金沙蛋糕	5,139,800	3,224,000	8,363,800
經典檸檬派	2,000,900	3,146,000	5,146,900
醇厚生巧克力乳酪	5,998,360	5,786,080	11,784,440
覆盆子鮮果泡芙	364,400	318,900	683,300
總計	27,758,395	24,537,580	52,295,975

用樞紐分析表瞬間完成統計 (可立即看出台北、台中各品項的銷售額)

樞紐分析表的好處：輕輕鬆鬆就能更換統計項目

用同一份銷售資料製作統計表，當改變了統計項目後，分析的角度也會不同。例如：「商品門市別的統計表」可以清楚瞭解「哪種商品在哪個門市賣得比較好」。另外，「商品季別銷售統計表」能掌握「成長」或「衰退」趨勢。在樞紐分析表中，只要點按滑鼠，就能輕易變換統計表的項目，幫助你從不同觀點來分析資料。

加總 - 金額	欄標籤				
列標籤	大敦門市	南港門市	站前門市	逢甲門市	總計
醇厚生巧克力乳酪	2,872,160	2,790,960	2,995,120	3,126,200	11,784,440
五層草莓夾心戚風	2,763,800	2,504,450	3,036,150	2,882,100	11,186,500
紫芋金沙蛋糕	2,389,480	2,412,420	811,580	2,750,320	8,363,800
8 吋抹茶千層	2,143,960	1,897,820	1,786,220	2,288,420	8,116,420
抹茶紅豆生乳卷	1,366,260	336,840	1,256,220	1,488,900	4,448,220
經典檸檬派	281,600	1,585,650	1,560,350	1,719,300	5,146,900
卡士達草莓雙餡泡芙	226,865	213,605	238,680	250,665	929,815
頂級香濃卡士達泡芙	211,920	192,960	204,480	215,120	824,480
波蘿巧克力泡芙	205,500	181,200	213,975	211,425	812,100
覆盆子鮮果泡芙	55,200	70,500	248,400	309,200	683,300
總計	12,516,745	12,186,405	12,351,175	15,241,650	52,295,975

▲ 「商品門市別」的統計表，可快速得知哪項產品在哪個門市銷售最好

加總 - 金額	欄標籤			
	2020年	2021年		總計
	第四季	第一季	第二季	
列標籤				
醇厚生巧克力乳酪	3,809,440	5,948,480	2,026,520	11,784,440
五層草莓夾心戚風	3,614,650	5,673,850	1,898,000	11,186,500
8 吋抹茶千層	2,728,000	3,878,720	1,509,700	8,116,420
紫芋金沙蛋糕	2,659,180	4,216,620	1,488,000	8,363,800
經典檸檬派	1,687,950	2,544,300	914,650	5,146,900
抹茶紅豆生乳卷	1,464,120	2,217,180	766,920	4,448,220
卡士達草莓雙餡泡芙	298,860	471,580	159,375	929,815
波蘿巧克力泡芙	258,375	413,775	139,950	812,100
頂級香濃卡士達泡芙	250,000	429,600	144,880	824,480
覆盆子鮮果泡芙	235,600	331,200	116,500	683,300
總計	17,006,175	26,125,305	9,164,495	52,295,975

將欄標題的「門市」改成「年」、「季」

▲ 「商品季別」統計表，可快速得知哪項商品在第幾季賣最好

樞紐分析表的組成元件

在建立樞紐分析表之前，我們先認識一下樞紐分析表的組成元件。

▶ **欄位**：樞紐分析表中有**篩選**、**欄**、**列**與 **Σ 值** 4 種欄位。建立樞紐分析表時，我們必須指定要以表格中的哪些欄位作為篩選、欄、列與 Σ 值欄位，這樣 Excel 才能根據我們的設定產生樞紐分析表。

	A	B	C	D	E	F	G	H	I
1	NO	日期	地區	門市	分類	商品	單價	數量	金額
2	1	2020/11/4	台北	站前門市	蛋糕	8 吋抹茶千層	620	15	9,300
3	2	2020/11/4	台北	站前門市	蛋糕	五層草莓夾心戚風	650	96	62,400
4	3	2020/11/4	台北	站前門市	蛋糕	經典檸檬派	550	82	45,100
5	4	2020/11/4	台北	站前門市	蛋糕	醇厚生巧克力乳酪	580	106	61,480
6	5	2020/11/4	台北	站前門市	蛋糕	抹茶紅豆生乳卷	420	73	30,660
7	6	2020/11/4	台北	站前門市	泡芙	波蘿巧克力泡芙	75	40	3,000
8	7	2020/11/4	台北	站前門市	泡芙	覆盆子鮮果泡芙	100	77	7,700
9	8	2020/11/4	台北	站前門市	泡芙	卡士達草莓雙餡泡芙	85	43	3,655
10	9	2020/11/4	台北	站前門市	泡芙	頂級香濃卡士達泡芙	80	43	3,440
11	10	2020/11/4	台北	南港門市	蛋糕	8 吋抹茶千層	620	41	25,420
12	11	2020/11/4	台北	南港門市	蛋糕	五層草莓夾心戚風	650	73	47,450
13	12	2020/11/4	台北	南港門市	蛋糕	經典檸檬派	550	75	41,250
14	13	2020/11/4	台北	南港門市	蛋糕	醇厚生巧克力乳酪	580	93	53,940
15	14	2020/11/4	台北	南港門市	蛋糕	紫芋金沙蛋糕	620	84	52,080

▲ 事先建立好的銷售資料

商品名稱指定為**列**　　　　　**門市**指定為**欄**　　　　**金額**指定為**Σ 值**

	A	B	C	D	E	F
1						
2						
3	加總 - 金額	欄標籤				
4	列標籤	大墩門市	南港門市	站前門市	逢甲門市	總計
5	8 吋抹茶千層	2,143,960	1,897,820	1,786,220	2,288,420	8,116,420
6	五層草莓夾心戚風	2,763,800	2,504,450	3,036,150	2,882,100	11,186,500
7	卡士達草莓雙餡泡芙	226,865	213,605	238,680	250,665	929,815
8	抹茶紅豆生乳卷	1,366,260	336,840	1,256,220	1,488,900	4,448,220
9	波蘿巧克力泡芙	205,500	181,200	213,975	211,425	812,100
10	頂級香濃卡士達泡芙	211,920	192,960	204,480	215,120	824,480
11	紫芋金沙蛋糕	2,389,480	2,412,420	811,580	2,750,320	8,363,800
12	經典檸檬派	281,600	1,585,650	1,560,350	1,719,300	5,146,900
13	醇厚生巧克力乳酪	2,872,160	2,790,960	2,995,120	3,126,200	11,784,440
14	覆盆子鮮果泡芙	55,200	70,500	248,400	309,200	683,300
15	總計	12,516,745	12,186,405	12,351,175	15,241,650	52,295,975

▲ 樞紐分析表

Σ **值**欄位通常指定的是數值類型的資料，可計算出加總、平均值…、等運算結果。

▶ **列 (欄) 項目**：欄位中每個唯一的值便稱為項目，例如**商品**名稱欄就有「8 吋抹茶千層」、「五層草莓夾心戚風」、「經典檸檬派」、…等項目。

	A	B	C	D	E	F	G	H	I
1	NO	日期	地區	門市	分類	商品	單價	數量	金額
2	1	2020/11/4	台北	站前門市	蛋糕	8 吋抹茶千層	620	15	9,300
3	2	2020/11/4	台北	站前門市	蛋糕	五層草莓夾心戚風	650	96	62,400
4	3	2020/11/4	台北	站前門市	蛋糕	經典檸檬派	550	82	45,100
5	4	2020/11/4	台北	站前門市	蛋糕	醇厚生巧克力乳酪	580	106	61,480
6	5	2020/11/4	台北	站前門市	蛋糕	抹茶紅豆生乳卷	420	73	30,660
7	6	2020/11/4	台北	站前門市	泡芙	波蘿巧克力泡芙	75	40	3,000
8	7	2020/11/4	台北	站前門市	泡芙	覆盆子鮮果泡芙	100	77	7,700
9	8	2020/11/4	台北	站前門市	泡芙	卡士達草莓雙餡泡芙	85	43	3,655
10	9	2020/11/4	台北	站前門市	泡芙	頂級香濃卡士達泡芙	80	43	3,440
11	10	2020/11/4	台北	南港門市	蛋糕	8 吋抹茶千層	620	41	25,420
12	11	2020/11/4	台北	南港門市	蛋糕	五層草莓夾心戚風	650	73	47,450

▲ 銷售資料

10 個列項目 (商品名稱)　　　　4 個欄項目 (門市)

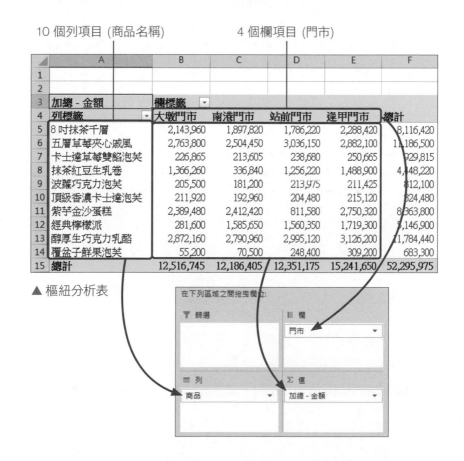

	A	B	C	D	E	F
1						
2						
3	加總 - 金額	欄標籤				
4	列標籤	大墩門市	南港門市	站前門市	逢甲門市	總計
5	8 吋抹茶千層	2,143,960	1,897,820	1,786,220	2,288,420	8,116,420
6	五層草莓夾心戚風	2,763,800	2,504,450	3,036,150	2,882,100	11,186,500
7	卡士達草莓雙餡泡芙	226,865	213,605	238,680	250,665	929,815
8	抹茶紅豆生乳卷	1,366,260	336,840	1,256,220	1,488,900	4,448,220
9	波蘿巧克力泡芙	205,500	181,200	213,975	211,425	812,100
10	頂級香濃卡士達泡芙	211,920	192,960	204,480	215,120	824,480
11	紫芋金沙蛋糕	2,389,480	2,412,420	811,580	2,750,320	8,363,800
12	經典檸檬派	281,600	1,585,650	1,560,350	1,719,300	5,146,900
13	醇厚生巧克力乳酪	2,872,160	2,790,960	2,995,120	3,126,200	11,784,440
14	覆盆子鮮果泡芙	55,200	70,500	248,400	309,200	683,300
15	總計	12,516,745	12,186,405	12,351,175	15,241,650	52,295,975

▲ 樞紐分析表

在下列區域之間拖曳欄位：

▼ 篩選

▥ 欄
門市　　　▼

≡ 列
商品　　　▼

Σ 值
加總 - 金額　　　▼

15-2 建立樞紐分析表

對樞紐分析表的結構有基本概念後,請開啟範例檔案 Ch15-01,利用銷售
工作表中的數據資料來建立樞紐分析表,以便了解每項商品在不同地區及
門市的銷售數量。

設定資料來源

請先選取資料範圍中的任
一個儲存格,切換至**插入**
頁次,按下**表格**區的**樞紐
分析表**鈕:

接著會開啟如右圖的交談窗,讓我們做進一步的設定。首先要設定資料來
源,好讓 Excel 知道要根據什麼資料來產生樞紐分析表。

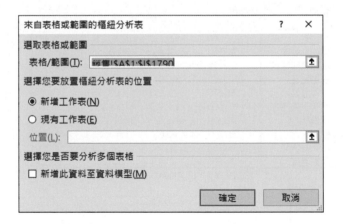

由於我們已經先選取資料表格中的任一個儲存格,所以 Excel 會自動選取
整個表格資料做為來源資料範圍。如果 Excel 自動選取的範圍不對,可在
表格/範圍欄直接輸入來源資料範圍,或是按下旁邊的**折疊**鈕 🔼 到工作表
中選取範圍。

第 15 章 ▼ 樞紐分析:資料分析的好幫手

設定樞紐分析表的位置

請在交談窗中設定樞紐分析表要放置的位置，此例我們選擇**新增工作表**，在目前的**銷售**工作表前插入一張新工作表來放置樞紐分析表：

若選擇**現有工作表**項目，可直接輸入位置，或是按下**折疊**鈕 ⬆ 選取工作表及儲存格

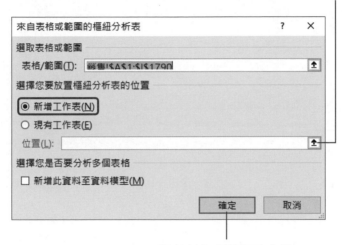

設定完成，請按下**確定**鈕

版面配置

此時會自動建立**工作表 1**，並出現一個空白的樞紐分析表，右側則會開啟**樞紐分析表欄位**工作窗格，我們可以透過此窗格來指定要以哪些欄位做為**篩選**、**欄**、**列**與**Σ 值**欄位。

樞紐分析表欄位工作窗格會列出資料來源中的所有欄位名稱，只要拖曳欄位名稱到對應的位置即可。在此要將**商品**名稱指定為**列**，請如下操作：

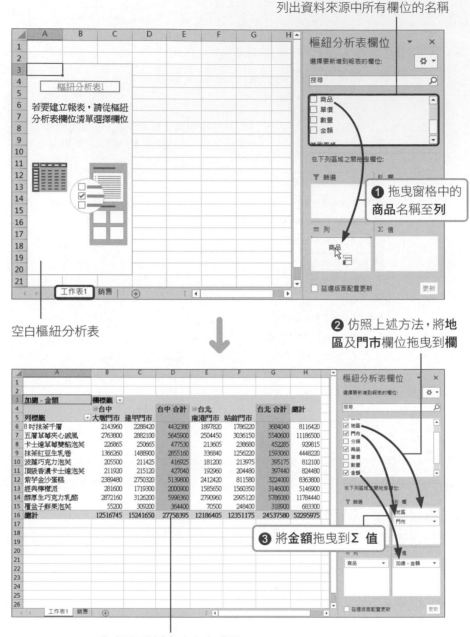

空白樞紐分析表

1 拖曳窗格中的**商品**名稱至**列**

2 仿照上述方法,將**地區**及**門市**欄位拖曳到**欄**

3 將**金額**拖曳到 Σ 值

4 樞紐分析表建立完成了

看似複雜的樞紐分析表已經輕鬆完成了,由上圖你可以清楚看出每項商品在台北及台中各門市的銷售總數量。

顯示或隱藏欄、列標籤

樞紐分析表中的**欄標籤**、**列標籤**，目的是方便我們篩選資料的檢視內容，如果不想顯示**欄標籤**、**列標籤**，請切換到**樞紐分析表分析**頁次，利用**顯示**區的**欄位標題**鈕來切換是否隱藏。

按下**欄標籤**或**列標籤**旁的下拉箭頭，可篩選想要顯示的項目，如果用不到，可將其隱藏

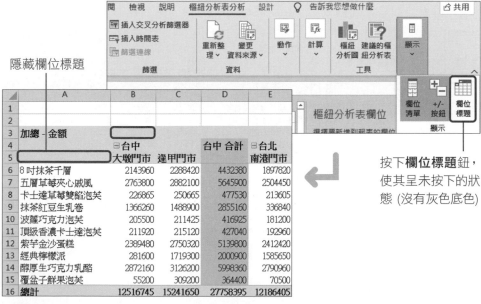

隱藏欄位標題

按下**欄位標題**鈕，使其呈未按下的狀態 (沒有灰色底色)

如何關閉自動產生的小計資料？

剛才建立的樞紐分析表，預設會顯示「台中」及「台北」地區的小計，但我們只想比較各門市資料，暫時不需要地區別的小計，要如何將自動產生的小計關閉呢？

不希望顯示這兩欄小計資料

	A	B	C	D	E	F	G	H
3	加總 - 金額							
4		⊟台中		台中 合計	⊟台北		台北 合計	總計
5		大墩門市	逢甲門市		南港門市	站前門市		
6	8吋抹茶千層	2143960	2288420	4432380	1897820	1786220	3684040	8116420
7	五層草莓夾心戚風	2763800	2882100	5645900	2504450	3036150	5540600	11186500
8	卡士達草莓雙餡泡芙	226865	250665	477530	213605	238680	452285	929815
9	抹茶紅豆生乳卷	1366260	1488900	2855160	336840	1256220	1593060	4448220
10	波蘿巧克力泡芙	205500	211425	416925	181200	213975	395175	812100
11	頂級香濃卡士達泡芙	211920	215120	427040	192960	204480	397440	824480
12	紫芋金沙蛋糕	2389480	2750320	5139800	2412420	811580	3224000	8363800
13	經典檸檬派	281600	1719300	2000900	1585650	1560350	3146000	5146900
14	醇厚生巧克力乳酪	2872160	3126200	5998360	2790960	2995120	5786080	11784440
15	覆盆子鮮果泡芙	55200	309200	364400	70500	248400	318900	683300
16	總計	12516745	15241650	27758395	12186405	12351175	24537580	52295975

請選取樞紐分析表中的任一個儲存格，切換到樞紐分析表的**設計**頁次，按下**小計**鈕，執行『**不要顯示小計**』命令即可：

點選此命令

▲ 原本 D 欄 及 G 欄的小計隱藏起來了

如何替樞紐分析表的數值加上千分位符號？

建立好樞紐分析表，雖然會自動統計各商品在各門市的銷售額，但是儲存格中一長串的數值資料，實在不容易閱讀，如何替樞紐分析表中的所有數值加上千分位符號？

樞紐分析表中的資料，其實跟一般儲存格一樣，你可以在樞紐分析表中選取任一個儲存格後，如下做設定：

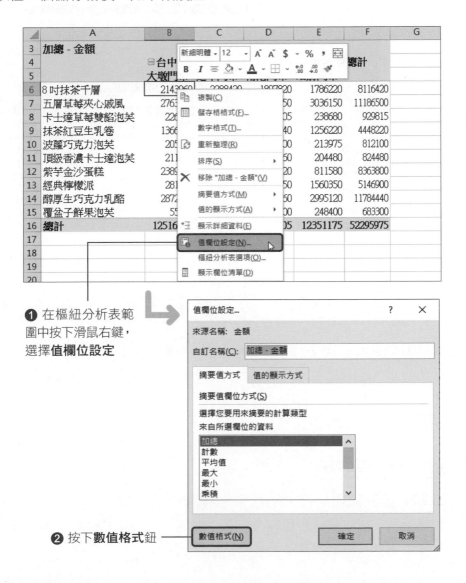

❶ 在樞紐分析表範圍中按下滑鼠右鍵，選擇**值欄位設定**

❷ 按下**數值格式**鈕

15-2

▼ 建立樞紐分析表

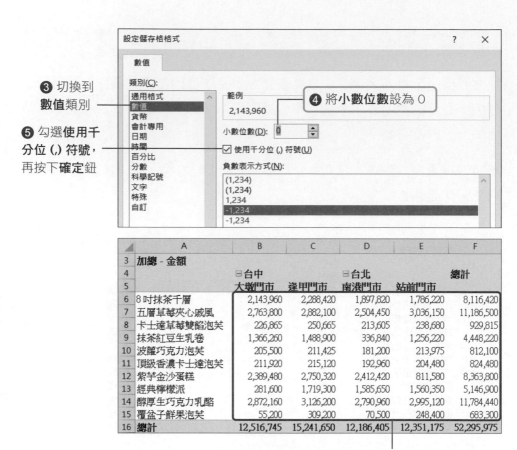

❸ 切換到**數值**類別

❹ 將**小數位數**設為 0

❺ 勾選**使用千分位 (,) 符號**，再按下**確定**鈕

所有樞紐分析表的數值都加上千分位符號了

	A	B	C	D	E	F
3	加總 - 金額					
4		⊟台中		⊟台北		總計
5		大墩門市	逢甲門市	南港門市	站前門市	
6	8吋抹茶千層	2,143,960	2,288,420	1,897,820	1,786,220	8,116,420
7	五層草莓夾心戚風	2,763,800	2,882,100	2,504,450	3,036,150	11,186,500
8	卡士達草莓雙餡泡芙	226,865	250,665	213,605	238,680	929,815
9	抹茶紅豆生乳卷	1,366,260	1,488,900	336,840	1,256,220	4,448,220
10	波蘿巧克力泡芙	205,500	211,425	181,200	213,975	812,100
11	頂級香濃卡士達泡芙	211,920	215,120	192,960	204,480	824,480
12	紫芋金沙蛋糕	2,389,480	2,750,320	2,412,420	811,580	8,363,800
13	經典檸檬派	281,600	1,719,300	1,585,650	1,560,350	5,146,900
14	醇厚生巧克力乳酪	2,872,160	3,126,200	2,790,960	2,995,120	11,784,440
15	覆盆子鮮果泡芙	55,200	309,200	70,500	248,400	683,300
16	總計	12,516,745	15,241,650	12,186,405	12,351,175	52,295,975

排序樞紐分析表中的資料

建立樞紐分析表後，預設不會自動排序資料，雖然剛才我們在數值中加上了千分位符號，但還是很難一眼就看出哪個商品賣最好，也不容易看出哪家門市的銷售額最高。這時可以善用**排序**功能，將數值由大至小排序，請如下操作：

依商品的總銷售額排序

想知道哪個商品最熱銷，可以依商品的總銷售額由大至小排序。由於商品是以列為單位，所以請選取樞紐分析表中 F 欄的任一個儲存格，按下**資料**頁次中**排序與篩選**區的**從最大到最小排序**鈕 ⇣ ：

第 **15** 章 ▼ 樞紐分析：資料分析的好幫手

▲ 未排序前,不容易看出哪項商品賣最好

將商品的「總計」欄由大至小排序後,就可以清楚看出「醇厚生巧克力乳酪」賣最好;其次是「五層草莓夾心戚風」

依門市的銷售額排序

若是想知道哪家門市的銷售額最高,可以依門市的總銷售額由大至小排序。由於門市是以欄為單位,所以請選取樞紐分析表中第 16 列中的任一個儲存格,按下**資料**頁次中**排序與篩選**區的**從最大到最小排序**鈕 ↓↓Z :

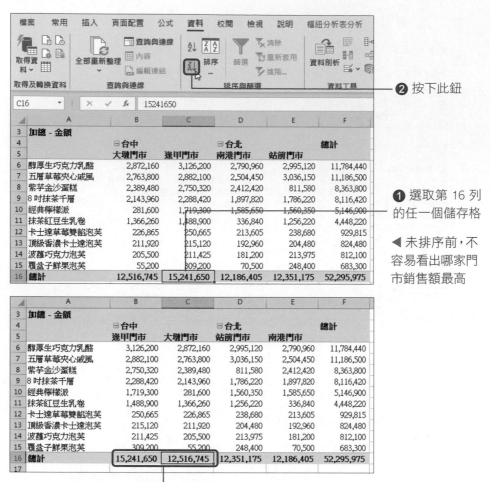

❷ 按下此鈕

❶ 選取第 16 列的任一個儲存格

◀ 未排序前，不容易看出哪家門市銷售額最高

將門市的「總計」欄由大至小排序後，就可以清楚看出「逢甲門市」的銷售額最高；其次是「大墩門市」

刪除樞紐分析表

若想刪除樞紐分析表，方法十分簡單，只要將樞紐分析表所在的那張工作表刪除即可。

在工作表的索引標籤上按滑鼠右鍵，執行『刪除』命令

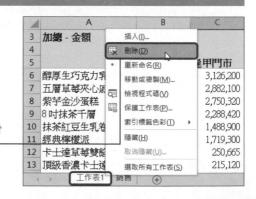

如果建立樞紐分析表時，是和來源資料建立在同一張工作表中，或是只想單獨刪除樞紐分析表的內容，可先選取樞紐分析表中的任一個儲存格，切換到**樞紐分析表分析**頁次，再如下操作：

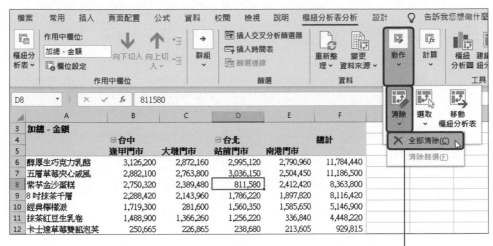

按下**動作**區的**清除**鈕，執行『**全部清除**』命令

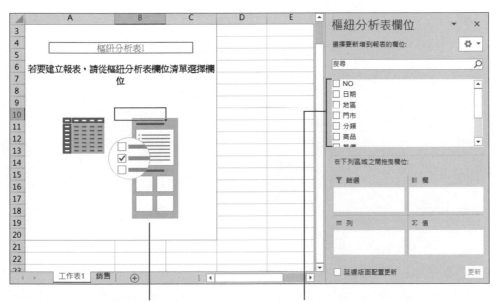

清空樞紐分析表的資料　　　　　來源資料的欄位還在，你可以重新
　　　　　　　　　　　　　　　　拖曳欄位，建立新的樞紐分析表

新增及移除樞紐分析表的欄位

樞紐分析表建立好之後，老闆卻說想要進一步比較 2020 及 2021 年的銷售情形，你不需重新建立樞紐分析表，只要將「年」欄位加入樞紐分析表中，資料就會自動調整！

第 **15** 章

▼ 樞紐分析：資料分析的好幫手

新增樞紐分析表欄位

請開啟範例檔案 Ch15-02 並切換到**工作表 1**，內容是上一節所建立的樞紐分析表。只要選取樞紐分析表內的任一個儲存格，就會自動開啟**樞紐分析表欄位**工作窗格，我們要利用此工作窗格來新增欄位：

2020 年「醇厚生巧克力乳酪」在「逢甲門市」的銷售量

2021 年「醇厚生巧克力乳酪」在「逢甲門市」的銷售量

	A	B	C	D	E	F
3	加總 - 金額	欄標籤				
4	列標籤	逢甲門市	大敦門市	站前門市	南港門市	總計
5	□醇厚生巧克力乳酪					
6	2020年	999,920	904,800	987,740	916,980	3,809,440
7	2021年	2,126,280	1,967,360	2,007,380	1,873,980	7,975,000
8	□五層草莓夾心戚風					
9	2020年	907,400	893,750	1,034,150	779,350	3,614,650
10	2021年	1,974,700	1,870,050	2,002,000	1,725,100	7,571,850
11	□紫芋金沙蛋糕					
12	2020年	815,300	754,540	283,960	805,380	2,659,180
13	2021年	1,935,020	1,634,940	527,620	1,607,040	5,704,620
14	□8 吋抹茶千層					
15	2020年	775,620	740,900	671,460	540,020	2,728,000
16	2021年	1,512,800	1,403,060	1,114,760	1,357,800	5,388,420
17	□經典檸檬派					
18	2020年	605,000	68,750	506,000	508,200	1,687,950
19	2021年	1,114,300	212,850	1,054,350	1,077,450	3,458,950

❶ 將**年**拖曳到**列**區　　❷ 加入**年**欄位

 TIP

當你選取樞紐分析表範圍以外的儲存格，**樞紐分析表欄位**工作窗格會自動隱藏起來，只要按一下樞紐分析表範圍內的儲存格，工作窗格就會再次顯示。若仍然沒有顯示工作窗格，請直接在樞紐分析表範圍中，按下滑鼠右鍵選擇『**顯示欄位清單**』命令。

技巧補充

即時更新樞紐分析表

在**樞紐分析表欄位**工作窗格下方有個**延遲版面配置更新**項目,預設是沒有勾選的,表示當你調整欄位時,樞紐分析表會即時更新所有的資料。

但是如果工作表的資料量很大,在新增、刪除欄位時,工作表即時更新的動作可能會變慢,尤其是一次更新多個欄位時,延遲的時間更是明顯,此時建議你勾選此項,一次調整好所有的欄位後,再手動按下右側的**更新**鈕,以加速工作效率。

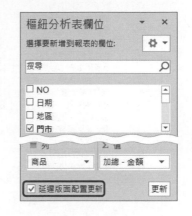

調整欄位的排列順序

剛剛在**樞紐分析表欄位**工作窗格中的**列**加上「年」欄位,可是老闆不想要這樣的呈現方式,希望只要分別列出 2020 年及 2021 年各品項的銷售額,這時候你不必重新建立樞紐分析表,只要調整欄位的排列順序即可。請接續剛才的範例練習。

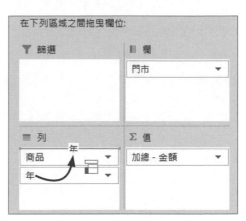

▲ 將**年**往上拖曳到**商品**之前

	A	B	C	D	E	F
3	加總 - 金額	欄標籤 ⤓				
4	列標籤 ⤓	逢甲門市	大墩門市	站前門市	南港門市	總計
5	⊟2020年					
6	醇厚生巧克力乳酪	999,920	904,800	987,740	916,980	3,809,440
7	五層草莓夾心戚風	907,400	893,750	1,034,150	779,350	3,614,650
8	8吋抹茶千層	775,620	740,900	671,460	540,020	2,728,000
9	紫芋金沙蛋糕	815,300	754,540	283,960	805,380	2,659,180
10	經典檸檬派	605,000	68,750	506,000	508,200	1,687,950
11	抹茶紅豆生乳卷	511,980	450,660	410,760	90,720	1,464,120
12	卡士達草莓雙餡泡芙	75,990	72,845	80,580	69,445	298,860
13	波蘿巧克力泡芙	66,675	66,825	69,150	55,725	258,375
14	頂級香濃卡士達泡芙	67,680	66,160	55,760	60,400	250,000
15	覆盆子鮮果泡芙	108,100	15,000	83,600	28,900	235,600
16	⊟2021年					
17	醇厚生巧克力乳酪	2,126,280	1,967,360	2,007,380	1,873,980	7,975,000
18	五層草莓夾心戚風	1,974,700	1,870,050	2,002,000	1,725,100	7,571,850
19	紫芋金沙蛋糕	1,935,020	1,634,940	527,620	1,607,040	5,704,620
20	8吋抹茶千層	1,512,800	1,403,060	1,114,760	1,357,800	5,388,420
21	經典檸檬派	1,114,300	212,850	1,054,350	1,077,450	3,458,950
22	抹茶紅豆生乳卷	976,920	915,600	845,460	246,120	2,984,100
23	卡士達草莓雙餡泡芙	174,675	154,020	158,100	144,160	630,955
24	頂級香濃卡士達泡芙	147,440	145,760	148,720	132,560	574,480
25	波蘿巧克力泡芙	144,750	138,675	144,825	125,475	553,725
26	覆盆子鮮果泡芙	201,100	40,200	164,800	41,600	447,700
27	總計	15,241,650	12,516,745	12,351,175	12,186,405	52,295,975

▲ 呈現的方式和剛才完全不同

移除樞紐分析表的欄位

我們可以隨時新增樞紐分析表中的欄位，也可以將欄位移除。接續上例，列印報表給老闆後，就可以將剛才新增到**列**的**年**欄位移除。底下提供 2 個移除欄位的方法：

方法 1：在此區取消**年**前面的打勾符號

方法 2：在此區的項目上按一下，執行『**移除欄位**』命令

只篩選出想要檢視的 列或欄項目

如果要分析特定門市、特定商品的銷售狀況,當統計表上還有其他資料時,很難立即找出所需的部分,而且也會無法比較目標資料。遇到這種情況,請隱藏其他資料,單獨列出要分析的對象。

只篩選出要顯示的商品類別及項目

在樞紐分析表中,使用顯示在**列標籤**或**欄標籤**的篩選鈕,即可輕易篩選出目標項目。請開啟範例檔案 Ch15-03,並切換到**工作表 1**。在此只想列出「泡芙」類的所有商品:

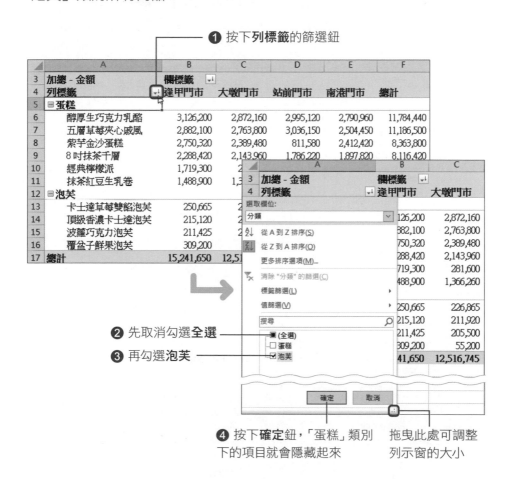

❶ 按下**列標籤**的篩選鈕

❷ 先取消勾選**全選**

❸ 再勾選**泡芙**

❹ 按下**確定**鈕,「蛋糕」類別下的項目就會隱藏起來

拖曳此處可調整列示窗的大小

	A	B	C	D	E	F
3	加總 - 金額	欄標籤 ↓				
4	列標籤 ▼	逢甲門市	站前門市	大墩門市	南港門市	總計
5	⊟泡芙					
6	卡士達草莓雙餡泡芙	250,665	238,680	226,865	213,605	929,815
7	頂級香濃卡士達泡芙	215,120	204,480	211,920	192,960	824,480
8	波蘿巧克力泡芙	211,425	213,975	205,500	181,200	812,100
9	覆盆子鮮果泡芙	309,200	248,400	55,200	70,500	683,300
10	總計	986,410	905,535	699,485	658,265	3,249,695

只剩下「泡芙」類的商品

若是想進一步查看「站前門市」及「南港門市」的銷售狀況,可將其他兩個門市資料隱藏起來,請如下操作:

❹ 按下**確定**鈕,「大墩門市」及「逢甲門市」就會隱藏起來

	A	B	C	D
3	加總 - 金額	欄標籤 ▼		
4	列標籤 ▼	站前門市	南港門市	總計
5	⊟泡芙			
6	卡士達草莓雙餡泡芙	238,680	213,605	452,285
7	頂級香濃卡士達泡芙	204,480	192,960	397,440
8	波蘿巧克力泡芙	213,975	181,200	395,175
9	覆盆子鮮果泡芙	248,400	70,500	318,900
10	總計	905,535	658,265	1,563,800

◀ 這樣就可以清楚得知「站前門市」及「南港門市」泡芙類商品的銷售狀況

利用篩選欄位，自動產生不同年度的工作表

樞紐分析表除了可以讓我們自由調整欄、列的項目外，若是需要將資料分頁顯示，透過樞紐分析表的篩選欄位即可輕鬆完成，這一節我們就來看看如何從報表中篩選出需要的資料。

設定分頁欄位

請開啟範例檔案 Ch15-04，切換到**工作表 1**中的樞紐分析表。我們想單獨檢視 2020 年及 2021 年的銷售狀況，就可以將**年**欄位拖曳到**篩選**區中：

❷ 會新增此篩選欄位，預設是顯示所有年份的資料

若要單獨查看某一年的資料，請按下**年**右方的**篩選鈕**，再選取要看的年份：

❷ 取消勾選**全部**

❸ 勾選要查看的年份

▶ 勾選「2020 年」：

在此按一下隱藏「蛋糕」類　　　將蛋糕類的商品隱藏起來，
的商品，再按一次即可展開　　　只會顯示蛋糕類的小計

	A	B	C	D	E	F
1	年	2020年				
2						
3	加總 - 金額	欄標籤				
4	列標籤	逢甲門市	站前門市	大墩門市	南港門市	總計
5	⊞ 蛋糕	4,615,220	3,894,070	3,813,400	3,640,650	15,963,340
6	⊟ 泡芙					
7	卡士達草莓雙餡泡芙	75,990	80,580	72,845	69,445	298,860
8	波蘿巧克力泡芙	66,675	69,150	66,825	55,725	258,375
9	頂級香濃卡士達泡芙	67,680	55,760	66,160	60,400	250,000
10	覆盆子鮮果泡芙	108,100	83,600	15,000	28,900	235,600
11	總計	4,933,665	4,183,160	4,034,230	3,855,120	17,006,175

▲ 顯示 2020 年泡芙類產品在各門市的銷售額

▶ 勾選「2021 年」：

	A	B	C	D	E	F
1	年	2021年				
2						
3	加總 - 金額	欄標籤				
4	列標籤	逢甲門市	大墩門市	南港門市	站前門市	總計
5	⊞ 蛋糕	9,640,020	8,003,860	7,887,490	7,551,570	33,082,940
6	⊟ 泡芙					
7	卡士達草莓雙餡泡芙	174,675	154,020	144,160	158,100	630,955
8	頂級香濃卡士達泡芙	147,440	145,760	132,560	148,720	574,480
9	波蘿巧克力泡芙	144,750	138,675	125,475	144,825	553,725
10	覆盆子鮮果泡芙	201,100	40,200	41,600	164,800	447,700
11	總計	10,307,985	8,482,515	8,331,285	8,168,015	35,289,800

▲ 顯示 2021 年泡芙類產品在各門市的銷售額

將不同年度的統計表自動建立到不同的工作表中

學會**篩選**欄的用法後，如果希望將不同年度的統計表單獨建立在不同工作表中以方便查看，該怎麼做比較好呢？

❷ 勾選「2020 年」及「2021 年」　　　　❶ 按下**年**右側的**篩選**鈕

❸ 按下**確定**鈕

❺ 按下此鈕　　　　　　　　　　❹ 切換到**樞紐分析表分析**頁次

❻ 按下**選項**鈕右側下拉箭頭

由於我們剛才選了兩個年度，所以這裡會顯示**(多重項目)**

❼ 執行『**顯示報表篩選頁面**』

顯示報表篩選頁面

顯示所有報表篩選頁面(S):

❽ 選擇**年**，再按下**確定**鈕

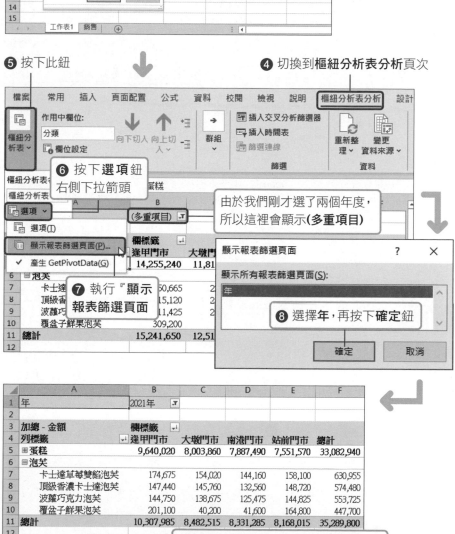

	A	B	C	D	E	F
1	年	2021年				
2						
3	加總 - 金額	欄標籤				
4	列標籤	逢甲門市	大墩門市	南港門市	站前門市	總計
5	⊞蛋糕	9,640,020	8,003,860	7,887,490	7,551,570	33,082,940
6	⊟泡芙					
7	卡士達草莓雙餡泡芙	174,675	154,020	144,160	158,100	630,955
8	頂級香濃卡士達泡芙	147,440	145,760	132,560	148,720	574,480
9	波蘿巧克力泡芙	144,750	138,675	125,475	144,825	553,725
10	覆盆子鮮果泡芙	201,100	40,200	41,600	164,800	447,700
11	總計	10,307,985	8,482,515	8,331,285	8,168,015	35,289,800
12						
13						

自動產生 2020 年及 2021 年的工作表

2020年　2021年　工作表1　銷售

▼ 利用篩選欄位，自動產生不同年度的工作表

使用「交叉分析篩選器」設定分析條件

現在老闆想要單獨檢視 2021 年「站前門市」的「經典檸檬派」及「卡士達草莓雙餡泡芙」的銷售狀況，請切換到範例檔案 Ch15-05 的**工作表 1**來練習。

STEP 01 選取樞紐分析表中的任一個儲存格，切換到**樞紐分析表分析**頁次，按下**篩選**區的**插入交叉分析篩選器**鈕：

└─ 按下此鈕

STEP 02 在開啟的**插入交叉分析篩選器**交談窗中勾選要分析的條件：

❶ 勾選**年**、**商品**、**門市**項目

❷ 按下**確定**鈕

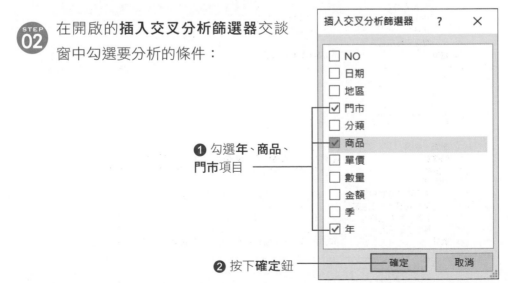

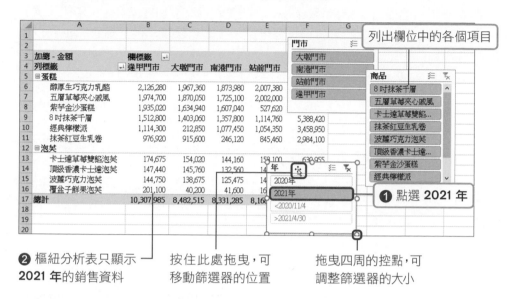

接著會在樞紐分析表上出現如下圖的 **年**、**商品**、**門市** 交叉分析篩選器，只要點選其中的按鈕，就只會顯示篩選後的資料。例如按下 **2021 年** 鈕，就只會統計 2021 年的銷售資料：

列出欄位中的各個項目

❶ 點選 **2021 年**

❷ 樞紐分析表只顯示 **2021 年** 的銷售資料

按住此處拖曳，可移動篩選器的位置

拖曳四周的控點，可調整篩選器的大小

請陸續點按 **門市** 篩選器的 **站前門市**，以及 **商品** 篩選器的 **卡士達草莓雙餡泡芙** 及 **經典檸檬派** 鈕：

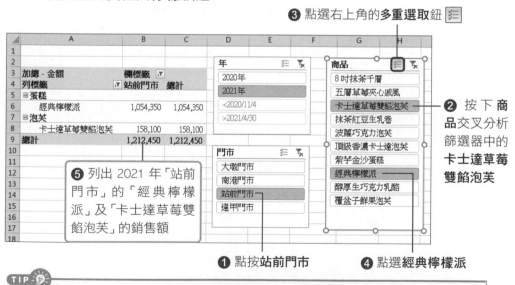

❸ 點選右上角的 **多重選取** 鈕

❷ 按下 **商品** 交叉分析篩選器中的 **卡士達草莓雙餡泡芙**

❺ 列出 2021 年「站前門市」的「經典檸檬派」及「卡士達草莓雙餡泡芙」的銷售額

❶ 點按 **站前門市**

❹ 點選 **經典檸檬派**

TIP

按下 **交叉分析篩選器** 右上角的 **清除篩選** 鈕，可清除篩選條件，顯示所有資料。若是要刪掉整個交叉分析篩選器，則可選取 **交叉分析篩選器** 後，再按下 Delete 鍵。

樞紐分析表是根據來源資料（如 Excel 清單）而產生的。因此，若來源資料有任何更動，則樞紐分析表也要更新，才能確保資料的正確性。

第 **15** 章

▼ 樞紐分析：資料分析的好幫手

請開啟範例檔案 Ch15-06，我們在製作樞紐分析表後，才發現「**波蘿巧克力泡芙**」打錯字，應該是「**菠蘿**」才對，底下將教你修正來源資料並更新樞紐分析表：

STEP 01 請切換到樞紐分析表的來源資料**銷售**工作表，選取 F 欄中的任一個儲存格，按下 Ctrl + H 鍵，開啟**尋找及取代**交談窗，在此要將「**波蘿巧克力泡芙**」更正為「**菠蘿巧克力泡芙**」：

❸ 按下**全部取代**鈕　　❷ 輸入正確的商品名稱

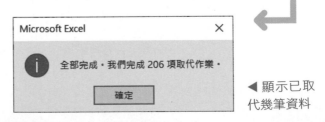

◀ 顯示已取代幾筆資料

STEP 02 接著切換到**工作表 1**，你會發現樞紐分析表中的商品名稱並沒有自動更正，請按下**樞紐分析表分析**頁次的**重新整理**鈕，資料才會更正。

❷ 按下**重新整理**鈕

錯字尚未更正

❶ 選取樞紐分析表中的任一個儲存格

	A	B	C	D	E	F	G
3	加總 - 金額	欄標籤					
4	列標籤	逢甲門市	大墩門市	站前門市	南港門市	總計	
5	⊞蛋糕	14,255,240	11,817,260	11,445,640	11,528,140	49,046,280	
6	⊟泡芙						
7	卡士達草莓雙餡泡芙	250,665	226,865	238,680	213,605	929,815	
8	頂級香濃卡士達泡芙	215,120	211,920	204,480	192,960	824,480	
9	菠蘿巧克力泡芙	211,425	205,500	213,975	181,200	812,100	
10	覆盆子鮮果泡芙	309,200	55,200	248,400	70,500	683,300	
11	總計	15,241,650	12,516,745	12,351,175	12,186,405	52,295,975	
12							

訂正錯字了

如果有多個工作表都參照到修改過的原始資料，可按下**重新整理**鈕的向下箭頭，從中執行『**全部重新整理**』命令，即可一次更新所有相關的工作表。

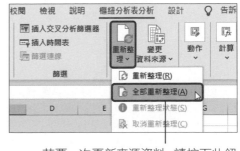

若要一次更新來源資料，請按下此鈕

SECTION 15-8　變更樞紐分析表的計算方式

樞紐分析表預設的計算方式是加總，你也可以依需求更改為計算平均值、最大、最小或是乘積。

改變摘要值方式

「摘要值方式」是指樞紐分析表 **Σ 值**欄位所採用的計算方式。請開啟範例檔案 Ch15-07，我們來練習如何改變 **Σ 值**欄位的摘要值方式。

STEP 01 選取 **Σ 值**欄位區中的任一個儲存格 (例如 C8 儲存格)，接著按下**樞紐分析表分析**頁次**作用中欄位**區的**欄位設定**鈕：

按下此鈕

STEP 02 開啟**值欄位設定**交談窗後，在列示窗中選擇要採用的計算方式，例如選擇**最大**：

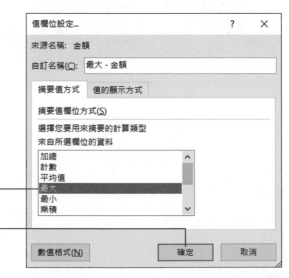

❶ 選此項

❷ 按下**確定**鈕

▶ 摘要值方式：加總

	A	B	C	D	E	F
3	加總 - 金額	欄標籤				
4	列標籤	逢甲門市	大墩門市	站前門市	南港門市	總計
5	醇厚生巧克力乳酪	3,126,200	2,872,160	2,995,120	2,790,960	11,784,440
6	五層草莓夾心戚風	2,882,100	2,763,800	3,036,150	2,504,450	11,186,500
7	紫芋金沙蛋糕	2,750,320	2,389,480	811,580	2,412,420	8,363,800
8	8吋抹茶千層	2,288,420	2,143,960	1,786,220	1,897,820	8,116,420
9	經典檸檬派	1,719,300	281,600	1,560,350	1,585,650	5,146,900
10	抹茶紅豆生乳卷	1,488,900	1,366,260	1,256,220	336,840	4,448,220
11	卡士達草莓雙餡泡芙	250,665	226,865	238,680	213,605	929,815
12	頂級香濃卡士達泡芙	215,120	211,920	204,480	192,960	824,480
13	菠蘿巧克力泡芙	211,425	205,500	213,975	181,200	812,100
14	覆盆子鮮果泡芙	309,200	55,200	248,400	70,500	683,300
15	總計	15,241,650	12,516,745	12,351,175	12,186,405	52,295,975
16						
17						

樞紐分析表欄...

選擇要新增到報表的欄位：

搜尋

☐ NO
☐ 日期
☐ 地區

在下列區域之間拖曳欄位：

▼ 篩選 ‖ 欄
　　　　　門市 ▼

‖ 列 Σ 值
商品 ▼ 加總 - 金額 ▼

▲ 加總各商品各門市的銷售額　　　　　摘要值方式為加總的計算結果

▶ 摘要值方式：最大

	A	B	C	D	E	F
3	最大 - 金額	欄標籤				
4	列標籤	站前門市	逢甲門市	大墩門市	南港門市	總計
5	五層草莓夾心戚風	75,400	72,800	72,150	67,600	75,400
6	醇厚生巧克力乳酪	71,920	73,660	70,760	67,860	73,660
7	紫芋金沙蛋糕	67,580	70,060	64,480	65,720	70,060
8	8吋抹茶千層	55,800	63,860	65,100	55,180	65,100
9	經典檸檬派	45,100	57,750	39,600	42,350	57,750
10	抹茶紅豆生乳卷	36,960	39,480	36,540	38,640	39,480
11	覆盆子鮮果泡芙	8,400	8,500	8,100	8,900	8,900
12	卡士達草莓雙餡泡芙	6,460	6,885	6,630	5,865	6,885
13	頂級香濃卡士達泡芙	5,920	6,160	5,840	5,280	6,160
14	菠蘿巧克力泡芙	5,625	5,925	5,400	5,100	5,925
15	總計	75,400	73,660	72,150	67,860	75,400
16						
17						

樞紐分析表欄...

選擇要新增到報表的欄位：

搜尋

☐ NO
☐ 日期
☐ 地區

在下列區域之間拖曳欄位：

▼ 篩選 ‖ 欄
　　　　　門市 ▼

‖ 列 Σ 值
商品 ▼ 最大 - 金額 ▼

▲ 列出各商品各門市最高的銷售額　　　　　摘要值方式改成最大的計算結果

▼ 變更樞紐分析表的計算方式

在統計表中同時列出數量及金額兩個欄位

在 Σ 值區域中配置多個欄位，可以在一張統計表內顯示多項統計結果。例如老闆想同時查看銷售「數量」及「銷售額」，以便觀察「銷售額與數量是否成正比」、「數量少但是銷售金額高」、⋯等。

要同時列出「數量」及「金額」可以「直向」排列，也可以「橫向」排列，你可以視需求來調整欄位位置。請開啟範例檔案 Ch15-08 來練習：

	A	B	C	D	E	F	G
1							
2							
3		欄標籤 ↓					
4		蛋糕		泡芙		加總 - 數量 的加總	加總 - 金額 的加總
5	列標籤 ↓	加總 - 數量	加總 - 金額	加總 - 數量	加總 - 金額		
6	逢甲門市	24,622	14,255,240	11,549	986,410	36,171	15,241,650
7	大墩門市	20,281	11,817,260	8,610	699,485	28,891	12,516,745
8	站前門市	19,853	11,445,640	10,701	905,535	30,554	12,351,175
9	南港門市	19,302	11,528,140	8,046	658,265	27,348	12,186,405
10	總計	84,058	49,046,280	38,906	3,249,695	122,964	52,295,975
11							
12							

同時列出「數量」與「金額」
可查看這兩者間的關係

	A	B	C	D	E
3		欄標籤 ↓			
4	列標籤 ↓	蛋糕	泡芙	總計	
5	逢甲門市				
6	加總 - 數量	24,622	11,549	36,171	
7	加總 - 金額	14,255,240	986,410	15,241,650	
8	大墩門市				
9	加總 - 數量	20,281	8,610	28,891	
10	加總 - 金額	11,817,260	699,485	12,516,745	
11	站前門市				
12	加總 - 數量	19,853	10,701	30,554	
13	加總 - 金額	11,445,640	905,535	12,351,175	
14	南港門市				
15	加總 - 數量	19,302	8,046	27,348	
16	加總 - 金額	11,528,140	658,265	12,186,405	
17	加總 - 數量 的加總	84,058	38,906	122,964	
18	加總 - 金額 的加總	49,046,280	3,249,695	52,295,975	
19					

將「數量」與「金額」改成直向排列

STEP 01 在 Σ 值區域增加**數量**欄位：

❶ 選取樞紐分析表中的任一個儲存格

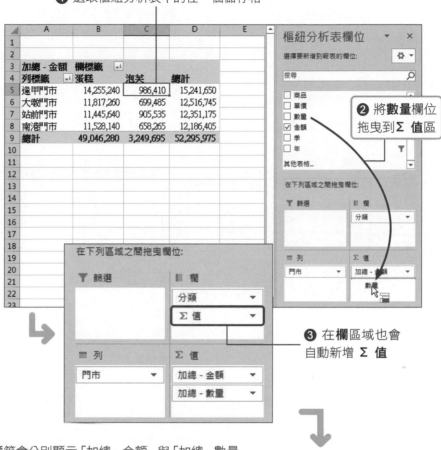

❷ 將**數量**欄位拖曳到 Σ 值區

❸ 在**欄**區域也會自動新增 Σ **值**

欄標籤會分別顯示「加總 - 金額」與「加總 - 數量」

	A	B	C	D	E	F	G
1							
2							
3		欄標籤					
4		蛋糕		泡芙		加總 - 金額 的加總	加總 - 數量 的加總
5	列標籤	加總 - 金額	加總 - 數量	加總 - 金額	加總 - 數量		
6	逢甲門市	14,255,240	24622	986,410	11549	15,241,650	36171
7	大墩門市	11,817,260	20281	699,485	8610	12,516,745	28891
8	站前門市	11,445,640	19853	905,535	10701	12,351,175	30554
9	南港門市	11,528,140	19302	658,265	8046	12,186,405	27348
10	總計	49,046,280	84058	3,249,695	38906	52,295,975	122964
11							
12							

請參考 15-11 頁的説明，設定千分位樣式

15-9

▼ 在統計表中同時列出數量及金額兩個欄位

15-31

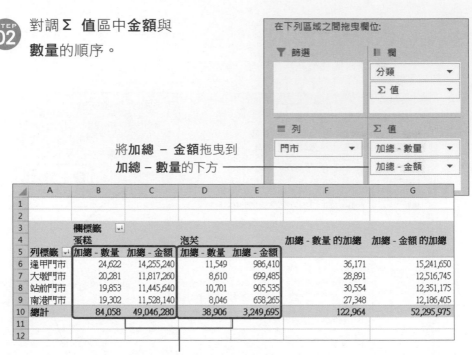

STEP
02 對調 **Σ 值**區中**金額**與
數量的順序。

將**加總 - 金額**拖曳到
加總 - 數量的下方

▲	A	B	C	D	E	F	G
1							
2							
3		欄標籤	↓				
4		蛋糕		泡芙		加總 - 數量 的加總	加總 - 金額 的加總
5	列標籤	加總 - 數量	加總 - 金額	加總 - 數量	加總 - 金額		
6	逢甲門市	24,622	14,255,240	11,549	986,410	36,171	15,241,650
7	大墩門市	20,281	11,817,260	8,610	699,485	28,891	12,516,745
8	站前門市	19,853	11,445,640	10,701	905,535	30,554	12,351,175
9	南港門市	19,302	11,528,140	8,046	658,265	27,348	12,186,405
10	總計	84,058	49,046,280	38,906	3,249,695	122,964	52,295,975
11							
12							

改變這兩欄的順序，比較方便對照

STEP
03 將版面由橫向改成直向。

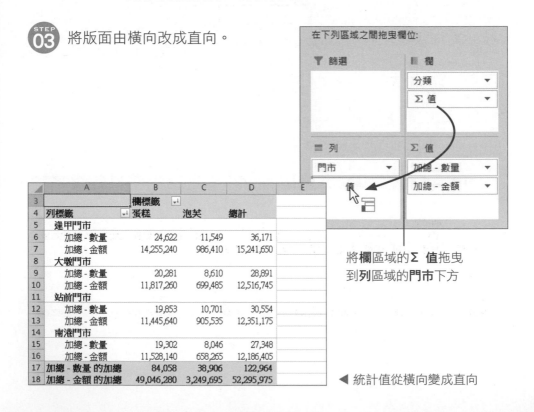

▲	A	B	C	D	E
3		欄標籤	↓		
4	列標籤	↓ 蛋糕	泡芙	總計	
5	**逢甲門市**				
6	加總 - 數量	24,622	11,549	36,171	
7	加總 - 金額	14,255,240	986,410	15,241,650	
8	**大墩門市**				
9	加總 - 數量	20,281	8,610	28,891	
10	加總 - 金額	11,817,260	699,485	12,516,745	
11	**站前門市**				
12	加總 - 數量	19,853	10,701	30,554	
13	加總 - 金額	11,445,640	905,535	12,351,175	
14	**南港門市**				
15	加總 - 數量	19,302	8,046	27,348	
16	加總 - 金額	11,528,140	658,265	12,186,405	
17	加總 - 數量 的加總	84,058	38,906	122,964	
18	加總 - 金額 的加總	49,046,280	3,249,695	52,295,975	

將**欄**區域的 **Σ 值**拖曳
到**列**區域的**門市**下方

◀ 統計值從橫向變成直向

15-10 美化樞紐分析表

Excel 提供許多專業化的報表格式，只要在**樞紐分析表樣式**中點選喜歡的樣式，就能讓報表變得專業，對於不懂色彩搭配及格式設計的人非常有用。

套用樞紐分析表樣式

請開啟範例檔案 Ch15-09，我們來替樞紐分析表套用 Excel 提供的報表格式。

	A	B	C	D	E	F
3	加總 - 金額	欄標籤				
4	列標籤	逢甲門市	大墩門市	站前門市	南港門市	總計
5	醇厚生巧克力乳酪	3,126,200	2,872,160	2,995,120	2,790,960	11,784,440
6	五層草莓夾心戚風	2,882,100	2,763,800	3,036,150	2,504,450	11,186,500
7	紫芋金沙蛋糕	2,750,320	2,389,480	811,580	2,412,420	8,363,800
8	8 吋抹茶千層	2,288,420	2,143,960	1,786,220	1,897,820	8,116,420
9	經典檸檬派	1,719,300	281,600	1,560,350	1,585,650	5,146,900
10	抹茶紅豆生乳卷	1,488,900	1,366,260	1,256,220	336,840	4,448,220
11	卡士達草莓雙船泡芙	250,665	226,865	238,680	213,605	929,815
12	頂級香濃卡士達泡芙	215,120	211,920	204,480	192,960	824,480
13	菠蘿巧克力泡芙	211,425	205,500	213,975	181,200	812,100
14	覆盆子鮮果泡芙	309,200	55,200	248,400	70,500	683,300
15	總計	15,241,650	12,516,745	12,351,175	12,186,405	52,295,975

▶ 套用樣式前

STEP 01 首先選取樞紐分析表中的任一個儲存格，切換到樞紐分析表的**設計**頁次，就會看到**樞紐分析表樣式**：

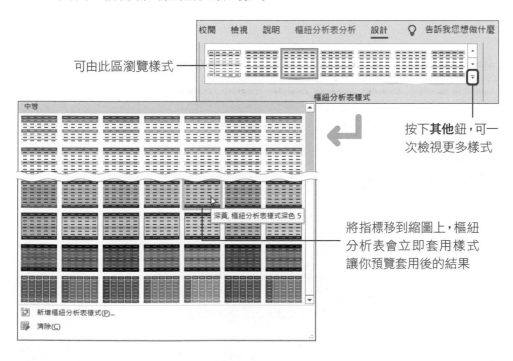

可由此區瀏覽樣式

樞紐分析表樣式

按下**其他**鈕，可一次檢視更多樣式

深藍, 樞紐分析表樣式深色 5

將指標移到縮圖上，樞紐分析表會立即套用樣式讓你預覽套用後的結果

中等

新增樞紐分析表樣式(P)...

清除(C)

在喜歡的樣式上按一下，樞紐分析表就會套用點選的樣式：

	A	B	C	D	E	F
3	加總 - 金額	欄標籤				
4	列標籤	逢甲門市	大墩門市	站前門市	南港門市	總計
5	醇厚生巧克力乳酪	3,126,200	2,872,160	2,995,120	2,790,960	11,784,440
6	五層草莓夾心戚風	2,882,100	2,763,800	3,036,150	2,504,450	11,186,500
7	紫芋金沙蛋糕	2,750,320	2,389,480	811,580	2,412,420	8,363,800
8	8吋抹茶千層	2,288,420	2,143,960	1,786,220	1,897,820	8,116,420
9	經典檸檬派	1,719,300	281,600	1,560,350	1,585,650	5,146,900
10	抹茶紅豆生乳卷	1,488,900	1,366,260	1,256,220	336,840	4,448,220
11	卡士達草莓雙餡泡芙	250,665	226,865	238,680	213,605	929,815
12	頂級香濃卡士達泡芙	215,120	211,920	204,480	192,960	824,480
13	菠蘿巧克力泡芙	211,425	205,500	213,975	181,200	812,100
14	覆盆子鮮果泡芙	309,200	55,200	248,400	70,500	683,300
15	總計	15,241,650	12,516,745	12,351,175	12,186,405	52,295,975

移除套用的樞紐分析表樣式

若是不滿意套用樣式後的結果，可立即按下**快速存取工具列**上的**復原**鈕 🔄，將樞紐分析表恢復成先前的狀態。

也可以選取樞紐分析表中的任一個儲存格，切換到樞紐分析表的**設計**頁次，按下**樞紐分析表樣式**區右側的**其他**鈕 ▼，執行『**清除**』命令。不過此方法會將樞紐分析表的樣式完全清除，而非回到預設的狀態；預設狀態是套用**淺藍, 樞紐分析表樣式淺色 16** 這個樣式。

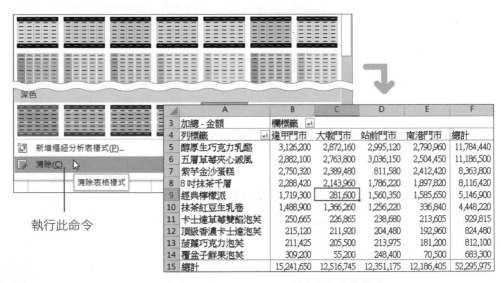

▲ 清除所有表格樣式

SECTION

15-11 繪製樞紐分析圖

樞紐分析表是以表格的方式來呈現統計資料，而樞紐分析圖則是以視覺化的圖表方式，呈現樞紐分析表上的資訊，讓我們更容易比較、判斷，以及找出數據的趨勢。

建立樞紐分析圖

請開啟範例檔案 Ch15-10，我們要將樞紐分析表繪製成樞紐分析圖：

STEP 01 請選取樞紐分析表中的任一個儲存格，切換到**樞紐分析表分析**頁次，再按下**工具**區的**樞紐分析圖**鈕，此時會開啟**插入圖表**交談窗，讓我們選擇要建立的圖表類型：

1 此例請選擇**折線圖**　　　　**2** 點選**含有資料標記的折線圖**

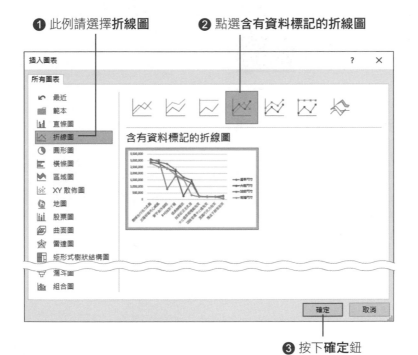

3 按下**確定**鈕

> **TIP**
> 也可以按下**插入**頁次**圖表**區的**樞紐分析圖**鈕，同樣會開啟**插入圖表**交談窗。

STEP 02 隨即在樞紐分析表所在的工作表中建立樞紐分析圖。

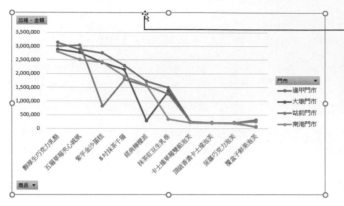

若圖表遮住樞紐分析表的資料，可拖曳圖表區的邊框，移動圖表的位置

TIP

選取樞紐分析表中的任一個儲存格後，按下 F11 快速鍵，可在新工作表中建立直條圖。

第 **15** 章

▼

樞紐分析：資料分析的好幫手

STEP 03 接下來你可以利用樞紐分析圖的**設計**頁次中的**圖表樣式**列示窗，為圖表套用喜歡的樣式。

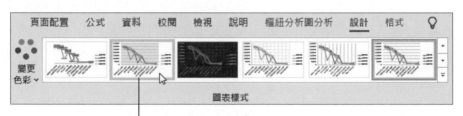

按下縮圖即可改變樞紐分析圖的外觀

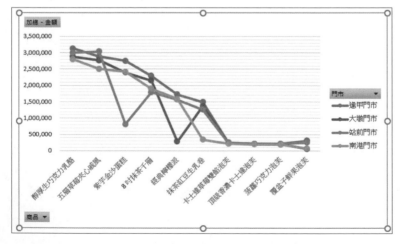

◀ 此例套用**樣式 8**，加粗線條及資料標記

技巧補充

將樞紐分析圖搬移到獨立的工作表

如果想要將圖表搬移到單獨的工作表中，請切換至樞紐分析圖的**設計**頁次，按下**位置**區的**移動圖表**鈕；或在**圖表區**的邊框上按右鈕，執行『**移動圖表**』命令：

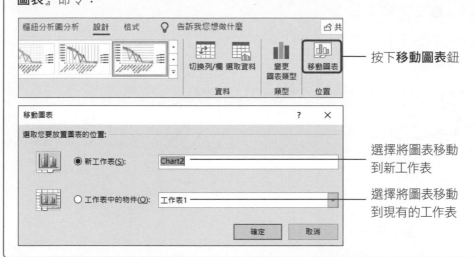

— 按下**移動圖表**鈕

選擇將圖表移動到新工作表

選擇將圖表移動到現有的工作表

調整樞紐分析圖的欄位及項目

樞紐分析圖是根據樞紐分析表的資料所繪製的，所以如果樞紐分析表有所變動，樞紐分析圖也會立即調整。例如我們在**樞紐分析表欄位**工作窗格，將**分類**欄位拖曳到**列**區域，則樞紐分析圖也會立即反應結果：

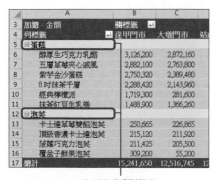

新增**分類**欄位

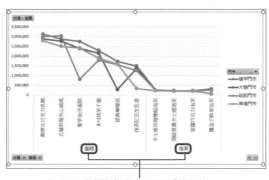

樞紐分析圖也會新增**分類**資料

15-11

▼ 繪製樞紐分析圖

15-37

直接在樞紐分析圖中顯示或隱藏欄位項目

若要控制樞紐分析圖上欄位項目的顯示或隱藏，方法也很簡單，只要在樞紐分析圖中點選**欄位按鈕**即可。例如我們只想在樞紐分析圖中顯示「蛋糕」分類在「大墩門市」及「逢甲門市」的銷售資料，即可如下操作：

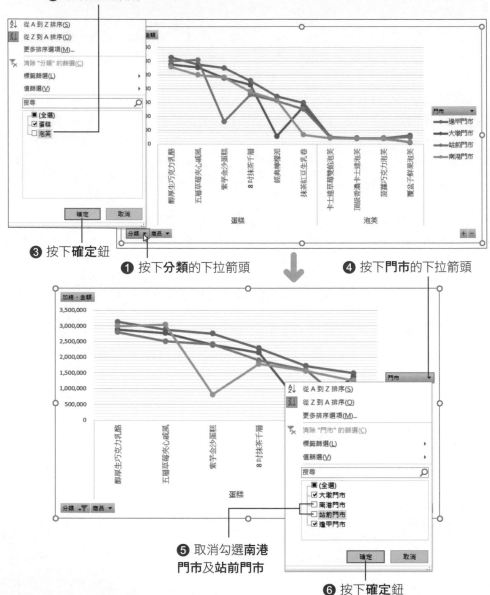

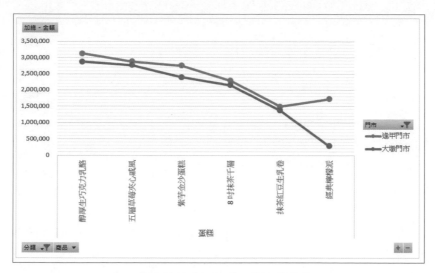

▲ 可觀察這兩家門市的蛋糕類銷售狀況

 TIP

若是在樞紐分析圖中沒有看到**欄位按鈕**，請按下**樞紐分析圖分析**頁次中**顯示/隱藏**區的**欄位按鈕**，即可顯示。

我們在樞紐分析圖上所做的調整，同樣會反應到來源的樞紐分析表。

	A	B	C	D
3	加總 - 金額	欄標籤		
4	列標籤	逢甲門市	大墩門市	總計
5	⊟蛋糕			
6	醇厚生巧克力乳酪	3,126,200	2,872,160	5,998,360
7	五層草莓夾心戚風	2,882,100	2,763,800	5,645,900
8	紫芋金沙蛋糕	2,750,320	2,389,480	5,139,800
9	8吋抹茶千層	2,288,420	2,143,960	4,432,380
10	抹茶紅豆生乳卷	1,488,900	1,366,260	2,855,160
11	經典檸檬派	1,719,300	281,600	2,000,900
12	總計	14,255,240	11,817,260	26,072,500

▲ 只顯示大墩及逢甲門市的蛋糕類商品

若想變更樞紐分析圖的其它設定，如圖表類型、位置、其它選項或是格式設定，請參考第 11、12 章的説明。

職場 活用術	如何將日期以「季」、 「月」的方式顯示？

依日期排序銷售資料，可以清楚瞭解每天的銷售變化。在分析促銷期間等短期資料時，可以掌握銷售的動向。不過若是長期的資料，以天為單位就很難掌握整體銷售是成長還是衰退。

若想瞭解長期銷售的變化，請以「季」、「月」或「週」為單位，將日期建立群組。日期建立群組後，即可統計每季或每月的銷售狀況，以便掌握整體銷售趨勢。

	A	B	C	D	E	F	G	H	I
1	NO	日期	地區	門市	分類	商品	單價	數量	金額
2	1	2021/1/2	台北	站前門市	蛋糕	8 吋抹茶千層	620	56	34,720
3	2	2021/1/2	台北	站前門市	蛋糕	五層草莓夾心戚風	650	84	54,600
4	3	2021/1/2	台中	大墩門市	蛋糕	經典檸檬派	550	53	29,150
5	4	2021/1/2	台北	站前門市	蛋糕	醇厚生巧克力乳酪	580	94	54,520
6	5	2021/1/2	台北	站前門市	蛋糕	抹茶紅豆生乳卷	450	68	30,600
7	6	2021/1/2	台北	站前門市	泡芙	菠蘿巧克力泡芙	75	74	5,550
8	7	2021/1/2	台北	站前門市	泡芙	覆盆子鮮果泡芙	100	60	6,000
9	8	2021/1/2	台北	站前門市	泡芙	卡士達草莓雙醬泡芙	85	62	5,270

▲ 以「日」為單位的銷售資料，不容易掌握整體的銷售趨勢

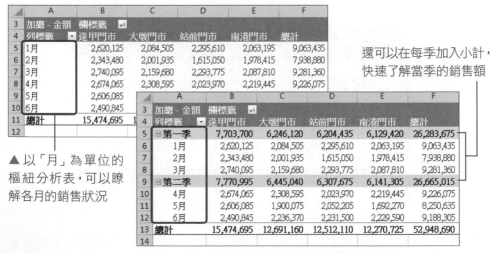

還可以在每季加入小計，快速了解當季的銷售額

▲ 以「月」為單位的樞紐分析表，可以瞭解各月的銷售狀況

▲ 以「季」、「月」為單位的樞紐分析表

STEP 01 以「月」為單位，將日期資料群組起來。請開啟範例檔案 Ch15-11，這是一份 2021 年1～6 月的銷售資料，請切換到**樞紐分析表**工作表，我們想將原本以「天」為單位的日期資料群組成「月」。

❶ 選取日期中的任一個儲存格　　　　❷ 切換到**樞紐分析表分析**頁次

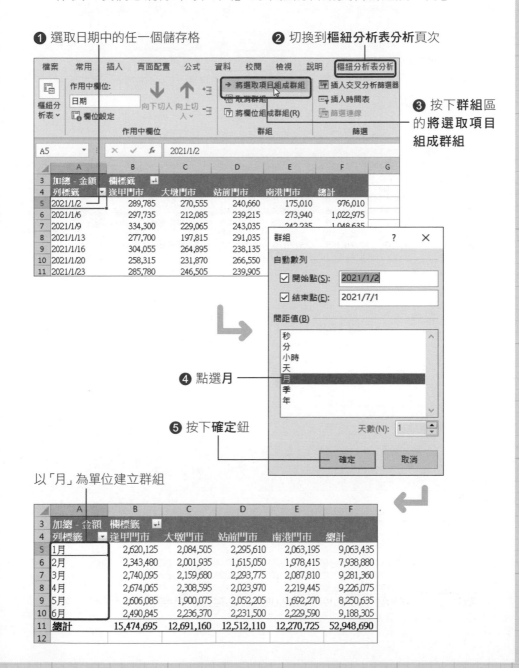

❸ 按下**群組**區的**將選取項目組成群組**

❹ 點選月

❺ 按下**確定**鈕

以「月」為單位建立群組

	A	B	C	D	E	F
3	加總 - 金額	欄標籤				
4	列標籤	逢甲門市	大墩門市	站前門市	南港門市	總計
5	1月	2,620,125	2,084,505	2,295,610	2,063,195	9,063,435
6	2月	2,343,480	2,001,935	1,615,050	1,978,415	7,938,880
7	3月	2,740,095	2,159,680	2,293,775	2,087,810	9,281,360
8	4月	2,674,065	2,308,595	2,023,970	2,219,445	9,226,075
9	5月	2,606,085	1,900,075	2,052,205	1,692,270	8,250,635
10	6月	2,490,845	2,236,370	2,231,500	2,229,590	9,188,305
11	總計	15,474,695	12,691,160	12,512,110	12,270,725	52,948,690
12						

STEP 02 以「季」及「月」為單位，製作兩階層的報表。剛才將日期資料以「月」為單位群組起來，接著再進一步以「季」、「月」為單位。

❶ 選取日期中的任一個儲存格　　　　❷ 切換到樞紐分析表分析頁次

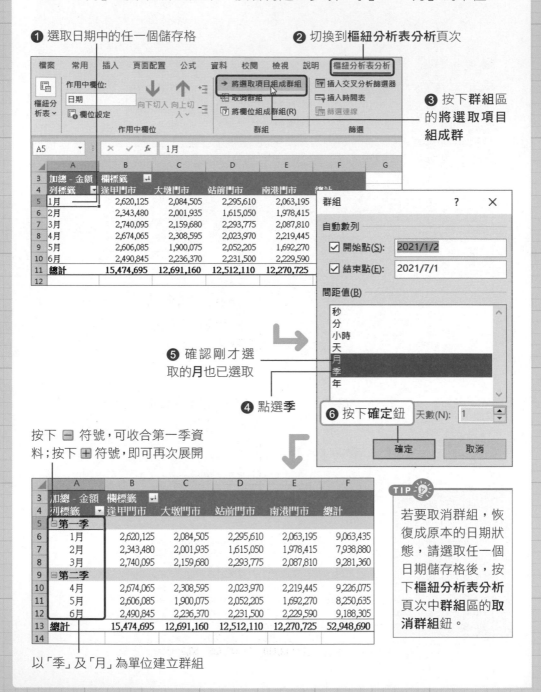

❸ 按下群組區的將選取項目組成群

❺ 確認剛才選取的月也已選取

❹ 點選季

❻ 按下確定鈕

按下 ⊟ 符號，可收合第一季資料；按下 ⊞ 符號，即可再次展開

	A	B	C	D	E	F
3	加總 - 金額	欄標籤				
4	列標籤	逢甲門市	大墩門市	站前門市	南港門市	總計
5	⊟第一季					
6	1月	2,620,125	2,084,505	2,295,610	2,063,195	9,063,435
7	2月	2,343,480	2,001,935	1,615,050	1,978,415	7,938,880
8	3月	2,740,095	2,159,680	2,293,775	2,087,810	9,281,360
9	⊟第二季					
10	4月	2,674,065	2,308,595	2,023,970	2,219,445	9,226,075
11	5月	2,606,085	1,900,075	2,052,205	1,692,270	8,250,635
12	6月	2,490,845	2,236,370	2,231,500	2,229,590	9,188,305
13	總計	15,474,695	12,691,160	12,512,110	12,270,725	52,948,690
14						

以「季」及「月」為單位建立群組

TIP
若要取消群組，恢復成原本的日期狀態，請選取任一個日期儲存格後，按下樞紐分析表分析頁次中群組區的取消群組鈕。

顯示每季的小計。將日期以「季」、「月」為單位群組後，只會顯示「總計」金額，如果想要知道每季的加總，該怎麼做呢？

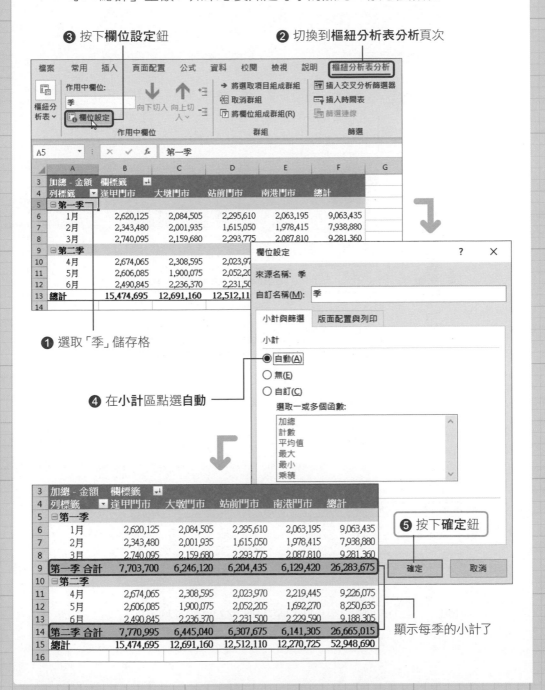

❸ 按下**欄位設定**鈕

❷ 切換到**樞紐分析表分析**頁次

❶ 選取「季」儲存格

❹ 在**小計**區點選**自動**

❺ 按下**確定**鈕

顯示每季的小計了

STEP 04

以壓縮模式顯示。雖然顯示每季的小計金額，但這樣樞紐分析表中又多了一列，我們希望小計金額能夠顯示在**第一季**的右側，不要另外獨立一行，該怎麼做呢？

❸ 按下**報表版面配置**鈕　　　　❷ 切換到樞紐分析表的**設計**頁次

❹ 選擇**以壓縮模式顯示**

	A	B	C	D	E	F	G
3	加總 - 金額						
4	列標籤			站前門市	南港門市	總計	
5	⊟第一季						
6	1月			2,295,610	2,063,195	9,063,435	
7	2月			1,615,050	1,978,415	7,938,880	
8	3月			2,293,775	2,087,810	9,281,360	
9	第一季 合計			6,204,435	6,129,420	26,283,675	
10	⊟第二季						
11	4月			2,023,970	2,219,445	9,226,075	
12	5月	2,606,085	1,900,075	2,052,205	1,692,270	8,250,635	
13	6月	2,490,845	2,236,370	2,231,500	2,229,590	9,188,305	
14	第二季 合計	7,770,995	6,445,040	6,307,675	6,141,305	26,665,015	
15	總計	15,474,695	12,691,160	12,512,110	12,270,725	52,948,690	
16							

❶ 請選取小計列的任一個儲存格 (如 D14 儲存格)

	A	B	C	D	E	F	G
3	加總 - 金額	欄標籤					
4	列標籤	逢甲門市	大墩門市	站前門市	南港門市	總計	
5	⊟第一季	7,703,700	6,246,120	6,204,435	6,129,420	26,283,675	
6	1月	2,620,125	2,084,505	2,295,610	2,063,195	9,063,435	
7	2月	2,343,480	2,001,935	1,615,050	1,978,415	7,938,880	
8	3月	2,740,095	2,159,680	2,293,775	2,087,810	9,281,360	
9	⊟第二季	7,770,995	6,445,040	6,307,675	6,141,305	26,665,015	
10	4月	2,674,065	2,308,595	2,023,970	2,219,445	9,226,075	
11	5月	2,606,085	1,900,075	2,052,205	1,692,270	8,250,635	
12	6月	2,490,845	2,236,370	2,231,500	2,229,590	9,188,305	
13	總計	15,474,695	12,691,160	12,512,110	12,270,725	52,948,690	
14							

▲ 以壓縮模式顯示，每一季的小計就不會多佔一列空間了

CHAPTER

16 從大量數據中取出 指定的資料

Excel 可不可以做到在輸入訂單編號、員工編號 或是日期之後，就自動列出相關的詳細資料呢？

當然可以啊，只要活用 VLOOKUP、INDEX、MATCH 函數， 就算資料再多，也能瞬間撈出想要的資料。

p.16-2	希望輸入員工編號後，自動帶出該員工的所有資料	▶	VLOOKUP、CLOUMN、HLOOKUP 函數
p.16-6	想知道一天有兩人以上預約的日期是哪些？	▶	IF、COUNTIF、ROW、INDEX 函數
p.16-9	輸入日期及時段後，查詢訂位狀況	▶	INDEX、MATCH 函數
p.16-12	取得指定產品、門市的庫存	▶	定義名稱、INDIRECT 函數
p.16-15	輸入公司名稱，自動列出統編及詳細資料	▶	DGET 函數
p.16-17	從兩種商品表中取出商品名稱及單價	▶	VLOOKUP、INDIRECT 函數
p.16-20	不想顯示計算結果為 0 或錯誤值的資料	▶	IFERROR、VLOOKUP、INDIRECT 函數

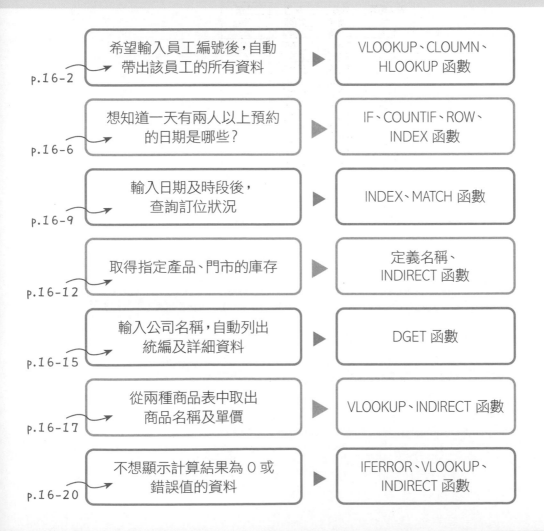

希望輸入員工編號，自動帶出該員工的所有資料

當員工資料筆數很多，想要查詢某位員工的分機號碼或是隸屬哪個部門，得要慢慢從表格裡查找，希望可以在輸入「員工編號」後，自動列出員工的姓名、部門及分機資料！

第 **16** 章

▼

從大量數據中取出指定的資料

輸入員工編號 ——

自動列出員工
的姓名、部門、
分機資料

	A	B	C	D	E
1	輸入員工編號查詢員工資料				
2	員工編號	姓名	部門	分機	
3	1048	邱語潔	業務部	587	
4					
5					
6	員工編號	姓名	部門	分機	
7	1160	于惠蘭	財務部	380	
8	1159	白美惠	人事部	358	
9	1035	朱麗雅	人事部	441	
10	1195	宋秀惠	人事部	566	
11	1185	李沛偉	研發部	368	
12	1167	汪炳哲	工程部	236	
13	1068	谷瑄若	研發部	441	
14	1070	周基勇	業務部	196	
15	1239	林巧沛	產品部	159	
16	1034	林若傑	財務部	288	
17	1168	林琪琪	倉儲部	196	
18	1130	林慶民	產品部	383	
19	1259	邱秀蘭	業務部	467	

STEP 01 用 **VLOOKUP 函數透過「搜尋值」搜尋資料**。請開啟範例檔案 Ch16-01，在 B3 儲存格輸入「=VLOOKUP($A$3,$A$7:$D$44,COLUMN(B2),0)」，輸入公式後會出現「#N/A」的錯誤訊息，因為此時 A3 儲存格尚未輸入要查詢的「搜尋值」(員工編號)，當 A3 儲存格輸入員工編號後，例如：「1048」，就會在 B3 儲存格顯示對應的員工姓名。

=VLOOKUP($A$3,$A$7:$D$44,COLUMN(B2),0)

「搜尋值」
(員工編號)

找到符合「搜尋值」的資料
後，要回傳第幾欄的資料

在 A7:D44 中查詢是否有
符合「搜尋值」的資料

「0」(也可以輸入「FALSE」) 表示
要尋找完全符合「搜尋值」的值

B3	▼	:	×	✓	fx	=VLOOKUP($A$3,$A$7:$D$44,COLUMN(B2),0)	

◢	A	B	C	D	E	F	G
1	輸入員工編號查詢員工資料						
2	員工編號	姓名	部門	分機			
3	●	#N/A					
4							
5							
6	員工編號	姓名	部門	分機			
7	1160	于惠蘭	財務部	380			
8	1159	白美惠	人事部	358			
9	1035	朱麗雅	人事部	441			
10	1195	宋秀惠	人事部	566			
11	1185	李沛偉	研發部	368			

❶ 輸入公式後會出現錯誤，這是因為
A3 儲存格還沒有輸入員工編號

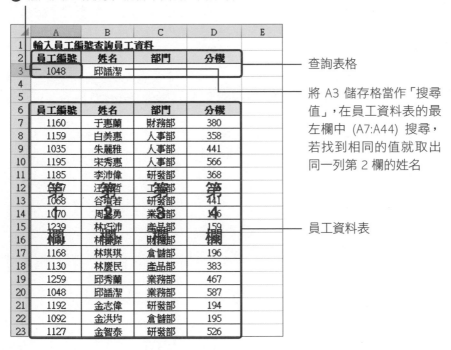

❷ 輸入員工編號後，就會帶出對應的姓名

◢	A	B	C	D	E
1	輸入員工編號查詢員工資料				
2	員工編號	姓名	部門	分機	
3	1048	邱語潔			
4					
5					
6	員工編號	姓名	部門	分機	
7	1160	于惠蘭	財務部	380	
8	1159	白美惠	人事部	358	
9	1035	朱麗雅	人事部	441	
10	1195	宋秀惠	人事部	566	
11	1185	李沛偉	研發部	368	
12	1057	汪美哲	工務部	258	
13	1068	谷垣若	研發部	441	
14	1070	周建勇	業務部	146	
15	1239	林孟沛	產品部	159	
16	1216	林盈棻	財務部	414	
17	1168	林琪琪	倉儲部	196	
18	1130	林慶民	產品部	383	
19	1259	邱秀蘭	業務部	467	
20	1048	邱語潔	業務部	587	
21	1192	金志偉	研發部	194	
22	1092	金洪均	倉儲部	195	
23	1127	金智泰	研發部	526	

查詢表格

將 A3 儲存格當作「搜尋值」，在員工資料表的最左欄中 (A7:A44) 搜尋，若找到相同的值就取出同一列第 2 欄的姓名

員工資料表

有關 VLOOKUP 函數的語法，請參考 10-25 頁。

STEP 02 **複製公式。** 將 B3 儲存格的公式，往右複製到 C3 及 D3 儲存格，就可以列出部門及分機資料了。

| B3 | ▼ | : | × ✓ | *fx* | =VLOOKUP($A$3,$A$7:$D$44,COLUMN(B2),0) |

▲	A	B	C	D	E	F	G
1	輸入員工編號查詢員工資料						
2	員工編號	姓名	部門	分機			
3	1048	邱語潔	業務部	587			
4							
5							
6	員工編號	姓名	部門	分機			
7	1160	于惠蘭	財務部	380			
8	1159	白美惠	人事部	358			
9	1035	朱麗雅	人事部	441			
10	1195	宋秀惠	人事部	566			
11	1185	李沛偉	研發部	368			
12	1167	汪炳哲	工程部	236			
13	1068	谷瑄若	研發部	441			
14	1070	周基勇	業務部	196			
15	1239	林巧沛	產品部	159			
16	1034	林若傑	財務部	288			
17	1168	林琪琪	倉儲部	196			
18	1130	林慶民	產品部	383			

D3 儲存格的公式「=VLOOKUP($A$3, $A$7:$D$44,COLUMN(D2),0)」

—— 抓取第 4 欄的資料

C3 儲存格的公式「=VLOOKUP($A$3, $A$7:$D$44,COLUMN(C2),0)」

—— 抓取第 3 欄的資料

技巧補充

若欄位標題是放在同一欄不同列，該怎麼查呢？

VLOOKUP 函數是從表格最左欄的資料中從上往下搜尋；若要查詢的表格資料，其欄位標題分別放在不同列，資料是由左往右排列，那麼就適合用 HLOOKUP 函數來檢索資料。

例如我們將剛才的範例轉置，同樣想在輸入員工編號後列出姓名、部門、分機資料，就可在 B3 儲存格輸入「=HLOOKUP($B$2,$B$8:$AM$11,ROW()-1,0)」，接著再將公式往下複製到 B5 儲存格。

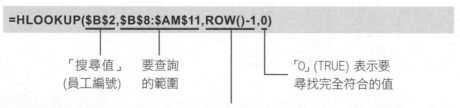

=HLOOKUP($B$2,$B$8:$AM$11,ROW()-1,0)

「搜尋值」 (員工編號) | 要查詢的範圍 | 「0」(TRUE) 表示要尋找完全符合的值

取出第幾列的資料（「姓名」位在第 2 列，也可以直接輸入「2」，但由於要將公式往下複製到 B4 及 B5 儲存格，因此利用 ROW 函數取得 B3 所在的列編號後再減 1

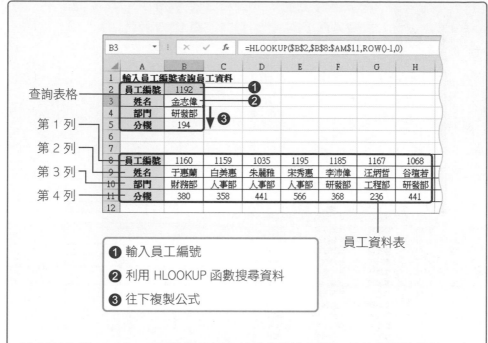

查詢表格

第 1 列

第 2 列
第 3 列
第 4 列

員工資料表

❶ 輸入員工編號

❷ 利用 HLOOKUP 函數搜尋資料

❸ 往下複製公式

VLOOKUP 與 HLOOKUP 函數的差別在於檢索方向不同,其他部份皆相同。有關 HLOOKUP 函數的語法,請參考 10-27 頁。

想知道一天有兩人以上預約的日期是哪些？

想從預約申請表統計，同一天有兩人以上預約的是哪些日期，以便安排服務人員。但目前是依「申請日」由小至大排序，不容易從「預約日期」找出同時有兩人以上預約的日期，該怎麼統計呢？

第 **16** 章

▼

從大量數據中取出指定的資料

	A	B	C	D	E	F	G	H
1			銀行業務預約申請					
2								
3	申請日	申請人	預約項目	預約日期			一天有兩人以上預約的日期	
4	03/03	趙幼琴	分行開戶	03/15			03/15	
5	03/03	張映菁	大額存款	03/15			03/12	
6	03/03	許盼靈	大額提款	03/17			04/01	
7	03/04	張語涵	跨行匯款	03/18			03/28	
8	03/05	謝松元	外幣現鈔	03/14			04/06	
9	03/06	羅暘平	分行開戶	03/20				
10	03/06	庾宏毅	大額提款	03/22				
11	03/06	熊炫明	跨行匯款	03/12				
12	03/07	蔡雨梅	大額存款	03/12				
13	03/07	關裕光	大額提款	03/21				
14	03/07	鄭和玉	跨行匯款	03/28				
15	03/08	潘思阡	分行開戶	04/06				
16	03/08	郝紹偉	大額存款	03/31				
17	03/09	閆子真	分行開戶	04/01				
18	03/09	古昕華	跨行匯款	04/01				
19	03/10	湯唯凡	大額提款	04/02				
20	03/10	侯麗香	大額存款	03/26				
21	03/10	丁雯羽	外幣現鈔	03/28				
22	03/11	彭浩哲	大額存款	04/06				
23	03/11	宋玉宸	跨行匯款	04/06				
24	03/11	林信陽	外幣現鈔	04/07				
25								

想找出一天有兩人以上預約的日期

STEP 01 首先，要利用「輔助欄位」找出日期重複的資料。請開啟範例檔案 Ch16-02，在 E4 儲存格輸入「=IF(COUNTIF($D$4:D4,D4)=2,ROW(A1),"")」，接著將公式往下複製到 E24 儲存格。

=IF(COUNTIF($D$4:D4,D4)=2,ROW(A1),"")

計算 D4:D4 符合 D4 的個數有幾個，如果個數等於 2，就顯示 ROW(A1)，否則顯示空白；將公式往下複製後，E5 儲存格會變成「=IF(COUNTIF($D$4:D5,D5)=2,ROW(A2)," ")」，會計算 D4:D5 符合 D5 的個數有幾個、…依此類推

E4		▼	:	×	✓	fx	=IF(COUNTIF($D$4:D4,D4)=2,ROW(A1),"")	

▲	A	B	C	D	E	F	G	H
1			銀行業務預約申請					
2								
3	申請日	申請人	預約項目	預約日期			一天有兩人以上預約的日期	
4	03/03	趙幼琴	分行開戶	03/15				
5	03/03	張映青	大額存款	03/15	2			
6	03/03	許昐靈	大額提款	03/17				
7	03/04	張譜涵	跨行匯款	03/18				
8	03/05	謝松元	外幣現鈔	03/14				
9	03/06	羅陽平	分行開戶	03/20				
10	03/06	庚宏毅	大額提款	03/22				
11	03/06	熊炫明	跨行匯款	03/12				
12	03/07	蔡雨梅	大額存款	03/12	9			
13	03/07	關裕光	大額提款	03/21				
14	03/07	鄭和玉	跨行匯款	03/28				
15	03/08	潘思阡	分行開戶	04/06				
16	03/08	郝紹偉	大額存款	03/31				
17	03/09	閻子真	分行開戶	04/01				
18	03/09	古昕華	跨行匯款	04/01	15			
19	03/10	湯唯凡	大額提款	04/02				
20	03/10	侯麗香	大額存款	03/26				
21	03/10	丁雯羽	外幣現鈔	03/28	18			
22	03/11	彭浩哲	大額存款	04/06	19			
23	03/11	宋玉宸	跨行匯款	04/06				
24	03/11	林信陽	外幣現鈔	04/07				
25								

> 將公式往下複製到 E24 儲存格，會產生 1～21 的連續數字，但只有 D 欄的日期重複兩次以上才會顯示數字，否則顯示空白

STEP 02 **列出有重複的日期**。請在 G4 儲存格輸入「=INDEX($D$4:$D$24,SMALL($E$4:$E$24,ROW(A1)))」，再將公式往下複製到 G8 儲存格。此時 G4:G8 儲存格會顯示奇怪的數字，這些數字其實是日期的「序列值」，只要選取儲存格後，將儲存格格式改為「日期」格式即可。

用 SMALL 函數找出陣列中第 k 個最小值

=INDEX($D$4:$D$24,SMALL($E$4:$E$24,ROW(A1)))

查詢儲存格範圍中的第○列資料

G4		▼	:	×	✓	fx	=INDEX($D$4:$D$24,SMALL($E$4:$E$24,ROW(A1)))

▲	A	B	C	D	E	F	G
1			銀行業務預約申請				
2							
3	申請日	申請人	預約項目	預約日期			一天有兩人以上預約的日期
4	03/03	趙幼琴	分行開戶	03/15			43539
5	03/03	張映青	大額存款	03/15	2		43536
6	03/03	許昐靈	大額提款	03/17			43556
7	03/04	張譜涵	跨行匯款	03/18			43552
8	03/05	謝松元	外幣現鈔	03/14			43561
9	03/06	羅陽平	分行開戶	03/20			
10	03/06	庚宏毅	大額提款	03/22			

❶ 輸入公式

❷ 往下複製公式

❸ 選取儲存格後，按下 Ctrl + 1 鍵，開啟**設定儲存格格式**交談窗

❹ 在此輸入「mm/dd」，可將日期改成以兩位數顯示 (如：03/15)

G4 | =INDEX($D$4:$D$24,SMALL($E$4:$E$24,ROW(A1)))

	A	B	C	D	E	F	G	H
1		銀行業務預約申請						
2								
3	申請日	申請人	預約項目	預約日期			一天有兩人以上預約的日期	
4	03/03	趙幼琴	分行開戶	03/15			03/15	
5	03/03	張映青	大額存款	03/15	2		03/12	
6	03/03	許昐靈	大額提款	03/17			04/01	
7	03/04	張語涵	跨行匯款	03/18			03/28	
8	03/05	謝松元	外幣現鈔	03/14			04/06	
9	03/06	覃陽平	分行開戶	03/20				
10	03/06	庚宏毅	大額提款	03/22				
11	03/06	熊炫明	跨行匯款	03/12				
12	03/07	蔡雨梅	大額存款	03/12	9			
13	03/07	關裕光	大額提款	03/21				
14	03/07	鄭和玉	跨行匯款	03/28				
15	03/08	潘思阡	分行開戶	04/06				
16	03/08	郝紹偉	大額存款	03/31				
17	03/09	闇子真	分行開戶	04/01				
18	03/09	古昕華	跨行匯款	04/01	15			
19	03/10	湯唯凡	大額提款	04/02				
20	03/10	侯麗香	大額存款	03/26				
21	03/10	丁雯羽	外幣現鈔	03/28	18			
22	03/11	彭浩哲	大額存款	04/06	19			
23	03/11	宋玉宸	跨行匯款	04/06				
24	03/11	林信陽	外幣現鈔	04/07				
25								

列出有兩人以上預約的日期

有關 INDEX 函數的語法，請參考 10-30 頁。

輸入日期及時段，查詢訂位狀況

雖然將當月的訂位狀況記錄到 Excel 中，但是當有客戶打電話來要訂位時，還得花時間查找，有沒有辦法在輸入「日期」及「時段」後，馬上得知是不是還可訂位？

希望在輸入日期及選擇時段後，就能了解訂位狀況

	A	B	C	D	E	F	G	H	I
1	空位查詢								
2	日期	7/22		日期	午餐	下午茶	晚餐	深夜時段	
3	時段	晚餐	▼	07/01(週一)	可訂位	可訂位	客滿	可訂位	
4	狀態	可訂位		07/02(週二)	可訂位	客滿	可訂位	可訂位	
5				07/03(週三)	可訂位	可訂位	可訂位	可訂位	
6				07/04(週四)	客滿	可訂位	可訂位	客滿	
7				07/05(週五)	可訂位	客滿	可訂位	可訂位	
8				07/06(週六)	客滿	可訂位	客滿	可訂位	
9				07/07(週日)	客滿	可訂位	客滿	可訂位	
10				07/08(週一)	可訂位	可訂位	可訂位	可訂位	
11				07/09(週二)	可訂位	客滿	可訂位	可訂位	
12				07/10(週三)	店休	店休	店休	店休	
13				07/11(週四)	可訂位	客滿	可訂位	可訂位	
14				07/12(週五)	可訂位	可訂位	可訂位	可訂位	
15				07/13(週六)	可訂位	客滿	客滿	客滿	
16				07/14(週日)	客滿	可訂位	客滿	可訂位	
17				07/15(週一)	可訂位	可訂位	可訂位	可訂位	
18				07/16(週二)	可訂位	客滿	可訂位	客滿	
19				07/17(週三)	可訂位	可訂位	可訂位	可訂位	
20				07/18(週四)	客滿	可訂位	客滿	可訂位	
21				07/19(週五)	可訂位	可訂位	可訂位	可訂位	
22				07/20(週六)	可訂位	客滿	客滿	可訂位	

STEP 01 **利用 INDEX 及 MATCH 函數找出指定的欄與列**。請開啟範例檔案 Ch16-03，在 B4 儲存格輸入「=INDEX(E3:H33,MATCH(B2,D3:D33,0), MATCH(B3,E2:H2,0))」。

在 D3:D33 中找出完全符合 B2 輸入的日期　　在 E2:H2 中找出完全符合 B3 輸入的時段

=INDEX(E3:H33,MATCH(B2,D3:D33,0),MATCH(B3,E2:H2,0))

要尋找的範圍　　此為 INDEX 函數的「列編號」引數　　此為 INDEX 函數的「欄編號」引數

| B4 | ▼ : × ✓ fx | =INDEX(E3:H33,MATCH(B2,D3:D33,0),MATCH(B3,E2:H2,0)) |

◢	A	B	C	D	E	F	G	H	I
1	空位查詢								
2	日期			日期	午餐	下午茶	晚餐	深夜時段	
3	時段			07/01(週一)	可訂位	可訂位	客滿	可訂位	
4	狀①	#N/A		07/02(週二)	可訂位	客滿	可訂位	可訂位	
5				07/03(週三)	可訂位	可訂位	可訂位	可訂位	
6				07/04(週四)	客滿	可訂位	可訂位	客滿	

由於 B2、B3 儲存格尚未輸入資料，
因此會出現 **#N/A** 的錯誤訊息

第 **16** 章 ▼ 從大量數據中取出指定的資料

有關 MATCH 函數的語法，請參考 10-31 頁。

STEP 02 請在 B2 儲存格輸入要查詢的日期，在 B3 儲存格中拉下下拉箭頭選
擇用餐時段，即會顯示「客滿」或「可訂位」的狀態。

◢	A	B	C	D	E	F	G	H	I
1	空位查詢								
2	日期	7/13		日期	午餐	下午茶	晚餐	深夜時段	
3	時段	晚餐 ▼		07/01(週一)	可訂位	可訂位	客滿	可訂位	
4	狀態	客滿 ←		07/02(週二)	可訂位	客滿	可訂位	可訂位	
5				07/03(週三)	可訂位	可訂位	可訂位	可訂位	
6				07/04(週四)	客滿	可訂位	可訂位	客滿	
7				07/05(週五)	可訂位	客滿	可訂位	可訂位	
8	輸入資料後就			07/06(週六)	客滿	可訂位	客滿	可訂位	
9	會顯示狀態			07/07(週日)	客滿	可訂位	客滿	可訂位	
10				07/08(週一)	可訂位	可訂位	可訂位	可訂位	
11				07/09(週二)	可訂位	客滿	可訂位	可訂位	
12				07/10(週三)	店休	店休	店休	店休	
13				07/11(週四)	可訂位	客滿	可訂位	可訂位	
14				07/12(週五)	可訂位	可訂位	可訂位	可訂位	
15				07/13(週六)	可訂位	客滿	客滿	客滿	
16				07/14(週日)	客滿	可訂位	客滿	可訂位	
17				07/15(週一)	客滿	可訂位	可訂位	可訂位	
18				07/16(週二)	可訂位	客滿	可訂位	客滿	
19				07/17(週三)	可訂位	可訂位	可訂位	可訂位	
20				07/18(週四)	客滿	可訂位	客滿	可訂位	

技巧補充

如何製作從清單中選取資料？

為減少打電話詢問訂位的等待時間，我們將輸入「時段」的儲存格改成以清單的方式選取，這樣一來就不用再切換輸入法輸入文字，可節省顧客的等待時間。那麼要如何製作下拉清單呢？你可以參考底下的方法：

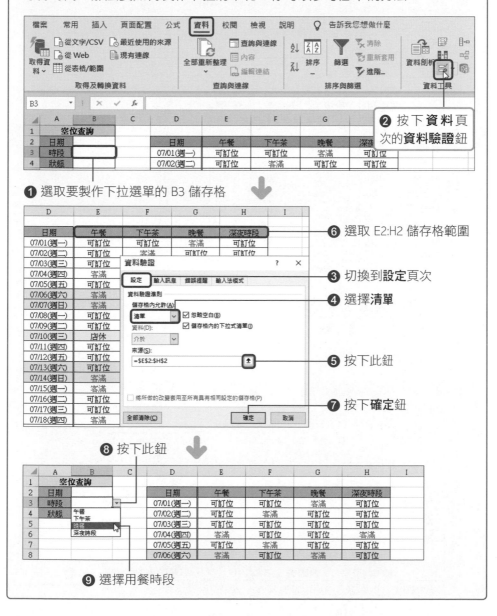

SECTION 16-4 從已定義名稱的資料，取得指定產品、門市的庫存

想知道○產品在○門市還有多少庫存，雖然可以用 INDEX + MATCH 函數來查找，但公式寫起來有點複雜，有沒有更快速的方法呢？

第 16 章 ▼ 從大量數據中取出指定的資料

	無線藍牙耳機	全罩式耳機	耳塞式耳機	入耳式耳機	耳掛式耳機
新盛門市	777	2,357	733	981	2,029
仁愛門市	1,071	2,750	3,782	3,980	3,693
幸福門市	418	1,002	3,033	3,862	1,252
文化門市	3,953	3,104	1,277	1,207	3,753
忠孝門市	2,128	1,330	3,448	2,123	2,214
新仁門市	2,410	2,069	1,265	3,352	2,195
永康門市	1,193	3,879	3,500	3,249	2,330
東山門市	980	3,444	3,646	2,724	3,999
歸仁門市	1,764	3,778	3,440	3,494	999
重南門市	988	2,487	3,548	2,547	1,587
新生門市	1,875	3,054	2,547	984	1,587

各門市庫存：產品 無線藍牙耳機／門市 東山門市／庫存 980

希望在輸入產品及門市名稱後，自動找出還有多少庫存

STEP 01 **將選取範圍定義成名稱**。請開啟範例檔案 Ch16-04，選取 A7:F18 儲存格範圍，按著按下**公式**頁次的**從選取範圍建立**鈕，將選取的範圍定義成名稱。

❸ 同時勾選**頂端列**及**最左欄**，我們要將各項產品名稱及門市名稱定義成「名稱」

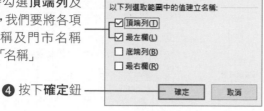

❹ 按下**確定**鈕

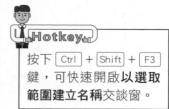

按下 Ctrl + Shift + F3 鍵，可快速開啟**以選取範圍建立名稱**交談窗。

STEP 02 **查看已定義的名稱**。按下**公式**頁次的**名稱管理員**，即可看到我們剛才定義的名稱，事先定義好這些名稱，可以方便待會兒的 INDIRECT 函數查找資料。

按下 Ctrl + F3 鍵，可快速開啟**名稱管理員**交談窗。

STEP 03 **利用 INDIRECT 函數，取得符合兩項條件的儲存格**。請在 B4 儲存格輸入「=INDIRECT(B2) INDIRECT(B3)」，INDIRECT 函數之間要空一格半形空格。輸入公式後會出現「#REF!」的錯誤訊息，這是因為 B2 及 B3 儲存格尚未輸入資料。

空一格半形空格

=INDIRECT(B2) INDIRECT(B3)

參照的字串　　　參照的字串

❶ 在此輸入公式

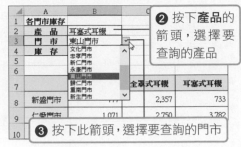

❷ 按下產品的箭頭，選擇要查詢的產品

❸ 按下此箭頭，選擇要查詢的門市

找出「歸仁門市」的「耳塞式耳機」還有 3,440 個

	A	B	C	D	E	F	G
1	各門市庫存						
2	產 品	耳塞式耳機					
3	門 市	歸仁門市					
4	庫 存	3,440					
5							
6							
7		無線藍牙耳機	全罩式耳機	耳塞式耳機	入耳式耳機	耳掛式耳機	
8	新盛門市	777	2,357	733	981	2,029	
9	仁愛門市	1,071	2,750	3,782	3,980	3,693	
10	幸福門市	418	1,002	3,033	3,862	1,252	
11	文化門市	3,953	3,104	1,277	1,207	3,753	
12	忠孝門市	2,128	1,330	3,448	2,123	2,214	
13	新仁門市	2,410	2,069	1,265	3,352	2,195	
14	永康門市	1,193	3,879	3,500	3,249	2,330	
15	東山門市	980	3,444	3,646	2,724	3,999	
16	歸仁門市	1,764	3,778	3,440	3,494	999	
17	重南門市	988	2,487	3,548	2,547	1,587	
18	新生門市	1,875	3,054	2,547	984	1,587	

TIP

INDIRECT 函數在每次開啟活頁簿時，都會自動更新，因此就算沒有進行任何編輯，在關閉檔案時，還是會跳出「想要儲存變更到」的確認交談窗。

INDIRECT 函數	
說明	回傳指定的參照位址。
語法	=INDIRECT(ref_text, [a1])
ref_text **(參照字串)**	指定儲存格編號或是已定義的「名稱」。
[a1] **(參照形式)**	參照形式分成 A1 及 R1C1 兩種。若省略此引數或是輸入 TRUE，則為 A1 形式；若輸入 FALSE 則為 R1C1 形式。 • **A1 形式**：欄用英文字母、列用數字的方式指定欄、列順序。 • **R1C1 形式**：R 是指連續的列的數值，C 是指連續的欄的數值。例如 E3 儲存格以 R1C1 來指定，會變成「R3C5」。

SECTION 16-5

輸入公司名稱，自動列出統編及詳細資料

當客戶資料愈來愈多，得要不斷捲動視窗捲軸來查找，希望能在工作表的最上方設置一個查詢區域，只要輸入公司名稱，就自動列出統編、聯絡人、…等資料。

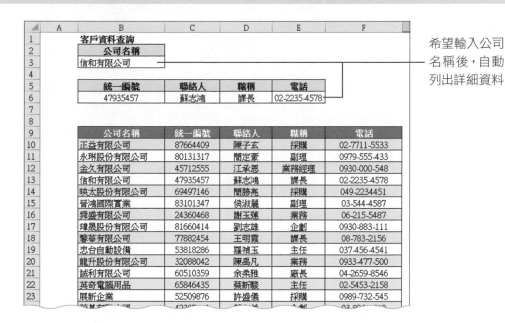

希望輸入公司名稱後，自動列出詳細資料

STEP 01 **用 DGET 函數取得符合條件的資料**。請開啟範例檔案 Ch16-05，在 B6 儲存格輸入「=DGET($B$9:$F$35,C9,$B$2:$B$3)」，輸入公式後會出現「#NUM!」的錯誤訊息，這是因為 B3 儲存格尚未輸入要查詢的公司名稱。

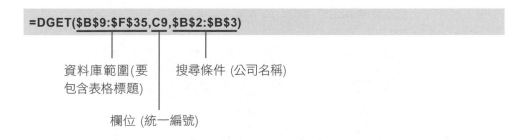

```
=DGET($B$9:$F$35,C9,$B$2:$B$3)
```

資料庫範圍(要包含表格標題)　　搜尋條件 (公司名稱)

欄位 (統一編號)

尚未輸入資料，會顯示「#NUM!」的訊息，若是表格中沒有符合的資料，則會顯示「#VALUE!」的訊息

輸入要尋找的公司名稱後，就會列出該公司的「統一編號」

TIP

要搜尋的資料最好是具有「唯一性」的值 (例如：身份證字號、產品編號、……等)，若資料有重複，則會出現錯誤訊息。

STEP 02 接著將 B6 儲存格的公式，往右複製到 E6 儲存格。即可列出該公司的所有資料。

B6		× ✓ fx	=DGET($B$9:$F$35,C9,$B$2:$B$3)		

	A	B	C	D	E	F
1		客戶資料查詢				
2		公司名稱				
3		信和有限公司				
4						
5		統一編號	聯絡人	職稱	電話	
6		47935457	蘇志鴻	課長	02-2235-4578	
7						
8						
9		公司名稱	統一編號	聯絡人	職稱	電話
10		正益有限公司	87664409	陳子玄	採購	02-7711-5533
11		永琳股份有限公司	80131317	闇定豪	副理	0979-555-433
12		金久有限公司	45712555	江承恩	業務經理	0930-000-548
13		信和有限公司	47935457	蘇志鴻	課長	02-2235-4578
14		映太股份有限公司	69497146	闇勝亮	採購	049-2234451
15		晉鴻國際實業	83101347	侯淑麗	副理	03-544-4587
16		舜盛有限公司	24360468	謝玉蓮	業務	06-215-5487

SECTION 16-6 從兩種商品表中取出商品名稱及單價

在輸入訂購單資料時，由於商品名稱通常字數較多，如果逐字輸入得花不少時間，希望能在輸入「類別」及「商品編號」後自動從其他表格查詢商品名稱及單價。

訂購單

				訂購日期：	7/8
類別	商品編號	商品名稱	單價	數量	金額
手機	1101	iPhone XR 64G	26,900	125	3,362,500
平板	2103	iPad 128G	15,900	233	3,704,700
手機	1104	iPhone 8 Plus 64G	25,500	998	25,449,000
手機	1105	iPhone 7 Plus 128G	24,500	88	2,156,000
手機	1102	iPhone 8 64G	21,500	216	4,644,000
平板	2101	iPad Pro 12.9" 512G	45,900	1,402	64,351,800
平板	2102	iPad Air 256G	21,900	546	11,957,400
平板	2103	iPad 128G	15,900	1,302	20,701,800
手機	1102	iPhone 8 64G	21,500	301	6,471,500
手機	1103	iPhone Xs 128G	28,900	1,269	36,674,100
				小計	179,472,800

手機

商品編號	商品名稱	單價
1101	iPhone XR 64G	26,900
1102	iPhone 8 64G	21,500
1103	iPhone Xs 128G	28,900
1104	iPhone 8 Plus 64G	25,500
1105	iPhone 7 Plus 128G	24,500

平板

商品編號	商品名稱	單價
2101	iPad Pro 12.9" 512G	45,900
2102	iPad Air 256G	21,900
2103	iPad 128G	15,900
2104	iPad mini 256G	22,400

希望輸入這兩項資料後，自動帶出「商品名稱」及「單價」

STEP 01 **分別定義「手機」及「平板」名稱。**請開啟範例檔案 Ch16-06，選取 I6:k10 儲存格範圍，按一下視窗最左側的**名稱方塊**輸入「手機」後，按下 Enter 鍵；接著選取 I14:K17 儲存格範圍，在**名稱方塊**中輸入「平板」，再按下 Enter 鍵。

手機			×	✓	fx	1101	

特將此範圍定義為「手機」

	A	B	C	D	E	F	G
1							
2				訂購單			
3							
4						訂購日期：	7/8
5		類別	商品編號	商品名稱	單價	數量	金額
6							
7							
8							
9							
10							
11							
12							
13							

手機

商品編號	商品名稱	單價
1101	iPhone XR 64G	26,900
1102	iPhone 8 64G	21,500
1103	iPhone Xs 128G	28,900
1104	iPhone 8 Plus 64G	25,500
1105	iPhone 7 Plus 128G	24,500

平板

商品編號	商品名稱	單價

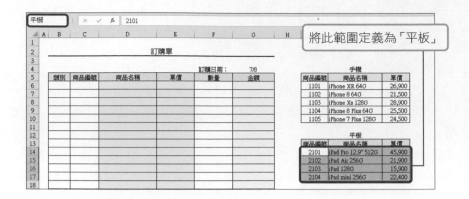

將此範圍定義為「平板」

STEP 02 **輸入 VLOOKUP 及 INDIRECT 函數查詢「商品名稱」。**請在 D6 儲存格輸入「=VLOOKUP(C6,INDIRECT(B6),2)」，輸入公式後會出現「#REF!」錯誤訊息，只要在 B6 及 C6 儲存格輸入商品類別及商品編號後，就會帶出商品名稱了。

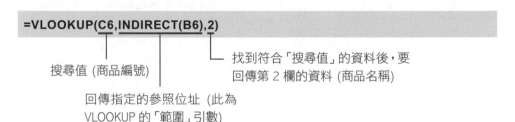

=VLOOKUP(**C6**,**INDIRECT(B6)**,**2**)

搜尋值 (商品編號)

回傳指定的參照位址 (此為 VLOOKUP 的「範圍」引數)

找到符合「搜尋值」的資料後，要回傳第 2 欄的資料 (商品名稱)

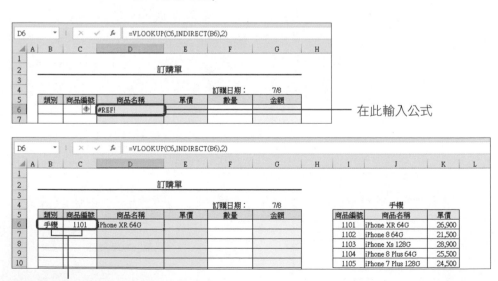

在此輸入公式

輸入這兩項資料後，即會自動顯示商品名稱

STEP 03 **查詢「單價」資料。** 接著在 E6 儲存格輸入「=VLOOKUP (C6,INDIRECT(B6),3)」，我們要從手機或平板的表格中回傳位於第 3 欄的「單價」資料。

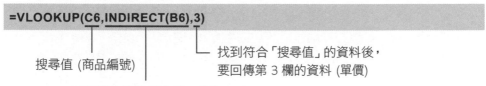

=VLOOKUP(C6,INDIRECT(B6),3)

搜尋值 (商品編號)

回傳指定的參照位址 (此為 VLOOKUP 的「範圍」引數)

找到符合「搜尋值」的資料後，要回傳第 3 欄的資料 (單價)

E6	▼ : × ✓ fx	=VLOOKUP(C6,INDIRECT(B6),3)								

	A	B	C	D	E	F	G	H	I	J	K	L
1												
2				訂購單								
3												
4						訂購日期：	7/8			手機		
5		類別	商品編號	商品名稱	單價	數量	金額		商品編號	商品名稱	單價	
6		手機	1101	iPhone XR 64G	26,900				1101	iPhone XR 64G	26,900	
7									1102	iPhone 8 64G	21,500	
8									1103	iPhone Xs 128G	28,900	
9									1104	iPhone 8 Plus 64G	25,500	
10									1105	iPhone 7 Plus 128G	24,500	

STEP 04 接著在 G6 儲存格輸入「=E6*F6」，並將公式往下複製到 G25 儲存格，即可算出單價*數量的金額。最後在 G26 輸入「=SUM(G6:G25)，加總小計金額；在 G27 儲存格輸入「=G26*0.05」算出稅金金額；最後在 G28 儲存格輸入「=SUM(G26:G27)」，即可算出訂購總價。

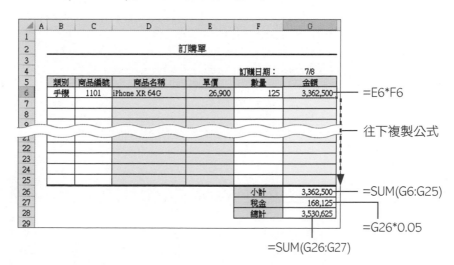

=E6*F6

往下複製公式

=SUM(G6:G25)

=G26*0.05

=SUM(G26:G27)

16-19

不想顯示計算結果為 0 或錯誤值的資料

上一節我們將 VLOOKUP 的公式往下複製後，若是還沒有輸入「類別」及「商品編號」，就會出現「#REF!」的錯誤訊息；若是沒有輸入「數量」則會顯示「0」，這些錯誤訊息實在有點困擾，可以不要顯示嗎？

第
16
章

▼

從大量數據中取出指定的資料

				訂購單		
					訂購日期：	7/8
類別	商品編號	商品名稱		單價	數量	金額
手機	1101	iPhone XR 64G		26,900	125	3,362,500
平板	2103	iPad 128G		15,900	233	3,704,700
手機	1104	iPhone 8 Plus 64G		25,500	998	25,449,000
手機	1105	iPhone 7 Plus 128G		24,500		0
手機	1102	iPhone 8 64G		21,500		0
		#REF!		#REF!		#REF!
		#REF!		#REF!		#REF!
		#REF!		#REF!		#REF!
		#REF!		#REF!		#REF!
		#REF!		#REF!		#REF!
		#REF!		#REF!		#REF!
		#REF!		#REF!		#REF!
		#REF!		#REF!		#REF!
		#REF!		#REF!		#REF!
		#REF!		#REF!		#REF!
		#REF!		#REF!		#REF!
		#REF!		#REF!		#REF!
		#REF!		#REF!		#REF!
		#REF!		#REF!		#REF!
					小計	#REF!
					稅金	#REF!
					總計	#REF!

未輸入數量時，金額會顯示 0

未輸入資料時，會顯示參照錯誤的訊息

STEP 01 用 IFERROR 函數隱藏錯誤值。請開啟範例檔案 Ch16-07，選取 D6 儲存格，接著到**資料編輯列**按一下，在「=」之後輸入「IFERROR(」，接著將游標移到公式的最後，接續輸入「,"")」，再按下 Enter 鍵。

=IFERROR(VLOOKUP(C6,INDIRECT(B6),2),"")

當公式計算結果為錯誤值　　錯誤時顯示的值

在此輸入「IFERROR(」

在此輸入「,"")」

IFERROR 函數	
說明	檢查公式的計算結果是否為錯誤值，若為錯誤值則回傳指定的值。若非錯誤值，則回傳公式的計算結果。
語法	=IFERROR(value, value_if_error)
value (值)	要檢查是否會出現錯誤的值。
value_if_error (錯誤時顯示的值)	指定產生錯誤時，要顯示的值或儲存格參照。

STEP 02 **往下複製公式**。將剛才加了 IFERROR 的 D6 儲存格往下複製到 D25 儲存格。剛才顯示的參照錯誤就會變成空白了。

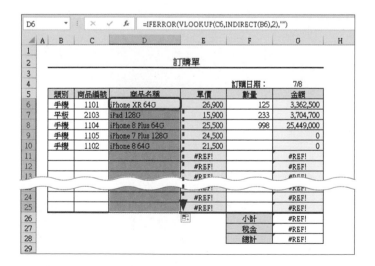

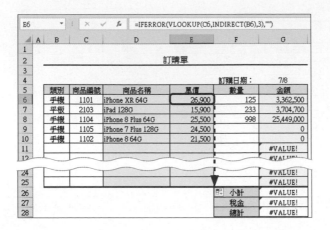

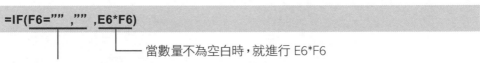

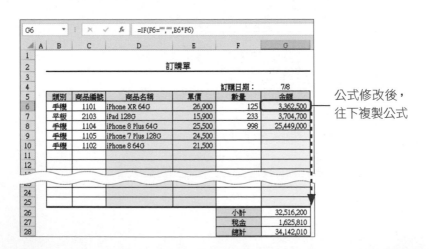

STEP 03 單價的公式同樣也加上 IFERROR 函數。請選取 E6 儲存格，將公式改為「=IFERROR(VLOOKUP(C6,INDIRECT(B6),3),"")」，並往下複製到 E25 儲存格。

STEP 04 修改「金額」的公式。「金額」欄位的公式為「=E6*F6」(單價×數量)，若「數量」為空白，則會顯示為 0；若是「單價」沒有資料，則會顯示為「#VALUE!」(參照自其他表格資料)。請選取 G6 儲存格，將公式修改為「=IF(F6="","",E6*F6)」，並往下複製到 G25 儲存格。

=IF(F6="","" ,E6*F6)

當數量不為空白時，就進行 E6*F6

當數量為空白時，就顯示空白

公式修改後，往下複製公式

16-22

CHAPTER 17 跨工作表的處理

為了方便查看,有些資料會依月份或依類別放在不同工作表裡,但是要做彙總計算時就很麻煩,有什麼辦法可以把不同工作表的資料整合到單一工作表裡。

跨工作表的資料處理的確是很常遇到又很令人傷腦筋,不過沒關係,我們可以用函數來解決。

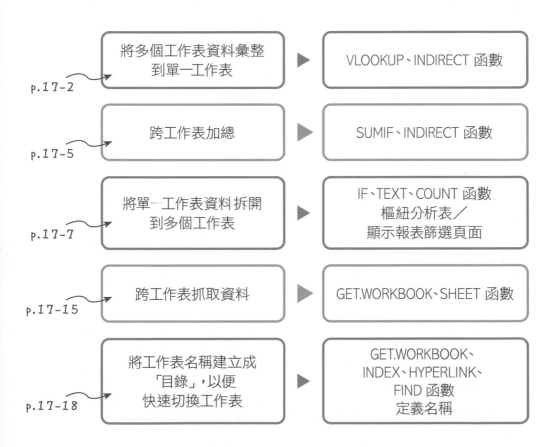

p.17-2	將多個工作表資料彙整到單一工作表 ▶	VLOOKUP、INDIRECT 函數
p.17-5	跨工作表加總 ▶	SUMIF、INDIRECT 函數
p.17-7	將單一工作表資料拆開到多個工作表 ▶	IF、TEXT、COUNT 函數 樞紐分析表/顯示報表篩選頁面
p.17-15	跨工作表抓取資料 ▶	GET.WORKBOOK、SHEET 函數
p.17-18	將工作表名稱建立成「目錄」,以便快速切換工作表 ▶	GET.WORKBOOK、INDEX、HYPERLINK、FIND 函數 定義名稱

將多個工作表資料彙整到單一工作表

想將各月工作表中的資料，彙整到**第一季**總表中，但直接複製加總資料會出現「#REF!」的錯誤，改用**貼上/值**的方式雖然可順利貼上資料，但當資料有修改就得再重貼，有什麼方法可以彙整工作表又能自動更新？

	電動腳踏車	彈力帶踏步機	靜音飛輪車	重力訓練架	合計
Kevin	467,628	480,668	500,759	642,134	2,091,189
Lynn	573,276	949,512	391,559	801,618	2,715,965
Magee	248,369	605,480	726,289	112,030	1,692,168
Louis	124,421	748,879	678,288	280,879	1,832,467
Claire	181,835	859,131	331,147	670,747	2,042,860
Billy	392,347	366,985	914,102	448,260	2,121,694
Erica	430,482	261,393	868,852	671,646	2,232,373
Bella	860,101	188,653	972,598	158,768	2,180,120
Doris	990,078	644,009	42,595	396,485	2,073,167
Hank	682,731	559,801	85,372	86,755	1,414,659
合計	4,951,268	5,664,511	5,511,561	4,269,322	20,396,662

第一季 | 1月 | 2月 | 3月 | ⊕

▲ 1 月各產品／業務員銷售資料

	電動腳踏車	彈力帶踏步機	靜音飛輪車	重力訓練架	合計
Kevin	86,152	528,004	931,372	169,250	1,714,778
Lynn	303,944	182,740	114,968	41,671	643,323
Magee	697,862	610,978	31,978	899,034	2,239,852
Louis	666,952	349,832	145,871	21,975	1,184,630
Claire	293,485	941,881	490,107	234,034	1,959,507
Billy	99,489	550,832	779,945	306,364	1,736,630
Erica	798,913	38,731	537,544	536,663	1,911,851
Bella	458,141	754,391	380,498	647,903	2,240,933
Doris	19,428	811,032	531,563	282,244	1,644,267
Hank	87,078	770,408	385,181	96,175	1,338,842
合計	3,511,444	5,538,829	4,329,027	3,235,313	16,614,613

第一季 | 1月 | 2月 | 3月 | ⊕

▲ 2 月各產品／業務員銷售資料

	電動腳踏車	彈力帶踏步機	靜音飛輪車	重力訓練架	合計
Kevin	988,904	111,589	629,882	16,636	1,747,011
Lynn	105,444	374,489	863,117	377,407	1,720,457
Magee	66,154	680,482	233,586	669,444	1,649,666
Louis	341,163	393,077	941,930	613,987	2,290,157
Claire	820,347	962,157	296,161	52,341	2,131,006
Billy	781,065	324,318	827,763	808,852	2,741,998
Erica	765,690	75,454	610,626	264,174	1,715,944
Bella	254,266	568,917	799,182	99,453	1,721,818
Doris	307,120	546,894	445,075	819,104	2,118,193
Hank	776,003	572,404	717,620	873,779	2,939,806
合計	5,206,156	4,609,781	6,364,942	4,595,177	20,776,056

第一季 | 1月 | 2月 | 3月 | ⊕

◀ 3 月各產品／業務員銷售資料

直接複製會出現「#REF!」的錯誤

喬雅健身器材 1～3月各業務員銷售總額

	Kevin	Lynn	Magee	Louis	Claire	Billy			Hank	合計
1月	#REF!	#REF!	#REF!	1,832,467	2,042,860					#REF!
2月										-
3月										-
合計	#REF!	#REF!	#REF!	1,832,467	2,042,860					#REF!

雖然可用**貼上/值**的方式貼入資料，但資料不能自動更新

第一季 | 1月 | 2月 | 3月 | ⊕

▲ 想將各月份的加總金額彙整到「第一季」工作表中

STEP 01 用 VLOOKUP 及 INDIRECT 函數查詢 1～3 月工作表中各業務員的**銷售總額**。請開啟範例檔案 Ch17-01，在**第一季**工作表中的 B4 儲存格輸入「=VLOOKUP(B$3,INDIRECT($A4&"!A2:F11"),6,0)」，再將公式往右及往下複製，即可取得各工作表的每位業務員總額。

欄編號 (要查詢的資料在第 6 欄)

=VLOOKUP(B$3,INDIRECT($A4&"!A2:F11"),6,0)

搜尋值 (業務員姓名)　　VLOOKUP 要搜尋的範圍 (利用 INDIRECT 函數回傳「1月」工作表中的 A2:F11 參照位址)

「0」(也可以輸入「FALSE」) 表示要尋找完全符合「搜尋值」的值

往右複製公式　　　　　　　　　　往下複製公式

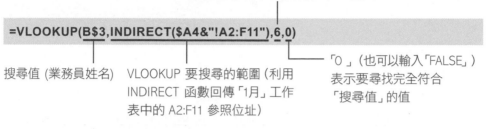

B4 ▼ fx =VLOOKUP(B$3,INDIRECT($A4&"!A2:F11"),6,0)

喬雅健身器材 1～3月各業務員銷售總額

	Kevin	Lynn	Magee	Louis	Claire	Billy	Erica	Bella	Doris	Hank	合計
1月	2,091,189	2,715,965	1,692,168	1,832,467	2,042,860	2,121,694	2,232,373	2,180,120	2,073,167	1,414,659	
2月	1,714,778	643,323	2,239,852	1,184,630	1,959,507	1,736,630	1,911,851	2,240,933	1,644,267	1,338,842	
3月	1,747,011	1,720,457	1,649,666	2,290,157	2,131,006	2,741,998	1,715,944	1,721,818	2,118,193	2,939,806	
合計											

第一季 | 1月 | 2月 | 3月 | ⊕

STEP 02 用 **SUM 函數加總**。接著，選取 B7:K7 儲存格，再按住 Ctrl 鍵，選取 L4:L6 儲存格，按下 Alt + = 鍵，即可算出各項合計值。

喬雅健身器材 1～3月各業務員銷售總額

	Kevin	Lynn	Magee	Louis	Claire	Billy	Erica	Bella	Doris	Hank	合計
1月	2,091,189	2,715,965	1,692,168	1,832,467	2,042,860	2,121,694	2,232,373	2,180,120	2,073,167	1,414,659	20,396,662
2月	1,714,778	643,323	2,239,852	1,184,630	1,959,507	1,736,630	1,911,851	2,240,933	1,644,267	1,338,842	16,614,613
3月	1,747,011	1,720,457	1,649,666	2,290,157	2,131,006	2,741,998	1,715,944	1,721,818	2,118,193	2,939,806	20,776,056
合計	5,552,978	5,079,745	5,581,686	5,307,254	6,133,373	6,600,322	5,860,168	6,142,871	5,835,627	5,693,307	57,787,331

計算出各月以及各業務員的銷售總額

STEP 03 **自動更新資料。** 利用函數參照工作表資料的好處是，當來源工作表的資料有變動，參照的工作表就會自動跟著更新。例如「1月」的 C10 儲存格，從原本的「644,009」變更為「884,330」，「第一季」工作表的 J4 儲存格會自動從「2,073,167」變更為「2,313,488」。

	A	電動騎馬車	彈力帶踏步機	靜音飛輪車	重力訓練架	合計
2	Kevin	467,628	480,668	500,759	642,134	2,091,189
3	Lynn	573,276	949,512	391,559	801,618	2,715,965
4	Magee	248,369	605,480	726,289	112,030	1,692,168
5	Louis	124,421	748,879	678,288	280,879	1,832,467
6	Claire	181,835	859,131	331,147	670,747	2,042,860
7	Billy	392,347	366,985	914,102	448,260	2,121,694
8	Erica	430,482	261,393	868,852	671,646	2,232,373
9	Bella	860,101	188,653	972,598	158,768	2,180,120
10	Doris	990,078	884,330	42,595	396,485	2,313,488
11	Hank	682,731	559,801	85,372	86,755	1,414,659
12	合計	4,951,268	5,904,832	5,511,561	4,269,322	20,636,983

第一季　1月　2月　3月

從「644,009」變更為「884,330」

	A	B	C	D	E	F	G	H	I	J	K	L	M
1,2					喬雅健身器材 1～3月各業務員銷售總額								
3		Kevin	Lynn	Magee	Louis	Claire	Billy	Erica	Bella	Doris	Hank	合計	
4	1月	2,091,189	2,715,965	1,692,168	1,832,467	2,042,860	2,121,694	2,232,373	2,180,120	2,313,488	1,414,659	20,636,983	
5	2月	1,714,778	643,323	2,239,852	1,184,630	1,959,507	1,736,630	1,911,851	2,240,933	1,644,267	1,338,842	16,614,613	
6	3月	1,747,011	1,720,457	1,649,666	2,290,157	2,131,006	2,741,998	1,715,944	1,721,818	2,118,193	2,939,806	20,776,056	
7	合計	5,552,978	5,079,745	5,581,686	5,307,254	6,133,373	6,600,322	5,860,168	6,142,871	6,075,948	5,693,307	58,027,652	

第一季　1月　2月　3月

自動變更為「2,313,488」

技巧補充

參照其他工作表

要參照其他工作表的資料時，可輸入「=年度銷售!A1」這樣的格式，表示要參照「年度銷售」工作表的 A1 儲存格，記得要在工作表名稱之後加上「!」。本單元的範例要參照「1月」、「2月」、「3月」工作表的資料，因此在 INDIRECT 函數中以「$A4&"!A2:F11"」表示，意思是將 A4 儲存格的「1月」加上「!」，參照「1月」工作表的 A2:F11 範圍；當公式往下複製到 B5 儲存格，會變成「$A5&"!A2:F11"」，意思是將 A5 儲存格的「2月」加上「!」，參照「2月」工作表的 A2:F11 範圍，依此類推。

B4　｜　✕　✓　ƒx　=VLOOKUP(B$3,INDIRECT($A4&"!A2:F11"),6,0)

參照 **1 月**工作表的 A2:F11

參照 **2 月**工作表的 A2:F11

參照 **3 月**工作表的 A2:F11

	A	B	C	D	E	F	G	H
1,2						喬雅健身器材 1～3月各業務員銷售總額		
3		Kevin	Lynn	Magee	Louis	Claire	Billy	Erica
4	1月	2,091,189	2,715,965	1,692,168	1,832,467	2,042,860	2,121,694	2,232,373
5	2月	1,714,778	643,323	2,239,852	1,184,630	1,959,507	1,736,630	1,911,851
6	3月	1,747,011	1,720,457	1,649,666	2,290,157	2,131,006	2,741,998	1,715,944
7	合計	5,552,978	5,079,745	5,581,686	5,307,254	6,133,373	6,600,322	5,860,168

第一季　1月　2月　3月

SECTION 17-2 跨工作表加總

想將「7月」、「8月」各種飲料的訂購數量加總到「總表」工作表，以便了解旺季時飲料的總訂購量為多少？

	A	B	C	D
1	7月訂購單			
2	日期	產品名稱	單價	數量
3	7/4	冬瓜茶	35	1,690
4	7/5	仙草蜜	30	1,803
5	7/6	檸檬青茶	45	1,214
6	7/8	莓果水果茶	40	787
7	7/9	冬瓜茶	35	1,555
8	7/10	檸檬青茶	45	1,339
9	7/11	烏龍茶	30	1,268
10	7/12	冬瓜茶	35	1,838
11	7/13	莓果水果茶	40	619
12	7/14	仙草蜜	30	725
13	7/15	烏龍茶	30	1,281
14	7/16	抹茶拿鐵	40	1,668
15	7/18	檸檬青茶	45	1,623
16	7/20	莓果水果茶	40	1,054
17	7/22	英式紅茶	35	1,382
18	7/25	冬瓜茶	35	489
19	7/28	英式紅茶	35	1,100
20	7/31	莓果水果茶	40	537
21				

總表 | 7月 | 8月 | ⊕

7 月飲料訂購單

	A	B	C	D
1	8月訂購單			
2	日期	產品名稱	單價	數量
3	8/1	檸檬青茶	45	1,593
4	8/2	莓果水果茶	40	752
5	8/4	烏龍茶	30	1,580
6	8/6	冬瓜茶	35	1,126
7	8/7	檸檬青茶	45	1,592
8	8/8	英式紅茶	35	1,065
9	8/10	仙草蜜	30	1,750
10	8/11	抹茶拿鐵	40	1,468
11	8/12	莓果水果茶	40	1,977
12	8/13	烏龍茶	30	1,806
13	8/14	抹茶拿鐵	40	812
14	8/16	冬瓜茶	35	1,922
15	8/19	英式紅茶	35	1,351
16	8/20	檸檬青茶	45	1,497
17	8/22	烏龍茶	30	464
18	8/23	仙草蜜	30	658
19	8/24	抹茶拿鐵	40	1,623
20	8/26	檸檬青茶	45	745
21	8/27	莓果水果茶	40	1,808
22	8/29	冬瓜茶	35	1,535
23	8/30	莓果水果茶	40	1,717
24				

總表 | 7月 | 8月 | ⊕

8 月飲料訂購單

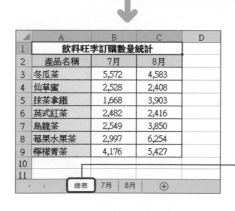

	A	B	C	D
1	飲料旺季訂購數量統計			
2	產品名稱	7月	8月	
3	冬瓜茶	5,572	4,583	
4	仙草蜜	2,528	2,408	
5	抹茶拿鐵	1,668	3,903	
6	英式紅茶	2,482	2,416	
7	烏龍茶	2,549	3,850	
8	莓果水果茶	2,997	6,254	
9	檸檬青茶	4,176	5,427	
10				
11				

總表 | 7月 | 8月 | ⊕

希望在「總表」工作表統計 7、8 月各種飲料的訂購量

用 INDIRECT 函數參照儲存格範圍，再用 SUMIF 函數加總各項飲料的
訂購量。請開啟範例檔案 Ch17-02，在**總表**工作表的 B3 儲存格輸入如下
公式，再將公式往右及往下複製，即可統計 7 月及 8 月的訂購數量。

=SUMIF(INDIRECT(B$2&"!B3:B23"),$A3,INDIRECT(B$2&"!D3:D23"))

SUMIF 函數的「條件範　　SUMIF 函數的「搜　　SUMIF 函數的「加總範圍」
圍」(用 INDIRECT 函數參　　尋條件」(要加總的　　(用 INDIRECT 函數參照 7
照 7 月工作表的 B3:B23)　　飲料名稱)　　月工作表的 D3:D23)

這裡的名稱要與工作表名稱對應

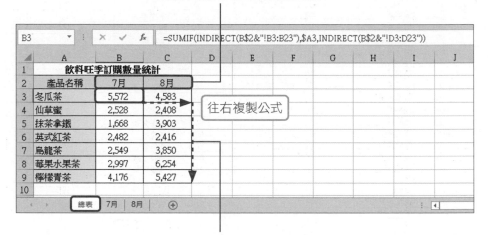

往右複製公式

往下複製公式

將單一工作表資料拆開到多個工作表

想將彙整好的會員資料,依照生日月份拆開到對應的月份工作表中,以便會員生日時能寄送優惠通知。但是要一筆一筆依生日月份複製到不同工作表實在很花時間,有沒有快速的方法能依生日月份帶入資料?

	A	B	C	D	E	F
1				會員資料		
2	會員編號	姓名	生日	手機號碼	地址	
3	29729245	謝辛如	1998/02/22	0956-324-312	台北市忠孝東路一段 333 號	
4	79958489	許育弘	2002/08/11	0935-963-854	新北市新莊區中正路 577 號	
5	28915702	張炳新	1983/05/08	0954-071-435	台中市西區英才路 212 號	
6	19528508	林亞倩	1992/05/10	0913-410-599	台北市南港區經貿二號 1 號	
7	81665798	王郁昌	1995/02/11	0972-371-299	台北市重慶南路一段 8 號	
8	13429623	宋智鈞	2008/08/29	0933-250-036	新北市板橋區文化路二段 10 號	
9	52211181	黃裕翔	2008/12/05	0934-750-620	台北市新生南路一段 8 號	
10	26323670	姚欣穎	2011/12/30	0954-647-127	台中市西屯區朝富路 188 號	
11	32250942	陳美珍	1986/11/18	0911-322-603	新北市中和區安邦街 33 號	
12	17448505	李家豪	2005/08/25	0982-597-901	苗栗市新苗街 18 號	
13	95868920	陳瑞淑	1983/04/24	0968-491-182	新竹市北區中山路 128 號	
14			2010/05/15		桃園市	
23	78601233	曾銘山	2011/06/07	0921-841-340	新北市蘆洲區中正路 8 號	
24	42606851	林佩璇	2013/01/03	0968-575-278	新竹市香山區五福路二段 565 號	
25	23961428	陳欣蘭	2005/11/28	0912-315-877	台南市安平區永華路二段 10 號	
26	63534356	連姵婷	2014/05/28	0913-765-496	新北市土城區承天路 65 號	
27	93800760	黃佳芬	1979/07/06	0923-812-346	高雄市苓雅區和平一路 115號	
28	45478870	謝龍昇	2000/05/07	0910-122-345	苗栗縣恆春鎮草埔路 100 號	
29	64560181	許利誠	1988/11/16	0920-544-988	新竹市香山區牛埔南路 300號	
30	93403692	林承亞	2009/09/27	0938-448-600	台北市八德路二段 888號	
31	94104356	游祥如	2004/06/09	0936-288-100	台北市三重區重光街 100號	

‹ › | 會員資料 | 1月 | 2月 | 3月 | 4月 | 5月 | 6月 | 7月 | 8月 | 9月 | 10月 | 11月 | 12月 | ⊕

▲ 會員資料總表

	A	B	C	D	E	F	G
1	出生月份:	3月					
2	姓名	生日	電話				
3	陳蓁亞	2008/3/14	0933-115-008				
4							
5							
6							
7							

‹ › | 會員資料 | 1月 | 2月 | 3月 | 4月 | 5月 | 6月 | 7月 | 8月 | 9月 | 10月

◀ 想依生日月份拆開到各月工作表中

	A	B	C	D	E	F	G
1	出生月份:	6月					
2	姓名	生日	電話				
3	楊雅惠	1998/6/2	0936-914-483				
4	曾銘山	2011/6/7	0921-841-340				
5	游祥如	2004/6/9	0936-288-100				
6							
7							

‹ › | 會員資料 | 1月 | 2月 | 3月 | 4月 | 5月 | 6月 | 7月 | 8月 | 9月 | 10月

STEP 01 利用「輔助欄位」取出月份。請開啟範例檔案 Ch17-03，在**會員資料**工作表的 F3 儲存格，輸入「=IF(C3="","",TEXT(C3,"m月"))」，接著將公式往下複製到 F31 儲存格。

=IF(C3="","",TEXT(C3,"m月"))

當 C3 儲存格為　　　若 C3 儲存格有資料，
空白，就顯示空白　　則取出月份資料

從 C 欄的生日資料
取出「月份」

F3		× ✓ fx	=IF(C3="","",TEXT(C3,"m月"))		
	B	C	D	E	
1			會員資料		
2	姓名	生日	手機號碼	地址	
3	謝辛如	1998/02/22	0956-324-312	台北市忠孝東路一段 333 號	2月
4	許育弘	2002/08/11	0935-963-854	新北市新莊區中正路 577 號	8月
5	張炳新	1983/05/08	0954-071-435	台中市西區英才路 212 號	5月
6	林亞倩	1992/02/10	0913-410-599	台北市南港區經貿二號 1 號	5月
7	王郁昌	1995/02/12	0972-371-299	台北市重慶南路一段 8 號	2月
8	宋智鈞	2008/08/29	0933-250-036	新北市板橋區文化路二段 10 號	8月
9	黃裕翔	2008/12/05	0934-750-620	台北市新生南路一段 8 號	12月
10	姚欣穎	2011/12/30	0954-647-127	台中市西屯區朝富路 188 號	12月
11	陳美珍	1986/11/18	0911-322-603	新北市中和區安邦街 33 號	11月

此範例我們輸入「"m月"」，表示要顯示生日的「月份」；若輸入「"yyyy年"」，則只會顯示生日的「年份」；若輸入「"DD日"」，則會顯示生日的「日期」。

TEXT 函數	
說明	可將數字轉換成指定格式的文字。
語法	=TEXT(value, format_text)
value (值)	要設定顯示格式的數值或日期。
format_text (顯示格式)	將指定的格式以雙引號括住。

STEP 02 在各月份的工作表取出資料。請切換到 **1月**工作表，在 B1 儲存格輸入「1月」。接著，在 D3 儲存格輸入「=IF(會員資料!F3=$B$1,ROW(A1),"")」，將公式往下複製到 D31 儲存格。

=IF(會員資料!F3=$B$1,ROW(A1),"")

判斷**會員資料**工作表的 F3 儲存格是否等於 **1月**工作表的
B1 儲存格，若相等則帶入 ROW(A1)；若不相等則顯示空白

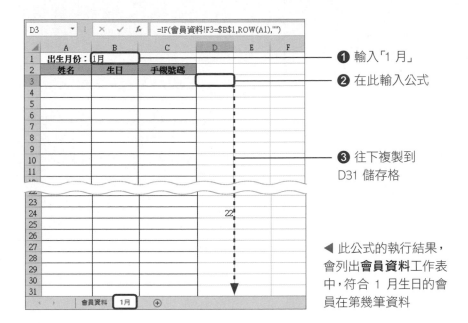

❶ 輸入「1 月」

❷ 在此輸入公式

❸ 往下複製到
D31 儲存格

◀ 此公式的執行結果，
會列出**會員資料**工作表
中，符合 1 月生日的會
員在第幾筆資料

STEP 03 從「會員資料」工作表，取出符合「月份」的會員姓名。請在 **1月**工
作表的 A3 儲存格輸入「=IF(COUNT($D$3:$D$31)<ROW(A1),"",INDEX
(會員資料!$A$3:$E$31,SMALL($D$3:$D$31,ROW(A1)),2))」，接著將
公式往右及往下複製。

用 COUNT 函數計算含
有數字的儲存格個數

利用 INDEX 函數回傳指定欄、
列編號交會的儲存格參照

=IF(COUNT($D$3:$D$31)<ROW(A1),"",INDEX(會員資料!$A$3:$E$31,
SMALL($D$3:$D$31,ROW(A1)),2))

用 SMALL 函數回傳由小
至大排序的第幾筆值

▲ 當 D3:D31 中所顯示的數字總合小於目前執行列的列號，條件成立時，會回傳空白，不成立時，會從 D3:D31 所顯示的數字中從較小的數字開取出**會員資料**工作表中儲存格 A3:E31 的資料。也就是依儲存格 D3:D31 所顯示的列號，取得對應的第幾筆會員資料

STEP 04 此步驟要從「會員資料」工作表，取出符合「月份」的會員生日及手機號碼。請將 A3 儲存格的公式往右複製到 B3 儲存格，並將 B3 儲存格的「欄位」引數改成「3」；接著將 B3 儲存格的公式往右複製到 C3 儲存格，將 C3 儲存格的「欄位」引數改成「4」。接著往下複製公式。

B3 儲存格：=IF(COUNT($D$3:$D$31)<ROW(A1),"",INDEX
(會員資料!$A$3:$E$31,SMALL($D$3:$D$31,ROW(A1)),3))

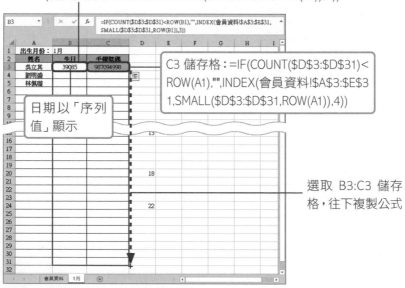

C3 儲存格：=IF(COUNT($D$3:$D$31)<ROW(A1),"",INDEX(會員資料!$A$3:$E$31,SMALL($D$3:$D$31,ROW(A1)),4))

日期以「序列值」顯示

選取 B3:C3 儲存格，往下複製公式

① 選取**會員資料**工作表的 C3 及 D3 儲存格

③ 點選 **1 月**工作表的 B3:C31 儲存格

④ 更改顯示格式

STEP 05 **複製工作表，並更改月份。**將剛才設定好公式的 **1月**工作表複製11份，並依月份修改工作表名稱並在各工作表的 B1 儲存格輸入月份，就可自動依月份帶入資料了。

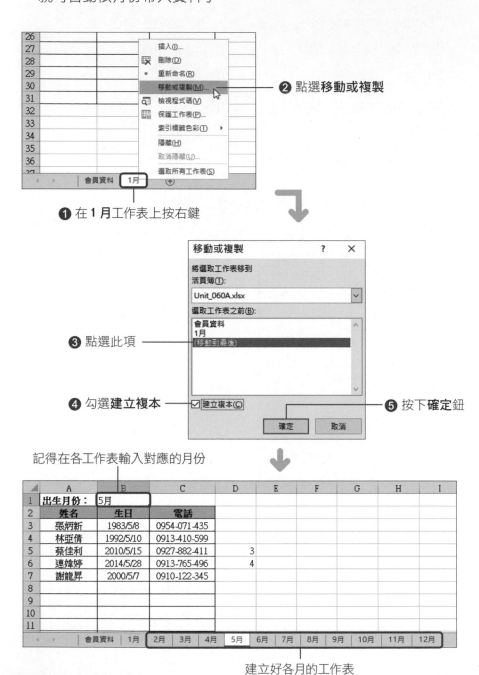

❷ 點選**移動或複製**

❶ 在 **1月**工作表上按右鍵

❸ 點選此項

❹ 勾選**建立複本**

❺ 按下**確定**鈕

記得在各工作表輸入對應的月份

建立好各月的工作表

第 **17** 章

▼ 跨工作表的處理

技巧補充

自動建立多個工作表

以剛才的範例而言，要自行複製 11 次工作表，並修改工作表的月份名稱，操作起來也是有點麻煩。其實你可以搭配「樞紐分析表」功能，自動建立多個工作表喔！

❶ 請開啟一份新活頁簿，並如圖輸入工作表名稱

❸ 按下**插入**頁次的**樞紐分析表**鈕

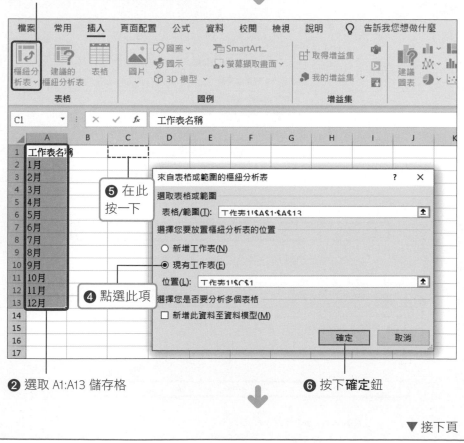

❺ 在此按一下

❹ 點選此項

❷ 選取 A1:A13 儲存格

❻ 按下**確定**鈕

▼ 接下頁

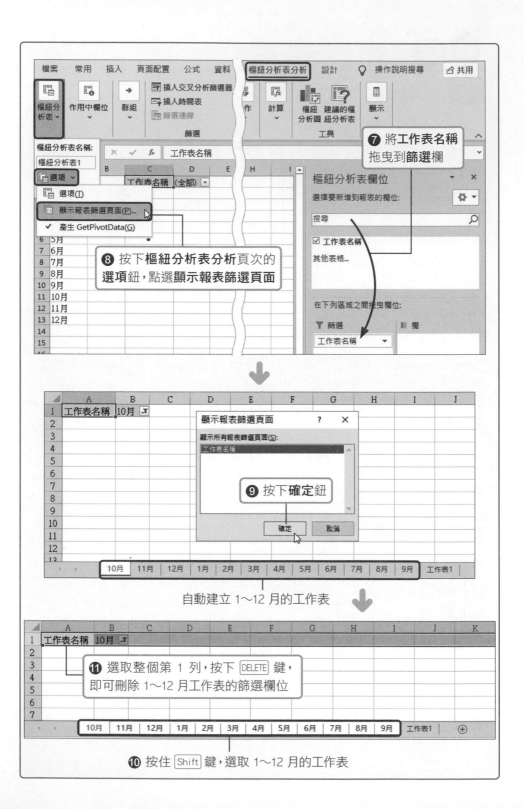

SECTION 17-4 跨工作表抓取資料

統計零用金時，每個月都要手動連結「上個月的餘額」，當作本月的「前
期餘額」，由於每個月都要重複操作，是否有更簡便的方法能自動帶入
「前期餘額」呢？

希望將一月的餘額，自動帶入二月的「前期餘額」

STEP 01 利用 GET.WORKBOOK 函數，取出活頁簿中所有工作表名稱。請
開啟範例檔案 Ch17-04，按下**公式**頁次的**定義名稱**鈕，開啟**新名稱**
交談窗，然後如下圖做設定。

❶ 按下**定義**
名稱鈕

❷ 輸入「工作
表名稱」

❸ 選擇**活頁簿**

❺ 按下**確定**鈕

❹ 在此輸入「=GET.WORKBOOK(1)&T(NOW())」

=GET.WORKBOOK(1)&T(NOW())

回傳活頁簿中的　　當工作表有增、減時，
所有工作表名稱　　公式會自動更新

GET.WORKBOOK 函數	
說明	回傳活頁簿中的工作表名稱。此為巨集函數，不能直接輸入到儲存格中，需搭配**定義名稱**功能。
語法	=GET.WORKBOOK(類型)
類型	常用的類型有 3 種。「1」回傳所有工作表名稱、「3」列出目前作用中的工作表名稱、「4」計算活頁簿中有幾個工作表。

技巧補充

GET.WORKBOOK 的類別

例如，在定義名稱中輸入「=GET.WORKBOOK(1)」，在 A1 儲存格中輸入
「=INDEX(名稱, ROW(A1))」，往下複製公式，即會顯示活頁簿中的所有工
作表名稱。

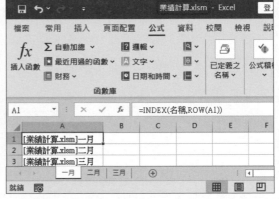

TIP

請注意！當活頁簿中
使用 GET.WORKBOOK
這類巨集函數，必須
將檔案儲存為 **Excel
啟用巨集的活頁簿
(*.xlsm)** 格式。

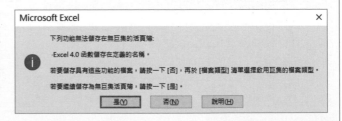

利用 INDIRECT、INDEX、SHEET 函數將上個月餘額連結到這個月。請按住 Shift 鍵,選取「二月」～「五月」工作表,在 D4 儲存格輸入「=INDIRECT("'"&INDEX(工作表名稱,SHEET()-1)&"'!H2")」,如此一來,選取的工作表就會輸入相同的公式。

=INDIRECT("'"&INDEX(工作表名稱,SHEET()-1)&"'!H2")

一次選取多個工作表後,可同時從輸入公式的各個工作表編號中取得工作表名稱,再參照所有上一個工作表的 H2 儲存格的值

WEEKDAY ▼	:	× ✓	fx	=INDIRECT("'"&INDEX(工作表名稱,SHEET()-1)&"'!H2")			
▲ A	B	C	D	E	F	G	H
1			二月零用金明細				
2						本月餘額:	8,308
3	日期	摘要	收入	支出	餘額	單據種類	發票號碼
4	2/1	前期餘額	=INDIRECT("'"&INDEX(工作表名稱,SHEET()-1)&"'!H2")				
5	2/3	文具用品一批		866	10,678	發票	TW21357885
6	2/4	郵票		450	10,228		
7	2/5	租金		3,500	6,728		
8	2/6	清掃費		2,000	4,728		
9	2/8	快遞費		250	4,478	收據	
10	2/10	現金	5,000		9,478		
11	2/11	樟腦水		1,500	7,978	發票	TW21548796

一月 二月 三月 四月 五月 ⊕

一次選取多個工作表,是將**工作表群組化**,此時所進行的操作會套用到所有工作表中

D4	▼	:	× ✓	fx	=INDIRECT("'"&INDEX(工作表名稱,SHEET()-1)&"'!H2")		
▲ A	B	C	D	E	F	G	H
1			三月零用金明細				
2						本月餘額:	11,943
3	日期	摘要	收入	支出	餘額	單據種類	發票號碼
4	3/1	前期餘額	8,308		8,308		
5	3/2	現金	10,000		18,308		
6	3/4	電話費		340	17,968		
7	3/5	管理費		1,400	16,568		
8	3/7	影印費		387	16,181	發票	TT21584468
9	3/8	公務車加油		1,400	14,781	發票	TT21547896

一月 二月 三月 四月 五月 ⊕

自動帶入**二月**工作表的餘額

SHEET 函數	
說明	從工作表名稱查詢工作表編號。
語法	=SHEET([value])
[value] (值)	想要查詢工作表編號的工作表名稱或儲存格參照。若輸入工作表名稱時,要以雙引號括住,例如:=SHEET("三月")。

將工作表名稱建立成目錄，
以便快速切換工作表

將每項產品簡介獨立放在不同工作表中，可以方便呈現產品內容，但是當工作表愈來愈多反而不容易切換，希望能在第一個工作表中建立類似「目錄」的功能，當點按工作表名稱後就自動切換到該工作表。

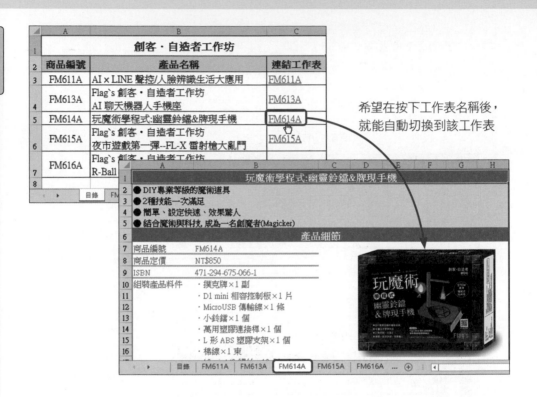

希望在按下工作表名稱後，
就能自動切換到該工作表

STEP 01 利用 **GET.WORKBOOK** 函數，取出活頁簿中所有工作表名稱。請開啟範例檔案 Ch17-05，按下**公式**頁次的**定義名稱**鈕，開啟**新名稱**交談窗，如下做設定。

❶ 按下**定義名稱**鈕

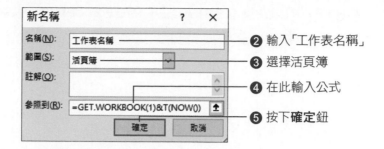

❷ 輸入「工作表名稱」

❸ 選擇活頁簿

❹ 在此輸入公式

❺ 按下**確定**鈕

=GET.WORKBOOK(1)&T(NOW())

回傳活頁簿中的　　當工作表有新增或刪
所有工作表名稱　　減時，公式會自動更新

GET.WORKBOOK 函數	
説明	回傳活頁簿中的工作表名稱。此為巨集函數，不能直接輸入到儲存格中，需搭配定義名稱功能。
語法	=GET.WORKBOOK(類型)
類型	常用的類型有 3 種。「1」回傳所有工作表名稱、「3」列出目前作用中的工作表名稱、「4」計算活頁簿中有幾個工作表。

TIP

請注意！當活頁簿中使用 GET.WORKBOOK 這類巨集函數，必須將檔案儲存為 **Excel 啟用巨集的活頁簿 (*.xlsm)** 格式。

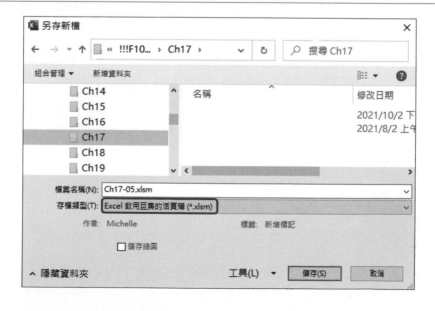

17-5

▼ 將工作表名稱建立成目錄，以便快速切換工作表

STEP
02 用 **HYPERLINK**、**REPLACE**、**INDEX**、**FIND** 及 **ROW** 函數
連結各工作表。請切換到**目錄**工作表,在 C3 儲存格中輸入
「=HYPERLINK("#"&REPLACE (INDEX(工作表名稱,ROW(A2)),1,FIND
("]",工作表名稱)," ")&"!A1",REPLACE(INDEX(工作表名稱,
ROW(A2)),1,FIND("]",工作表名稱)," "))」,接著往下複製公式到 C7 儲
存格。

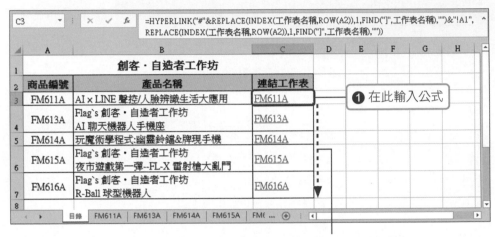

❷ 往下複製公式到 C7 儲存格

公式說明

**=HYPERLINK("#"&REPLACE(INDEX(工作表名稱,ROW(A2)), 1,FIND("]", 工作表名稱),
"")&"!A1",REPLACE(INDEX (工作表名稱,ROW(A2)),1,FIND("]", 工作表名稱),""))**

▶ HYPERLINK 函數可以連結到指定位址。

▶ ROW 函數會回傳儲存格的列編號。

▶ INDEX 函數會回傳指定欄、列編號中交集的儲存格參照。

▶ REPLACE 函數可以將指定字數的字串內容取代另一指定的字串。

▶ FIND 函數可以求得指定尋找的字串顯示在字串中的第幾個字數。

在 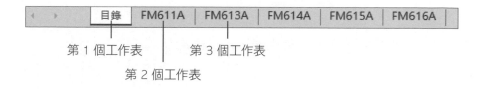 01 中取得的工作表名稱會連活頁簿的完整檔名也一起回傳。在工作表名稱為「FM611A」的情況下，取出的工作表名稱為「[Ch17-05.xlsm] FM611A」。

若只想要取得工作表名稱時，就要刪除活頁簿名稱。在「REPLACE(INDEX(工作表名稱, ROW(A2)), 1, FIND("]", 工作表名稱), "")」公式中，工作表名稱清單中的第 2 個工作表名稱為「[Ch17-05.xlsm] FM611A」，所以「]」之前的活頁簿名稱就需要被置換成空白。也就是只要取出工作表名稱「FM611A」。

第 1 個工作表　　　第 3 個工作表

第 2 個工作表

使用取得的工作表名稱，將公式撰寫成「=HYPERLINK ("#"&REPLACE(INDEX(工作表名稱, ROW(A2)), 1, FIND("]", 工作表名稱), "")&"!A1", REPLACE(INDEX("工作表名稱", ROW(A2)), 1,FIND("]", 工作表名稱), ""))」後，就會連結到「FM611A」工作表的儲存格 A1。

將公式往下複製，會變成「=HYPERLINK("#"&REPLACE(INDEX(工作表名稱, ROW(A3)), 1, FIND("]", 工作表名稱), "")&"!A1", REPLACE(INDEX("工作表名稱", ROW(A3)), 1, FIND("]", 工作表名稱), ""))」，就會連結到工作表名稱清單中的第 3 個工作表名稱「FM613A」工作表的儲存格 A1。

利用這個方式，將公式往下複製，就能連結到各個工作表的 A1 儲存格。完成後，**目錄**工作表中的所有工作表名稱即可連結到對應的工作表。

17-5

▼

將工作表名稱建立成目錄，以便快速切換工作表

STEP 03 **測試看看**！建立公式後，C 欄會顯示各個工作表名稱，按一下即可切換到對應的工作表。

	A	B	C	D
1	創客・自造者工作坊			
2	商品編號	產品名稱	連結工作表	
3	FM611A	AI × LINE 聲控/人臉辨識生活大應用	FM611A	
4	FM613A	Flag`s 創客・自造者工作坊 AI 聊天機器人手機座	FM613A	
5	FM614A	玩魔術學程式:幽靈鈴鐺&牌現手機	FM614A	
6	FM615A	Flag`s 創客・自造者工作坊 夜市遊戲第一彈--FL-X 雷射槍大亂鬥	FM615A	
7	FM616A	Flag`s 創客・自造者工作坊 R-Ball 球型機器人	FM616A	
8				

目錄 | FM611A | FM613A | FM614A | FM615A | FM6 ... ⊕

❶ 按一下此工作表名稱

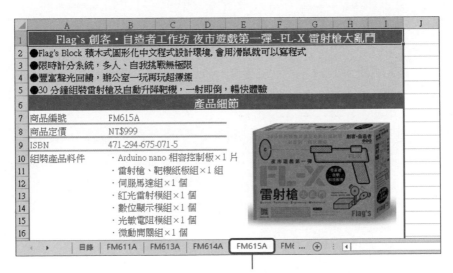

❷ 切換到對應的工作表

新增工作表。請選取 **FM616A** 工作表,再按下右側的＋鈕,我們要在這個工作表之後新增一個工作表。接著,切換到**目錄**工作表,將 C7 儲存格的公式往下複製,就會自動產生新工作表名稱了。

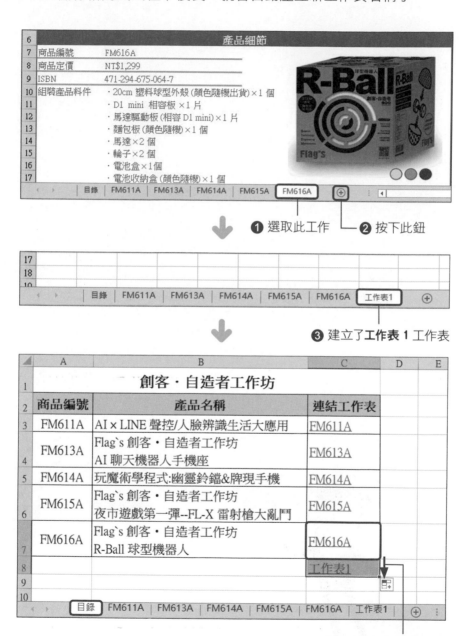

❶ 選取此工作 ── ❷ 按下此鈕

❸ 建立了**工作表 1** 工作表

❹ 往下複製 C7 儲存格的公式,就會自動產生**工作表 1** 的連結了

17-23

MEMO

18 活頁簿與網頁的應用

Excel 可不可以像網頁一樣,按個連結就開啟指定的活頁簿或工作表呢?還有我想把網路上的訂單資料抓到活頁簿,希望資料有變動也能自動更新,Excel 裡有什麼功能可以做到?

Excel 也有像網頁一樣的超連結功能,不但可以做到妳想要的檔案連結,也能抓取網頁資料並更新喔!

建立超連結

- 連結到活頁簿 ← p.18-2
- 連結到工作表 ← p.18-5
- 連結到電子郵件地址或網頁 ← p.18-6

將活頁簿儲存成網頁

將活頁簿儲存成網頁,並上傳到雲端硬碟或是分享給其他人,即使電腦裡沒有安裝 Excel,都可以透過瀏覽器來瀏覽活頁簿的內容 ← p.18-10

將網頁上的資料匯入 Excel

將網頁資料**複製**到工作表中 (會保留來源格式,來源資料有變動,不會連動更新) ← p.18-13

用 **Web 查詢**功能將網頁資料匯入到工作表中 (當來源資料有變動,工作表可連動更新) ← p.18-14

建立超連結：連結到活頁簿、電子郵件地址、網頁

在活頁簿中建立超連結，可以讓你從這本活頁簿連結到另一本活頁簿，也可以連結到網頁甚至是電子郵件地址，只要用滑鼠點按就能立即開啟。

建立超連結

請開啟範例檔案 Ch18-01 並切換到**工作表 1**，我們想在 B5 儲存格上建立超連結，以連結到「黃金曼特寧咖啡豆」的來源活頁簿 Ch18-02：

STEP 01 首先選取要設定超連結的 B5 儲存格，按下**插入**頁次**連結**區的**連結**鈕 (或在選取的儲存格中按滑鼠右鍵執行『**連結**』命令)：

❷ 按下此鈕

	A	B	C	D	E	F	G	H	I
1	品名	一月	二月	三月	第一季				
2	耶加雪菲咖啡豆	810	1,231	2,153	4,194				
3	阿拉比卡特選咖啡豆	2,451	2,352	1,354	6,157				
4	哥倫比亞特選咖啡豆	1,650	3,251	3,225	8,126				
5	黃金曼特寧咖啡豆	3,579	2,135	4,235	9,949				
6	夏威夷火山咖啡豆	352	4,122	3,531	8,005				
7									
8	※ 若有任何錯誤請 E-Mail 部門主管！								
9									

❶ 選取儲存格

接著，在開啟的**插入超連結**交談窗中指定連結的對象。

❶ 切換到此頁次

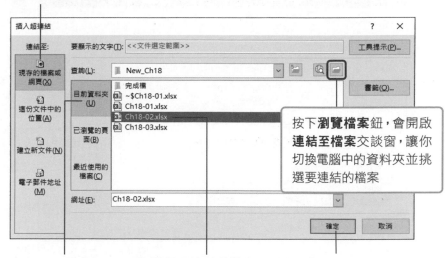

❷ 點選**目前資料夾**　❸ 選擇要連結的檔案，此例　❹ 按下**確定**鈕
　　　　　　　　　　　要與範例檔案 Ch18-02 連結

回到**工作表 1**，會看到 B5 儲存格加上藍色底線，當滑鼠指標移到超連結上會變成手的形狀 👆，同時出現工具提示。

	A	B	C	D	E	F	G
1	品名	一月	二月	三月	第一季		
2	耶加雪菲咖啡豆	810	1,231	2,153	4,194		
3	阿拉比卡特選咖啡豆	2,451	2,352	1,354	6,157		
4	哥倫比亞特選咖啡豆	1,650	3,251	3,225	8,126		
5	黃金曼特寧咖啡豆	3,579	2,135	4,235	9,949		
6	夏威夷火山咖啡豆				005		
7							
8	※ 若有任何錯誤請 E-Mail 部						
9							
10							
11							

工作表1　工作表2　⊕

file:///F1005_範例檔案\Ch18\Ch18-02.
xlsx
按一下以追蹤。
按住以選取此儲存格。

此為**工具提示**，顯示
連結檔案的來源位址

請在 B5 儲存格上按一下，就會立即開啟範例檔案 Ch18-02，讓你瀏覽詳細內容：

開啟範例檔案 Ch18-02

範例檔案 Ch18-01

點選過的超連結，文字及底線會變成紫色

上述的操作是以「單一儲存格」為例，此外選取連續的儲存格範圍、在工作表中插入的圖片，也都可以建立超連結。這裡的圖片是指 .gif、.jpg、.bmp 等圖檔，並非 Excel 繪製的統計圖表與樞紐分析圖，請不要弄錯喔！

區分「執行超連結」還是「選取儲存格」

將滑鼠指標移到已設定超連結的儲存格上，當指標呈現手的形狀，按下後就會「執行」超連結；如果在含有超連結的儲存格上按住滑鼠左鍵不放，一會兒指標會變成 ✛ 狀，這時可以「選取」儲存格，或是進行儲存格的搬移、複製、格式設定。

連結到網頁、電子郵件地址或其他工作表

剛才在**插入超連結**交談窗中，我們介紹了現有活頁簿的超連結方法，其實在此交談窗中，還可以設定連結到網頁位址、電子郵件地址或是連結到指定的工作表。沿用剛才的範例，請選取任一個儲存格，並按下**插入**頁次的**連結**鈕，開啟**插入超連結**交談窗來練習：

18-1

▶ **現存的檔案或網頁**：可設定連結到其他活頁簿、檔案或是網頁。剛才我們學會連結到其他活頁簿，在此我們試試連結到網頁：

按此鈕可選擇最近瀏覽過的網頁　　　請在此欄輸入要連結的網址即可

▶ **這份文件中的位置**：
可連結到目前這份文件的其他工作表或是已定義名稱的範圍。

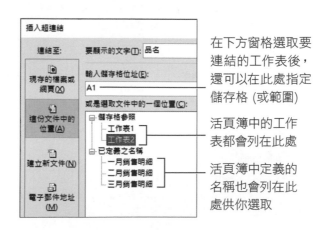

在下方窗格選取要連結的工作表後，還可以在此處指定儲存格 (或範圍)

活頁簿中的工作表都會列在此處

活頁簿中定義的名稱也會列在此處供你選取

▶ **建立新文件**：可直接建立新活頁簿來連結。

在此輸入新活頁簿的
檔名 (可包含路徑)

新活頁簿預設會儲存在目前文件
所在的路徑，但可按下**變更**鈕修改

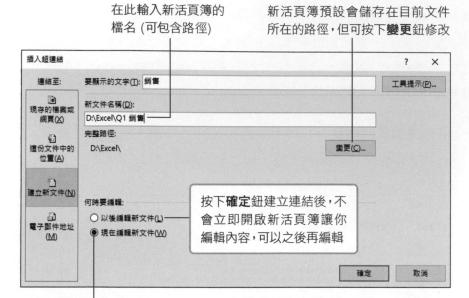

按下**確定**鈕建立連結後，不
會立即開啟新活頁簿讓你
編輯內容，可以之後再編輯

按下**確定**鈕建立連結後，立即
開啟新活頁簿讓你編輯內容

▶ **電子郵件地址**：設定連結到電子郵件地址後，按下連結的儲存格，就
會啟動電子郵件軟體，並自動填入主旨與收件人。

❶ 輸入收件人的 E-mail 地址 (地址前會自動加上 "mailto:")

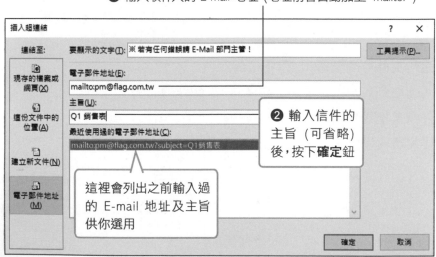

❷ 輸入信件的
主旨 (可省略)
後，按下**確定**鈕

這裡會列出之前輸入過
的 E-mail 地址及主旨
供你選用

按下電子郵件地址超連結，會啟動預設的電子郵件軟體，並自動建立新郵件，且會輸入好在**插入超連結**交談窗中所設定的收件人及主旨：

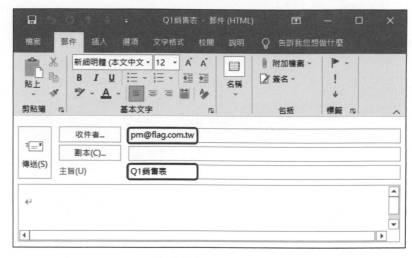

按一下此連結

▲ 自動填上收件者及主旨

編輯與移除超連結

若要修改超連結的設定或是移除超連結，請在含有超連結的儲存格上按滑鼠右鍵，從功能表中執行相關的命令：

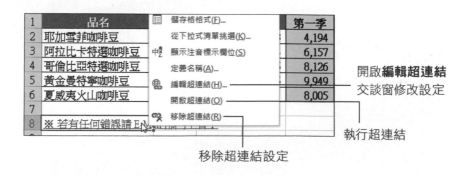

開啟**編輯超連結**交談窗修改設定

執行超連結

移除超連結設定

編輯超連結交談窗的內容和**插入超連結**交談窗一樣,只不過在右下角多了一個**移除連結**鈕,按下此鈕亦可移除超連結。

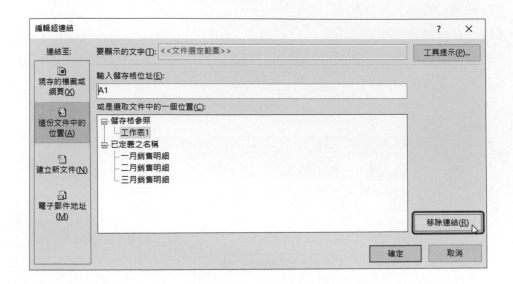

輸入網址或電子郵件地址時會自動套用超連結格式

如果要在工作表中以網址或電子郵件地址來建立超連結,可以直接在儲存格中輸入網址或電子郵件地址,例如 "https://www.flag.com.tw" 或 "service@flag.com.tw",Excel 就會自動建立超連結:

	A	B	C	D
1	品名	一月	二月	三月
2	耶加雪菲咖啡豆	810	1,231	2,153
3	阿拉比卡特選咖啡豆	2,451	2,352	1,354
4	哥倫比亞特選咖啡豆	1,650	3,251	3,225
5	黃金曼特寧咖啡豆	3579	2,135	4,235
6	夏威夷火山咖啡豆	352	4,122	3,531
7				
8	※ 若有任何錯誤請 E-Mail 部門主管!			
9	pm@flag.com.tw			
10				

	A	B	C	D
1	品名	一月	二月	三月
2	耶加雪菲咖啡豆	810	1,231	2,153
3	阿拉比卡特選咖啡豆	2,451	2,352	1,354
4	哥倫比亞特選咖啡豆	1,650	3,251	3,225
5	黃金曼特寧咖啡豆	3579	2,135	4,235
6	夏威夷火山咖啡豆	352	4,122	3,531
7				
8	※ 若有任何錯誤請 E-Mail 部門主管!			
9	pm@flag.com.tw			
10				

直接輸入電子郵件地址
或網址,並按下 Enter 鍵

變成超連結了

上述操作其實是運用**自動校正**中的**自動套用格式**功能來完成的，如果想要變更內容，可利用**自動校正選項**鈕來修正：

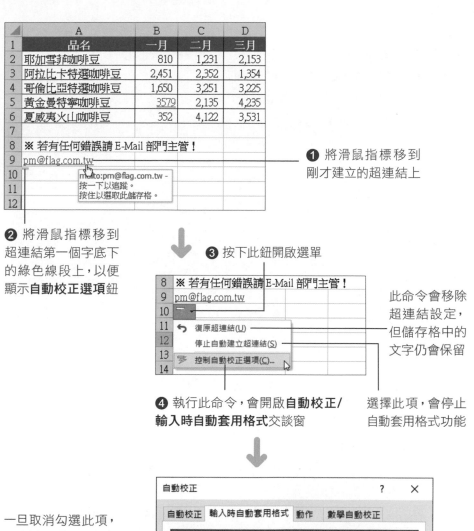

❶ 將滑鼠指標移到剛才建立的超連結上

❷ 將滑鼠指標移到超連結第一個字底下的綠色線段上，以便顯示**自動校正選項**鈕

❸ 按下此鈕開啟選單

❹ 執行此命令，會開啟**自動校正/輸入時自動套用格式**交談窗

此命令會移除超連結設定，但儲存格中的文字仍會保留

選擇此項，會停止自動套用格式功能

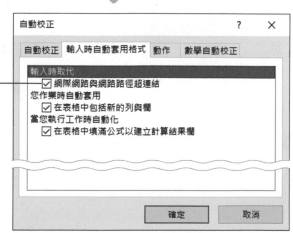

一旦取消勾選此項，日後輸入網址或電子郵件地址時，就不會自動建立成超連結了

18-2 將活頁簿儲存成網頁

除了在活頁簿中加入超連結外，還可以將活頁簿儲存成網頁，這樣一來將檔案上傳到雲端硬碟或是分享給其他人，即使電腦裡沒有安裝 Excel，都可以透過瀏覽器來瀏覽活頁簿的內容。

第
18
章

▼ 活頁簿與網頁的應用

儲存成網頁格式

請開啟範例檔案 Ch18-03，切換到**檔案**頁次，並按下**另存新檔**，再按下**瀏覽**鈕，開啟**另存新檔**交談窗後，切換到要存放網頁的資料夾。

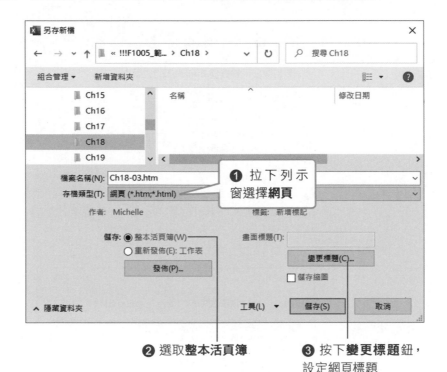

❷ 選取**整本活頁簿**　　　❸ 按下**變更標題**鈕，設定網頁標題

開啟**輸入文字**交談窗後，請輸入網頁標題，按下**確定**鈕。

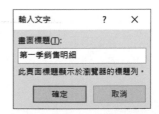

回到**另存新檔**交談窗，再按下**儲存**鈕。

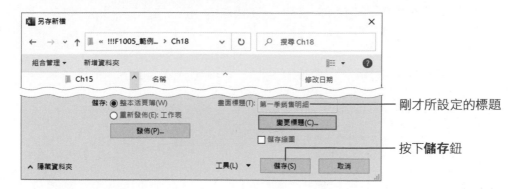

剛才所設定的標題

按下**儲存**鈕

接著會跳出如右圖的訊息，提
醒你將活頁簿存成網頁後，有
些效果可能會消失 (例如填滿
圖樣與虛線框線等效果)，是
否繼續儲存成網頁格式。

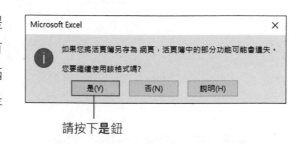

請按下**是**鈕

瀏覽儲存成網頁的活頁簿

將活頁簿儲存成網頁後，請切換到剛才儲存網頁的資料夾，我們來看看儲
存後的結果：

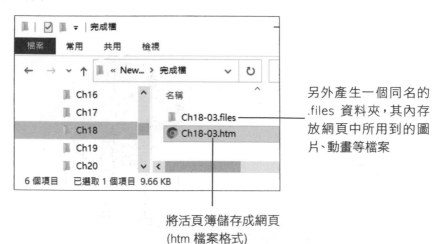

另外產生一個同名的
.files 資料夾，其內存
放網頁中所用到的圖
片、動畫等檔案

將活頁簿儲存成網頁
(htm 檔案格式)

htm 檔與同名的 .files 資料夾是一組的，它們就像連體嬰一樣不可分割。若你要搬移或複製網頁檔，請務必將同名的 .files 資料夾一起搬移、複製，否則網頁中的相關圖片資料就無法顯示了。

雙按 Ch18-03.htm 即可開啟預設瀏覽器，瀏覽活頁簿內容。

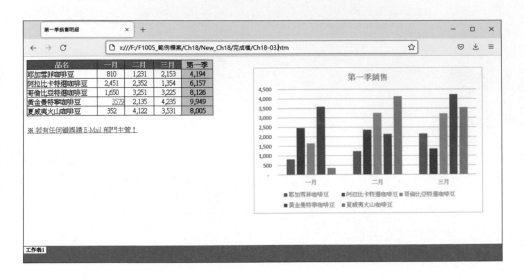

SECTION
18-3

將網頁上的資料匯入 Excel

在瀏覽網頁時,我們可以將網頁上的資料,例如:貨幣匯率、統一發票號碼、股價…等,直接複製到 Excel 中,或利用 **Web** 查詢功能匯入 Excel,做進一步的分析與彙整。

複製網頁資料

要將網頁上的資料複製到活頁簿裡,最簡單的方法就是直接複製與貼上。請開啟網頁瀏覽器 (如 Chrome 或 Firefox),連到 **鉅亨網**(https://www.cnyes.com/twstock/a_QFII9.aspx),練習將「外資買賣超前 30 名」的資料複製到 Excel 中。

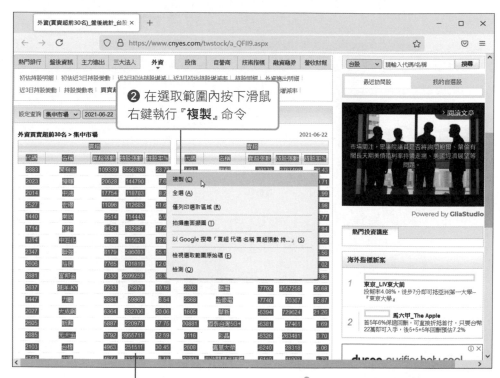

❶ 由上往下拖曳以選取表格資料

開啟一份新活頁簿，
在 A1 儲存格上按下滑
鼠右鍵，點選**貼上選
項**的**保持來源格式設
定**鈕將資料複製過來

	A	B	C	D	E	F	G
1			買超				
2	代碼	名稱	買超張數	持股張數	持股率%		
3	2883	貼上選項:		0	23.72		
4	2023			0	7.65		
5	2014	中鴻	17754	118783	8.27		
6	2527	保留來源格式設定 (K)		112683	41.68		
7	1440	南紡	9514	114443	6.9		
8	1714	和桐	9424	180087	17.99		
22	1409	新纖	4449	202299	12.49		
23	1301	台塑	4393	2347717	36.88		
24	00637L	大滬深300	4371	27797	2.69		
25	00715L	和益	4175	129846	12.36		

文字的格式設定也
會一併複製過來

工作表1 (+)

接下來就可以進一步的整理、分析資料，或是繪製成方便閱讀的圖表等。
不過，複製與貼上功能雖然簡單卻有個缺點，就是當來源網頁的資料有所
變動時，複製到活頁簿中的資料不會跟著更新。如果希望活頁簿中的資料
能夠跟著來源網頁更新，請使用接下來要說明的 **Web 查詢**功能。

將網頁資料匯入到活頁簿

Web 查詢功能可以將網頁資料匯入活頁簿中，這種方式會在匯入的資料
與來源網頁之間建立連結，當來源網頁的內容有所變更，Excel 便可藉由
這個連結更新匯入的資料。

STEP 01 請建立一份新活頁
簿，切換至**資料**
頁次，按下**取得及
轉換資料**區的**從
Web**鈕，開啟**從
Web**視窗，輸入來
源資料的網址：

❶ 按下此鈕

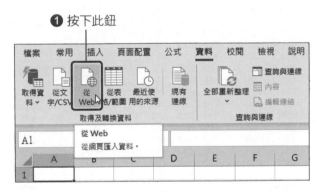

② 輸入來源資料的網址，在此要匯入 PChome 股市網站的
上市各類股指數 (https://pchome.megatime.com.tw/market/)

STEP
02
接著會開啟**導覽器**視窗，請在左邊窗格點選要匯入到活頁簿的表
格，點選表格後可在右側窗格預覽內容，確認要匯入的內容無誤
後，按下**匯入**鈕。

若點選 **Web 檢視** 頁次，
會顯示整個網頁內容　　　② 可從此窗格預覽內容

❶ 點選要匯入的表格

❸ 按下**載入**鈕

檢視與更新從網頁匯入的資料

從網頁匯入到活頁簿的資料，會自動建立成**表格**資料 (請參考第 14 章)，並且套用表格樣式。

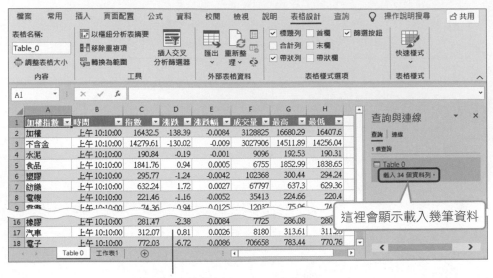

從網頁匯入的資料

由於上市加權指數在開盤時間內會不斷更新，想了解最新的變動，請切換到**查詢**頁次，按下**重新整理**鈕

按下此鈕

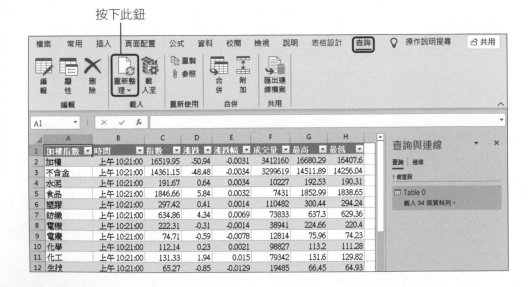

CHAPTER

19 善用巨集自動完成重複性高的作業

我每天都要整理從資料庫匯出的網路訂單，但是匯出的資料完全沒有設定格式，得手動進行格式設定、公式計算、…等，有沒有什麼好方法可以讓我按個按鈕就完成這些工作呢？

例行性的工作的確是很煩人，我來教你怎麼用「巨集」好了。學會巨集就能快速解決這些重複性高且枯燥的作業了！

認識巨集

什麼是**巨集**？簡單地說，巨集就是一群指令的集合。我們可以事先將多項操作步驟錄製成巨集，再指定巨集名稱，日後只要執行巨集，即可自動完成所有的操作。

巨集的優點

▶ **簡化重複性高的作業**：如果要處理的資料量很大，且需要不斷重複執行 Excel 的某些功能來完成作業時，就可以用巨集來簡化處理的時間。

例如有 100 份訂單，我們要將訂單裡缺貨的商品，標示為「粗體」、「紅字」，並計算產品的訂購數量及金額；雖然你可以設定好一份訂單的格式後，再利用**複製格式**功能套用到其他訂單，但仍然要執行多次的操作才能完成。若是將這些操作步驟錄製成巨集，就可以立即完成 100 份訂單的處理了！

▶ **避免人為疏失**：以人工方式處理繁瑣的作業流程時，可能會發生失誤，例如打錯字、選錯儲存格、甚至誤刪某些記錄、…等。若將這些繁瑣的工作交給巨集處理，就可以避免人為的疏失。

```
❶ 匯入訂單資料
      ▼
❷ 設定儲存格格式
      ▼
❸ 標示「缺貨」商品
      ▼
❹ 統計訂單金額
```

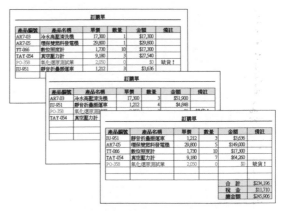

▲ 每筆訂單都要進行相同的操作步驟，不僅費時且錯誤率高

▲ 執行巨集瞬間就能完成多份訂單的處理，簡單、正確又有效率！

SECTION 19-2 錄製巨集

了解什麼是巨集以及巨集的優點後，我們以一個簡單的例子來示範巨集的錄製。

列出巨集要進行的作業

請開啟範例檔案 Ch19-01，並切換到**業務部**工作表，這是一份從出勤系統匯入到 Excel 的各部門每週出勤記錄表，由於匯入的資料字體太小、有些欄寬不夠大會遮住部份內容；還有抓取的資料包含假日加班時數，所以想將日期改成顯示星期的格式並將假日標示為紅字。

最後要統計每人的工時是否滿 40 小時 (不含假日加班)，工時不足的人以紅字標示，以便提醒個員要請假。以下是本範例要進行的操作，不只**業務部**其他部門也要進行相同的作業。

	A	B	C	D	E	F	G	H	I
1	每週工時記錄表								
2	日期	#####	6月8日	6月9日	6月10日	6月11日	6月12日	######	加總 (小時)
3	蔡芳榕	8	8	8	8	7			
4	王義星	9	8	8	8	8			
5	沈興吉	7	8	8	8	4			
6	梅威威	8	8	8	8	8			
7	徐永生	8	8	8	8	8			
8	陳慧君	8	8	8	8	0	4		
9	何慧美	8	8	8	8	8	4		
10									
11									

業務部 企劃部 行銷部 人事部 總務部 ⊕

▲ 從出勤系統匯入的資料，需要再做格式處理

▶ **儲存格格式設定：**

1. 將**字型大小**調成 12 級。

2. 將欄寬依內容自動調整成適合的大小。

3. 將第 2 列的標題文字加粗，並填入「青色」背景。

4. 將日期更改為「6/7 (週一)」的格式。

5. 將 G 欄及 H 欄的日期改成「紅字」，以區分工作日與假日。

▶ **工時的處理：**

1. 利用**條件式格式設定**功能，將單日未滿 8 小時的工時，以紅字、粗體標示。

2. 統計每人的總工時。

3. 將總工時不足 40 小時者，以紅字、紅底色標示。

顯示「開發人員」頁次

要設定巨集需在**開發人員**頁次中設定，不過此頁次預設不會顯示在 Excel 的功能區中，需要手動設定，請參考以下的說明，將**開發人員**頁次新增到功能區。

請切換到**檔案**頁次，按下左下方的**選項**，開啟 **Excel 選項**交談窗：

❸ 按下確定鈕

巨集相關的功能都在**程式碼**區　　在功能區中顯示**開發人員**頁次

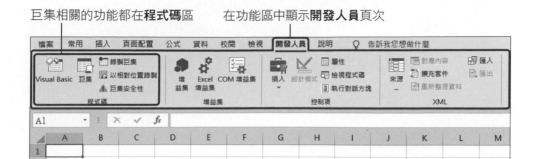

錄製巨集

顯示**開發人員**頁次後，就可以開始錄製巨集了，請切換到範例檔案 Ch19-01 的**業務部**工作表，並如下設定：

STEP 01 請切換到**開發人員**頁次，按下**程式碼**區的**錄製巨集**鈕，在開啟的**錄製巨集**交談窗中設定巨集名稱及快速鍵：

❶ 按下此鈕，就可以開始錄製巨集

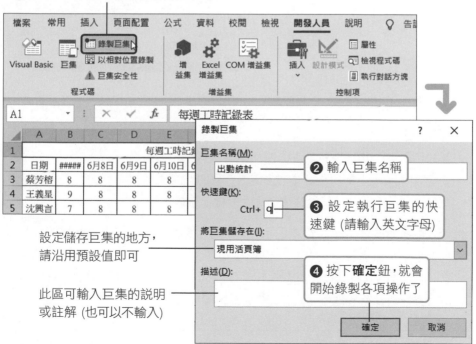

設定儲存巨集的地方，請沿用預設值即可

此區可輸入巨集的說明或註解 (也可以不輸入)

❷ 輸入巨集名稱

❸ 設定執行巨集的快速鍵 (請輸入英文字母)

❹ 按下**確定**鈕，就會開始錄製各項操作了

巨集的命名規則

替巨集命名時，請遵守下列規則。

- 名稱的開頭文字可以是英文字或中文字，但不可以是數字。

- 不可指定符號，但可以是底線。

- 不可使用「Sub」、「With」這類巨集程式語言已定義的字。

巨集的儲存位置

巨集預設的儲存位置是在**現用活頁簿**中，你可以依需求變更巨集的儲存位置，以下說明 3 種位置的差異：

- **現用活頁簿**：將巨集儲存在現用活頁簿中，則此活頁簿中所有的工作表都可以使用該巨集，當你儲存活頁簿時，巨集也會一併儲存在活頁簿中。

錄製巨集　?　×

巨集名稱(M):

出勤統計

快速鍵(K):

Ctrl+ q

將巨集儲存在(I):

現用活頁簿

個人巨集活頁簿
新的活頁簿
現用活頁簿

描述

確定　　取消

- **新的活頁簿**：若是想將巨集與活頁簿的資料分開，則可選擇此項。以此方式錄製好巨集之後，Excel 會自動產生一個新的活頁簿，記得將此活頁簿儲存下來，日後要使用巨集時，必須先開啟這個活頁簿。

- **個人巨集活頁簿**：若你希望 Excel 所有的活頁簿，都能使用錄製好的個人巨集檔，則請選擇此方式，將巨集儲存在 PERSONAL.XLSB 中。這樣一來，在啟動 Excel 時就會自動載入 PERSONAL.XLSB，並將其隱藏起來，讓所有開啟的活頁簿都能使用此巨集。

STEP 02 按下**錄製巨集**交談窗中的**確定**鈕，就會開始錄製各項操作了，此時**狀態列**會出現**停止錄製**鈕 ⬜，表示巨集已在錄製狀態：

按一下此鈕，可結束巨集的錄製

STEP 03 **調整字型大小**。在錄製巨集的狀態下，請按下儲存格左上方的 ◤ 鈕，選取所有儲存格，再如下設定字型大小。

❶ 拉下**字型大小**列示窗，選擇 12

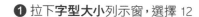

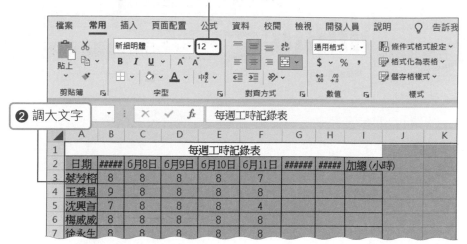

STEP 04 **自動調整欄寬**。在選取所有儲存格的狀態下，請按下**格式**鈕，執行『**自動調整欄寬**』命令。

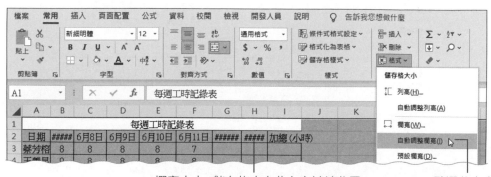

欄寬太小，儲存格中有些文字被遮住了

點選此命令

19-2
▼
錄製巨集

STEP 05 **設定標題列格式**。請選取 A2:I2 儲存格範圍,將文字設為**粗體**,並在儲存格中填入「青色」背景。

❶ 按下此鈕,將 A2:I2 儲存格設為**粗體**

❷ 按下**填滿色彩**鈕

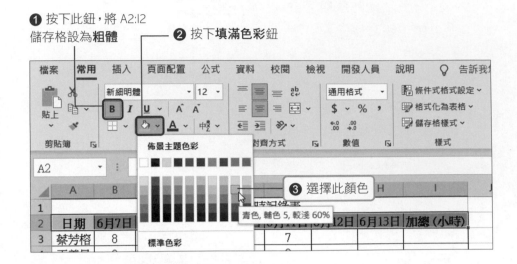

❸ 選擇此顏色

青色, 輔色 5, 較淺 60%

STEP 06 **在日期旁顯示星期幾**。為了區分平日、假日,我們要在日期旁顯示星期幾,請選取 B2:H2 儲存格範圍,按下 ⌈Ctrl⌋ + ⌈1⌋ 鍵,開啟**設定儲存格格式**交談窗,如下設定:

❶ 先刪除欄位裡的所有文字,再輸入 "m/d(aaa)", 「m」表示月、「d」為日,「(aaa)」為星期

❷ 按下**確定**鈕

❹ 按下**字型色彩**鈕,選擇**紅色**,將假日標示為紅字

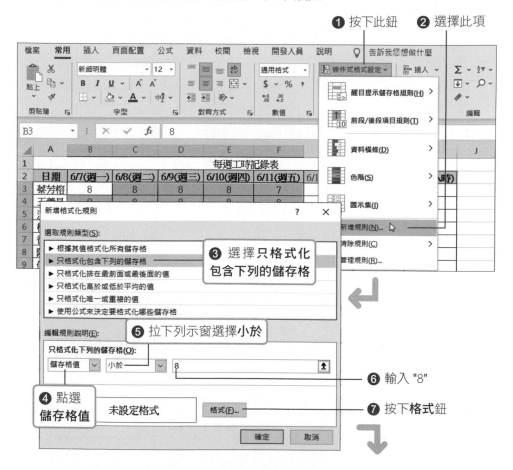

在日期旁顯示星期幾了　　　　　❸ 選取 G2:H2 儲存格

STEP 07　**每日工時不足 8 小時以紅字標示**。選取 B3:F9 儲存格範圍,按下**條件式格式設定**鈕的**新增規則**,如下設定:

❶ 按下此鈕　　　❷ 選擇此項

❸ 選擇只格式化包含下列的儲存格

❺ 拉下列示窗選擇**小於**

❻ 輸入 "8"

❹ 點選**儲存格值**

❼ 按下**格式**鈕

▼ 錄製巨集

❽ 點選**粗體**

設定儲存格格式   ?   ✕

數值   **字型**   外框   填滿

字型(F):

新細明體 (標題)
新細明體 (本文)
μØ±d¥¬¤BÅâ¥~¦¡r¶°
Adobe 明體 Std L
Adobe 繁黑體 Std B
Gen Jyuu GothicX Normal

字型樣式(O):

粗體

標準
斜體
組體
粗斜體

大小(S):

6
8
9
10
11
12

底線(U):

色彩(C):

效果

■ 刪除線(K)
☐ 上標(E)
☐ 下標(B)

預覽

新細明體

❾ 拉下列示窗選擇
紅色，再按下**確定**鈕

將工時不足 8 小時以紅字、粗體標示

	A	B	C	D	E	F	G	H	I	J
1				每週工時記錄表						
2	日期	6/7(週一)	6/8(週二)	6/9(週三)	6/10(週四)	6/11(週五)	6/12(週六)	6/13(週日)	加總 (小時)	
3	蔡芳榕	8	8	8	8	7				
4	王義星	9	8	8	8	8				
5	沈興言	7	8	8	8	4				
6	梅威威	8	8	8	8	8				
7	徐永生	8	8	8	8	8				
8	陳慧君	8	8	8	8	0	4			
9	何慧美	8	8	8	8	8	4			
10										

STEP 08 **統計每個人的總工時**。請在 I3 儲存格輸入 "=SUM(B3:F3)"，再拖曳 I3 儲存格的**填滿控點**到 I9，即可算出所有人的總工時。

I3   ▾ ⦂ ✕ ✓ fx   =SUM(B3:F3)

	A	B	C	D	E	F	G	H	I	J
1				每週工時記錄表						
2	日期	6/7(週一)	6/8(週二)	6/9(週三)	6/10(週四)	6/11(週五)	6/12(週六)	6/13(週日)	加總 (小時)	
3	蔡芳榕	8	8	8	8	7			39	
4	王義星	9	8	8	8	8			41	
5	沈興言	7	8	8	8	4			35	
6	梅威威	8	8	8	8	8			40	
7	徐永生	8	8	8	8	8			40	
8	陳慧君	8	8	8	8	0	4		32	
9	何慧美	8	8	8	8	8	4		40	
10										

STEP 09 將總工時不足 **40** 小時者，以紅字、紅底標示。選取 I3:I9 儲存格範圍，按下**條件式格式設定**鈕，選擇**醒目提示儲存格規則/小於**，並如下圖做設定：

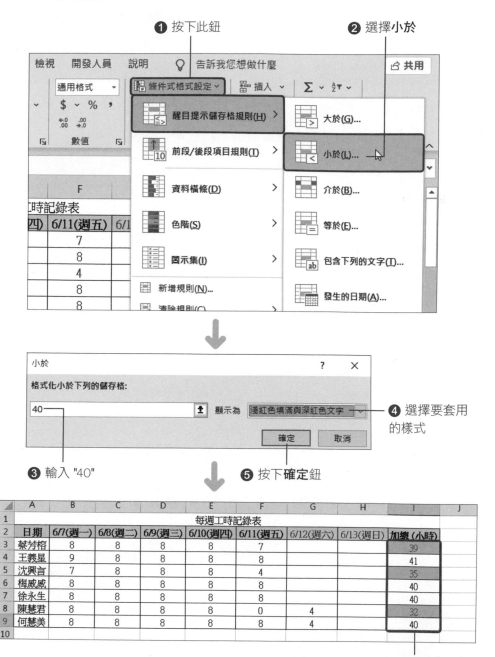

❶ 按下此鈕

❷ 選擇**小於**

❸ 輸入 "40"

❹ 選擇要套用的樣式

❺ 按下**確定**鈕

	A	B	C	D	E	F	G	H	I	J
1					每週工時記錄表					
2	日期	6/7(週一)	6/8(週二)	6/9(週三)	6/10(週四)	6/11(週五)	6/12(週六)	6/13(週日)	加總 (小時)	
3	蔡芳榕	8	8	8	8	7			39	
4	王義星	9	8	8	8	8			41	
5	沈興言	7	8	8	8	4			35	
6	梅威威	8	8	8	8	8			40	
7	徐永生	8	8	8	8	8			40	
8	陳慧君	8	8	8	8	0	4		32	
9	何慧美	8	8	8	8	0	4		40	
10										

將總工時不滿 40 小時者，以醒目顏色標示

19-2

▼ 錄製巨集

19-11

停止錄製巨集

完成所有要執行的設定後，只要按下**狀態列**的**停止錄製**鈕 □ (或是按下**開發人員**頁次中的**停止錄製**鈕)，就完成巨集的錄製了。

儲存巨集

請記得要儲存檔案，才能將巨集儲存起來！儲存檔案時，注意要將檔案的**存檔類型**設為**Excel 啟用巨集的活頁簿**，也就是 .xlsm 檔案格式：

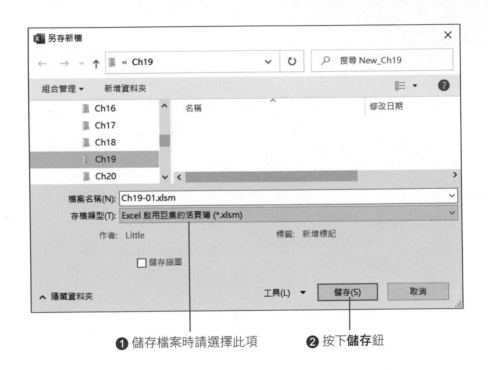

❶ 儲存檔案時請選擇此項　　❷ 按下**儲存**鈕

SECTION 19-3 執行錄製好的巨集

巨集錄製完成，接著我們來看看如何執行巨集，請利用剛才建立巨集的檔案來練習。如果你未照上一節的說明錄製巨集，請開啟範例檔案 Ch19-02.xlsm，練習執行巨集。

巨集的安全性警告

為了防堵巨集病毒，Excel 預設會停用巨集功能，以免使用者誤開含有巨集病毒的檔案。因此當你開啟含有巨集的活頁簿時，功能區下方會出現**安全性警告**訊息，提醒你該巨集已經停用，如果你確認巨集檔案來自可靠的來源，或是使用防毒軟體掃描過沒有問題，可以按下訊息旁的**啟用內容**鈕，來啟用巨集：

請按下此鈕

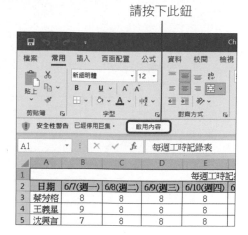

執行巨集

啟用巨集後，請切換到**企劃部**工作表，按下**開發人員**頁次的**巨集**鈕，開啟**巨集**交談窗：

❷ 按下此鈕

❶ 切換到此工作表

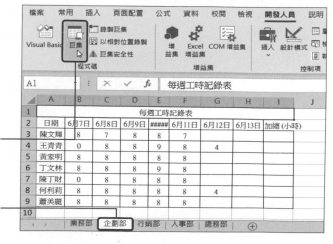

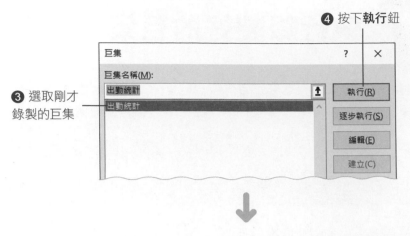

④ 按下**執行**鈕

❸ 選取剛才
錄製的巨集

▲ **企劃部**工作表立刻套用了巨集中的設定

執行巨集功能後是無法復原操作的。因此若是對執行的結果不滿意，可以
不儲存並直接關閉檔案，再重新開啟檔案來操作。

請繼續切換到**行銷部**、**人事部**、**總務部**工作表，並按**巨集**鈕來完成出勤統
計處理，也可以按剛剛設定的快速鍵 Ctrl + q 來執行巨集。

剛才我們在錄製巨集時，是選取整份活頁簿中資料筆數最多的儲存格範
圍，所以在資料筆數較少的工作表中執行巨集 (如**行銷部**、**人事部**工作
表)，會發現**加總 (小時)** 欄多出幾筆資料，但這並不影響正確性，只要將
這些多餘的資料刪除即可。

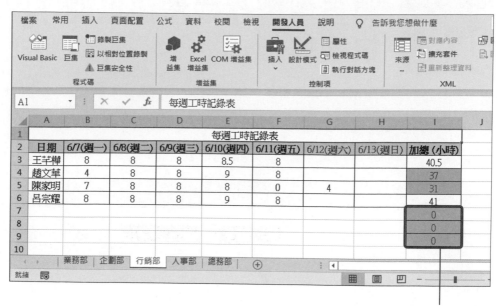

手動刪除這幾列資料即可

錄製巨集雖然方便，不過仍然有其限制，如果想解決上述的問題，可學習 Excel VBA 語法，撰寫程式來指定選取範圍。

刪除巨集

若是想刪除錄製好的巨集，只要開啟**巨集**交談窗，選擇要刪除的巨集名稱，按下**刪除**鈕即可。

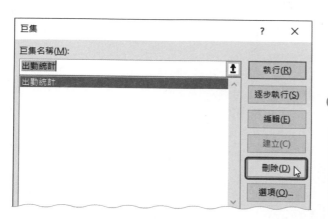

TIP

你只能刪除啟用中的巨集。因此若在**巨集**交談窗中發現無法刪除該巨集，請重新開啟活頁簿，啟用該巨集後再刪除。

將巨集製作成按鈕以便快速執行

若你經常需要使用某一組巨集指令,每次都要打開**巨集**交談窗來選取並執行,或是記不住快速鍵,不如將巨集製作成按鈕,之後只要按一下按鈕,即可完成所需的工作,方便又有效率。

將巨集按鈕放到「快速存取工具列」

現在就讓我們來練習這個好用的功能,請開啟範例檔案 Ch19-03,然後如下進行設定:

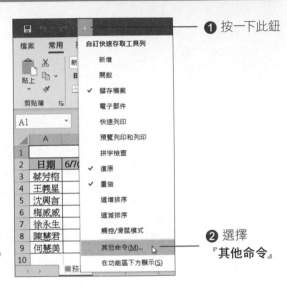

❶ 按一下此鈕

❷ 選擇『**其他命令**』

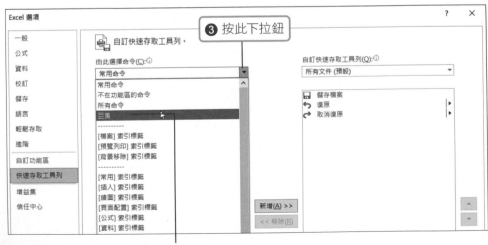

❸ 按此下拉鈕

❹ 選擇**巨集**

❺ 選擇剛剛設定的巨集　❻ 按下**新增**鈕將它新增到右方窗格

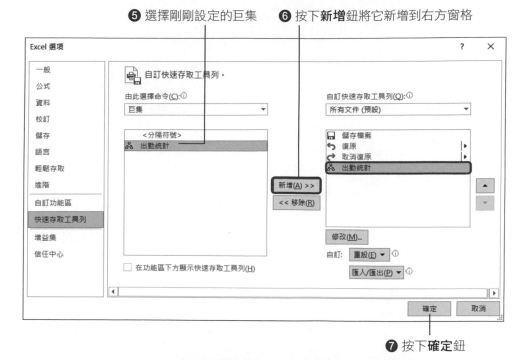

❼ 按下**確定**鈕

在**快速存取工具列**
新增了該巨集的按鈕

更改巨集按鈕的圖示

若是你有好幾組常用的巨集，可以將它們都製作成按鈕，不過巨集按鈕的預設圖示都是 █ ，反而不容易辨識要使用的巨集。你可以自行修改巨集按鈕的圖示，讓每個巨集都使用不同圖示，並加上巨集的說明文字，以便區別。

請按下**快速存取工具列**旁的下拉鈕，執行『**其他命令**』再如下進行設定：

❶ 在右側窗格中選取要更改圖示的巨集

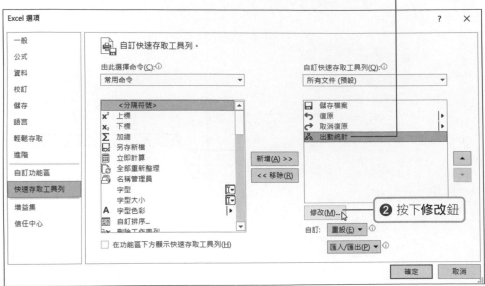

❷ 按下**修改**鈕

❸ 點選喜愛的圖示

可以在這裡修改按鈕的名稱

變更後的圖示

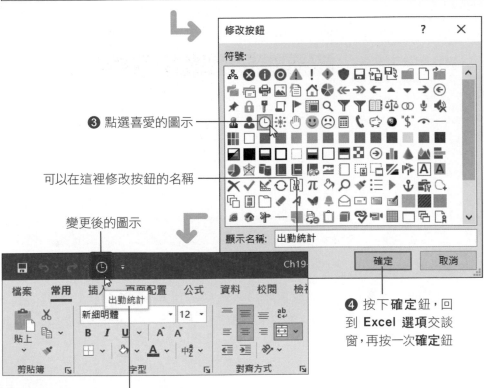

❹ 按下**確定**鈕，回到 Excel 選項交談窗，再按一次**確定**鈕

將滑鼠移到按鈕上，會顯示按鈕的名稱，幫助你了解按鈕的用途

19-5 巨集病毒及安全層級設定

巨集病毒是電腦病毒的一種，主要是儲存在活頁簿或是增益集程式的巨集中。若是不小心開啟含有巨集病毒的活頁簿，就有可能會損壞檔案中的資料，所以在開啟含有巨集的活頁簿時必須小心謹慎。

Excel 的巨集防護措施

Excel 雖然不像專業防毒軟體一樣具有掃描病毒的能力，但是它可以降低活頁簿感染巨集病毒的機會。每當你開啟含有巨集的活頁簿檔案時，Excel 便會出現**安全性警告**訊息。若你無視此訊息，仍然可進入 Excel 主視窗，但無法使用巨集。

若你確定巨集活頁簿的來源是安全的，就可以按下**啟用內容**鈕啟用巨集。

安全性警告訊息

變更安全性層級

若你確認所要開啟的活頁簿檔案中沒有巨集病毒，就可以將它啟用，但是每次開啟含有巨集的活頁簿時都必須重新啟用，可能會有點不便。由於 Excel 是根據安全性層級來決定是否顯示巨集警示訊息，因此你可以修改 Excel 的安全性層級，讓警示訊息不再出現。

請按下**檔案**頁次左側的**選項**，開啟 **Excel 選項**交談窗進行設定：

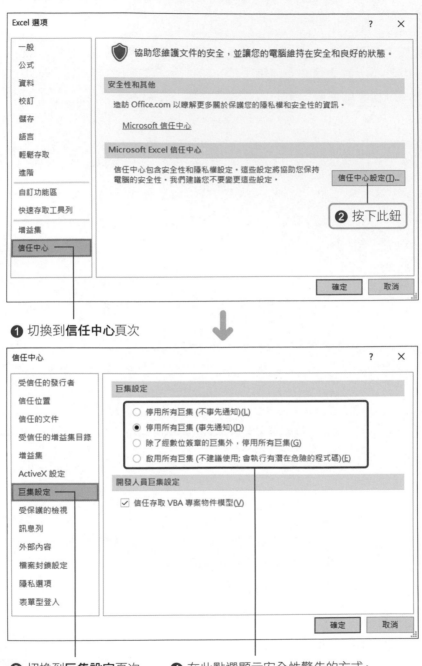

● 切換到**信任中心**頁次

❷ 按下此鈕

❸ 切換到**巨集設定**頁次

❹ 在此點選顯示安全性警告的方式，
有 4 種安全性層級供你選擇

▶ **停用所有巨集** (**不事先通知**)：停用巨集並且不會跳出提示訊息。

▶ **停用所有巨集** (**事先通知**)：停用巨集，但會跳出提示訊息，讓你決定是否啟用巨集。

▶ **除了經數位簽章的巨集外，停用所有巨集**：點選此項，只會啟用有數位簽章的巨集檔案，來源不明的巨集檔案一律停用。

▶ **啟用所有巨集** (**不建議使用; 會執行有潛在危險的程式碼**)：若你確定所有的巨集來源都是安全無虞，選擇此項便不會一直跳出擾人的**安全性警告**訊息。之後在你要開啟安全性有疑慮的檔案前，為了安全起見，可以再重新選擇其他設定。

若是更改過巨集的安全層級設定，但仍然無法使用巨集，請關閉 Excel 再重新啟動就可以了。

▼ 巨集病毒及安全層級設定

MEMO

20 快速列印工作表與圖表

終於統計完問券調查的結果了,可是列印出來後卻發生圖表有一半印到下一頁了!還有,經理叫我在報表開頭加上這份報表的標題還有頁碼,我要去哪裡設定呢?

Excel 跟列印相關的設定都在「頁面配置」頁次裡,在「檔案/列印」裡也能做設定,我先解決你的問題,再教你一些列印的技巧吧!

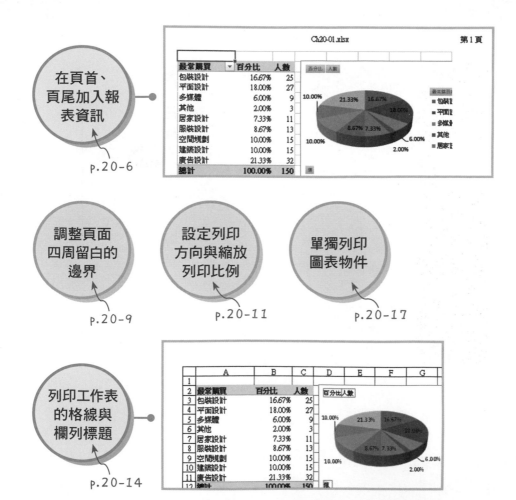

在頁首、頁尾加入報表資訊　　p.20-6

調整頁面四周留白的邊界　　p.20-9

設定列印方向與縮放列印比例　　p.20-11

單獨列印圖表物件　　p.20-17

列印工作表的格線與欄列標題　　p.20-14

20-1 快速列印工作表

列印工作表的程序很簡單，首先請將印表機的電源打開，然後開啟欲列印的活頁簿檔案，再如下進行快速列印。稍後將在各節說明列印的選項設定，以及頁首、頁尾設定等版面相關調整技巧。

列印檔案

我們想要列印 Ch20-01 的**調查結果**工作表，請開啟檔案後如下操作：

STEP 01 切換到**檔案**頁次再按下視窗左側的**列印**項目：

選取要進行列印的印表機　　　　設定列印份數

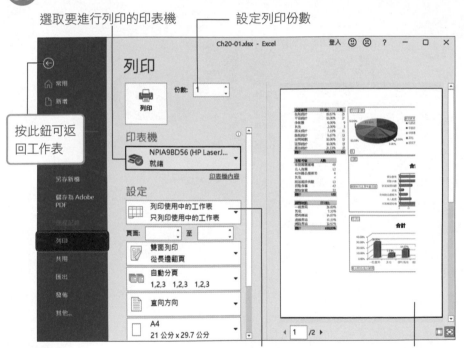

按此鈕可返回工作表

選取列印對象　　　此區可預覽列印的結果

STEP 02 按下中央窗格的**列印**鈕，即可將目前使用的工作表列印出來。

如果想要立即將工作表列印出來，以上的操作就能幫助您完成。若還需要選擇不同的印表機、設定列印範圍，或設定列印份數，請看以下的說明。

指定要列印的印表機

在公司或學校的環境下,或是安裝了不只一部印表機時,**印表機**項目就會列出所有可用的印表機名稱,請檢查是否為您要使用的印表機,如果不是,請拉下名稱列示窗重新選擇:

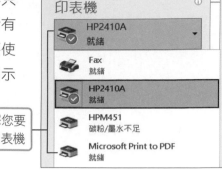

在此選擇您要使用的印表機

技巧補充

Microsoft XPS Document Writer

在選擇印表機時,會看到其中有 1 個 **Microsoft XPS Document Writer** 項目,它並不是一台真正的印表機,而是在安裝 Office 軟體時自動建立的虛擬印表機。如果選取此項進行列印,就會開啟**另存列印輸出**交談窗,將這份文件儲存成 *.oxps 的檔案。

如果要將資料提供給別人參考,卻不想讓別人輕易修改內容,那麼就可以儲存成 *.oxps 格式,再將檔案傳送給別人,收到檔案的人,只要雙按檔案名稱,即會自動開啟 Windows 內建的 **XPS 檢視器**顯示檔案內容。

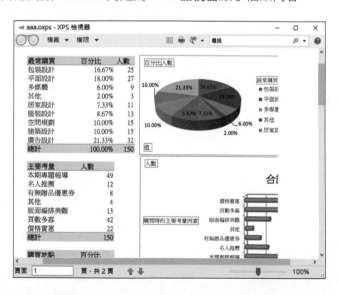

指定列印對象

如果不是要列印整張工作表，或是資料內容很多，但只需要列印其中幾頁，都可以在**設定**區指定列印對象：

▶ **列印使用中的工作表**：列印目前在活頁簿視窗中選取的工作表。

▶ **列印整本活頁簿**：列印活頁簿中的所有工作表。

▶ **列印選取範圍**：列印工作表中選取的範圍。必須先在工作表上選取欲列印的儲存格範圍，才能選擇此項。

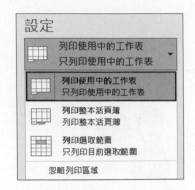

設定列印的頁次

如果工作表共有 10 頁內容，但此次不需要列印全部的頁面，那麼可以指定要從第幾頁印到第幾頁：

只列印其中的某幾頁，例如設定為從 3 到 6，表示只列印出 3、4、5、6 頁

指定列印份數

當資料要分送給許多部門或人員查閱，可在**列印**鈕旁的**份數**欄設定欲列印的份數，一併列印出來。

列印多份且不只一頁內容的工作表時，可由**頁面**下方設定是否啟用**自動分頁**功能，啟用後在列印時會先印完第一份再印下一份 (否則會將每一份的第一頁全部印出，然後再印下一頁，依此類推)。

預覽列印結果

都設定好之後，請在預覽區檢查列印的結果，若發現任何不理想的地方，都可立即修改，以節省紙張及列印時間。

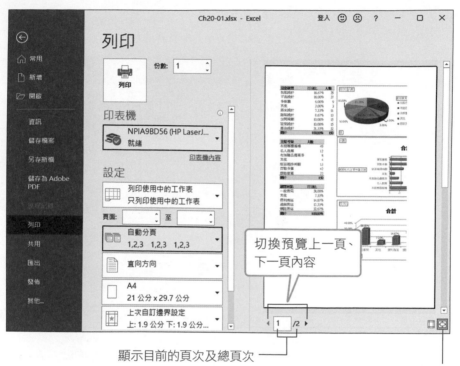

切換預覽上一頁、下一頁內容

顯示目前的頁次及總頁次

按下**縮放至頁面**鈕，可縮小整份工作表至整頁大小，以便預覽列印結果

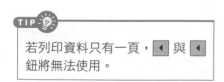

TIP

若列印資料只有一頁，◀ 與 ◀ 鈕將無法使用。

設定區中還有許多與版面相關的設定，我們將在 20-3～20-6 節中陸續說明。

在頁首、頁尾加入報表資訊

報表除了要有資料內容外，我們還可以在報表的頁首、頁尾加上各式資訊，例如：日期、報表名稱或頁碼，讓我們在參考報表時能清楚知道報表的時效性與來源出處等訊息。

插入內建的頁首及頁尾樣式

請切換到**插入**頁次，按下**文字**區的**頁首及頁尾**鈕來設定頁首及頁尾的標題內容：

❶ 按下此鈕

❸ 由**功能區**設定
要放入的內容

❷ 按一下要加
入資訊的方框

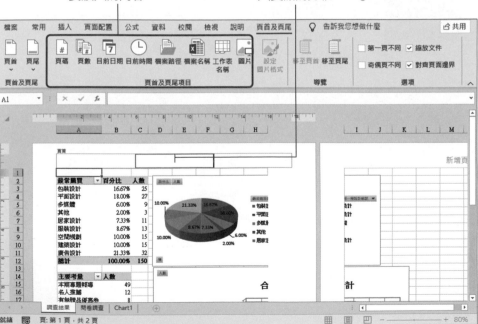

我們還可以按下**頁首及頁尾**區**頁首**
(或**頁尾**) 鈕的向下箭頭，在列示窗
選取頁首、頁尾樣式。

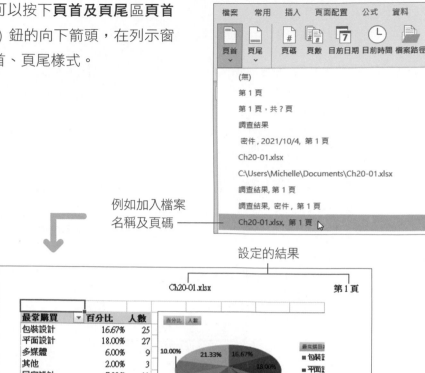

例如加入檔案
名稱及頁碼

設定的結果

自訂頁首、頁尾內容

如果在**頁首**或**頁尾**列示窗中找不到合適的樣式，可以利用**頁首及頁尾項目**
區上的按鈕，自己動手設計：

中欄

左欄

右欄

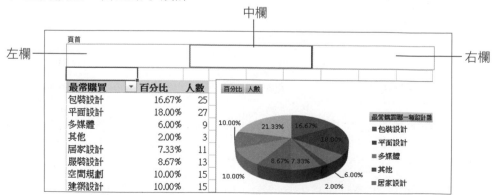

上圖中 3 個空白欄分別代表頁首左、中、右 3 個位置，因此我們不僅可以設定標題的內容，還可以控制標題顯示的位置。

在此我們要設計的頁首如下：

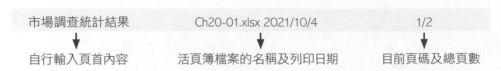

市場調查統計結果	Ch20-01.xlsx 2021/10/4	1/2
自行輸入頁首內容	活頁簿檔案的名稱及列印日期	目前頁碼及總頁數

STEP 01 在左欄中輸入 "市場調查統計結果"，接著在欄中選取這 8 個字，就會自動出現**迷你工具列**讓你做文字的格式化。

STEP 02 按一下中欄，再按下**檔案名稱**鈕加入檔名，然後按一下 空白鍵 鍵，再按下**目前日期**鈕加入日期。

STEP 03 按一下右欄，按一下**頁碼**，輸入 /，再按**頁數**鈕加入工作表的頁碼及總頁數。

STEP 04 設定完成之後，請在頁首區以外的範圍按一下，即可看到設定結果：

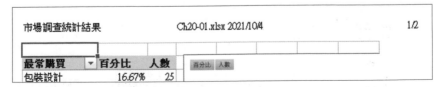

▲ 設計完成的頁首

自訂頁尾的方法和自訂頁首完全一樣，請自己動手做做看囉！

SECTION 20-3 調整頁面四周留白的邊界

為求報表的美觀，或因應裝訂的需求，我們通常不會將一張紙列印得滿滿的，而會在紙的四周留一些空白，這些空白的區域就稱為「邊界」。調整邊界即在控制四周空白的大小，也就是控制資料在紙上列印的範圍。

要設定工作表在頁面上的邊界，請切換至**頁面配置**頁次按下**版面設定**區的**邊界**鈕進行設定：

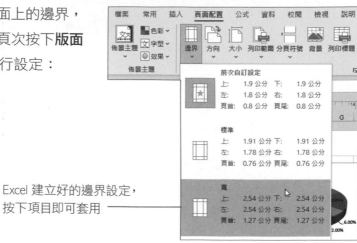

Excel 建立好的邊界設定，按下項目即可套用

如果工作表的內容不多，你可能會希望印在文件的水平或垂直中央，這時請按下上圖選單最下方的『**自訂邊界**』命令，開啟**版面設定**交談窗來設定**邊界**：

若兩項都勾選，工作表會置於文件中央

工作表對齊文件的水平中央

工作表對齊文件的垂直中央

也可以在各欄位設定邊界值

不過，此處的調整只能看到大致的結果，若想要預覽工作表的邊界或拉曳調整邊界，那麼建議按下**版面設定**交談窗的**預覽列印**鈕 (或切換到**檔案**頁次，並按下左側的**列印**項目)，由預覽區檢視或調整邊界會比較容易：

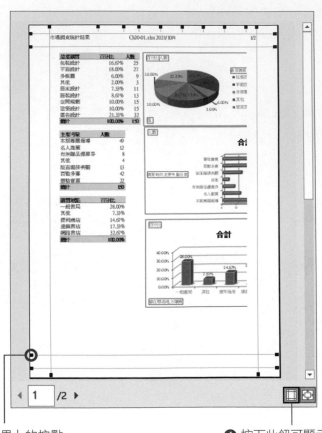

❷ 拉曳邊界上的控點，就能調整邊界

❶ 按下此鈕可顯示邊界

SECTION 20-4 設定列印方向與縮放列印比例

當工作表的欄位比較多，資料筆數較少時，我們可以選擇橫式列印；如果欄位較少，資料筆數較多時，那麼採直式列印會比較合適。這一節就來學習變更文件方向及縮放列印比例的技巧。

變更列印方向

按下**頁面配置**頁次下**版面設定**區中的**方向**鈕即可選擇要列印的方向，若是在列印前預覽了結果才想要變更方向，則可以在**列印**頁次中變更：

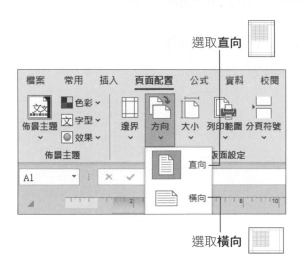

選取**直向**

選取**橫向**

在**檔案/列印**頁次變更方向

放大或縮小列印比例

如果覺得文字、圖表太小，可放大列印比例；反之，也可以依需要將內容縮小列印。調整時請於**頁面配置**頁次的**配合調整大小**區進行設定，當**縮放比例**大於 100% 表示要放大列印資料，最高可達 400%；小於 100% 表示要縮小，最多可縮小到 10%。

以範例檔案的**調查結果**工作表來説，剛才在預覽區已看到圖表有一部份會被印到第 2 頁去，此時可縮小列印比例至 80%，就剛好可以容納在一頁內了。

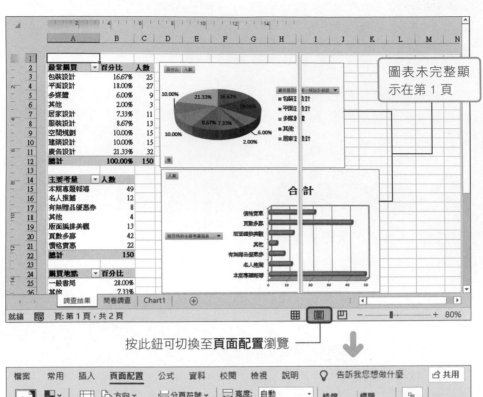

圖表未完整顯示在第 1 頁

按此鈕可切換至**頁面配置**瀏覽

請縮小比例至 80%

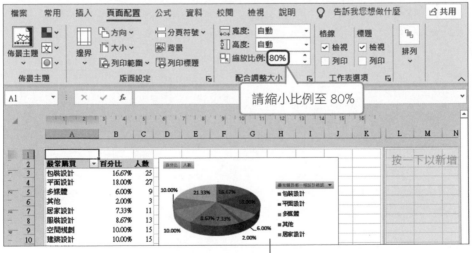

圖表就能完整列印在第 1 頁了

另一種情況是工作表列印的結果,會有 2 頁半之多,為閱讀方便,我們就可以將**配合調整大小**區的**高度**欄設定為 **2 頁**,表示要將內容縮小至 2 頁的高度,**寬度**欄的作用亦同。以範例檔案來說,可將**寬度**設定為 **1 頁**,表示將內容縮小列印於一頁,就能達到如上的操作結果。

不過,這裡要特別提醒您,縮小列印不僅要顧及美觀、節省紙張,更要考量印出來是否看得清楚、舒適,可別縮小到字都看不見囉!

在列印前迅速調整版面設定

很多時候我們都是在預覽列印時,才會發現版面需要調整,這時可以在 **檔案/列印** 頁次中設定列印比例:

將所有內容縮小至 1 頁

縮小內容至 1 頁寬,此例請選擇此項

縮小內容至 1 頁高

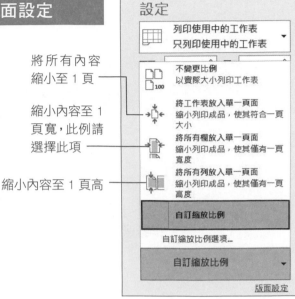

設定列印方向與縮放列印比例

20-4

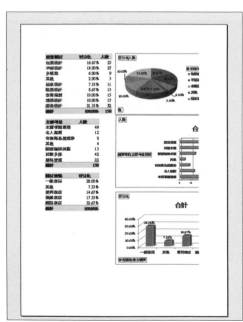

▲ 不變更比例時,有部份圖表會列印到下一頁

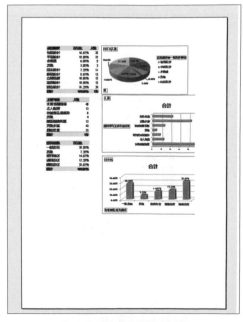

▲ 設定為 **將所有欄放入單一頁面**,圖表就完整顯示了

20-13

列印工作表的格線與欄列標題

列印工作表時，我們可設定是否要印出欄、列編號或格線等工作表元件，以方便瀏覽工作表上密密麻麻的數字。設定時請切換到**頁面配置**頁次，在**工作表選項**區進行設定。

列印工作表的格線

同樣以範例檔案 Ch20-01 的**調查結果**工作表為例，假設我們想在列印時一併印出工作表的格線，可如下進行設定。

STEP 01 開啟檔案後，請切換到**頁面配置**頁次，勾選**工作表選項**區對應到**格線**下方的**列印**選項：

控制螢幕上是否顯示格線

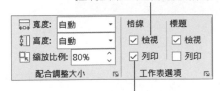

由此設定是否要列印格線

STEP 02 切換到**檔案/列印**頁次，即可在預覽區看到列印格線的結果。

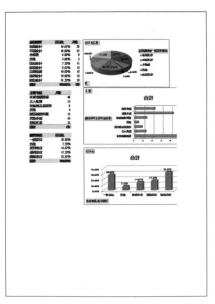

▲ 未列印格線

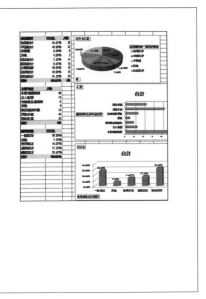

▲ 列印格線

隱藏或顯示螢幕上的格線與變更格線色彩

若想控制螢幕上格線的顯示與否，除了由**格線**下方的**檢視**選項來設定外，也可以切換到**檢視**頁次，在**顯示**區勾選或取消**格線**項目來控制。

如果不喜歡預設的格線顏色，還可以切換到**檔案**頁次的**選項**，開啟交談窗後，切換至**進階**頁次，在**此工作表的顯示選項**區中變更格線色彩：

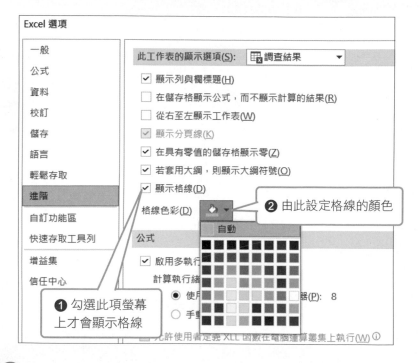

Excel 選項

一般	**此工作表的顯示選項(S):** 　調查結果 ▼
公式	☑ 顯示列與欄標題(H)
資料	☐ 在儲存格顯示公式，而不顯示計算的結果(R)
校訂	☐ 從右至左顯示工作表(W)
儲存	☑ 顯示分頁線(K)
語言	☑ 在具有零值的儲存格顯示零(Z)
輕鬆存取	☑ 若套用大綱，則顯示大綱符號(O)
進階	☑ 顯示格線(D)
自訂功能區	格線色彩(D)　🖌 ▼ ❷ 由此設定格線的顏色
快速存取工具列	**公式**
增益集	☑ 啟用多執行
信任中心	計算執行緒
	⦿ 使用⋯⋯⋯器(P): 8
	○ 手動

❶ 勾選此項螢幕上才會顯示格線

☐ 允許使用者定義 XLL 函數在電腦運算叢集上執行(W) ⓘ

TIP

如果隱藏了螢幕上工作表的格線，但仍設定要列印格線，那麼即使螢幕上看不到格線，在列印時還是會印出來。

列印工作表的欄、列標題

假設列印工作表之後，還需要對內容進行說明，那麼列印出欄、列標題
(即 A、B、C，1、2、3...)，不但有助於解說儲存格位址，聽的人也更容易
理解。要設定列印標題時，同樣是在**頁面配置**頁次，由**工作表選項**區進行
設定，請勾選**標題**下方的**列印**選項：

❶ 勾選此項

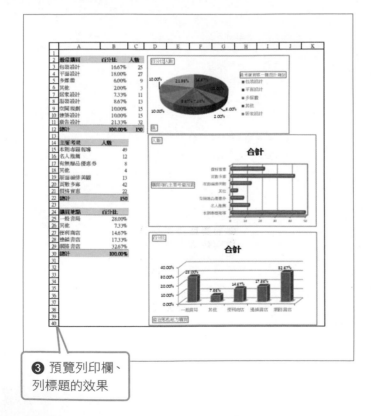

❷ 切換到**檔案**
/**列印**頁次

❸ 預覽列印欄、
列標題的效果

前面幾節介紹的都是將圖表物件與來源工作表一起列印,但有時候只需要列印圖表,不需要複雜的工作表數字;或是已經將數字標示在圖表上了,也不需要顯示工作表的數字,此時我們可以單獨將圖表列印出來。

在此想單獨列印出 Ch20-01 **調查結果**工作表中的第 1 張圖表:

STEP 01 請先選取欲列印的圖表物件:

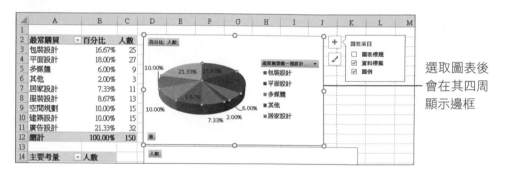

選取圖表後會在其四周顯示邊框

STEP 02 切換至**檔案/列印**頁次,再按下**列印**鈕就可將圖表物件單獨印出來了。

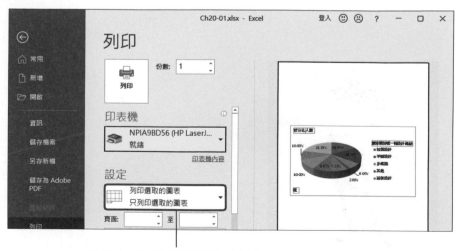

這裡會自動顯示**列印選取的圖表**

MEMO

21 避免浪費紙張、碳粉的列印技巧

我有一份欄位很多的報表,在預覽列印時,Excel 自動幫我分成了五頁,但分頁的地方很奇怪;如果把所有資料印在同一頁,字又會變得非常小,還有分頁以後看不到資料的標題是什麼了?

不滿意 Excel 自動幫你設定的分頁,是可以手動調整的,還有跨頁的資料想顯示標題也沒問題喔!我來教你怎麼做設定。

分頁與分頁預覽模式

- 在分頁預覽模式檢視分頁結果 ← p.21-2
- 調整自動分頁線 ← p.21-4
- 手動為文件分頁 ← p.21-5
- 取消手動分頁線 ← p.21-6

讓跨頁的資料顯示欄、列標題
p.21-8

指定列印範圍
p.21-11

為同一份工作表建立不同的檢視模式
p.21-13

將不連續範圍列在同一頁的技巧
p.21-16

21-1 分頁與分頁預覽模式

Excel 會自動為列印資料進行**分頁**，這一節我們先帶你檢視資料的分頁狀況，如果覺得自動分頁的結果不理想，可手動進行調整，以符合需求。

在「分頁預覽」模式檢視分頁結果

請開啟範例檔案 Ch21-01，並確認已切換到**工作表 1**，目前所在的環境稱為**標準模式**，也就是我們最常編輯工作表內容的操作環境：

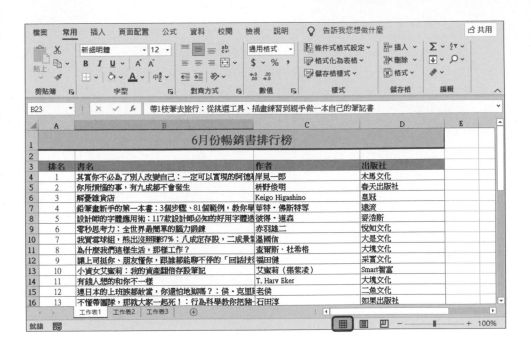

請先切換到**檢視**頁次，在**活頁簿檢視**區中按下**分頁預覽**鈕，在此模式下我們可以用拉曳滑鼠的方式調整分頁：

第 **21** 章
▼
避免浪費紙張、碳粉的列印技巧

21-2

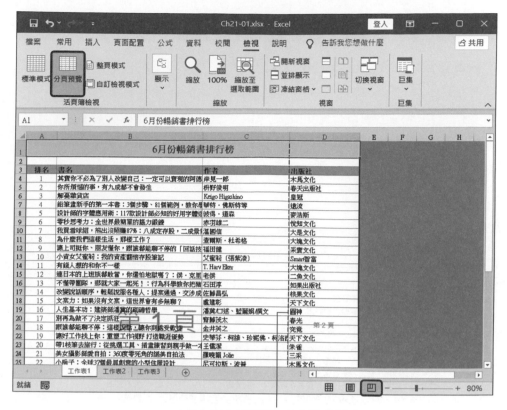

工作表上顯示藍色的**自動分頁線**，
可看出目前有 2 頁的資料內容

TIP

按下視窗右下角的 凹 鈕，亦可切換到**分頁預覽**模式。

分頁預覽模式只會顯示有資料的部份，藉由藍色的**自動分頁線**，我們可以明顯看出哪些資料在第 1 頁，哪些資料在第 2 頁。

檢視完後，若沒有要修改分頁，可按下**檢視**頁次**活頁簿檢視**區的**標準模式**鈕，或視窗右下角的**標準**鈕 田 切換回**標準模式**。

調整自動分頁線

從**分頁預覽**模式我們可以看出，第 2 頁只有一欄資料，若按照目前的分頁情況列印，第 2 頁顯然很浪費紙張，同時表格的完整性也被破壞掉了。這時我們可以運用上一章介紹的方法，縮小資料的列印比例，將資料印在 1 頁中。而在**分頁預覽**模式下，還有更便捷的方法。請直接拉曳分頁線來調整分頁的位置，同時資料會自動縮小列印比例：

向右拉曳自動分頁線到 D 欄的右框線上

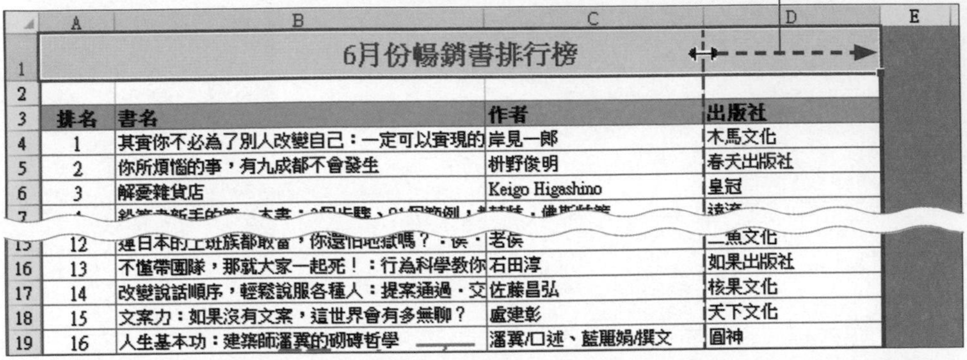

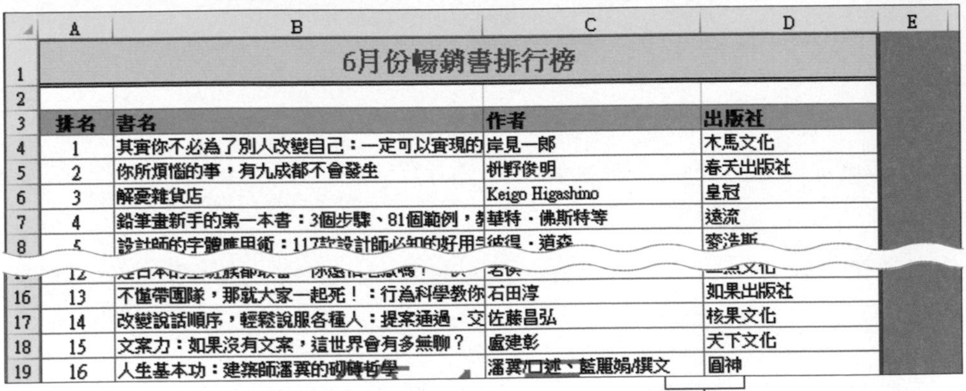

2 頁變成 1 頁了

當你調整過自動分頁線，原本的藍色虛線會改以藍色實線顯示，表示現在這條分頁線已變成**人工分頁線**。手動調整分頁線使 1 頁的資料量加大，則 Excel 會自動縮小列印比例，讓資料印在 1 頁中；但若調整分頁線後，使 1 頁的資料量減少，則不會放大列印比例，只是改變分頁的位置而已。

手動為文件分頁

若想將某部份的資料另起一個新頁列印時，可自行設定人工分頁線。請在選取儲存格後切換到**頁面配置**頁次，在**版面設定**區中按下**分頁符號**鈕，執行『**插入分頁**』命令來插入分頁線。以下針對選取的儲存格位置及插入的分頁結果做說明，請開啟範例檔案 Ch21-02 來練習：

▶ **水平分頁**：選取緊鄰列編號的儲存格做為分頁點，Excel 會從選取的儲存格上方畫出水平分頁線：

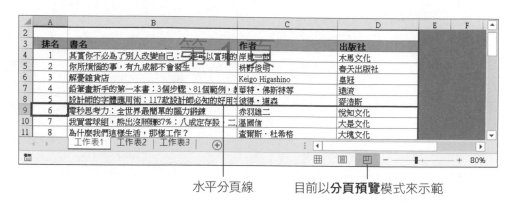

水平分頁線　　　　目前以**分頁預覽**模式來示範

▶ **垂直分頁**：選取緊鄰欄編號的儲存格做為分頁點，Excel 會從選取儲存格的左方畫出垂直分頁線：

垂直分頁線

▶ **交叉分頁**：選取不與欄、列編號相鄰的儲存格做為分頁點，Excel 會從選取的儲存格上方畫出水平分頁線，從左方畫出垂直分頁線：

交叉分頁

在**分頁預覽**模式下，也可在選取儲存格後，按下滑鼠右鍵執行『**插入分頁**』命令來分頁。

無論在**標準模式**或**分頁預覽**模式，設定人工分頁線的方法皆相同。

取消手動分頁線

請開啟範例檔案 Ch21-03，並切換到**工作表 1**，此工作表已經分成 3 頁，分別將排名 1～13 名、14～26 名、27～38 名的資料各分成一頁，若想取消手動分頁線，請如下操作：

▶ **取消水平或垂直分頁線**：若想單獨刪除水平或垂直分頁線，只要選取水平分頁線下方，或垂直分頁線右邊相鄰的任一儲存格，然後切換至**頁面配置**頁次，按下**版面設定**區的**分頁符號**鈕，並在其下拉式選單中選取『**移除分頁**』命令。

⊿	A	B	C	D	E	F
11	8	為什麼我們這樣生活，那樣工作？	查爾斯‧杜希格	大塊文化		
12	9	讓上司挺你、朋友懂你，跟誰都能聊不停的「回	福田健	采實文化		
13	10	小資女艾蜜莉：我的資產翻倍存股筆記	艾蜜莉（張紫凌）	Smart智富		
14	11	有錢人想的和你不一樣	T. Harv Eker	大塊文化		
15	12	連日本的上班族都敢當，你還怕地獄嗎？：侯‧	老侯	二魚文化		
16	13	不懂帶團隊，那就大家一起死！：行為科學教你	石田淳	如果出版社		
17	14	改變說話順序，輕鬆說服各種人：提案通過、交	佐藤昌弘	核果文化		
18	15	文案力：如果沒有文案，這世界會有多無聊？	盧建彰	天下文化		
19	16	人生基本功：建築師潘冀的砌磚哲學	潘冀/口述、藍麗娟/撰文	圓神		
20	17	別再為做不了決定抓狂	齋藤茂太	春光		

工作表1　工作表2　工作表3　⊕　　　80%

選取第 17 列上的任一個儲存格皆可

選取 C 欄上的任一個儲存格皆可

⊿	A	B	C	D	E	F
11	8	為什麼我們這樣生活，那樣工作？	查爾斯‧杜希格	大塊文化		
12	9	讓上司挺你、朋友懂你，跟誰都能聊不停的「回	福田健	采實文化		
13	10	小資女艾蜜莉：我的資產翻倍存股筆記	艾蜜莉（張紫凌）	Smart智富		
14	11	有錢人想的和你不一樣	T. Harv Eker	大塊文化		
15	12	連日本的上班族都敢當，你還怕地獄嗎？：侯‧	老侯	二魚文化		
16	13	不懂帶團隊，那就大家一起死！：行為科學教你	石田淳	如果出版社		
17	14	改變說話順序，輕鬆說服各種人：提案通過、交	佐藤昌弘	核果文化		
18	15	文案力：如果沒有文案，這世界會有多無聊？	盧建彰	天下文化		
19	16	人生基本功：建築師潘冀的砌磚哲學	潘冀/口述、藍麗娟/撰文	圓神		
20	17	別再為做不了決定抓狂	齋藤茂太	春光		

工作表1　工作表2　工作表3　⊕　　　80%

▶ **同時取消水平與垂直的交叉分頁線**：若水平分頁線與垂直分頁線相交，則必須選取兩線相交的右下方相鄰儲存格，同樣按下**版面設定**區的**分頁符號**鈕執行『**移除分頁**』命令，就能一併取消水平與垂直分頁線。

選取此一儲存格才能同時移除兩分頁線

⊿	A	B	C	D	E	F
27	24	Quotation‧引號：柏林創意最前線‧日本海外創	Quotation編輯	大家出版社		
28	25	感動70億人心，才是好設計：好品牌的吸引力法	馬克‧高貝	原點		
29	26	會拿筆就會畫：55個保證學會的素描訣竅	伯特‧道森	木馬文化		
30	27	荒木經惟‧走在東京	荒木經惟	麥田		
31	28	DSLR懂這些就夠了：寫給大家的數位單眼攝影1	岡(山鳥)和幸	漫遊者文化		
32	29	我的家 我自己裝潢	漂亮家居編輯部	麥浩斯		
33	30	工作！工作！：影響我們生命的重要風景	艾倫‧狄波頓	先覺		
34	31	與網笙奮鬥：本村洋的3300個日子	門田隆將	新雨		
35	32	你一定愛讀的極簡歐洲史：自由、宗教、現代文	約翰‧赫斯特	天下文化		
36	33	非賣用野鳥圖鑑：600種鳥變身搞笑全紀錄	富士鷹茄子	遠流		

第 4

工作表1　工作表2　工作表3　⊕　　　80%

▶ **一次取消所有的手動分頁線**：如果要將工作表上的手動分頁線都取消，請切換至**頁面配置**頁次，按下**版面設定**區的**分頁符號**鈕執行『**重設所有分頁線**』命令。

設定跨頁的欄、列標題

在列印大型報表時，常遇到只有第 1 頁會出現工作表的欄、列標題，而接下去的頁數就都看不到欄、列標題的情況，這時只要設定讓欄、列標題跨頁顯示，就能解決這個問題。

請切換到範例檔案 Ch21-03 的**工作表 2**，再切換到**分頁預覽**模式，我們已事先將這份工作表的資料分成 3 頁了：

	A	B	C	D	E	F	G	H
1		圖書銷售量統計						
2								
3	編號	書名	誠品總銷售量	博客來銷售量				
4	A01	其實你不必為了別人改變自己：一定	982,354	850,000				
5	A02	你所煩惱的事，有九成都不會發生	877,721	750,000				
6	A03	解憂雜貨店	687,200	884,675				
7	A04	鉛筆畫新手的第一本書：3個步驟、8	527,110	450,032				
8	A05	設計師的字體應用術：117款設計師必	529,123	387,941				
9	A06	零秒思考力：全世界最簡單的腦力鍛	337,899	427,841				
10	A07	我買雪球組，熊出沒照賺87%：八成	461,758	303,547				
11	A08	為什麼我們這樣生活，那樣工作？	632,184	105,488				
12	A09	讓上司挺你、朋友懂你，跟誰都能聊	187,940	475,211				
13	A10	小資女艾蜜莉：我的資產翻倍存股筆	10,000	554,782				
14	B01	有錢人想的和你不一樣	15,052	506,874				
15	B02	連日本的上班族都敢買，你還怕地	437,652	37,895				
16	B03	不懂帶團隊，那就大家一起死！：	441,190	30,147				
17	B04	改變說話順序，輕鬆說服各種人：	300,030	124,578				
18	B05	文案力：如果沒有文案，這世界會	358,472	60,785				
19	B06	人生基本功：建築師潘冀的砌磚哲	342,855	57,845				
20	B07	別再為做不了決定抓狂	98,888	300,080				
21	B08	跟誰都能聊不停：這樣說話、義的	90,000	245,000				
22	B09	讓好工作找上你：重塑工作視野 打	78,099	104,011				
23	B10	帶1枝筆去旅行：從挑選工具、插畫	80,257	100,087				
24	B11	美女攝影師愛自拍：360度零死角自	35,978	96,687				
25	B12	小房子：全球37個最具創意的小型	34,424	87,458				
26	B13	荒木經惟的天才寫真術	5,087	77,777				
27	B14	Quotation‧引號：柏林創意最前線	8,900	59,934				
28	C01	感動70億人心，才是好設計：好品	59,782	350				
29	C02	會拿筆就會畫：55個保證學會的素	50,000	7,000				
30	C03	荒木經惟‧走在東京	48,750	780				
31	C04	DSLR隨這也就夠了：高給大家的奧	9,999	35,428				
32	C05	我的家 我自己裝潢	43,125	978				
33	C06	工作！工作！：影響我們生命的重	8,811	7,945				
34	C07	與絕望奮鬥：本村洋的3300個日子	8,620	4,987				
35	C08	你一定愛讀的極簡歐洲史、為什麼	9,266	4,090				
36	C09	非實用野鳥圖鑑：600種鳥類變身	10,001	2,854				
37	C10	聽見蕭邦	7,800	3,636				
38	C11	喚醒內在的天賦：享譽全美的直覺	6,800	4,523				
39	C12	世界，為什麼是現在這樣子？：對	2,100	4,800				
40	C13	馬奎斯的一生	4,800	1,200				
41	C14	李家同談教育：希望有人聽我的話	2,500	480				
42								
43								

第 1 頁

第 2 頁

第 3 頁

工作表1　工作表2　工作表3　(+)

除了第 1 頁會顯示欄標題外，其他兩頁就不曉得一堆數字的涵義為何，所以接下來我們要讓第 1 頁的標題出現在報表的每一頁。

設定「列標題」與「欄標題」的方法相同，在此我們以設定「列標題」來示範，說明如何將 Ch21-03 **工作表 2** 的 1～3 列設定為每一頁的列標題。

STEP 01 請切換到**頁面配置**頁次，按下**版面設定**區的**列印標題**鈕：

STEP 02 接著會開啟**版面設定**交談窗的**工作表**頁次，請在**標題列**輸入列標題範圍，也就是 "A1:D3"，然後按下**確定**鈕：

輸入 "A1:D3" 儲存格範圍做為列標題

也可按下**折疊**鈕，直接從工作表上選取第 1 列到第 3 列 ($1:$3)

TIP

設定標題範圍時，選取的儲存格範圍必須是相鄰的。

STEP 03 請切換到**檔案**頁次,再按下視窗左側的**列印**項目,就可以在**預覽區**中看到每一頁都加上「列標題」了:

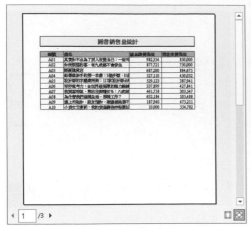

▲ 第 1 頁

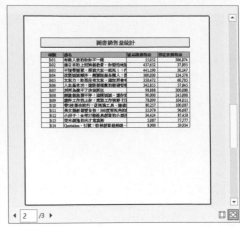

▲ 第 2 頁

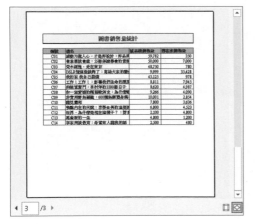

▲ 第 3 頁

設定「列標題」與「欄標題」時,若選擇了第 1 頁的標題,則設定的標題會在第 1 頁之後的頁數出現,而第 1 頁所出現的標題是原本就有的;但若選擇第 2 頁的標題,則設定的標題會出現在第 2 頁及以後的頁數,第 1 頁則不會有標題。

若要清除設定,請再次按下**列印標題**鈕,開啟**版面設定/工作表**交談窗,清除**標題列**或**標題欄**的設定內容即可。

指定列印範圍

除了將整份工作表印出來，我們還可以設定只列印工作表中的部份資料，或不連續的資料範圍。當資料筆數眾多，或需要保密部份資料時，這些列印技巧就能派上用場囉！

同樣以範例檔案 Ch21-03 的**工作表 2** 來練習。請先選取要列印的範圍，例如 A3:C10，切換到**檔案**頁次再按下**列印**項目，將列印內容設定為**列印選取範圍**，就只會列印出剛才選取的部份了：

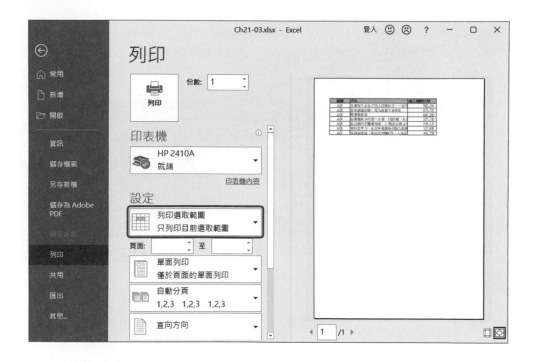

如果想將這個列印範圍儲存起來，以便日後列印時不用重新選取，則可以如下操作：

STEP 01 請先選取要列印的儲存格範圍，例如 A3:C10。

STEP 02 切換到**頁面配置**頁次，按下**列印範圍**鈕執行『**設定列印範圍**』命令，工作表中被指定要列印的儲存格範圍，就會用線框選起來。

A3:C10 會被框選起來

▲ 為方便查看，在此切換到**分頁預覽**模式

設定好列印範圍後，請切換到**檔案**頁次再按下**列印**鈕，就會看到只列印設定好的儲存格範圍了。

若要取消列印範圍的框線，請切換到**頁面配置**頁次，按下**版面設定**區的**列印範圍**鈕執行『**清除列印範圍**』命令。

為同一份工作表建立不同的檢視模式

若工作表需要送到多個部門查閱,而每個部門所需查閱的資料欄位又不同,這時可利用「自訂檢視模式」功能,為每個部門設定各自的檢視模式,方便日後直接切換模式並進行列印。

建立自訂檢視模式

首先要為工作表做各項設定,例如:版面設定、隱藏欄、列⋯等,將工作表調整到想要的檢視畫面。例如 Ch21-03 範例檔案的**工作表 3** 已經調整到我們想要的檢視畫面,而且版面設定也調整好了,以下就來將畫面儲存起來。

STEP 01 請切換到**檢視**頁次,按下**活頁簿檢視**區的**自訂檢視模式**鈕,開啟**自訂檢視模式**交談窗:

目前尚未建立任何檢視模式,因此**檢視畫面**列示窗是空的

STEP 02 按下**新增**鈕開啟**新增檢視畫面**交談窗,在**名稱**欄輸入檢視畫面的名稱,如 "產品開發部":

由於此工作表已隱藏 D 欄,所以請確認勾選此項

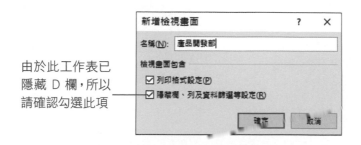

STEP 03
按下**確定**鈕，即建立了**產品開發部**檢視模式。假設**業務部**需要參考
各書籍的銷售數量，我們再如下調整工作表資料：

同時選取 C、E 欄再按滑鼠右鍵執行『**取消
隱藏**』命令，可顯示 D 欄的銷售數字

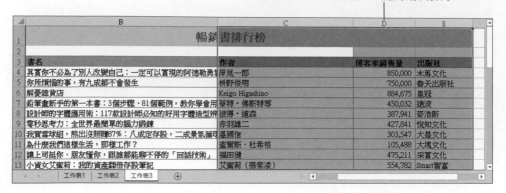

❶ 輸入 "業務部"

STEP 04
再次開啟**自訂檢視模式**交談
窗，並按下**新增**鈕，開啟**新
增檢視畫面**交談窗，在**名稱**
欄輸入 "業務部"：

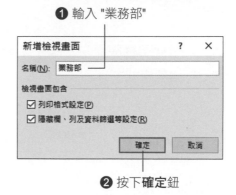

❷ 按下**確定**鈕

切換到自訂檢視模式

剛才我們已經為**工作表 3** 建立了 2 個檢視模式，假設現在我們要列印供
產品開發部瀏覽的報表：

STEP 01
切換到**檢視**頁次，再按下**活
頁簿檢視**區的**自訂檢視模式**
鈕，在**檢視畫面**列示窗中選
取**產品開發部**項目。

第 21 章 ▼ 避免浪費紙張、碳粉的列印技巧

按下**顯示**鈕即可切換到**產品開發部**檢視模式。

不需要顯示的 D 欄被隱藏起來了

	A	B	C	E
1		暢銷書排行榜		
2				
3	排名	書名	作者	出版社
4	1	其實你不必為了別人改變自己：一定可以實現的阿德	岸見一郎	木馬文化
5	2	你所煩惱的事，有九成都不會發生	枡野俊明	春天出版社
6	3	解憂雜貨店	Keigo Higashino	皇冠
7	4	鉛筆畫新手的第一本書：3個步驟、81個範例，教你畫	華特・佛斯特等	遠流

只要透過**自訂檢視模式**功能，即可將需要檢視的資料及列印模式儲存下來，日後列印前就不會再手忙腳亂了。

技巧
補充

自訂檢視模式可儲存的項目

以下為你整理出**自訂檢視模式**中可儲存的項目，以便在設定時參考：

● 列印時的版面設定 (即**頁面配置**頁次**版面設定**區中的各項設定)。

● 設定為隱藏的欄、列以及凍結窗格設定。

● 選取的儲存格範圍以及作用儲存格。

● 工作表視窗的大小及位置。

只要調整過以上任何一個項目，其結果都會儲存在自訂的檢視模式中。

刪除自訂檢視模式

當自訂的檢視模式不再需要時，請開啟**自訂檢視模式**交談窗中，選取欲刪除的檢視畫面名稱然後按下**刪除**鈕，Excel 會先出現一詢問交談窗，詢問您是否確定要刪除該檢視模式，按下**是**鈕即可將選取的自訂檢視模式刪除。

將不連續範圍列印在
同一頁的技巧

若要列印不連續的範圍，請先選取不連續的多個範圍，但是每一個範圍都
會被印成單獨的一頁。若希望這些不連續範圍印在同一頁，可改將不需要
列印的範圍隱藏起來，讓要列印的範圍相鄰，並重新選取成連續範圍再進
行列印。

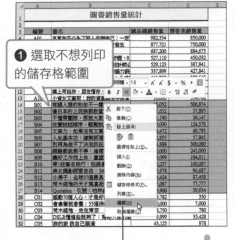

❶ 選取不想列印
的儲存格範圍

❷ 在選取範圍上按滑鼠
右鍵，執行『隱藏』命令

❹ 按下列印範
圍鈕，再點選設
定列印範圍

❸ 選取要列印的範圍

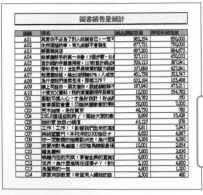

❺ 切換到檔案/列印頁次，
即可由預覽區中看到，資料
會連續列印在一起

APPENDIX

A 自訂功能區與按鈕

在使用 Excel 一段時間後，若是覺得功能區中許多按鈕根本用不到、或者常用的某個按鈕老是忘記在哪裡…，這時可參考本附錄的說明，打造出符合個人使用習慣的功能區。

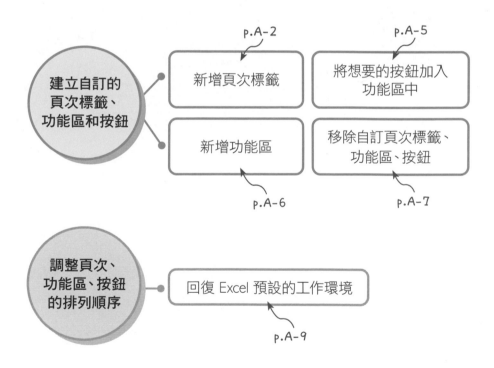

SECTION

A-1 建立自訂的頁次標籤、 功能區和按鈕

假設我們經常需要繪製某幾種圖表，就可以自訂一個「圖表」頁次，然後將自己常用的圖表按鈕放置進來，這樣以後直接切換到此頁次，就可以找到我們常用的圖表按鈕了。

附錄

A

▼

自訂功能區與按鈕

新增頁次標籤

請在功能區中的空白處按下滑鼠右鈕，在開啟的功能表中選擇『**自訂功能區**』命令，然後如下操作：

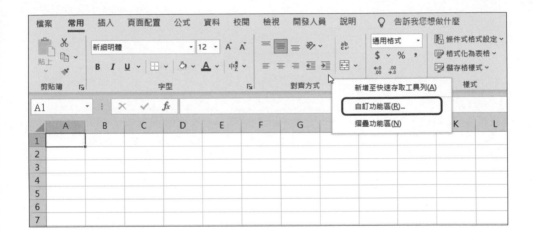

STEP 01 開啟 **Excel 選項**交談窗後，會自動切換到**自訂功能區**頁次，裡面已經列出目前 Excel 的各個頁次及工具鈕，按下交談窗中的**新增索引標籤**鈕，便可如下新增一個自訂的頁次標籤和功能區：

列出 Excel 所有功能區中的工具鈕

❶ 選擇新增頁次的位置，在此選擇**常用**，則新增的頁次將出現在**常用**頁次的右側

列出 Excel 的各個功能表頁次

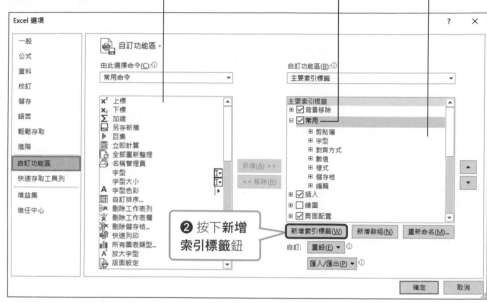

❷ 按下**新增索引標籤**鈕

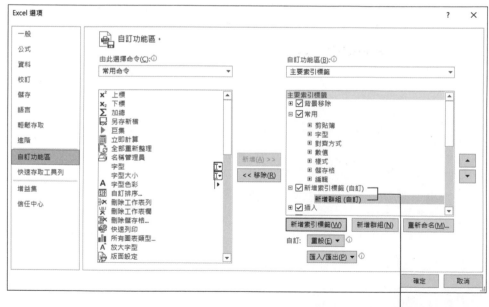

❸ 在此會新增一組**新增索引標籤**(自訂)與**新增群組**(自訂)

STEP 02 接著點選**新增索引標籤 (自訂)** 項目，再按下**重新命名**鈕，即可輸入新的頁次名稱。

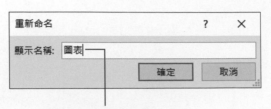

輸入自訂的頁次標籤名稱，
如 "圖表"，再按下**確定**鈕

STEP 03 點選**新增群組 (自訂)** 項目，再按下**重新命名**鈕，將群組名稱設為**統計圖表**，並為此功能區設定一個按鈕圖示。

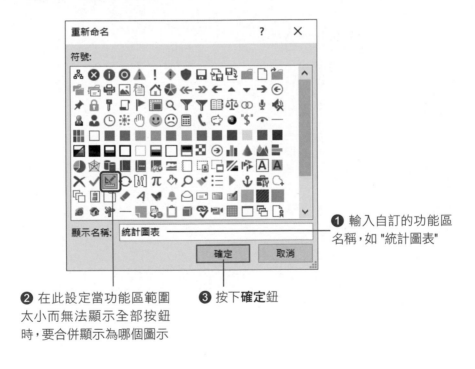

❶ 輸入自訂的功能區
名稱，如 "統計圖表"

❷ 在此設定當功能區範圍
太小而無法顯示全部按鈕
時，要合併顯示為哪個圖示

❸ 按下**確定**鈕

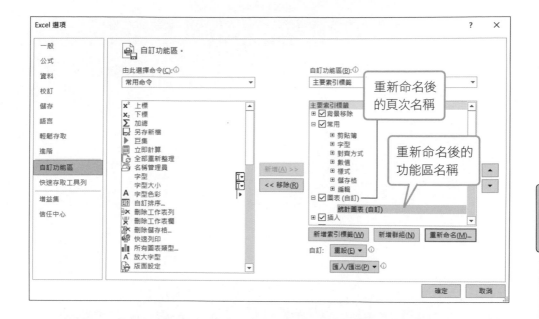

將想要的按鈕加入功能區中

接著就可以將想要的按鈕加入功能區中。請在中央的**由此選擇命令**列示窗中選擇功能按鈕的排列方式：

② 展開**插入/圖表**項目

❶ 在此選擇**所有索引標籤**，可方便我們依頁次找到需要的按鈕

④ 重複上個步驟，新增這些功能

❸ 選取我們需要的按鈕再按下**新增**鈕

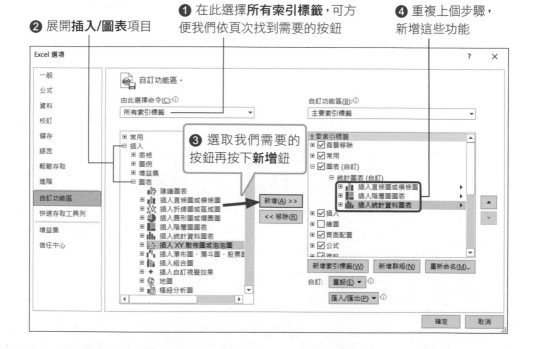

新增功能區

接著再按下**新增群組**鈕，仿照上述的做法，再新增一個**走勢圖**功能區，並將**輸贏分析**和**折線圖**按鈕新增進來：

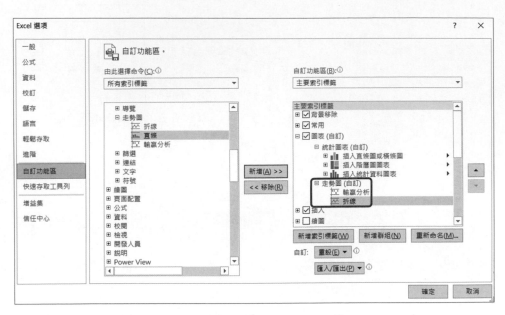

按下**確定**鈕便可在 Excel 主視窗中看到多了一個**圖表**頁次，切換到**圖表**頁次，便可以看到我們剛剛自訂的兩個功能區和按鈕：

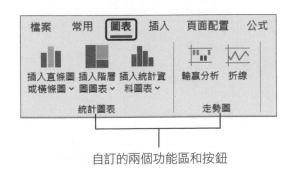

自訂的兩個功能區和按鈕

移除自訂頁次標籤、功能區、按鈕

若要移除自訂的頁次標籤、功能區、按鈕，同樣要先進入 **Excel 選項**交談窗的**自訂功能區**頁次，在右側選取要移除的對象，再按下中央的**移除**鈕即可：

❶ 先選取要移除的頁次標籤、功能區或按鈕

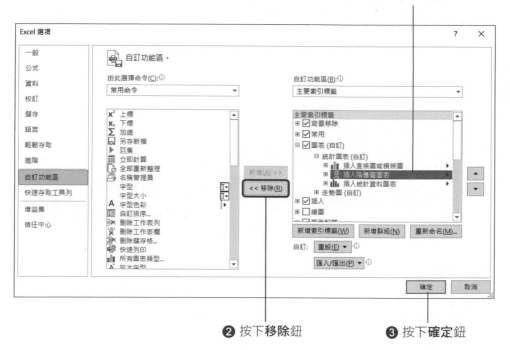

❷ 按下**移除**鈕　　　　　❸ 按下**確定**鈕

A-1

▼ 建立自訂的頁次標籤、功能區和按鈕

TIP

若有些預設的頁次、功能區、按鈕你不需要用到，也可比照上面的方法移除掉，讓工作環境中只出現自己用得到的功能。

調整頁次、功能區、按鈕的排列順序

頁次標籤、功能區、以及功能區中的按鈕順序都可以按照自己的喜好來排列！例如可以將常用的功能排在前面一點，這樣要找的時候比較方便。

在**自訂功能區**視窗的**自訂功能區**清單中，點選要移動的頁次、功能區或按鈕，再按下右側的**上移**或**下移**箭號，即可調整先後順序。

❶ 點選要變更順序的群組　　　　　　　　　　　順序變更了

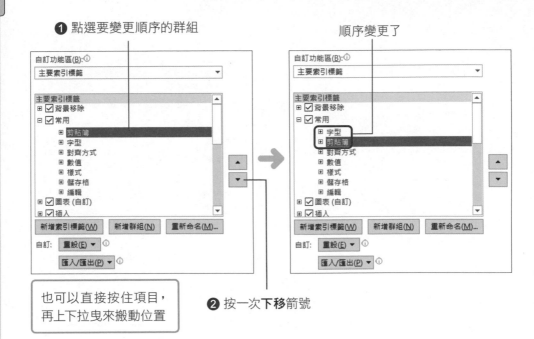

也可以直接按住項目，
再上下拉曳來搬動位置

❷ 按一次**下移**箭號

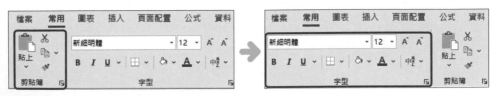

▲ 預設的順序是**剪貼簿**區在最前面　　　　▲ 現在變成**字型**區在最前面了

回復 Excel 預設的工作環境

若要將工作環境恢復為預設的狀態，可在 **Excel 選項/自訂功能區**交談窗中按下**重設**鈕執行『**重設所有自訂**』命令。

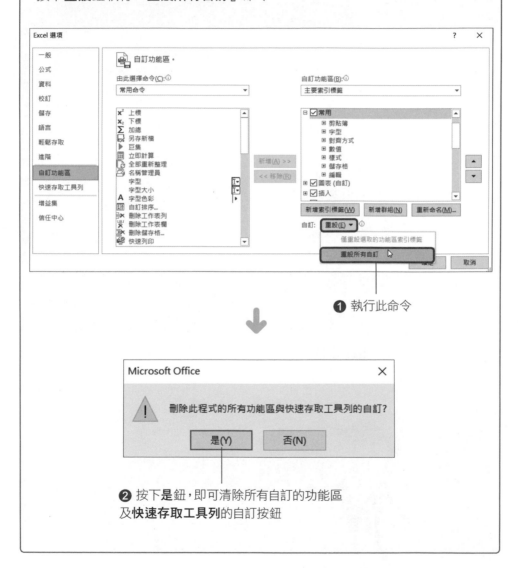

❶ 執行此命令

---

❷ 按下**是**鈕，即可清除所有自訂的功能區及**快速存取工具列**的自訂按鈕

MEMO

Excel 實用快速鍵

● 活頁簿視窗的操作

快速鍵	作用
Ctrl + S	儲存活頁簿
Ctrl + O	開啟活頁簿
Ctrl + N	建立新活頁簿
Ctrl + W 或 Alt + F4	關閉作用中活頁簿視窗
F12	開啟**另存新檔**視窗
Ctrl + F9	將目前開啟的活頁簿視窗最小化
Ctrl + F10	將目前開啟的活頁簿視窗最大化或還原
Shift + 視窗的**關閉**鈕	可同時關閉多個已開啟的活頁簿
Ctrl + F6	開啟多個活頁簿視窗時，可用此快速鍵切換活頁簿視窗

● 資料的輸入與編輯

快速鍵	作用
Enter 或 Tab	**確認資料輸入。** Enter 鍵會使作用儲存格往下移；Tab 鍵會使作用儲存格往右移
Ctrl + Enter	• **確認資料輸入。** 不會改變作用儲存格的位置 • **快速填滿相同的內容：** 選取多個儲存格後，在其中一個儲存格輸入資料，按下 Ctrl + Enter 鍵

● 資料的輸入與編輯

快速鍵	作用
`Alt` + `Enter`	在同一個儲存格中輸入多行資料時，可按 `Alt` + `Enter` 換行
`Ctrl`	**建立連續編號** (例如：1、2、…、100)，輸入第 1 個編號後，按住 `Ctrl` 鍵不放往下拖曳第 1 個編號的**填滿控點**，便可快速建立
`Ctrl` + `D`	快速輸入和上一列儲存格相同的資料
`Ctrl` + `;` (分號)	插入當天的日期
`Ctrl` + `Shift` + `:` (冒號)	插入目前的時間
`Alt` + `=`	建立 SUM 函數，並自動偵測加總範圍完成計算
`F4`	切換絕對參照位址和相對參照位址
`Shift` + `F2`	插入註解
`F2`	編輯儲存格內容
`Ctrl` + `C`	複製資料
`Ctrl` + `X`	剪下資料
`Ctrl` + `V`	貼上資料
`Ctrl` + `Alt` + `V`	開啟**選擇性貼上**交談窗 (需要先複製資料才有作用)
`Ctrl` + `` ` `` (在 `Tab` 鍵上方)	在儲存格中查看公式，再按一次會顯示計算結果
`Ctrl` + `Shift` + `L`	選取資料後，按下此快速鍵，可顯示**自動篩選**鈕

● 選取資料與移動儲存格

快速鍵	作用
Alt + ↓	會列出同一欄輸入過的資料，再用 ↑、↓ 鍵選取資料
Ctrl + A	按一次可選取資料範圍的所有資料，再按一次可選取整個工作表
Ctrl + Shift + *	可選取資料範圍裡的所有資料
Ctrl + Home	快速移到資料範圍的最前面
Ctrl + End	快速移到資料範圍的最後面
Ctrl + Shift + End	選取一個儲存格後 ❶，按下此快速鍵，會將選取範圍延伸到該表格的最後一個儲存格 ❷
Shift + ↑、↓、←、→	逐格選取資料
Ctrl + ↑、↓、←、→	快速移到資料範圍的邊緣
Shift + F8	按下此快速鍵後，可持續選取多個不連續的儲存格或儲存格範圍。選取完成再按下 Esc 鍵

● 套用格式

快速鍵	作用
Ctrl + 1	快速開啟**設定儲存格格式**交談窗進行各種格式設定
Ctrl + 2 或 Ctrl + B	套用「粗體」格式
Ctrl + 3 或 Ctrl + I	套用「斜體」格式
Ctrl + 4 或 Ctrl + U	套用「底線」格式
Ctrl + 5	套用「刪除線」格式
Ctrl + Shift + 4	套用「貨幣」格式 ($8,500.00)
Ctrl + Shift + 5	套用「百分比」格式 (80%)

● 工作表操作

快速鍵	作用
Ctrl + F1	快速隱藏 (顯示) **功能區**，以空出更大的空間編輯資料
Ctrl + Z	快速復原上一個操作
Ctrl + Y	取消復原上一個操作
Ctrl + Alt + =	放大工作表顯示比例
Ctrl + Alt + -	縮小工作表顯示比例
Page up	在工作表中往上捲動一個畫面
Page Down	在工作表中往下捲動一個畫面

● 工作表操作

快速鍵	作用
Alt + Page up	在工作表中往左捲動一個畫面
Alt + Page Down	在工作表中往右捲動一個畫面
Ctrl + Page Down	跳到下一個工作表
Ctrl + Page up	回到上一個工作表
Ctrl + 9	隱藏選取的列
Ctrl + 0	隱藏選取的欄
Ctrl + Shift + +	快速插入空白列或空白欄 (需先選取列編號或欄編號)
Ctrl + -	快速刪除整列資料或刪除整欄資料 (需先選取列編號或欄編號)
Ctrl + Shift + 空白鍵	選取整個工作表
Shift + F11 或 Alt + Shift + F1	插入新的工作表
Ctrl + 鍵盤數字鍵區的 +	選取儲存格,按住 Ctrl 鍵,再按下鍵盤數字鍵區的 + 鍵,即可開啟**插入**交談窗,選擇要插入儲存格或是空白欄、列

● 其他常用快速鍵

快速鍵	作用
Alt + F1	自動根據目前選取的資料建立圖表
F11	選取資料後，按下 F11 鍵，可快速在新工作表中建立圖表
Ctrl + P	開啟**列印**設定頁面並預覽列印結果
Shift + F3	開啟**插入函數**交談窗
Ctrl + Shift + F3	開啟**以選取範圍建立名稱**交談窗
Ctrl + F3	開啟**名稱管理員**交談窗
Alt + F8	開啟**巨集**交談窗，以建立、執行、編輯或刪除巨集
Ctrl + F	開啟**尋找及取代**交談窗，並切換到**尋找**頁次
Ctrl + H	開啟**尋找及取代**交談窗，並切換到**取代**頁次
Ctrl + K	開啟**插入超連結**交談窗